KB156355

한눈에 보는
실용 신경과학

가톨릭대학교 신경과학 교실

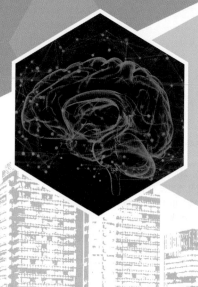

Practical
Neurology
at a Glance

DIGITAL VERSION

한눈에 보는
실용 신경과학

1판 1쇄 인쇄 | 2023년 02월 16일
1판 1쇄 발행 | 2023년 02월 24일

지 은 이 가톨릭대학교 신경과학 교실
발 행 인 장주연
출 판 기 획 임경수
책 임 편 집 강미연
편집디자인 최정미
표지디자인 김재욱
일 러 스 트 김경열
제 작 담 당 이순호
발 행 처 군자출판사(주)
　　　　　등록 제 4-139호(1991. 6. 24)
　　　　　본사 (10881) **파주출판단지** 경기도 파주시 회동길 338(서패동 474-1)
　　　　　전화 (031) 943-1888　　팩스 (031) 955-9545
　　　　　홈페이지 | www.koonja.co.kr

ISBN 979-11-5955-980-8
정가 35,000원

한눈에 보는
실용 신경과학

머리말

의학의 진보는 하루하루가 다르게 이루어지고 있습니다. 이에 따른 환자의 진료는 검증된 의학 지식과 경험을 근거로 하고 있지만, 이러한 방대한 지식을 바탕으로 한 의학 교육은 즉각적인 환자에서의 문제 해결의 수단으로는 적절하지 않을 수 있습니다. 이에 가톨릭대학교 의과대학 신경과학교실에서는 의대생과 수련의, 전공의가 실제 환자의 신경학적 진료과정에서 필수적으로 알아야 부분을 지침서로 정리하고자 하였습니다.

이러한 신경과 환자의 진료 지침은 저희 교실을 초기부터 만들어 오시고 올해 정년퇴임을 맞이하신 이광수 교수님의 교육과 진료의 신념이시기도 합니다. 따라서 본 지침서는 이러한 뜻을 이어받아 신경과 질환의 기본적인 이해와 여러 진단기준, 치료법에 대해 쉽게 접근할 수 있게 만들어졌습니다.

부디 본 지침서가 신경과 진료를 담당하고 공부하는 여러 임상의사의 진료에 좋은 조력자가 되기를 기대하며, 이번 지침서 출간에 중심이 되어 주신 조아현 편집위원장님과 편집위원 교수님, 모든 집필진 교수님, 그리고 군자 출판사의 노고에 깊은 감사를 드립니다.

2023년 1월 20일
가톨릭대학교 의과대학 신경과학교실 주임교수

김중석

 신경과학은 신경해부, 신경생리, 신경화학 등 기초 분야 이외에도 뇌졸중, 뇌전증, 치매, 파킨슨병, 말초신경 및 근육질환 등 각 해당 질환의 임상적 지식이 총 망라된 네트웍을 이해해야만 비로소 완성된 진단과 치료에 접근하는 학문이다. 따라서 학습하기가 매우 어렵고 이해가 까다로워 이를 숙달하기까지 기나긴 시간이 필요하다. 의과대학에서의 신경과학 기초 이해를 마치고 전공의 과정에서 반복된 지식습득과 각 질환에서의 검사과정 그리고 치료과정을 학습하면서 점차 완성도를 높여가는 과정을 경험하게 된다. 따라서 이런 복잡한 과정을 한 번에 이해할 수 있도록 도와주는 지침서가 필요하다.

 이번에 가톨릭대학교 신경과학교실에서 발간하는 "한눈에 보는 실용 신경과학"은 이런 복잡한 신경과 질환에 대한 이해를 보다 쉽게 할 수 있도록 하여 신경과학 분야 의사들뿐만 아니라 타 분야 전공 의사들에게도 신경과 질환에 대한 보다 쉽고 빠른 이해를 도와줄 것으로 확신한다. 이번 신경과학 책자 발간을 계기로 향후 각 질환별 전문 지침서가 연속하여 출간되기를 기대해 본다. "한눈에 보는 실용 신경과학"을 제작하는데 수고해 주신 김중석 주임교수님, 편집을 총괄하신 조아현 교수님 그리고 모든 가톨릭대학교 신경과학 교실 교수님들께 진심으로 감사드린다.

2023년 2월 14일
서울성모병원 신경과 교수

이 광 수

집필진

구자성 • 가톨릭대학교 서울성모병원 신경과
김성훈 • 가톨릭대학교 의정부성모병원 신경과
김영도 • 가톨릭대학교 인천성모병원 신경과
김용재 • 가톨릭대학교 은평성모병원 신경과
김우준 • 가톨릭대학교 서울성모병원 신경과
김중석 • 가톨릭대학교 서울성모병원 신경과
김진희 • 가톨릭대학교 서울성모병원 신경과
김태원 • 가톨릭대학교 인천성모병원 신경과
나승희 • 가톨릭대학교 인천성모병원 신경과
노상미 • 가톨릭대학교 성빈센트병원 신경과
류나영 • 가톨릭대학교 은평성모병원 신경과
류동우 • 가톨릭대학교 여의도성모병원 신경과
류선영 • 가톨릭대학교 대전성모병원 신경과
박성경 • 가톨릭대학교 성빈센트병원 신경과
박정욱 • 가톨릭대학교 의정부성모병원 신경과
배대웅 • 가톨릭대학교 성빈센트병원 신경과
송인욱 • 가톨릭대학교 인천성모병원 신경과
신혜은 • 가톨릭대학교 부천성모병원 신경과
심용수 • 가톨릭대학교 은평성모병원 신경과
안재영 • 가톨릭대학교 성빈센트병원 신경과
양동원 • 가톨릭대학교 서울성모병원 신경과
오윤상 • 가톨릭대학교 의정부성모병원 신경과
오주희 • 가톨릭대학교 성빈센트병원 신경과

유상원 • 가톨릭대학교 서울성모병원 신경과
이광수 • 가톨릭대학교 서울성모병원 신경과
이명아 • 가톨릭대학교 서울성모병원 신경과
이민환 • 가톨릭대학교 서울성모병원 신경과
이상봉 • 가톨릭대학교 대전성모병원 신경과
이시백 • 가톨릭대학교 의정부성모병원 신경과
이정환 • 가톨릭대학교 서울성모병원 신경과
이지은 • 가톨릭대학교 부천성모병원 신경과
이청휘 • 가톨릭대학교 서울성모병원 신경과
이택준 • 가톨릭대학교 대전성모병원 신경과
이한빈 • 가톨릭대학교 서울성모병원 신경과
임성철 • 가톨릭대학교 성빈센트병원 신경과
임은예 • 가톨릭대학교 여의도성모병원 신경과
정성우 • 가톨릭대학교 인천성모병원 신경과
정유진 • 가톨릭대학교 대전성모병원 신경과
조아현 • 가톨릭대학교 여의도성모병원 신경과
조현지 • 가톨릭대학교 인천성모병원 신경과
최고은 • 가톨릭대학교 서울성모병원 신경과
최윤호 • 가톨릭대학교 인천성모병원 신경과
한시령 • 가톨릭대학교 성빈센트병원 신경과
허영제 • 가톨릭대학교 은평성모병원 신경과
홍윤정 • 가톨릭대학교 의정부성모병원 신경과
황윤하 • 가톨릭대학교 은평성모병원 신경과

목차

I 총론

II 각론

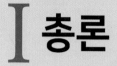

I 총론

한눈에 보는
실용 신경과학

CHAPTER **01** # 신경학적 진찰

배대웅, 김진희, 허영제, 이광수

신경계 중 어느 일부분에 문제가 있을 경우 그에 맞는 증상(symptom)이나 징후(sign)가 나타난다. 기능 이상이 일어난 병터의 위치를 유추하는 과정을 국소화(localization)라 하며, 환자의 몸을 관찰하여 국소화하는 방법이 신경학적 진찰(neurologic examination)이다.

인지기능검사, 뇌신경기능검사, 운동기능검사, 감각기능검사, 소뇌기능검사, 수막자극징후로 나누어 설명하겠다.

1 인지기능검사

의식(consciousness)은 자신과 자신을 둘러싼 주변 환경의 변화를 받아들이고 구성하는 능력으로 각성 수준(arousal state, alertness)과 인식(awareness)으로 구분한다.

1 각성 수준

외부자극에 대한 환자의 반응을 관찰하여 평가하며, 자극은 낮은 강도에서 점차 높여 간다.

⑴ 보통 대화하는 식으로 이름을 불러보고, 반응이 없으면 점점 더 크게 불러본다.
⑵ 다음은 팔을 가볍게 두드려보고, 반응이 없으면 강하게 흔들어본다.
⑶ 반응이 없을 경우 안와 위 둘레 내측, 손톱 위, 흉골을 강하게 압박하는 방법으로 통증 자극을 준다.

그리고 다음과 같이 각성 수준을 기술한다.

- 각성(alert): 자극이 없어도 깨어 있는 상태
- 기면(drowsy): 외부자극이 없으면 잠을 자려 하지만 가벼운 자극에 눈을 뜨고 대화를 할 수 있는 상태
- 혼미(stupor): 강하고 지속적인 자극에만 겨우 반응하거나 눈을 뜨지만 반응이 오래가지 않고 이내 다시 잠이 드는 경우
- 혼수(coma): 매우 강한 자극에도 반응이 전혀 없을 때

2 인식 수준

환자의 나이, 교육수준 등을 함께 고려해야 하며 평가 항목에 대한 예시는 다음과 같다.

⑴ 지남력
  ① 지남력(시간): 년/월/일/요일/계절
  ② 지남력(장소): 나라/시/도/무엇을 하는 곳/몇 층
  ③ 지남력(사람): 옆에 계신 분이 누구입니까?
⑵ 집중력 및 계산력: 100에서 7을 빼면 얼마입니까? 거기서 또 7을 빼면 얼마입니까(5회 반복)?
⑶ 기억력: 세 단어 따라 말하기(기억 등록), 시간 지난 후 다시 묻기(기억 회상)

(4) 언어: 이름 대기/따라 말하기/이해/읽기/쓰기
(5) 판단력: 길에서 남의 주민등록증을 주웠을 때 어떻게 하시겠습니까? 등
(6) 시각 공간 능력: 그림을 보고 그대로 그려보세요(오각형 겹쳐 그리기) 등

2 뇌신경기능검사(Cranial nerve exam)

뇌신경(cranial nerve)은 제1뇌신경부터 제12뇌신경까지 12쌍으로 이루어져 있다. 제 1, 2뇌신경인 후각신경과 시신경은 중추신경계의 일부이며 나머지는 말초신경계이다.

1 제1뇌신경(후각신경)

후각신경(olfactory nerve)은 냄새를 맡는 특수내장감각신경(special visceral afferent, SVA)이다.

(1) 자극성 없는 냄새나는 물질(담배, 커피, 비누 등)을 준비한다.
(2) 눈을 감고 한쪽 콧구멍을 막게 하고 한쪽씩 냄새를 맡을 수 있는지 확인한다.
(3) 반대쪽도 같은 방식으로 검사한다.

후각의 전달 경로는 후각상피 무수신경-승모세포-후각로-측두엽, 편도핵, 중격핵, 시상하부이다.

냄새를 못 맡는 것은 후각상실증(anosmia)이라 하는데 가장 흔한 원인은 비염이며 드물게 체판(cribriform plate)의 외상, 수막종(meningioma)이 원인일 수 있다.

2 제2뇌신경(시신경)

시신경(optic nerve)은 빛 자극을 수용하는 특수몸감각신경(Special Somatic Afferent, SSA)이다. 시신경에 대한 검사는 시력검사, 시야검사, 안저검사, 동공검사로 이루어진다.

(1) 시력(visual acuity)

좌우 눈을 교대로, 맨눈 및 안경 착용상태에서 평가한다.

① 단거리(30 cm), 장거리(6 m) 시력표를 사용하여 측정한다.

② 시력이 심하게 손상받은 경우, "손가락이 몇 개죠?"라는 질문으로 평가한다.

③ 이것도 불가능할 경우 손가락의 움직임 또는 불빛을 감지하는지 평가한다.

(2) 시야(visual field)

대면검사(confrontation test)를 실시한다(그림 1-1).

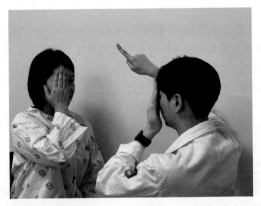

그림 1-1 대면검사(confrontation test)

① 환자와 60-90 cm 거리를 두고 같은 눈높이에서 마주보며 환자에게 검사자의 코를 바라보게 한다.

② 검사자가 상하좌우에서 손가락을 움직이면서 시야이상 유무를 평가한다.

③ 더 자세한 검사를 위해서는 검사자는 왼쪽 눈을, 환자는 오른쪽 눈을 가리고 검사자의 왼쪽 눈을 보게 한다. 반대쪽도 마찬가지로 반복한다.

④ 정상인 검사자의 시야와 환자의 시야를 비교하면서 시야결손을 평가한다.

(3) 안저(optic fundus)

① 환자에게 먼 곳을 주시하게 하고, 검안경(ophthalmoscope)으로 환자의 오른쪽 눈을 검사자의 오른쪽 눈으로 검사한다.

② 신경유두, 망막, 혈관, 황반의 순서로 평가한다.

③ 마찬가지로 환자의 왼쪽 눈을 검사자의 왼쪽 눈으로 검사한다.

(4) 동공빛반사(pupillary light reflex)

① 약간 어두운 곳에서 먼 곳을 주시하게 한 후 한쪽 눈에 빛을 비추어 양쪽 동공의 수축을 각각 관찰한다.

② 빛을 받은 쪽의 동공이 수축하는지 관찰한다: 직접빛반사(direct light reflex)

③ 반대쪽 동공이 수축하는지 관찰한다: 간접빛반사(indirect or consensual light reflex)

(5) 조절반사(accommodation reflex)

가까운 대상을 명확히 보기 위해 렌즈의 굴절능력을 변화시키는 과정을 조절(accommodation)이라 한다. 가까운 곳을 볼 때 나타나는 렌즈의 굽이(curvature) 증가, 동공 수축, 눈모음(convergence)을 조절반사 또는 근접반사(near reflex)라 한다.

① 검사자의 손가락을 환자 눈 앞 50 cm 거리에 두고 바라보게 한다.

② 손가락을 천천히 환자의 코 앞 15 cm까지 움직인다. 환자는 계속 손가락을 주시한다.

③ 환자의 눈이 안쪽으로 모이면서 동공의 크기가 작아지는지 관찰한다.

3 제3, 4, 6뇌신경(눈돌림신경, 도르레신경, 외전신경)

눈운동은 6개의 외안근(extraocular muscle)에 의해 이루어지며, 이들은 눈돌림신경(oculomotor nerve), 도르레신경(trochlear nerve), 외전신경(abducens nerve)의 지배를 받는다.

(1) 따라보기운동(smooth pursuit eye movement)

① 한 손으로 환자의 머리를 부드럽게 눌러 고정시키고 약 50 cm 거리에서 다른 손의 집게손가락을 펼쳐 보인다.

② 검사자는 손가락을 좌우(수평), 상하(수직)로 움직이면서 눈만 움직여서 따라 주시하라고 말한다.

③ 이때 환자 눈의 움직임과 운동범위를 관찰하고 또한 복시가 있는지도 물어본다.

(2) 신속보기운동(saccadic eye movement)

① 검사자와 환자가 서로 마주본다.

② 검사자는 왼손 엄지손가락을 들어 턱 밑에 두고, 오른팔은 옆으로 완전히 뻗어 어깨 높이로 오른손 집게손가락을 펴 보인다.

③ 환자에게 왼손 엄지손가락을 주시하게 하다가, 어느 순간 눈동자만 재빨리 돌려 오른손 집게손가락을 보라고 지시한다.

④ 이때 시선이 순간적으로 한 번에 옮겨지면 정상이다. 같은 방법으

로 왼쪽, 위−아래 방향으로 진찰한다.

(3) 복시(diplopia)

① 환자가 양안으로 상하좌우로 눈을 돌려 복시가 가장 심한 지점에서 물체를 주시하게 한다.

② 물체를 계속 주시하고 있는 상태에서 검사자는 환자의 눈을 한쪽씩 번갈아 살짝 가렸다 뗐다 반복한다.

③ 눈을 가려 바깥쪽 물체, 즉 허상이 사라질 때 그 눈이 외안근 마비가 있는 눈이라고 판단한다.

(4) 눈운동안진(optokinetic nystagmus)

① 양손으로 눈운동검사띠(OKN 테이프)를 들고 한쪽으로 펼쳐 움직인다.

② 환자에게 지나가는 붉은색 줄을 세어 보라고 말하고 환자의 눈을 관찰한다.

(5) 눈꺼풀처짐(blepharoptosis)

① 자연스럽게 눈을 뜨고 정면을 보는 상태에서 위아래 눈꺼풀의 위치를 관찰한다.

② 안구의 운동과 동반되는 눈꺼풀의 움직임을 관찰한다.

4 제5뇌신경(삼차신경)

삼차신경(trigeminal nerve)은 얼굴과 각막의 일반몸감각(general somatic afferent, GSA)과 저작근(masticatory muscle)의 운동(특수내장운동− special visceral efferent, SVE)을 담당한다. 삼차신경의 반사에는 턱반사(jaw reflex)와 각막반사(corneal reflex)가 있다.

(1) 얼굴의 일반감각

① 환자가 눈을 감은 채 편하게 앉거나 눕게 한다.

② 환자의 이마 좌우를 핀이나 클립 끝으로 비스듬하게 대어 번갈아 자극한다: 눈분지(ophthalmic branch, V1)

③ 뺨 좌우를 번갈아 자극한다: 상악분지(maxillary branch, V2)

④ 턱 좌우를 번갈아 자극한다: 하악분지(mandibular branch, V3)

(2) 저작근 평가

① 검사자는 환자의 양쪽 측두근(temporalis muscle)에 두 손을 부드럽게 댄다.

② 환자에게 어금니를 꽉 물어보라 하고 이때 측두근이 수축하는 정도를 손으로 느낀다.

③ 검사자는 환자의 턱관절에 손을 대고 턱을 좌우로 움직여보라 하여 근력을 평가한다.

(3) 각막반사

① 환자가 눈을 뜨고 앞쪽 멀리 바라보게 한다.

② 솜으로 환자의 한쪽 각막을 가볍게 건드린다.

③ 양쪽 눈둘레근(orbicularis oculi)이 수축하여 눈이 감기는 것을 확인한다.

(4) 턱반사

① 환자가 턱에 힘을 빼고 입을 반쯤 벌리게 한다.

② 검사자의 집게손가락을 턱의 중앙부에 가볍게 댄 후 그 위를 망치로 친다.

③ 저작근의 기능에 의해 입이 반사적으로 다물어지는 것을 확인한다.

5　제7뇌신경(얼굴신경)

　얼굴신경(facial nerve)은 얼굴의 표정근육 운동(SVE)과 혀의 앞 2/3의 미각(SVA)를 담당한다. 또한 눈물 분비(일반내장운동: general visceral efferent, GVE)와 중이, 비강, 연구개의 감각(일반내장감각: general visceral afferent, GVA)을 담당하며 각막반사와도 관계 있다(GVE).

(1) 얼굴 표정근

① 얼굴을 관찰하여 이마 주름, 눈꺼풀, 코입술주름, 입가장자리 등이 대칭인지 확인한다.

② 이마근을 검사할 때는 검사자는 손가락을 바라보게 하고 상방향으로 시선을 유도, 이마 주름이 대칭인지 확인한다(그림 1-2).

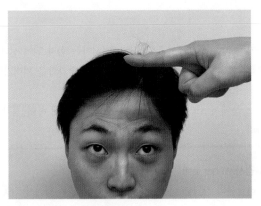

그림 1-2　얼굴 표정근(이마근 검사)

③ 눈을 감도록 지시하여 눈둘레근을 검사한다. 눈을 꽉 감게 하고 눈꺼풀을 살짝 들어올렸을 때 눈이 안 떠지는 것이 정상이다. 편측의 가벼운 근력 저하가 있을 경우 양쪽 눈을 가볍게 감았을 때 속눈썹 길이의 비대칭이 관찰될 수 있다.

④ 상하 이를 맞물게 하고 "이"라고 말하게 해 입가가 좌우대칭적으로 움직이는지 관찰한다.

(2) 미각

① 환자에게 입을 가볍게 벌리고 눈을 감은 채 혀를 내밀게 한다.
② 혀의 앞 2/3 부위에 설탕 또는 소금을 대고 무슨 맛인지 알아맞히게 한다.

6 제8뇌신경(안뜰달팽이신경)

안뜰달팽이신경(vestibulocochlear nerve)은 청각과 평형감각(SSA)에 관여한다.

(1) 청각

① 환자는 앉은 상태에서 눈을 감고, 검사자는 환자 뒤에 선다.
② 오른쪽 또는 왼쪽 귀 가까이 엄지와 집게손가락을 비비거나, 시계 초침 소리를 들려준다.
③ 어느 쪽에서 소리가 나는지 말하거나 가리키게 하여 청각을 판단한다.

(2) 베버 검사(Weber test)

① 소리굽쇠의 가지를 손날에 치거나 손가락으로 튕겨서 진동하게 한다.
② 진동하는 소리굽쇠의 손잡이 끝부분을 환자의 양쪽 귀 사이 가운데 정수리에 댄다.
③ 진동 소리가 양쪽 귀에서 똑같이 들리는지 어느 한쪽에서 더 크게 들리는지 묻는다.
④ 어느 한쪽으로 치우쳐 들렸다면 그 쪽에 전도난청이 있거나 반대

쪽에 감각신경난청이 있을 가능성이 있다.

(3) 리네 검사(rinne test)

① 소리굽쇠의 가지를 손날에 치거나 손가락으로 튕겨 진동하게 한다.

② 진동하는 소리굽쇠의 손잡이 끝을 환자의 한쪽 유양돌기에 대고 소리를 듣게 하고, 소리가 더 이상 안 들리면 말하라고 한다.

③ 소리가 더 이상 들리지 않는 순간 소리굽쇠를 떼어 소리굽쇠 가지 쪽을 외이도 가까이 접근시킨다.

④ 환자가 (공기전도로)소리를 계속 들을 수 있으면 정상이며(리네 검 사 양성이라고도 표현), 그렇지 않다면 전도난청이다.

7 제9, 10뇌신경(혀인두신경, 미주신경)

혀인두신경(glossopharyngeal nerve)은 편도, 인두, 중이, 혀 뒤 1/3의 일반감각(GSA)과 붓인두의 운동(SVE), 혀 뒤 1/3의 미각(SVA)과 침샘의 부교감신경(GVE)에 관여한다. 미주신경(vagus nerve)은 분포가 넓고 기능이 다양한데, 그중 인두분지(pharyngeal branch)는 연구개(soft palate) 와 목젖(uvula)의 움직임에 관여한다. 구역반사(gag reflex)는 혀인두신경 과 미주신경의 기능을 동시에 보는 검사로 구심신경은 혀인두신경, 반사 중추는 뇌줄기이고 원심신경은 미주신경이다.

(1) 구역반사

① 환자가 가볍게 입을 벌리게 한다.

② 입인두(oropharynx) 뒤쪽을 설압자로 자극하여 구역을 유발한다.

8 제11뇌신경(부신경)

부신경(accessory nerve)은 승모근(trapezius muscle)과 흉쇄유돌근

(sternocleidomastoid muscle, SCM)을 움직이는 운동신경(일반몸운동: general somatic efferent, GSE)이다.

(1) 어깨 으쓱하기 – 승모근 근력 평가

① 환자와 서로 마주보고 검사자는 두 손을 환자의 양쪽 어깨 위에 올려놓는다.

② 검사자는 양손으로 힘껏 누르고 환자는 저항을 이기고 어깨를 위로 들어올리게 한다.

③ 들어올리지 못한다면 그쪽 승모근의 근력 약화이다.

(2) 고개 돌리기 – 흉쇄유돌근 근력 평가

① 검사자는 오른손을 펴서 손바닥을 환자의 왼쪽 뺨에 댄다.

② 환자가 검사자 손의 저항을 이기면서 고개를 왼쪽으로 돌리게 한다.

③ 이때 환자의 오른쪽 흉쇄유돌근의 긴장도를 확인한다(오른쪽 흉쇄유돌근은 고개를 왼쪽으로 돌리는 기능을 한다).

④ 반대쪽도 같은 방법으로 시행한다.

9 제12뇌신경(혀밑신경)

혀밑신경(hypoglossal nerve)은 혀의 외재근(extrinsic muscle)을 움직이는 것을 담당한다(GSE).

(1) 혀를 입 밖으로 내밀고 좌우로 움직이게 하여 혀의 운동을 확인한다.

(2) 상위운동신경세포에 병터가 있으면 혀에 근섬유다발수축 혹은 위축이 관찰되지 않으며 혀는 병터의 반대 방향으로 편위된다.

(3) 하위운동신경세포의 병터는 혀의 위축을 동반하고 병터와 동일한 방향으로 편위된다.

3 운동기능검사

운동기능검사는 근육의 양, 긴장도, 근력 등에 대한 평가이다.

1) 손, 발, 팔, 다리 근육의 위축이 있는지, 떨림이 있는지 살펴본다.
2) 환자의 손목과 팔꿈치, 발목, 무릎관절을 자연스럽게 돌리며 강직/경축이 있는지 긴장도가 어떠한지 살핀다.
3) 사지의 근력을 평가할 때는 환자가 편한 자세를 취하게 하여 신체의 안정성을 유지할 수 있게 한다.
4) 검사자는 한 팔로 저항을 주며 다른 한 팔로는 근위부 관절을 잡아 관절이 안정되게 하여 진찰한다.
5) 환자는 검사자의 팔에 저항하여 당기고 밀게 한다.
6) 어깨부터 시작하여 팔꿈치, 손목, 손가락, 고관절, 무릎, 발목, 발가락의 순서로 진행한다.

근력 저하의 기재 방법은 다음과 같다(표 1-1).

표 1-1	The Medical Research Council (MRC) scale of muscle strength
점수	정의
0	전혀 근육의 수축이 없음(zero)
1	약간의 근육 수축(trace)
2	중력제거 시 운동 가능(poor)
3	중력에 대해 운동 가능(fair)
4-	중력과 약한 저항에 대해 운동 가능
4	중력과 중간 저항에 대해 운동 가능(good)
4+	중력과 강한 저항에 대해 운동 가능
5	정상 근력(normal)

4 감각기능검사

감각기능은 우선 일차감각(primary sense)과 피질감각(cortical sense)으로 분류할 수 있다. 일차감각은 앞가쪽계통(anterolateral system)과 등쪽기둥계통(dorsal column system)으로 나누는데 앞가쪽계통은 침통각(pin prick sense), 온도감각(thermal sense), 심부통증(deep pain)을 담당하고 등쪽기둥계통은 가벼운 촉각(light touch), 진동(vibration) 및 위치(position)를 담당한다. 피질감각은 피부그림감각(graphesthesia), 입체감각인식(stereognosis), 두점식별(two point discrimination) 및 이중동시자극(double simultaneous stimulation)을 담당한다.

1 일차감각

(1) 안전핀 또는 클립(통각), 면봉(촉각), 깃털(가벼운 촉각), 차가운 금속(온도), 소리굽쇠(진동) 등을 준비한다.

(2) 환자에게 눈을 감으라 하고 준비한 물체를 사용하여 사지의 감각 상태를 진찰한다.

(3) 자극을 느끼는지, 좌우가 같은지, 근위부와 원위부 차이가 있는지 등을 평가한다.

(4) 눈을 감은 채 엄지손가락, 또는 손목, 엄지발가락, 발목 등의 관절을 위아래로 움직여 관절의 위치를 알아맞히게 한다.

2 피질감각

(1) 환자는 눈을 감고 검사자는 환자의 손바닥에 숫자 또는 글씨를 쓰고 알아맞히게 한다(피부그림감각).

(2) 환자가 눈을 감은 채 손에 쥔 물체(동전, 안전핀, 클립, 열쇠 등)를 알아맞히게 한다(입체감각인식).

(3) 컴퍼스를 이용해 동시에 두 지점을 자극, 점차 두 지점 간의 거리를 좁혀 가면서 환자가 두 지점을 감지할 수 없을 때까지 반복한다(두점 식별).

(4) 눈을 감게 한 후 얼굴, 팔, 다리 및 몸통의 대칭되는 두 지점을 동시에 촉각 자극을 주어 정확하게 느끼는지 검사한다. 양쪽에 자극을 주었는데 한쪽에는 감각을 느끼지 못하면 감각소거(sensory extinction)라 한다.

5　반사기능검사

감각자극에 대한 신체와 장기의 불수의적인 반응을 반사(reflex)라고 한다. 자극의 종류에 따라 근신장반사(muscle stretch reflex)와 피부반사(cutaneous reflex)로 나눌 수 있다.

1　근신장반사

근육의 길이가 늘어나도록 하는 자극에 반응하여 골격근을 수축시키는 반사작용으로, 근육에 걸리는 부하나 중력에 대해 근육의 길이를 일정하게 유지하도록 함으로써 자세와 움직임을 조절하는 데 필요한 기능이다. 심부건반사(deep tendon reflex, DTR)라고도 한다. 타진망치(percussion hammer)로 힘줄(tendon)을 가볍게 치면 근육의 길이가 늘어나면서 해당 근육을 수축시키는 근신장반사가 유발된다.

(1) 엄지손가락으로 팔꿈치 앞쪽을 누르고 그 위를 가볍게 두드린다 – 두갈래근반사(biceps reflex)

(2) 위팔 원위부 팔꿈치 위쪽을 가볍게 두드린다 – 세갈래근반사(triceps reflex)

(3) 아래팔 원위부를 가볍게 두드린다 – 상완요골근반사(brachioradialis reflex)

(4) 무릎 앞쪽을 가볍게 두드린다 – 무릎반사(knee jerk)

(5) 아킬레스건 부위를 가볍게 두드린다 – 발목반사(ankle jerk)

심부건반사의 평가는 다음과 같다(표 1-2).

표 1-2 심부건반사(Muscle stretch reflex)의 grading

점수	정의
0	무반응(absent)
1+ (or +)	감소된 반응(hyporeflexic)
2+ (or ++)	정상반응(normal)
3+ (or +++)	증가되어 있으나 꼭 병적인 것은 아님(hyper-reflexic)
4+ (or ++++)	매우 증가되어 있는 병적인 상태(clonus)

심부건반사가 감소되었다면 하위운동신경세포질환을, 항진되었다면 상위운동신경세포질환을 의심할 수 있다.

2 병적 근신장반사

정상에서 나타나는 근신장반사와 달리 신경학적 결손이 있을 때만 나타나는 반사가 있는데 상위운동신경세포나 전두엽의 손상을 의미한다.

(1) 턱반사(jaw reflex) – 환자의 턱에 손가락을 대고 살짝 누른 후 손가락 위를 타진망치로 두드리면 저작근과 측두근의 폄을 유발하여 턱이 닫힌다.

(2) 입내밀기반사(snout reflex) – 윗입술 중앙의 인중 부위를 두드리면 입둘레근의 폄을 유발하여 입을 오므린다.

(3) 미간반사(glabellar reflex) – 미간을 두드리면 눈둘레근의 폄이 일어

나 눈을 깜빡인다. 연속해서 두드릴 때 한두 번 눈 깜빡임이 나타난 후 눈 감는 동작이 나타나지 않는 것이 정상인데, 계속해서 눈 감는 동작이 나타나면 비정상이다.

(4) 호프만징후(Hoffman sign) – 환자의 세 번째 손가락의 손가락사이 관절(interphalangeal joint)을 잡고 손목을 중립 상태로 한 후에 손허리손가락관절(metacarpophalangeal joint)을 약간 펴지게 한 상태에서 손가락 말단의 손톱 부위를 튕겨서 자극하여 원위부 손가락사이 관절이 구부려졌다가 갑자기 펴지도록 한다. 반사작용으로 엄지와 검지손가락이 구부려지는 움직임이 나타나면 양성이고 피질척수로의 손상을 의미한다.

3 피부반사

피부반사는 근신장반사와 같이 정상적으로 나타나는 반응으로 피부에 강한 자극을 주었을 때 특정 근육이나 근육군의 수축을 유발하는 반사작용이다.

(1) 배표면반사(superficial abdominal reflex) – 복부를 뾰족한 물체로 바깥쪽에서 안쪽으로 좌우 동일한 부위를 긁는다. 복부근육이 수축하면서 배꼽이 자극이 가해진 방향으로 끌려가는 것이 정상반응이다. 배표면반사가 나타나지 않는 것은 해당 척수분절보다 상위의 피질척수로에 이상이 있음을 의미한다.

(2) 고환올림근반사(cremasteric reflex) – 안쪽 허벅지를 가볍게 치거나 긁으면 고환올림근이 수축하기 때문에 같은 쪽의 고환이 위로 올라간다.

(3) 망울해면체근반사(bulbocavernous reflex) – 남자의 음경이나 여자의 음핵을 자극하면 항문괄약근이 수축하는 반사인데, 비닐장갑을 끼고 항문에 손가락을 넣은 상태에서 자극을 가한다.

(4) 발바닥폄반사(plantar reflex) – 통증을 유발하지 않을 정도의 자극
으로 발바닥을 긁는다. 발꿈치에서 발바닥의 바깥쪽을 따라서 다섯
번째 발허리뼈(metatarsal bone)쪽에서 첫 번째 발허리뼈를 향해 자
극한다. 발가락의 발바닥 쪽 굽힘이 나타나는 것이 정상반응이다. 피
질척수로에 이상이 있으면 엄지발가락의 발등 굽힘이 일어나고 나머
지 네 발가락은 벌어지는데 이것을 바빈스키 징후(Babinski sign)라
한다.

6   소뇌기능검사

소뇌는 평형, 근긴장도, 자세 및 운동활성과 관련된 운동수행에 있어
조화운동(coordinated movement)을 조절한다.

1 급속교대운동(Rapid alternating movement)

(1) 한쪽 손을 엎침과 뒤침운동을 최대한 빠르게 반복하게 한다.
(2) 손바닥과 손등을 바꾸어가며 자신의 허벅지를 치게 한다.
(3) 양발이 모두 땅에 닿도록 의자에 앉은 상태에서, 한쪽 발 뒤꿈치는
땅에 닿은 채로 발목을 움직여 엄지발가락을 빠르게 땅을 치게 한다.
(4) 급속교대운동이 서툴고 동작지연이 있는 것을 상반운동반복장애
(dysdiadochokinesia)라 한다.

2 손가락코검사(Finger-to-nose test)

(1) 환자는 오른쪽 집게손가락을 자신의 코끝에 댄다(그림 1-3).

그림 1-3 손가락코검사(finger-to-nose test) 1

(2) 손가락을 코에서 떼며 팔을 뻗어 검사자가 내민 손가락 끝에 닿게 한다.

(3) 환자가 자신의 손가락을 다시 코에 댔다가 다시 검사자의 손가락 끝에 맞춘다(그림 1-4).

그림 1-4 손가락코검사(finger-to-nose test) 2

(4) 검사자는 허공에서 손가락 위치를 계속 바꾸어가며 같은 동작을 반복하게 하며 수행능력을 평가한다.

(5) 겨냥이상(dysmetria)이 있으면 손가락이 코에 도달하기 전에 멈추거나, 느리고 일정하지 않은 속도로 수행하며, 목표물을 지나치거나(측정과다증, hypermetria) 미치지 못한다(측정과소증, hypometria). 협동운동이상이 있으면 움직임이 불규칙적으로 멈추거나 빨라지며 움직임의 방향이 틀어지기도 한다.

3 발꿈치정강이검사(Heel-to-shin test)

(1) 한쪽 발을 들어 발꿈치를 반대쪽 무릎에 닿게 한다(그림 1-5).

그림 1-5 **발꿈치정강이검사(heel-to-shin test)**

(2) 발등까지 정강이를 따라 똑바로 내려가게 한다.

(3) 소뇌에 병터가 있는 경우 위치나 각도 조절이 어려워 발을 너무 높이 들거나 무릎을 너무 구부릴 수 있고 팔에서도 비슷한 양상으로 겨냥이상이 나타난다.

Chapter 01

4 일자보행(Tandem gait)

(1) 환자가 정면을 보면서 왼발을 한 발짝 앞에 두고 오른발 앞 끝이 왼발 뒤꿈치에 닿게 서게 한다.

(2) 오른발을 왼발 앞으로 옮기고 계속 같은 방식으로 앞으로 걷게 한다(그림 1-6).

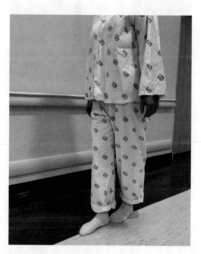

그림 1-6 일자보행(tandem gait)

(3) 중심을 잡지 못하거나 심하게 흔들리면 비정상이다.

5 롬버그 검사(Romberg test)

(1) 두 발을 모은 상태에서 똑바로 서게 한다.

(2) 눈을 뜬 상태와 감은 상태에서 균형 유지를 비교한다(그림 1-7).

그림 1-7 **롬버그 검사(Romberg test)**

(3) 눈을 감았을 때 몸의 균형을 잡지 못하고 쓰러지면 롬버그 검사 양성
으로, 하지와 몸통의 고유감각장애를 의미한다.

(4) 눈을 떴을 때와 감았을 때의 차이가 없으면 롬버그 검사 음성이다.

7 수막자극징후

수막자극징후(meningeal irritation sign)는 수막염이나 거미막밑출혈
과 같은 질환에서 수막이 자극되어 생기는 현상이다.

1 경부강직검사(Neck stiffness)

(1) 환자가 누워서 목에 힘을 뺀 상태에서 검사자가 환자의 머리 아래로 손을 넣어 손바닥으로 머리를 받친다.
(2) 머리를 들어 올려 환자의 턱이 가슴에 닿을 정도로 고개를 최대한 굽힌다(그림 1-8).

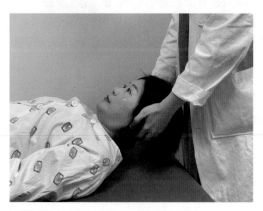

그림 1-8 경부강직검사(neck stiffness)

(3) 통증을 동반한 목 근육의 경직이 있거나 굽힘운동에 제한이 있으면 양성으로 판단한다.

2 케르니그징후(Kernig's sign)

(1) 누워있는 환자의 한쪽 다리의 무릎과 고관절을 동시에 구부리면서 들어올린다.
(2) 고관절을 직각으로 굽힌 상태에서 발 뒤꿈치를 천천히 들어올려 무릎관절을 편다.

⑶ 허벅지 뒷부분, 척수를 따라 통증이 발생하거나 저항이 나타나면 양성으로 판단한다.

3 브루진스키징후(Brudzinski's sign)

⑴ 환자가 무릎을 곧게 펴고 눕게 한 후 검사자의 한 손은 환자의 머리를 받치고 다른 한 손은 환자의 가슴을 가볍게 누른다.
⑵ 머리를 들어올려 환자의 고개를 가슴 쪽으로 굽힌다.
⑶ 양쪽 다리의 고관절이나 무릎이 굽혀지면 양성으로 판단한다.

Reference

- 대한신경과학회. 신경학 3판. 범문에듀케이션; 2017.
- 대한신경과학회. 알수록 재미있는 신경학. 범문에듀케이션; 2019.
- 이광수. 신경학 검사법. 군자출판사; 2008.

배대웅, 김진희, 허영제, 정성우, 박정욱

CHAPTER 02 **두통**

전 세계적으로 두통의 1년간 유병률은 47%이고 이 중 편두통은 10%, 긴장형두통은 38%, 만성매일두통은 3%에서 발생한다.

1 두통 환자의 접근법

1 두통의 분류

특별한 원인 없이 발생하는 1차 두통이 대부분이며 2차 두통의 유병률은 낮다(표 2-1).

이차두통의 일반적 진단기준은 다음과 같다.

⑴ 두통을 일으킬 수 있는 질환이 증명되고
⑵ 두통이 그 질환과 시간적으로 밀접하게 연관되어 나타나고
⑶ 원인질환을 제거한 경우 두통이 3개월 이내 뚜렷하게 감소하거나 사라진 경우에 진단한다.

표 2-1	두통의 분류(ICHD-3)
1부	일차두통
	① 편두통(migraine)
	② 긴장형두통(tension type headache)
	③ 삼차자율신경두통(trigeminal autonomic cephalagias)
	④ 기타 일차두통(other primary headache disorders)
2부	이차두통
	① 머리와 목의 외상 및 손상에 기인한 두통(headache attributed to trauma or injury to the head and/or neck)
	② 두개 또는 경부의 혈관 질환에 기인한 두통(headache attributed to cranial and/or cervical vascular disorder)
	③ 비혈관성 두개내질환에 기인한 두통(headache attributed to non-vascular intracranial disorder)
	④ 물질 또는 물질금단에 기인한 두통(headache attributed to a substance or its withdrawal)
	⑤ 감염에 기인한 두통(headache attributed to infection)
	⑥ 항상성질환에 기인한 두통(headache attributed to disorder of homeostasis)
	⑦ 머리뼈, 목, 눈, 귀, 코, 부비동, 이, 입 또는 기타 얼굴 및 경부 구조물의 질환에 기인한 두통 또는 얼굴통증(headache or facial pain attributed to disorder of the cranium, neck, eyes, ears, nose, sinuses, teeth, mouth or other facial or cervical structure)
	⑧ 정신과 질환에 기인한 두통(headache attributed to psychiatric disorder)
3부	통증성 뇌신경병증과 얼굴통증
	① 뇌신경의 통증성 병증과 기타 얼굴통증
	② 기타 두통질환

2 두통 분류의 병력 청취와 진찰

두통의 분류에 있어 가족력, 과거력, 약물 복용력을 모두 포함하는 체계적인 병력 청취가 중요하다. 내재된 질환 감별에 중요하며 위험한 질환의 조기 진단이나 신경통 등 특별한 치료제가 필요한 질환들의 치료에 필수적이다.

(1) 발현 시기

① 편두통: 10–20대 주로 발병하고 50세 이후로는 악화 또는 소실된다.

② 군발두통: 20대 이후 흔히 발생한다.

③ 수면두통과 일차찌름두통: 중년 이후에 처음 시작되는 경우가 흔하다.

④ 노년기 처음 나타나는 두통: 거대세포동맥염(giant cell arteritis), 뇌졸중, 종양 등 원인질환에 의한 2차 두통인 경우가 적지 않다.

⑤ 긴장형두통: 연령에 따른 호발 시기가 뚜렷하지 않다.

(2) 위치

① 편측성: 군발두통/1차 찌름두통

② 양측성: 편두통(발작 시마다 좌우가 바뀔 수 있고, 반수에서 양측성 두통으로 나타난다.)

③ 두통의 분류에 따른 흔히 나타나는 위치(표 2–2)

표 2–2　두통의 분류에 따른 흔히 나타나는 두통의 위치

두통의 분류	흔히 나타나는 두통의 위치
편두통	• 두부의 안면부 어디에나 나타날 수 있다. • 대부분 측두부나 안구의 동통을 호소하는 경우가 흔하다.
눈이나 부비동의 이상에 의한 두통	• 전두부나 앞 이마 부위가 대부분이다.
턱관절 이상으로 나타나는 두통	• 초기에 씹을 때 소리가 나고 귀 앞 쪽으로 통증이 국한되나 시간 경과와 더불어 측두부 혹은 전체적인 두통으로 발전한다.
후두개와(posterior fossa) 부위의 종양	• 후두부의 통증을 호소한다.
천막상종양(supratentorial tumor)	• 초기에는 전두부나 두정부에 두통을 호소한다.
경막밑출혈에 의한 두통	• 대부분 만성적, 지속적이나 간헐적일 수 있다. • 병변 부위 쪽으로 나타나는 것이 일반적이다.
경련 이후의 두통	• 편두통과 유사한 양상, 경련 부위 동측의 두통 호소가 흔하다.
긴장형두통	• 대부분 목이나 후두부, 어깨 등의 통증 호소한다. • 시간의 경과와 함께 전두부 두통이 뚜렷하게 되는 경우도 있고 머리 전체의 두통 호소한다.

(3) 특성과 강도

시각아날로그척도(visual analogue scale, VAS 0–10)를 기준으로 한 특징적 두통 및 두통별 특성은 다음과 같다(표 2–3).

VAS 기준	VAS 기준 특징적 두통 및 두통별 특성
VAS < 5	• 긴장형두통(누르거나 조이는 듯한 또는 띠를 두른 듯하거나 무거운 두통)
중등도 이상 (VAS ≥ 5)	• 편두통(맥박이 뛰는 듯한/콕콕 쑤시는 듯한 두통) • 군발두통(눈을 쑤시는 듯한 심한 안구통)
심한 두통	• 벼락두통(평생 처음 경험하는 심한 두통, 벼락치듯 혹은 망치로 내려치는 듯한 두통) • 악성 고혈압, 가역뇌혈관수축증후군, 정맥동혈전증, 거대세포동맥염, 뇌신경통, 군발두통, 감염이나 뇌막염

표 2–3 시각아날로그척도(VAS) 기준 특징적 두통 및 두통별 특성

(4) 지속 시간, 빈도 및 발현 시기

① 편두통: 4–72시간, 한 달이나 1년에 수 회 발생한다. 월경주기에 따라 나타나기도 한다. 발작 간의 시기에 뚜렷하게 두통이 소실된다.

② 긴장형두통: 지속 시간은 수십 분에서 수일 동안 지속된다.

③ 군발두통: 1–2시간 지속되는 두통이 하루 수 회 반복된다.

④ 돌발반두통(paroxysmal hemicrania): 30분 미만 지속, 하루 수십 차례 반복된다.

⑤ 삼차신경통: 신경통은 1초 이내의 통증이 하루에도 수십 회 이상 반복된다.

⑥ 일차찌름두통(primary stabbing headache): 1–2초 지속되는 찌르는 통증이 하루 수십 회 이상 반복된다.

(5) 빈도 및 경과

① 급성두통: 편두통이나 군발두통에서는 두통이 수 분에서 수 시간

Chapter 02

동안 점점 악화된다. 벼락두통의 경우 수 초 이내에 극심한 통증으로 발전한다.

② 아급성두통: 수일에서 수 주일에 걸쳐 심해지는 두통이 해당된다. 이전에 동일한 양상의 두통이 없었던 경우 경막하출혈이나 측두동맥염, 뇌농양이나 뇌종양, 정맥동혈전증(venous sinus thrombosis), 자발두개 내압저하를 감별해야 한다.

③ 만성두통: 수년간 지속되는 두통을 의미한다. 비특이적이거나 예방적인 요법에 반응 없는 경우 영상진단 등이 필요할 수 있다.

(6) 동반 증상(표 2-4)

표 2-4	동반 증상별 감별 두통 질환
동반 증상	**감별 두통질환**
구토	편두통, 두개내압항진
발열	감염에 기인한 두통
시야 결손, 복시, 흐려 보임	편두통, 뇌내종양, 특발두개내압상승
눈물, 안구충혈, 비루, 코 점막의 부종이나 충혈	삼차자율신경두통
경련	뇌염, 뇌종양
근육통, 시력 증상	거대세포동맥염
불면증, 피로감, 성욕 감퇴, 기억력 감소 등의 비특이적 우울증 증상	만성두통
신경학적 이상(위약, 감각 이상, 언어 장애, 복시 등)	뇌종양, 뇌졸중, 편두통

(7) 두통의 유발 또는 악화 요인

① 불규칙한 수면, 알코올, 저혈당, 약물

② 편두통 유발/악화 요인: 적포도주, 초콜릿, 아이스크림, 식품첨가제, 커피나 차 등 카페인이 많은 기호 식품, 월경이 많은 경우, 수영 등의 운동, 성적 흥분

③ 군발두통 유발/악화 요인: 알코올 섭취

④ 턱관절 장애로 나타나는 두통 유발/악화 요인: 딱딱한 음식/껌 등

을 오래 씹는 경우에 확인된다.

⑤ 자세 유발 두통: 축농증, 뇌종양, 요추천자 후의 두통, 자발성두개
내압저하

(8) 두통의 완화 요인

① 편두통: 빛 자극이나 소음을 피한 상태에서 가만히 누워 있으면
완화된다. 임신 시 일시적으로 소실되거나 악화된다.

② 박동성 두통: 통증 있는 쪽의 측두동맥 압박 시 일시적으로 완화
된다.

③ 긴장형두통: 휴식/수면 시 완화된다.

④ 긴장형두통/경추부 기원 두통: 운동으로 완화된다.

(9) 가족력과 사회력

① 편두통: 부모가 편두통을 갖는 경우가 반 이상, 80%에서 가족력
을 보인다.

② 긴장형두통: 스트레스가 중요 원인이다.

(10) 가족력과 사회력

병력 청취 이외에도 이학적 검사를 통한 뇌신경계 진찰, 표재성 두피
혈관, 두개골, 부비동(압통), 턱관절 (압통/운동 제한/부정교합), 뇌혈관
(경동맥/측두동맥 촉진/청진), 경추부(운동 제한, 압통), 피부병변 등을
확인해 봐야 한다.

3 두통의 영상검사 및 기타 검사

표 2-5 이차두통을 의심할 수 있는 임상적 특징들("SNOOP")

"SNOOP"	이차두통을 의심할 수 있는 임상적 특징들
S (Systemic signs and symptoms)	• 발열을 포함한 전신 증상의 동반 • 면역질환/종양의 병력
N (Neurologic symptoms)	• 의식 저하 등의 신경학적 이상 동반
O (Onset, sudden)	• 갑작스럽게 발생한 심한 두통
O (Old age)	• 50세 이상에서 새롭게 발생한 두통
P (Progressive, Positional change, Precipitators, Papilledema)	• 진행하는 양상의 두통 또는 비전형적인 양상의 두통 • Positional: 자세와 관련된 두통 • Precipitated: 기침/운동, 발살바법(Valsalva maneuver)에 의해서 악화/유발 • Papilledema: 유두부종이 확인된 경우

(1) 뇌영상검사

다음의 경우에는 뇌영상검사가 고려되어야 한다.

① 조짐이 전형적이지 않는 조짐편두통

② 뇌간조짐편두통(migraine with brainstem aura)

③ 반신마비편두통(hemiplegic migraine)

④ 머리 한쪽에서만 발생하는 조짐편두통(migraine with aura)

⑤ 뇌경색이 없는 지속조짐(persistent aura without infarction)이나 편두통뇌경색(migrainous infarction)이 의심되는 경우

⑥ 삼차자율신경두통에서는 뇌하수체(pituitary gland)와 해면정맥동(cavernous sinus)의 자세한 검사가 필요하다.

⑦ 일차기침두통(primary cough headache): 1형 아놀드-키아리 기형(Arnold-Chiari malformation)이나 두개 내종양 그리고 간간이 발생하는 수두증 배제가 필요하다.

⑧ 벼락두통(thunderclap headache)

⑨ 원형두통(nummular headache): 뇌하수체병변 등의 감별이 필요하다.

⑩ 수면두통(hypnotic headache)

⑪ 신생매일두통(new daily persistent headache): 동맥박리, 만성뇌수막염(chronic meningitis), 뇌내정맥혈전증, 혈관염(arteritis)의 감별이 필요하다.

(2) 뇌척수액검사

① 벼락두통에서의 거미막밑출혈의 발생 여부 감별에서 CT가 정상 소견이거나 애매한 경우에 시행한다(첫 12시간의 CT 민감도는 거의 100%, 2일이 지나면 85%, 5일째에는 58%로 떨어진다).

② 척수천자에서 출혈이 관찰된 경우 외상성 척수천자와의 감별이 필요하다. 이때 3 튜브법이나 D-dimer 검사, 다른 위치에서의 척수천자 재시행이 고려되어야 한다.

③ 황색증(xanthochromia)이 확인된 경우는 거미막밑출혈을 시사한다.

(3) 뇌파검사

후두엽뇌전증(occipital lobe epilepsy), 반신마비편두통과 뇌간조짐편두통의 감별을 위하여 뇌파검사가 고려될 수 있다.

(4) 뇌혈류검사

가역뇌혈관수축증후군(reversible cerebral vasoconstriction syndrome) 환자에서 초기의 혈관검사가 정상 소견일 때 추적검사로 사용될 수 있다.

2 편두통

편두통(migraine)은 구역, 구토, 빛공포증(photophobia), 소리공포증(phonophobia), 냄새공포증(osmophobia) 같은 신경계, 위장계 증상 및 자율신경증상과 함께 반복적으로 나타나는 중등도 또는 심도의 일차두통이다.

2017년 세계질병부담연구(Global Burden of Disease)에서 모든 질환 중 두 번째로 일상생활에서의 장애가 큰 질환이다.

임상단계의 경우 발작기 동안에는 [전구기(premonitory period, prodromal period) → 조짐기(aura) → 두통기(headache) → 회복기(postdrome)]의 기간이 확인되며 두통이 소실되는 발작 간기(interictal)가 있다.

1 무조짐편두통

무조짐편두통 진단기준은 다음과 같다(표 2-6). 다음의 기준은 다른 ICHD-3의 두통 진단으로 더 설명되지 않아야 한다.

표 2-6 무조짐편두통 진단기준(ICHD-3)

두통의 횟수	하단의 진단 지속 시간/특성/동반 증상의 조건을 모두 만족하는 최소한 5번의 발작이 발생하였다.
지속 시간	진통제 없이 4-72시간(소아나 청소년의 경우 2-72시간) 동안 지속된다.
특성(최소한 2가지)	(1) 편측의 두통 (2) 박동양상 (3) 중등도 또는 심도의 통증 강도(중등도의 강도는 학업, 직장 혹은 가사 업무 능력이 적어도 50% 이상 떨어지거나 심도의 경우 조퇴를 하거나 누워 있어야 할 정도이다) (4) 일상 신체활동에 의해 악화 또는 이를 회피하게 된다.
동반 증상(최소한 1가지)	(1) 구역 그리고/또는 구토 (2) 빛공포증(photophobia)과 소리공포증(phonophobia)

빛공포증은 밝은 빛이 거슬리는 증상, 번쩍거리는 화면이나 햇빛에 불편감을 느끼며 두통이 유발 또는 악화됨을 의미한다. 소리공포증의 경우 평소 거슬리지 않는 크기의 소음이나 음악 소리에 불편하고 과민함을 보인다.

2 조짐편두통

조짐편두통의 진단기준은 다음과 같다(표 2-7). 다음의 기준은 다른 ICHD-3의 두통 진단으로 더 설명되지 않아야 한다.

표 2-7 조짐편두통 진단기준(ICHD-3)

두통의 횟수	하단의 지속 시간/동반 증상의 조건을 모두 만족하는 최소한 2회의 발작이 발생하였다.
조짐(1가지 이상)	완전히 가역적인 다음의 조짐 중 한 가지 이상이 해당한다. (1) 시각: 양성 증상(섬광 시/광시증), 음성 증상(암점/터널시야), 시각 왜곡이 나타날 수 있다. (2) 감각: 찌르는 듯한 증상이 한 부위에서 시작하여 점차 이동한다. 지나간 자리에서의 무감각이 있을 수 있다. (3) 말 그리고/또는 언어(speech and/or language): 구음장애나 유형 규정이 어려운 실어증이 나타난다. (4) 운동 (5) 뇌간 증상: 현훈, 실조, 구음장애, 이명, 복시 (6) 망막
특징(최소한 3가지)	(1) 최소 한 가지 이상의 조짐이 5분 이상 서서히 발생한다. (2) 두 가지 이상의 증상이 연속해서 발생한다. (3) 조짐은 5-60분 지속된다. (4) 최소 한 가지 조짐 증상은 편측에서 나타난다. (5) 최소 한 가지의 조짐은 양성 증상이다. (6) 조짐이 두통과 동반되거나 조짐 60분 이내 두통이 따라 나타난다.

(1) 조짐편두통 감별진단

① 일과성허혈발작(transient ischemic attack)

② 후두엽뇌전증(occipital lobe epilepsy)

③ 반신마비편두통 – Familial vs. Sporadic

- 가족반신마비편두통의 경우 한국인에서는 매우 드물어 유전자 변이가 확인된 가족반신마비편두통 보고는 한 가족에만 있다.

④ 망막편두통: 반복적인 가역적 단안 시각장애, 발작 간 신경안과검사 정상인 경우에만 진단한다(전형적 편두통 조짐의 경우에는 양안 증상으로 나타난다).

- 망막편두통에서의 단안 시각장애기전은 망막의 피질확산 억제나 망막, 맥락막 또는 시신경으로의 혈관연축과 관련이 있다. 전형적인 시각 조짐의 기전은 후두부의 피질확산 억제기전이다.

3 만성편두통

만성편두통의 진단기준은 다음과 같다(표 2-8). 다음의 기준은 다른 ICHD-3의 두통 진단으로 더 설명되지 않아야 한다.

표 2-8 **만성편두통의 진단기준(ICHD-3)**

두통의 횟수	≥ 3개월이면서 기준은 ≥ 15일/월의 두통(반드시 편두통 양상의 조건은 아니어도 된다. 편두통양 또는 긴장형두통 양 두통)이 발생하였다.
편두통 횟수	무조짐편두통 그리고/또는 조짐편두통의 각 진단기준에서 두통의 횟수를 제외한 조건을 모두 만족하는 최소한 5번의 발작이 발생하였다.
편두통 빈도 및 기간	≥ 8일/월의 하단의 조건이 3개월을 초과하여 하단의 조건 중 한 가지를 만족한다. (1) 무조짐편두통의 특성과 동반 증상을 모두 만족한다. (2) 조짐편두통의 조짐과 특징의 조건을 모두 만족한다. (3) 편두통 발생 시점에서 트립탄이나 에르고트 제제 복용 시 증상이 완화되었다.

만성편두통의 대부분은 무조짐편두통이다. 보통은 삽화편두통에서 점점 빈도가 증가되어 만성편두통화가 된다.

만성편두통에 기인하는 요인으로는 우울증, 중대한 스트레스, 약물 과용, 두부 외상, 비만 및 낮은 사회경제적 수준 등이 해당한다.

4 편두통의 유발 요인

다음은 편두통을 유발하는 요인들이다. 다만, 유발 요인은 개개인마다, 발작 때마다 다를 수 있기 때문에 두통 일기를 작성하여 확인이 필요하다.

(1) 음식, 술, 카페인
(2) 약물: 칼시토닌 유전자 관련 펩타이드(calcitonin gene related pep-tide, CGRP), cilostazol, 산화질소(nitric oxide), sildenafil
(3) 스트레스와 심리적 요인
(4) 월경과 여성호르몬
(5) 생활 습관: 수면 과다 또는 수면 부족, 결식 또는 과식, 운동, 성생활
(6) 환경과 기후: 계절, 날씨, 습도, 빛, 소리, 냄새
(7) 핫도그, 햄, 베이컨
(8) 유지 식품

5 편두통의 급성기 치료

(1) 급성기 약물요법

다음은 편두통의 급성기 약물치료요법으로 American Headache Society 2015 Acute management treatment evidence assessment를 바탕으로 한국의 실정에 맞게 작성되었다(표 2-9).

표 2-9	American Headache Society 2015 acute migraine treatment evidence assessment
Level A	(1) NSAIDs (Aspirin 500 mg, Diclofenac 50/100 mg, Ibuprofen 200/400 mg, Naproxen 500/550 mg) (2) 진통제(Acetaminophen 1,000 mg) (3) 트립탄(Almotriptan 12.5 mg, Frovatriptan 2.5 mg, Naratriptan 1/2/5 mg, Sumatriptan 25/50/100 mg, Zolmitriptan 2.5/5 mg) ――――― ** not available in Korea (1) Sumatriptan nasal spray/patch/subcutaneous, Zolmitraptan nasal spray, Rizatriptan, Eletriptan (2) 아편유사제(Butorphanol nasal spray) (3) Dihydroergotamine (DHE) nasal spray, inhaler (4) 복합제(Acetaminophen/Aspirin/Caffeine, Sumatriptan/Naproxen)
Level B	(1) NSAIDs (Ketorolac IV/IM 30–60 mg) (2) 항구토제[Chlorpromazine IV 12.5 mg, Droperidol IV 2.75 mg, Metoclopramide IV 10 mg, Prochlorperazine IV/IM 10 mg (PR 25 mg)] (3) 복합제(Codeine/Acetaminophen 25/400 mg, Tramadol/Acetaminophen 75/650 mg) (4) $MgSO_4$ IV 1–2 g (5) Isometheptene 65 mg (6) 에르고트(Ergotamine/Caffein 1/100 mg) ――――― ** not available in Korea: Flurbiprofen, Ketoprofen, Dihydroergotamine (DHE) IV/IM/SC 1 mg
Level C	(1) NSAIDs (Phenazone 1,000 mg) (2) 항경련제(Valproic acid IV 400–1,000 mg) (3) 복합제(Butalbital/Acetaminophen/Caffeine/Codeine 50/325/40/30 mg, Butalbital/Acetaminophen/Caffeine 50/325/40 mg) (4) 아편유사제(Butorphanol IM 2 mg, Codeine 30 mg, Meperidine IM 75 mg, Methadone IM 10 mg, Tramadol IV 100 mg) (5) Dexamethasone IV 4–16 mg (6) Butalbital 50 mg (7) Lidocaine intranasal (8) 에르고트(Ergotamine 1–2 mg)
Level U	NSAIDs (Celecoxib 400 mg), Lidocaine IV, Hydrocortisone IV 50 mg

(계속)

Level B negative	Octreotide SC 100 μg
Level C negative	항구토제(Chlorpromazine IM 1 mg/kg, Granisetron IV 40–80/kg) NSAIDs (Ketorolac tromethamine nasal spray) 진통제(Acetaminophen IV 1,000 mg)

** 2000 American Academy of Neurology evidence review

Level A: Medications are established as effective for acute migraine treatment based on available evidence

Level B: Medications are probably effective for acute migraine treatment based on available evidence

Level C: Medications are possibly effective for acute migraine treatment based on available evidence

Level U: Evidence if conflicting or inadequate to support or refute the efficacy of the following medications for acute migraine

Level B negative: Medication is probably ineffective for acute migraine

Level C negative: Medication is possibly ineffective for acute migraine

(2) 편두통 비특이약물

① 일반 진통제: 아스피린, 이부프로펜, 나프록센, 디클로페낙, 덱스케토프로펜, 인도메타신

② 항구토제: 구역/구토가 심한 환자는 항구토제 먼저 복용한 후 약 30분 후에 편두통 특이약물을 복용하는 것이 효과적이다. 단, 졸림/진정/급성 근육긴장이상운동/좌불안석증 발생에 주의해야 한다.

③ 아편유사제(opioids): 약물 의존도가 높아 우선적으로 사용해서는 안 된다. 다른 모든 약물에 효과가 없고 심각한 장애를 보이는 마지막 구제약물로 고려해야 한다. 임산부나 동반 질환 때문에 다른 약물 사용이 어려울 때 제한적으로 고려한다.

(3) 기타 약물

① 황산마그네슘(MgSo4): 혈청 Mg^{2+} 농도가 낮은 편두통 환자 및 월경편두통(menstrual migraine) 환자의 급성기 치료에 효과적이나 전도장애/서맥 등에 유의해야 한다.

② 스테로이드: 증거는 빈약하나 편두통 지속상태나 난치성 편두통 환자의 급성기 치료약물로 고려될 수 있다.

(4) 편두통 특이약물

① 트립탄: 선택적 5-HT1B/1D 작용제로 5-HT1B 수용기는 후연접부 뇌혈관에 위치, 자극되면 혈관을 수축시킨다. 5-HT1D 수용기는 전연접부인 중추와 말초의 삼차신경말단에 분포, 자극되면 신경전달물질인 CGRP와 substance P 분비를 억제함으로써 편두통 통증을 개선시킨다.

　가. 약물 역동학적 특성에 따라 작용 발현이 빠르고 효과가 강한 약제그룹과 효과가 천천히 나타나고 약하나 부작용이 적고 작용시간이 긴 약제 그룹으로 나눌 수 있다. 작용 발현이 빠르고 효과가 강한 약제에는 sumatriptan, zolmiriptan, almotriptan, rizatriptan, eletriptan이 포함되고 효과가 천천히 나타나고 약하나 부작용이 적고 작용 시간이 긴 약제에는 월경편두통의 단기 예방 약물들인 naratriptan, frovatriptan가 있다.

　나. 혈관수축작용에 대한 우려가 있으나 대개 안전하다. 안전성에 대한 증거가 확보되지 않아 반마비편두통, 뇌기저형편두통, 허혈뇌졸중, 심혈관질환, 말초혈관질환, 악성고혈압 환자에서는 가능한 사용을 피할 것을 권장한다.

　다. MAO inhibitor(모노아민산화효소억제제)는 frovatriptan, naratriptan, eletriptan을 제외한 트립탄과의 병용은 금기되어 있다. 또한, 에르고타민 사용 후 24시간 이내에는 사용해서는 안 된다. SSRI, SNRI와 트립탄은 병용해도 세로토닌증후군이 거의 발생하지 않는다.

② 에르고트: 에르고타민(ergotamine), 디히드로에르고타민(Dihydro-ergotamine, DHE)이 대표 약제이며 5-HT1B/1D 수용기에 작용

한다.

가. 에르고타민은 비선택적 5-HT 수용기 작용제로 부작용이 많다.

나. DHE IV는 급성기 편두통에 효과 있으나 국내 사용 불가하다.

다. 에르고트 제제는 혈관질환, 고혈압, 간질환, 신장질환이 있는
    환자에게 사용을 피해야 한다.

③ 게판트(gepant)와 디탄(ditan)은 트립탄이 금기인 심혈관계질환 환
   자에서 선택 가능하다. 리메게판트(rimegepant)는 저분자 CGRP 대
   항제 게판트이고 라스미디탄(lasmiditan)은 선택적 5-HT1F 작용제
   디탄이다. 이 중 국내 시판이 시작된 약제는 라스미디탄이 있다.

(5) 편두통의 급성기 치료- 비약물요법

다음의 비약물요법들은 근거가 부족하나 시도되고 있는 요법들이다.
그 예로는 고압산소요법, 바이오피드백, 시각상상요법, 침, 유발점 마사
지, 관자동맥 누르기, 경피전기신경자극, 얼음주머니, 구강 내 냉각장치,
이완요법, 요가, 명상, 신경차단술 등이 있다. 조짐편두통의 조짐기에 두
개경유자기자극 (transcranial magnetic stimulation, TMS)을 시도해 볼
수 있으나 뇌전증 환자에서는 뇌전증 유발 가능성으로 인하여 금기이다.

(6) 응급실에서의 편두통치료

응급실 내원 편두통 환자들은 두통발작의 강도가 매우 심하여 경구
제로는 효과가 미흡하고 경구 약물을 복용할 수 없는 경우가 많다.

국내 주사제의 트립탄 사용은 불가하여 국내에서 응급실 내원 편두
통 환자의 치료 시 메토클로프라마이드 10 mg IV + 케토롤락 30 mg
IV/60 mg IM(+ 덱사메타손 10 mg 주사 병용) 시 72시간 내 편두통의
재발을 줄여준다고 되어 있다. 두통이 아무리 심하여도 아편제 사용은
재발률을 높이므로 사용 권고되지 않는다.

드로페리돌(droperidol) 2.75 mg IM나 할로페리돌(haloperidol 5 mg)

IV도 보조요법으로 시행해 볼 수 있으나 추체외로 부작용에 유의해야 한다. 또한, 구토가 심한 경우 탈수되지 않도록 수액치료가 병행되어야 한다.

6 편두통의 예방치료

(1) 예방치료의 목적과 적응증

① 예방치료의 기준

가. 유발요인 조절과 적절한 급성기 구제약물의 사용에도 불구하고 편두통발작이 환자의 삶의 질과 일상 생활에 중대한 장애가 있는 경우(근거 수준: 전문가 의견, 권고 등급: 강함), 편두통 일수가 잦은 경우(월 4회 이상의 발작 또는 월 3일 이상의 두통)(근거 수준: 전문가 의견, 권고 등급: 강함), 급성기 구제약물이 효과가 없거나 부작용이 있거나 혹은 사용 금기인 경우(근거 수준: 전문가 의견, 권고 등급: 강함), 급성기 치료약물의 과용이 있는 경우(근거 수준: 전문가 의견, 권고 등급: 강함), 비전형편두통을 경험하는 경우로 반신마비편두통, 뇌간조짐편두통, 빈도가 많고 길고 심한 조짐을 동반하거나 편두통경색증의 경우(근거 수준: 전문가 의견, 권고 등급: 약함) 예방치료의 적응증이 될 수 있다.

나. 빈도와 장애의 정도에 따른 예방치료 기준은 다음과 같다(표 2-10).

표 2-10 편두통의 월별 빈도와 장애의 정도에 따른 예방 치료 기준

장애의 정도	월별 두통 일수				
	2	3	4-5	6-10	11-14
정상 생활 가능함	-	-	고려	필요	필요
중등도의 장애	-	고려	필요	필요	필요
심한 장애	고려	필요	필요	필요	필요

다. 예방 약제 중단 기준

예방 약제를 3-6개월 정도 유지한 후에 두통 조절이 잘 된다면 점차 줄이면서 약제를 중지하는 것이 선호된다. 목표 기준은 편두통 빈도 또는 두통 일수가 절반 이상 감소, 편두통발작 지속 시간이 상당히 감소, 급성기 구제약물에 대한 반응이 좋아지는 것이다. 3-6개월마다 추적 관찰, 두통 일기에 따른 두통 빈도를 기본에 두고 결정한다. 중지 시에는 2-4주에 걸쳐 천천히 감량이 선호된다.

(2) 편두통 예방을 위해 사용되는 경구치료제(표 2-11)

① 베타차단제

가. 부작용으로는 졸음, 피로, 기면, 수면장애, 악몽, 우울, 기억력 장애, 환각과 같은 행동이상, 위장관 증상, 운동 내성 감소, 저혈압, 서맥, 발기부전 등이 있다.

나. 천식, COPD, 방실전도장애, 레이노병, 말초혈관질환, 심한 당뇨를 동반한 환자에서는 금지이다. 우울증을 동반하는 편두통 환자는 주의하여 사용한다.

② 항경련제

가. Valproate/Divalproex: 장기간 사용 시 체중 증가, 탈모, 떨림 등의 부작용이 나타날 수 있고 구역, 구토, 위장관 불쾌감이 가장 흔한 부작용이나 그 빈도가 6개월 이후에는 줄어든다. 드물게 췌장염, 간독성, 기형유발, 혈소판감소증, 다른 혈액병의 위험이 있으므로 정기적인 검사가 필요하다. 신경관결손(neural tube defect)을 포함해, 알려진 기형유발 부작용 이외에 임신 중 발프로산나트륨 관련된 약제를 복용한 산모에서 태어난 소아의 지능지수가 떨어진다는 부작용이 있다고 경고하고 있다.

표 2-11	편두통 예방을 위한 경구치료제
Level A	• 베타차단제(metoprolol 100–200 mg, propranolol 40–240 mg, timolol 20–60 mg) • 항경련제(divalproex sodium/sodium valproate 500–2,000 mg, topiramate 50–200 mg) • 트립탄(frovatriptan – 월경편두통 예방 목적)
Level B	• 베타차단제(atenolol 50–200 mg, nadolol 20–160 mg) • 항우울제(amitriptyline, venlafaxine) • 트립탄(naratriptan, zolmitriptan) – 월경편두통 예방 목적
Level C	• 항고혈압제(ACE inhibitors – Lisinopril/ARB – candesartan) • 알파차단제(clonidine, guanfecine) • 항경련제(carbamazepine) 　베타차단제(nebivolol, pindolol) 　항히스타민제(cyproheptadine)
Level U	• acetazolamide, acenocoumarol, coumadin, picotamide • fluvoxamine, fluoxetine • gabapentin 600–3,600 mg • protriptyline, bisoprolol, nicardipine, nifedpine, nimodipine, verapamil, cyclandelate
Established not effective	lamotrigine 50–300 mg
Probably not effective	clomipramine
Possibly not effective	acebutolol, clonazepam, nabumetone, oxcarbazepine, telmisartan

Neurology. 2012 Apr 24;78(17):1337-45

나. Topiramate: 손발저림(paresthesia, 가장 흔함.), 집중력 저하, 기억과 언어문제, 피로, 식욕저하, 구역, 설사, 감각저하, 복통 부작용, 장기간 투여 시 체중 감소와 신결석이 생길 수 있다.

다. Gabapentin: 다른 통증 질환을 동반하는 편두통 환자의 예방 치료제로 효과적이나 기면, 어지럼, 무력증 부작용이 발생할 수 있다.

③ 항우울제

　가. 삼환계우울제: 아미트리프틸린(amitriptyline)이 가장 대표적이고 강한 권고 수준의 약제이며 프로트리프틸린(protriptyline), 노르트리프틸린(nortriptyline)도 일부 효과가 있다고 보고되고 있다. 구강 건조, 명치 불쾌감, 변비, 어지럼, 정신혼동, 빈맥, 두근거림, 흐린 시력, 요정체와 같은 항무스카린 부작용 발생할 수 있다. 체중증가, 기립성저혈압, 반사성빈맥, QT 간격연장, 경련역치 감소, 진정과 같은 부작용이 나타날 수 있다.

　나. 모노아민산화효소억제제

　다. 선택세로토닌재흡수억제제(selective serotonin reuptake inhibitor, SSRI)는 성기능장애, 불안, 신경과민, 불면, 기면, 피로, 떨림, 발한, 식욕부진, 구역, 구토, 어지러움의 부작용이 있다. 세로토닌-노르에피네프린 재흡수억제제(serotonin-norepinephrine reuptake inhibitor, SNRI)는 venlafaxine이 예방치료에 효과적이며 섬유근통과 같은 다른 만성통증질환 동반 시 편두통 예방치료제로 사용이 가능하다. 불면, 신경과민, 동공 확대, 경련 등의 부작용에 사용할 수 있다.

　항우울제는 편두통이 우울증, 불안증, 수면장애와 동반되어 있을 때 효과적이다.

④ 칼슘통로차단제와 그 외 항고혈압제

　가. Flunarizine은 편두통 발작 감소에 약간의 효과가 있으나 고령에서 나타나는 추체외로 증상(extrapyramidal symptom) 등의 부작용에 대한 주의가 필요하다.

　나. 암로디핀(amlodipine), 베라파밀(verapamil)과 같은 약물들도 효과가 입증되었으나 저혈압이나 말초부종 등에 주의하면서 사용이 필요하다.

다. ARB나 ACEi의 경우 candesartan과 lisinopril은 근거 수준은
높으나 편두통 관련 보험급여가 적용되지 않아 국내 임상환경
에서는 고혈압을 동반한 편두통 환자에서 고려한다.

(3) 편두통예방을 위한 주사치료제

① 보툴리눔 독소 A (그림 2-1)

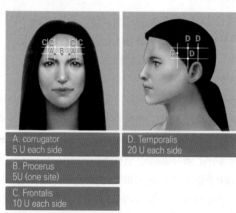

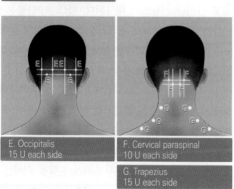

그림 2-1 보툴리눔 독소 A 주사 위치 및 위치 별 주사 단위

Headache, 50(2010), pp.1406-1418

보툴리늄 독소 A는 만성편두통에서 예방 목적으로 3개월마다 주사한다. 경구약제에 부작용이 있는 경우, 경구약제의 효과가 불충분한 경우, 약물 순응도가 낮은 경우, 심각한 동반질환으로 인해서 약물상호 작용이 우려가 되는 경우가 적응증이 된다. 첫 번째 주사를 한 후 일반적으로 2주 정도가 지나야 효과가 있으나 첫 번째 주사 이후에도 효과가 없더라도 한 번 더 주사를 한 후에 효과를 판정한다.

부작용으로는 경부통, 눈꺼풀 처짐, 외측눈썹올림(사무라이 눈썹), 주사부위 통증, 투여부위의 근위약감 등이 있다.

② 항CGRP단클론항체

편두통의 병태생리의 핵심기전인 삼차신경혈관계의 활성화에 CGRP가 중요한 역할을 하여 이를 이용한 편두통예방 목적의 치료제이다. 갈카네주맙(galcanezumab), 프리마네주맙(fremanezumab), 에레누맙 (erenumab), 엡티네주맙(eptinezumab)이 있으며 이 중 CGRP수용체 대항제(CGRP receptor antagonist)인 게판트(gepant) 계열의 약제는 약물 분자량이 매우 작은 경구 약제이며 반감기가 짧고 간이나 신장으로 대사된다. 항CGRP단클론항체는 150 kDa을 능가하는 큰 분자로 혈액뇌장벽을 통과하지 못하나 반감기가 3–6주로 길고 망상내피계를 통해 대사되는 주사제이다.

기존 경구 약물에 비해 용량 조절이 필요 없고, 1주 이내에 치료효과가 시작될 정도로 효과가 빠르다. 간에서 대사되거나 신장으로 배설되지 않아 다른 약물과의 약물상호작용이 적어 편두통 경구 예방약물 또는 보툴리늄 독소 주사와 함께 투여가 가능하다. 반감기가 길어 한 달 또는 세 달에 한 번씩 주사하고 주사부위 통증과 주사부위 발진과 같은 주사부위의 부작용 외에는 특별한 부작용이 없다.

임신, 수유, 주사 과민반응 외에는 절대적 금기는 없으나 고가

의 약제 비용, 임신의 경우 사용이 제한되어 있다.

3 긴장형두통

1 긴장형두통의 역학

긴장형두통(tension-type headache)은 인구 1,000명당 14.2의 유병률을 보이며 평생 발생률 78%의 가장 흔한 일차두통이다. 1년 발생률은 24-37% 정도이며 주로 30-39세 사이에 발생률이 가장 높다. 여성에서 1.2-3배 정도 더 호발하며, 고령에서는 여성에서 약간 더 흔하다. 두통 일수가 한 달에 15일을 넘어서는 만성긴장형두통은 전체 긴장형두통의 2-3% 정도에 불과하며 여성이 3.0-3.9%, 남성이 1.1-2.0% 정도의 유병률을 보인다.

2 긴장형두통의 진단기준(ICHD-3)

진단기준을 살펴보면 편두통의 진단기준과 반대인, 즉 특징이 없는 형태의 두통(featureless headache)이 긴장형두통의 특징이라고 말할 수 있다(표 2-12). 또한 약물과용, 두통의 유병 기간, 발생연령, 편두통 유무 등이 긴장형두통의 만성화 및 악화의 요인으로 알려져 있다.

3 감별진단

자세한 병력 청취 없이는 무조짐편두통(migraine without aura)이나 개연편두통(probable migraine)과의 감별이 어려운 경우가 많다. 편두통의 급성기 치료약물인 트립탄에 대한 반응여부로 감별에 도움을 받기도 한다. 경추성두통(cervicogenic headache)과 섬유근통(fibromyalgia)과도

표 2–12 긴장형두통의 진단기준(ICHD-3)

I. 저빈도삽화긴장형두통

A. 진단기준 B-D를 충족하며 한 달 평균 하루 미만(일 년에 12일 미만)의 빈도로 최소한 10번 이상 발생하는 두통
B. 두통은 30분에서 7일간 지속됨
C. 두통은 다음 네 가지 양상 중 최소한 두 가지 이상을 충족함:
  1. 양측 위치
  2. 압박감/조이는 느낌(비박동양상)
  3. 경도 또는 중등도의 강도
  4. 걷거나 계단 오르기 같은 일상 신체활동에 의해 악화되지 않음
D. 다음 두 가지를 모두 충족함:
  1. 구역이나 구토가 없음
  2. 빛공포증이나 소리공포증 중 한 가지는 있을 수 있음
E. 다른 ICHD-3 진단으로 더 잘 설명되지 않음

II. 고빈도삽화긴장형두통

A. 기준 B-D를 충족하며 두통이 3개월을 초과하여 한 달 평균 1-14일(1년에 12일 이상 180일 미만)의 빈도로 최소한 10회 이상 발생하는 두통
B-E는 저빈도삽화긴장형두통 진단기준과 같음

III. 만성긴장형두통

A. 기준 B-D를 충족하며 3개월을 초과하여 한 달 평균 15일 이상(일 년에 180일 이상) 발생하는 두통
B. 두통은 수 시간에서 수일간 지속하거나 계속됨
C. 저빈도삽화긴장형두통 진단기준과 같음
D. 다음의 두 가지 모두를 충족함
  1. 빛공포증이나 소리공포증, 경도의 구역 중 한 가지는 있을 수 있음
  2. 중등도나 심도의 구역이나 구토는 없음
E. 다른 ICHD-3 진단으로 더 잘 설명되지 않음

감별 또한 필요하다. 이 두 통증은 유발점(trigger point)이 있다는 것이 특징이고 긴장형두통과 달리 근이완제(muscle relaxant)의 효과가 비교적 있다. 많은 경우의 경부인성두통은 좌우 위치가 바뀌지 않는 편측성이며 중등도 이상의 강도를 보이고 경추의 특정 자세에 의해 유발된다는 점에서 긴장형두통과 차이를 보인다.

4 긴장형두통의 치료

급성기 치료와 예방치료가 있으며 예방치료는 대부분 만성긴장형두통에 국한하여 사용된다. 만성긴장형두통은 일상생활에 큰 영향을 미치므로 예방약물을 비롯한 여러 방법의 적극적 치료를 고려해야 한다.

(1) 급성기 치료

대부분의 긴장형두통은 급성기 약물 조절만으로도 치료가 된다. 급성기 치료는 단순진통제(simple analgesics)와 복합제가 있으며, 약물과용두통을 예방하기 위해 일주일에 2일 이내로 사용하는 것을 권장한다.

① 단순진통제

아세트아미노펜 1,000 mg, 부프로펜(ibuprofen) 200-800 mg, 케토프로펜(ketoprofen) 25 mg, 아스피린 500-1,000 mg, 나프록센(naproxen) 375-550 mg, 디클로페낙(diclofenac) 12.5-100 mg을 사용한다. 특히 이부프로펜 200-800 mg이 위약대비 매우 우수한 두통 감소효과 및 다른 약제 대비 초기 30분 이내 두통 완화효과에서 좋은 성적을 보였다. 최근 코크란 연구에서도 이부프로펜이 가장 의미 있게 긴장형두통 완화효과를 보이는 약물로 발표되었다. 비경구적 요법으로는 케토롤락(ketorolac) 60 mg 근주가 대표적이다.

② 복합제

비스테로이드소염진통제나 아세트아미노펜에 카페인(caffeine)이 병합된 약물이 대표적이다. 최근 메타분석에서는 카페인 복합제가 단순진통제에 비해 효과적으로 두통을 조절함이 발표되었지만, 복합제군에서 위장관 부작용이나 어지러움이 보다 많이 발생하였고, 또한 향후 약물과용두통으로 진행할 가능성이 있으므로 우선은 단순진통제를 사용하고 효과가 없을 경우 복합제를 고려해야 한다.

③ 기타 급성기 치료약물

트립탄은 편두통이 같이 동반된 긴장형두통 환자에서 제한적으로만 효과가 있다. 근이완제(muscle relaxant)는 급성기 치료에서 효과가 없는 것으로 확인되었다. 아편양(opoid) 진통제나 바비튜레이트(barbiturates)는 효과는 적은데 의존성이 높고 향후 약물과용두통으로 진행할 가능성이 높으므로 사용을 권고하지 않는다.

(2) 예방치료

주로 만성긴장형두통에 국한하거나 향후 약물과용두통으로의 발전 위험성이 높은 경우에 예방치료를 고려한다. 최소한 6주 이상 약물을 유지한 후 예방치료의 효과를 판정해야 하며, 효과가 있을 경우에도 최소한 3개월 이상 약물을 유지한 후 서서히 감량하는 것이 중요하다.

① 약물치료

　가. 삼환계항우울제

아미트리프틸린(amitriptyline), 노르트리프틸린(nortriptyline), 프로트리프틸린(protriptyline)이 대표적이며, 그중 아미트리프틸린이 긴장형두통의 예방치료 관련 가장 좋은 효과와 오랜 근거를 보여주었다. 아미트리프틸린은 보통 10-100 mg 용량을 사용하였을 때 좋은 두통 예방효과를 보인다. 하지만 아미트리프틸린은 발한저하, 동공산대, 요저류, 변비, 진정효과, 혼돈, 구역을 비롯한 다양한 부작용이 있으므로 5-30 mg의 저용량을 유지하는 것이 보다 바람직하다. 주로 아미트리프틸린을 사용하기 어려운 경우 상대적으로 부작용이 덜한 노르트리프틸린을 처방하게 되며, 10-25 mg의 용량으로 시작해 50 mg 이하의 유지용

량으로 사용한다. 프로트리프틸린은 체중 감소효과가 있어 환
자에 따라 선택적으로 사용해 볼 수 있다.

나. 기타 항우울제

벤라팍신, 미르타제핀을 포함한 기타 항우울제는 아미트리프틸
린이나 위약보다 효과가 없는 것으로 나타났다.

다. 그 외 약물

발프로산(valproate)은 효과가 없으며 가바펜틴(gabapentin), 토
피라메이트(topiramate)는 효과가 있는 것으로 나타났다. 근이
완제인 티자니딘(tizanidine)의 경우 연구결과가 다양하여 추가
적인 임상연구가 필요하지만 전반적으로는 효과가 있는 것으로
보고 있다.

② 행동요법

대표적 행동요법으로 근전도생체되먹임(EMG biofeedback)이 있
다. 근전도생체되먹임은 지속적인 근육의 활동 정도를 근전도를
통해 환자에게 되먹임함으로써 근육긴장을 스스로 인식하고 능동
적으로 조절하게 하여 두통을 경감시키는 방법이다. 53개 연구를
메타분석한 결과 생체되먹임은 유의한 통증 감소를 보이는 것으로
확인되었다.

4 군발두통

1 군발두통의 진단 및 임상양상

군발두통(cluster headache)은 드물지만 지속시간이 짧고 매우 심한
편측의 두통이 발생하고, 자율신경증상과 함께 안절부절 못하고 초초한
느낌이 동반되는 질환으로 삼차자율신경통 중에서는 가장 흔하다(표

2-13). 특정한 시간이나 계절에 두통이 자주 발생하는 주기성의 군발기 (cluster period)를 가지는 것이 특징적이며 남성에서 보다 흔하다.

군발기 초기에는 주 1–2회의 두통으로 시작하여 평균 6주간 하루 8 번까지의 잦은 발작을 겪고, 이후 두통 빈도가 주 3회 이하로 감소하면 서 군발기가 종료한다. 관해기(remission period)는 3개월 이상 단 한 번 의 군발두통발작도 나타나지 않는 시기로 정의한다.

표 2-13 군발두통의 진단기준(ICHD-3)
A. 진단기준 B-D를 충족하며 최소한 5번 발생하는 발작
B. 편측 안와, 안와 위 그리고/또는 측두부의 심도 또는 매우 심한 통증이 (치료하지 않을 경 우) 15-180분간 지속됨
C. 다음 중 한 가지 또는 두 가지 모두: 1. 두통과 동측으로, 다음의 증상 또는 증후 중 최소한 한 가지: a) 결막충혈 그리고/또는 눈물   b) 코 막힘 그리고/또는 콧물   c) 눈꺼풀부종   d) 이마와 얼굴의 땀   e) 동공수축 그리고/또는 눈꺼풀 처짐   2. 안절부절못하고 초조한 느낌
D. 이틀에 1번에서 하루 8번 사이의 발작 빈도
E. 다른 ICHD-3 진단으로 더 잘 설명되지 않음

군발두통을 진단할 때는 뇌의 구조적 질환에 대한 감별이 필요하여 뇌혈관을 포함한 조영증강 뇌자기공명영상을 반드시 시행하여야 한다. 감별해야 할 질환으로는 뇌하수체종양, 목동맥해면굴샛길(carotid cavernous sinus fistula), 녹내장, 시신경염, 통증동안신경마비, 동맥류, 톨로사-헌트증후군(Tolosa-Hunt Syndrome), 가성종양(pseudotumor cerebri), 측두동맥염(temporal arteritis) 등이 있다.

2 군발두통의 치료

(1) 생활습관 교정

음주 후 군발두통이 발생하는 경우가 흔하므로 군발발작 후 최소 3개월간은 술을 피하도록 격려한다.

(2) 급성기 치료

군발두통은 심한 두통이 짧게 지속되므로, 치료의 빠른 작용 여부가 중요하다.

① 산소치료

산소치료는 만성폐쇄폐질환 등의 일부 금기증을 제외하면 비교적 편하게 사용이 가능하고, 70% 이상의 환자에서 15분 내 두통이 해소되거나 경감된다. 100% 산소를 분당 6-12 L로 비재호흡마스크(non-rebreather mask)로 15분간 흡인한다.

② 경구 트립탄

산소치료보다 작용 시간이 30분 이상 걸리는 단점이 있고, 협심증이나 허혈뇌졸중, 조절되지 않는 고혈압 등에서는 금기이다. 졸미트립탄(zolmitriptan) 5 mg 또는 10 mg의 연구에 의하면 복용 30분 후 57%에서 약한 통증 혹은 관해까지 개선되었다. 수마트립탄(sumatriptan)은 빠른 작용으로 인해 환자만족도 연구에서 우수한 효과를 보였고, 졸미트립탄 2.5 mg도 효과를 보인 연구가 있다.

(3) 이행치료

이행치료(transitional treatment)는 장기예방요법으로 순조로이 이행될 수 있게 하는 단기예방요법을 뜻한다. 효과가 늦게 시작되는 예방효과를 보완하기 위하여 단기간에 국한하여 사용한다.

① 후두하스테로이드주사

후두하스테로이드주사(suboccipital steroid injection)는 권고 수준이 높은 단기예방치료다. 반감기가 긴 장기지속형 스테로이드제로써 베타메타손(betamethasone)과 덱사메타손(dexamethasone)을 권고한다.

② 경구 스테로이드

일반적으로 14-17일 이내의 프레드니솔론 100 mg 미만으로 국한하여 사용한다.

(4) 예방치료

장기적 예방치료는 발병 초기부터 시작할 것을 권고한다.

① 베라파밀

가장 먼저 권고되는 예방약으로 하루 80 mg 3번 복용으로 시작하여 1-2주 간격으로 360-480 mg까지 증량할 수 있다. 80% 이상의 환자에서 1-2주 내에 효과가 나타난다. 서맥, 방실차단 등의 부정맥이 있으면 사용의 금기이고, 고용량으로 증량할 때에는 심전도 재확인이 필요하다. 베타차단제나 항부정맥 약물과는 병용금기이다.

② 리튬

보통 베라파밀에 의한 예방효과가 미흡하거나 금기 시에 이차적으로 사용한다. 하루 300 mg으로 시작하여 1주 간격으로 600-900 mg까지 증량할 수 있으며, 목표혈중농도는 0.4-0.8 mEq/L이다. 신기능저하, 갑상선이상 등에 대한 혈액학적 관찰이 필요하다.

③ 기타 경구 예방약

토피라메이트(topiramate) 50-200 mg, 발프로익산(valproic acid) 300-1,200 mg, 멜라토닌(melatonin) 10 mg, 프로바트립탄(frovatriptan) 5 mg 등을 사용해 볼 수 있다.

④ 칼시토닌유전자관련펩타이드 단클론항체(CGRP monoclonal antibody) 갈카네주맙(galcanezumab) 300 mg 주사의 1회 투여 후 3주간의 관찰연구에서 삽화군발두통 환자의 71%에서 군발두통의 발작 빈도가 50% 이상 감소함을 보여주었다. 군발기 초기 혹은 잔여 군발기가 3주 이상일 때 권고된다.

5 약물과용두통

1 약물과용두통의 역학과 진단

약물과용두통은 일차두통을 가진 환자가 약물을 과용함으로써 새로운 두통이 발생하거나 기존의 두통이 악화되는 경우를 말한다(표 2-14). 특히 편두통을 가진 환자들에게 자주 나타나며, 약물과용두통과 일차두통을 모두 진단하고 함께 치료하는 것이 중요하다. 유병률은 1-2% 정도이며 여성에서 보다 흔하다.

표 2-14	약물과용두통의 진단기준(ICHD-3)

A. 기존 일차두통을 가진 환자에서 한 달에 15일 이상 발생하는 두통
B. 두통의 급성 또는 대증치료 목적으로 사용하는 약물을 한 가지 이상 3개월을 초과하여 정기적으로 과용
C. 다른 ICHD-3 진단으로 더 잘 설명되지 않음
  1. 에르고타민/트립탄/아편유사제/혼합진통제: 한 달에 10일 이상
  2. 아세트아미노펜/아스피린/비스테로이드소염제: 한 달에 15일 이상
  3. 개별적으로 과용되지 않더라도 혼합하여 한 달에 10일 이상 복용하는 경우

2 약물과용두통의 치료

많은 환자들은 오랫동안 복용해 온 약물만 중단해도 두통이 사라지 거나 매우 호전된다. 약물 중단 초기에는 두통이 일시적으로 악화되지만 시간이 지나면서 점차 호전된다는 점을 미리 설명해서 환자가 약물 중단 을 포기하지 않게끔 설명해야 한다.

(1) 과용약물 중단

대부분의 트립탄, 에르고트제, 복합진통제, 단순진통제 및 비스테로 이드소염제들은 심각한 금단증상을 일으키지 않으므로 단번에 중단하 는 방법을 권장한다. 하지만 아편유사제, 바비튜르산염(barbiturates) 및 벤조다이아제 계열의 약물은 갑자기 중단할 경우 금단증상이 심할 수 있어 서서히 줄이는 것을 추천한다. 약물 중단 직후 첫 2-10일 정도에는 두통이 극심해지다가 시간이 가면서 점차 좋아지는데, 두통이 많이 호전 되기까지는 보통 4주에서 12주 정도 소요된다.

(2) 약물과용두통의 예방 약물치료

2011년 유럽 가이드라인에서는 약물과용 중단을 시작하는 첫날부터 환자에게 개별화된 예방약물을 투약하는 것을 권장하고 있다.

① 코티코스테로이드

약물 중단 후 발생하는 반동두통을 줄이기 위해 스테로이드제를 사용해 볼 수 있는데, 보통 7-14일 이내의 단기간 사용을 권고한 다.

② 예방약제

약물과용두통 발생 이전의 일차두통으로써 편두통이 있는 경우가 흔한데, 이러한 경우 편두통 예방약물을 약물을 중단하기 시작할 때부터 병용해 볼 수 있다. 약물과용이 동반된 만성편두통에 효과가 입증된 약물로는 토피라메이트(topiramate), 발프로산(valproate), 보툴리눔 독소A (botulinum toxin A), 항CGRP 단클론항체가 있다.

6 삼차신경통

1 삼차신경통의 역학

삼차신경통(trigeminal neuralgia)은 뇌신경통 중에서 가장 흔하며, 유병률은 0.16-0.3%이고, 연간 발생률은 100,000명당 4-29명이다. 모든 연령대에서 발생 가능하지만 대부분 50세 이후에 발병하며, 남성에 비해 여성에서 1.5-2배 정도로 더 흔하다.

2 삼차신경통의 분류

삼차신경통은 고전적 삼차신경통(신경혈관압박 외에 뚜렷한 원인이 없는 경우), 이차삼차신경통(신경통을 유발할 수 있는 기저질환이 입증된 경우), 특발삼차신경통(전기생리검사나 MRI에서 의미 있는 이상소견이 없는 경우)으로 구분한다(표 2-15). 이 중 고전적 삼차신경통이 75% 정도로 가장 흔하다. 대상포진이나 외상 등 다른 질환에 기인할 경우에는 통증삼차신경병증으로 분류한다.

3 삼차신경통의 임상양상 및 진단

(1) 임상양상

삼차신경통의 증상은 대부분 삼차신경의 상악신경분지와 하악신경분

표 2-15	삼차신경의 병변이나 질병에 기인한 통증(ICHD-3)

1. 삼차신경통

a) 고전적 삼차신경통
  1) 순수돌발성 고전적 삼차신경통
  2) 지속적인 얼굴통증이 수반되는 고전적 삼차신경통
b) 이차삼차신경통
  1) 다발경화증에 기인한 삼차신경통
  2) 공간점유병소에 기인한 삼차신경통
  3) 기타 다른 원인에 기인한 삼차신경통
c) 특발삼차신경통
  1) 순수돌발성 특발삼차신경통
  2) 지속적인 얼굴통증이 수반되는 특발삼차신경통

2. 통증삼차신경병증

a) 급성대상포진에 기인한 통증삼차신경병증
b) 대상포진후삼차신경통
c) 통증외상후삼차신경병증
d) 다른 질환에 기인한 통증삼차신경병증
e) 특발통증삼차신경병증

지 영역에서 가장 흔하게 나타나며, 일부에서는 안신경분지에서도 발생한다. 전기충격 같은 통증이 순간적으로 갑자기 발생하고 끝나며 반복적으로 발생한다(표 2-16).

통증은 자발적으로 발생할 수 있지만, 대부분 무해한 자극(얼굴을 만지거나 음식물 씹기, 대화, 세수, 양치 등)에 의해 증상이 유발된다. 환자의 증상이 주로 안신경분지부위에 있으면 삼차자율신경두통 중 단기지속한쪽신경통형두통발작(short-lasting unilateral neuralgiform headache attacks)과 감별해야 한다. 단기지속한쪽신경통형두통발작은 자율신경계 증상을 동반하며, 삼차신경통은 무해한 자극에 의해 통증이 유발된다는 점에서 감별할 수 있다.

표 2-16	삼차신경통의 진단기준(ICHD-3)

A. 한 개 이상의 삼차신경분지에 분포하고, 그 이상으로 퍼지지 않으며, 진단기준 B와 C를
　충족하는 한쪽 얼굴통증의 반복적인 돌발발작
B. 통증은 다음 모든 특성을 가짐:
　1. 1초 이하에서 2분까지 지속
　2. 심한 강도
　3. 전기충격 같거나 쏘거나 찌르거나 날카로운 양상
C. 침범된 삼차신경 분포에서 무해한 자극에 유발됨
D. 다른 ICHD-3 진단으로 더 잘 설명되지 않음

(2) 영상검사

뇌MRI는 삼차신경통의 이차적 원인을 확인하기 위해 반드시 시행해
야 한다.

(3) 신경생리검사

증상이 꾸준히 지속되고 심한 통증과 함께 감각이상을 동반하는 환
자는 통증삼차신경병증의 가능성을 보다 고려해야 한다. 특히 감각이상
이 있을 경우 눈깜박반사(blink reflex)가 진단에 도움이 될 수 있다.

4 삼차신경통의 치료

(1) 약물치료

삼차신경통의 일차약물로 카바마제핀을 우선적으로 사용할 수 있다.
카바마제핀은 초기 100 mg으로 시작하여 통증이 완화될 때까지 3일 간
격으로 100 mg씩 천천히 증량하고 하루에 2-3회로 나누어 복용한다.
일반적인 하루 유지 용량은 600-1,200 mg이다. 카바마제핀의 부작용으
로 졸림, 어지럼, 실조, 복시, 피부발진, 백혈구 감소, 간독성, 저나트륨
혈증 등이 있기 때문에 부작용 발생 여부에 대해 정기적인 혈액검사를
하며 지속적으로 살펴봐야 한다.

　옥스카바제핀도 삼차신경통에 대한 효과가 카바마제핀과 비슷하여 일차약물로 고려할 수 있으며, 카바마제핀에 비해 부작용이 적다는 장점이 있다. 옥스카바제핀은 초기 150 mg으로 시작하여 통증이 조절될 때까지 3일 간격으로 150 mg씩 증량하고 하루에 2회 나누어 복용한다. 일반적인 하루 유지 용량은 300−1,800 mg이다. 옥스카바제핀은 특히 다른 약물에 비해 저나트륨혈증이 잘 발생하여 정기적인 전해질 검사가 반드시 필요하다.

　라모트리진은 카바마제핀 혹은 옥스카바제핀을 부작용으로 인해 사용하지 못하거나, 부가요법으로 효능을 높이기 위해 사용할 수 있다. 라모트리진의 초기 용량은 하루에 25 mg으로 시작하여 통증이 조절될 때까지 1−2주 간격으로 25 mg씩 증량한다. 하루 유지 용량은 150−400 mg이다. 상대적으로 부작용이 적은 장점이 있지만, 피부발진이 비교적 흔하게 발생하며 간혹 스티븐스−존슨 증후군이 발생할 수 있어 주의해야 한다.

　가바펜틴은 삼차신경통의 통증 조절에 상대적으로 효과가 낮지만, 다른 약물에 비해 용량 증량을 빨리할 수 있고, 다른 약물과의 상호작용과 간독성이 없다. 초기 용량은 100 mg을 하루에 3회 사용하며, 대개 900 mg 정도에서 통증이 조절되나 최대 2,400 mg까지 증량할 수 있다.

　바클로펜은 대부분 부가요법으로 사용하며, 하루에 10 mg으로 시작하여 서서히 증량하여 최대 60−80 mg까지 1일 3−4회로 나누어 사용할 수 있다.

(2) 수술적 치료

　약물치료에 통증이 조절되지 않을 때 수술적 치료를 고려한다. 크게 미세혈관감압술(microvascular decompression, MVD), 피부경유시술법(percutaneous procedures), 감마나이프 방사선수술(gamma knife radiosurgery)로 나눌 수 있다. 그 중 미세혈관감압술을 삼차신경통의 수술적 치료로 우선 고려할 수 있다. 즉각적인 통증완화효과와 장기적인 치료효과가 탁월하고, 재발률도 비교적 낮다는 장점이 있다. 5,000여 명의 환자에서 3–10년간의 추적 관찰 기간 동안 통증이 없는 상태로 유지되는 비율이 62–89%였다.

7 두개내압저하에 기인한 두통

자발두개내저압(spontaneous intracranial hypotension)은 경막의 결손을 일으키는 뚜렷한 원인(요추천자, 외상, 수술 등) 없이 뇌척수액 누출이 일어나 뇌척수액의 용적이 감소되는 질환이다. 이름과 달리 뇌압측정이 진단에 필수가 아니며, 두개내압이 정상인 경우도 많다.

1 자발두개내저압의 역학 및 임상양상

젊은 또는 중년의 인구에서 좀 더 흔하나, 보고된 연령은 2세에서 88세까지 다양하다. 대규모 코호트 연구들에서는 평균 연령이 40세 정도였으며 여성이 남성보다 많았다. 결합조직질환이 있는 경우 발생의 위험인자가 되지만 실제 그러한 경우는 드물다.

뇌압저하의 가장 전형적인 증상은 바로 앉거나 일어서면 두통이 발생하고, 평평하게 누우면 호전되는 기립두통(orthostatic headache)이다. 하지만 국제두통질환분류 제3판에서는 기립과 두통 간의 시간연관성이 삭제되었다. 이는 자발두개내저압에서 기립두통이 아주 극적이거나 즉각적이지 않을 수 있고, 심지어 기립성 요소가 없을 수도 있기 때문이다. 두통 외의 신경학적 증상들도 발생 가능하며, 경부통, 이명, 주관적 청각이상 등이 대표적이다.

2 자발두개내저압의 진단

진단검사들의 민감도가 높지 않기 때문에 자발두개내저압을 진단하기가 쉽지 않은 경우가 많다. 가장 중요한 것은 자발두개내저압을 임상적으로 의심하는 것이다.

(1) 진단기준(표 2–17)

표 2–17 저뇌척수압에 기인한 두통의 진단기준(ICHD–3)

저뇌척수압에 기인한 두통

A. 진단기준 C를 충족하는 두통[a]
B. 다음 중 한 가지 또는 두 가지 모두:
저뇌척수압(< 60 mmCSF)
뇌척수액 누수의 영상 증거[a]
C. 저뇌척수압 또는 뇌척수액 누수와 시간연관성을 가지고 두통이 발생하거나, 두통으로 그것이 발견됨[a]
D. 다른 ICHD-3 진단으로 더 잘 설명되지 않음.

경막천자후두통

A. 저뇌척수압에 기인한 두통의 진단기준과 아래 진단기준 C를 충족하는 두통
B. 경막천자의 이력
C. 경막천자 후 5일 이내 발생하는 두통
D. 다른 ICHD-3 진단으로 더 잘 설명되지 않음.

자발두개내저압에 기인한 두통

A. 저뇌척수압에 기인한 두통의 진단기준과 진단기준 C를 충족하는 두통
B. 뇌척수액 누수를 유발한다고 알려진 처치나 외상의 이력이 없음[b]
C. 저뇌척수압 또는 뇌척수액 누수와 시간연관성을 가지고 두통이 발생하거나, 두통으로 그것이 발견됨[b]
D. 다른 ICHD-3 진단으로 더 잘 설명되지 않음.

a 저뇌척수압에 기인한 두통은 보통 기립성이지만, 언제나 그런 것은 아니다. 뇌영상에서 뇌실질에 조영증강 소견이 관찰되거나, 척추 영상에서 경막외척수액 누출이 확인된다. 다른 원인질환이 배제되고, 발병원인과 두통의 시간연관성이 있어야 한다.
b 자발두개내저압에 기인한 두통은 지난 1개월 이내 경막천자를 받은 적이 있는 환자에서는 진단할 수 없다.

뇌영상, 척수영상, 요추천자 개방압력 중 한 가지에서 저뇌척수압을 시사하는 소견이 발견되면 저뇌척수압에 기인한 두통을 진단할 수 있다.

모든 검사에서 음성이더라도 자발두개내저압의 가능성이 있음을 생각해야 한다.

(2) 뇌영상

저뇌척수압을 시사하는 뇌MRI 소견은 대표적으로 (1) 경막하 수액집적, 수종, 혈종(subdural fluid collection, hygroma, or subdural hematoma), (2) 경막조영증강(enhancement of the pachymeninges), (3) 정맥울혈(engorgement of venous structures), (4) 뇌하수체비대(pituitary enlargement), (5) 뇌하강(sagging of the brain)이 있다(그림 2-2).

그중 저뇌척수압을 가장 높은 특이도로 시사하는 소견은 경막조영증강이므로 가급적 조영증강 뇌MRI를 촬영해야 한다. 경막조영증강이 미만성, 대칭적, 선형인 경우 저뇌척수압을 시사하며, 이와 반대로 국소성, 비대칭적, 결절 모양인 경우 경막의 다른 질환을 감별하여야 한다.

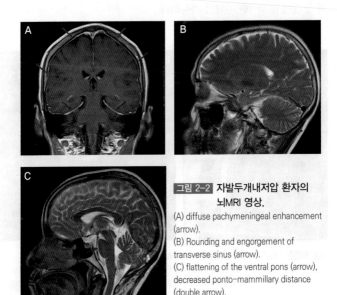

그림 2-2 **자발두개내저압 환자의 뇌MRI 영상.**

(A) diffuse pachymeningeal enhancement (arrow).
(B) Rounding and engorgement of transverse sinus (arrow).
(C) flattening of the ventral pons (arrow), decreased ponto-mammillary distance (double arrow).

(3) 척추영상 (그림 2-3)

척추영상에서 뇌척수액 누출이 증명되면 자발두개내저압을 확진할 수 있고, 누출된 위치를 확인하여 자가혈액첩포술을 시행할 척추분절 위치를 정할 수 있다. 대표적 척추영상의 방법으로는 방사선동위원소 척수조영(radioisotope myelography), CT척수조영(CT myelography), MRI(척추MRI 또는 MR 척수조영), 디지털감산척수조영(digital subtraction myelography)이 있다. 이 중 척수강 내로 조영제를 주입한 뒤 조영제가 경막외 공간에서 발견되는지를 검사하는 CT척수조영이 가장 표준적인 진단 방법으로 여겨져 왔지만, 최근에는 비침습적 MR 척수조영이 보다 널리 사용되고 있다. 특히 물 외의 다른 조직들의 T2신호강도를 극단적으로 억제하는(heavily T2-weighted) MR척수조영(MR myelography)이라는 특수한 프로토콜을 사용하면 진단의 정확도를 보다 높일 수 있다. 고식적인 척추MRI를 통해서도 T2고신호강도로 보이는 뇌척수액이 경막외 공간에서 보이면 진단이 가능하다.

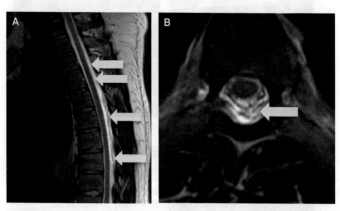

그림 2-3 **자발두개내저압 환자의 척추MRI 영상.**
(A) sagittal thoracic MRI showing extradural fluid collections tracking posteriorly (arrow).
(B) axial thoracic MRI showing extradural fluid collection along the posterior thecal sac (arrow).

(4) 요추천자

뇌압측정이 자발두개내저압의 진단에 필수요소가 아니며, 실제 요추천자의 개방압력이 정상범위인 경우가 많다. 뇌압이 6 cmH$_2$O 미만의 비정상 소견을 보이는 환자의 분율은 대개 20–30% 정도에 불과하다.

3 자발두개내저압의 치료

자발두개내저압의 치료법으로는 보존적 치료, 경막외혈액첩포술(epi-dural blood patch), 수술적 치료가 있다. 이 중 경막외혈액첩포술이 주된 치료법이다.

(1) 보존적 치료

침상안정을 기본으로 하며, 수액공급, 약물치료 등을 추가로 시행할 수 있다. 한 소규모연구에서는 보존적 치료를 받은 환자들의 경우, 6개월까지도 2/3에서는 증상이 호전되지 않았고, 2년까지 시행해도 1/3에서는 증상호전이 없었다고 보고하였다. 침상안정, 수액공급, 약물치료(카페인, 테오필린 등) 모두 병태생리적으로나 임상적으로나 그 명확한 효과가 증명된 바 없다.

(2) 경막외혈액첩포술

경막외혈액첩포술(epidural blood patch)이란 자가혈액을 채취하여 경막외 공간에 주입하는 시술로, 자발두개내저압의 주된 치료법이다. CT또는 MR척수조영을 통해 뇌척수액 누출부위를 찾아서 그 부위에 시술하는 방법과, 척수조영 없이 시행하는 방법이 있는데, 전자의 경우가 치료 성적이 보다 좋다고 알려져 있다. 1회의 경막외혈액첩포술에 대한 반응률(responder rate)은 연구에 따라 적게는 30%대에서 높게는 60%대로 보고된다. 반응이 충분하지 않은 경우 경막외혈액첩포술을 반복할 수 있다. 드물게 시술 시 경막이 천자되면 공기머리증이 발생할 수 있어 주의를 요한다.

(3) 수술적 치료

자발두개내저압의 수술적 치료는 의식저하 등의 심각한 신경학적 증상을 동반하거나, 반복적인 경막외혈액첩포술에도 호전되지 않는 난치 환자의 경우로 제한하여 시도해 볼 수 있다. 일차봉합(primary repair)을 시행하거나 경막외 공간을 채워주는 방법 등이 있다.

4 경막천자후두통

경막천자후두통(post-dural puncture headache)은 경막천자 후 발생하는 두통으로, 대부분 전형적인 기립두통 양상을 보인다. 침상안정을 충분히 취하면 자연치유되는 경우가 많으나, 경막외혈액첩포술을 시행하여 빠른 호전을 기대할 수 있다.

8 두개내감염에 기인한 두통

1 세균수막염이나 세균뇌염에 기인한 두통

(1) 세균수막염이나 세균뇌염에 기인한 두통의 증상

세균수막염이나 수막뇌염에 의한 다양한 기간의 두통으로 급성으로 발생하고, 경부경직, 구역, 발열, 의식변화 또는 신경학적 증상이나 징후가 특징이다. 경부경직, 발열, 의식저하는 세균수막염을 강하게 시사하는 증상들이지만, 세 가지 증상들은 세균수막염의 약 반수 이하에 국한한다. 반면, 두통은 세균수막염 환자의 94%에서 볼 수 있는 가장 흔한 증상이다. 대부분 환자들에서는 귀 또는 부비동 감염과 같은 국소 감염과 동반하면서 서서히 두통이 진행된다. 또한 전반적이고 심각한 끊임없이 지속되는 두통이 특징이다.

(2) 세균수막염이나 세균뇌염에 기인한 두통의 원인균

폐렴연쇄구균(*streptococcus pneumoniae*), 수막알균(*neisseria meningitides*), 리스테리아모노사이토제네 스(*listeria monocytogenes*), 헤모필루스 인플루엔자(*haemophilus influenza*), 포도상구균(*staphylococcus aureus*), B형사슬알균(*streptococcus agalactiae*), 대장균(*Escherichia coli*), 장내세균(*enterobacteriaceae*) 등이 있다.

(3) 세균수막염이나 세균뇌염에 기인한 두통의 진단기준 (표 2-18)

표 2-18 세균수막염이나 세균뇌염에 기인한 두통의 진단기준(ICHD-3)
A. 진단기준 C를 충족하는 모든 지속기간의 두통
B. 세균수막염 또는 수막뇌염이 진단됨
C. 다음 중 최소한 두 가지로 인과관계가 입증됨:
1. 두통이 세균수막염 또는 수막뇌염 발병과 시간연관성을 가지고 발생함
2. 두통이 세균수막염 또는 수막뇌염 악화와 평행하게 의미 있게 악화됨
3. 두통이 세균수막염 또는 수막뇌염 호전과 평행하게 의미 있게 호전됨
4. 다음 두통의 특성 중 한 가지 또는 두 가지 모두:
a) 머리 전체 두통
b) 뒷목 부분에 위치하며 경부경직 동반
D. 다른 ICHD-3 진단으로 더 잘 설명되지 않음

(4) 세균수막염이나 세균뇌염에 기인한 두통의 치료

세균수막염과 세균뇌염의 임상적 구분이 쉽지 않고, 세균뇌염은 진행 속도가 빠르면서 예후가 좋지 않은 경우가 많으므로 경험적 항생제로 치료를 시작해야 한다. 또한 일반적으로 진통제와 해열제로 두통 증상을 완화해 볼 수 있다.

2 바이러스수막염이나 바이러스뇌염에 기인한 두통

(1) 바이러스수막염이나 바이러스뇌염에 기인한 두통의 증상

무균수막염은 원인이 명백히 밝혀지지 않은 뇌수막염 모두를 일컫는 용어이고, 대부분 바이러스가 원인이다. 무균수막염의 증상은 두통, 열 그리고 전신병감과 같은 감기증상과 유사하다. 바이러스수막염과 달리 바이러스뇌염은 심각하고 사망률도 높다. 주요 증상은 열, 두통과 의식 저하이며, 경련과 국소신경학적 이상을 동반하기도 한다. 바이러스 원인의 경우에는 뇌실질손상에서 더 나쁜 예후를 보이므로 수막염과 뇌염의 구분이 매우 중요하다.

(2) 바이러스수막염이나 바이러스뇌염에 기인한 두통의 원인바이러스

엔테로바이러스(*enterovirus*)가 가장 흔한 바이러스수막염의 원인균이다. 그 외에도 단순헤르페스바이러스(*herpes simplex virus*), *Japanese encephalitis virus*, 수두대상포진바이러스(*varicella zoster virus*), 엡스타인-바바이러스(*Epstein-Barr virus*), 거대세포바이러스(*cytomegalovirus*), 사람헤르페스바이러스 6,7,8 (*human herpesvirus 6, 7, 8*), 홍역바이러스(*measle virus*), 풍진바이러스(*rubella virus*), 아데노바이러스(*adenovirus*) 및 인플루엔자바이러스(*influenza virus*) 등이 있다.

(3) 바이러스수막염이나 바이러스뇌염에 기인한 두통의 진단

국제두통질환분류 제3판 진단기준에서 세균수막염과 같이 바이러스수막염과 두통의 시간밀접성이 중요하고 머리 전체의 통증과 경부경직에 대한 기준이 포함된다.

(4) 바이러스수막염이나 바이러스뇌염에 기인한 두통의 치료

바이러스뇌염을 임상양상에 따라 병원체를 유추하여 빠르게 치료를 시작하는 것이 중요하다. 바이러스수막염에 기인한 두통은 진통제와 해열제로 증상 조절의 치료를 한다.

Reference

- 대한신경과학회. 신경학 3판. 범문에듀케이션; 2017.
- Michel Ferrari, Joost Hann, Andrew Charles, David W. Dodick, Fumihiko Sakai. Oxford Textbook of Headache Syndromes. Oxford University Press; 2020.
- Stewart J. Tepper, Deborah E. Tepper. The Cleveland Clinic Manual of Headache Therapy : Second edition. Springer; 2014.

CHAPTER **03** 어지럼 환자의 접근

이민환, 나승희

1 개요

어지럼은 신경과를 찾게 되는 주요 증상으로, 중등도 이상의 어지럼의 평생 유병율은 30%에 달한다. 어지럼은 환자들이 빙글빙글 돈다, 아찔하다, 쓰러질 것 같다, 누가 잡아당기는 것 같다, 걷는데 불안하다 등으로 다양하게 표현하며, 신경계뿐 아니라 정신신경계 및 심혈관계를 포함한 인체의 대부분의 기관 및 시스템과 긴밀히 연관되어 있어, 어지럼을 일으키는 장애 및 질환 또한 매우 다양하다. 어지럼 환자의 40%는 말초전정계질환, 10%는 중추전정계질환, 15%는 심인성 장애, 그리고 25%에서는 실신전단계(presyncope)와 자세불안(disequilibrium)을 유발하는 다양한 질환 및 장애를 가지고 있으며, 10% 가량은 진단이 불명확한 상태로 남아 있다. 이렇듯 다양한 증상 및 여러 시스템을 아우르는 원인이 있고, 이 중 치명적인 뇌졸중까지도 포함되어 있어 신경과 의사에게도 어지럼 환자의 진료가 수월하지만은 않다.

이에 어지럼의 이해와 함께 효과적인 감별진단을 위해 어지럼 환자의 접근법을 알아보고자 한다.

2 어지럼/현훈 정의 및 분류

시각계(visual system), 전정신경계(vestibular system), 체성 감각계(somatosensory system)가 외부의 자극을 받아들이고, 이러한 정보를 뇌간과 소뇌 등의 중추신경계에서 통합하고 분석하여, 다시 안구운동계 및 근골격계와 같은 몸의 균형에 관여하는 기관에 전달하는 정교한 과정에 이상이 생기면 개념적으로 어지럼 및 자세불안이 발생하는 것으로 알려져 있다. 특히 전정신경계는 어지럼과 평형 유지에 가장 중요한 역할을 담당하고 있다.

사람들은 다양한 증상을 어지럼으로 인식하고 있어 Drachmann 등은 어지럼 증상을 4가지 유형으로 구분하여 어지럼의 기전 및 원인질환을 보다 효과적으로 파악하려고 했다. 즉 현훈(vertigo), 머리가 맑지 않은 느낌[lightheadness, 이는 비특이적 어지럼(nonspecific "dizziness")으로도 분류됨], 자세불안(disequilibrium) 및 실신할 것 같은 느낌(presyncope)으로 분류하여 각각 주된 기전으로 전정신경계의 장애, 정신신경계 및 대사이상장애, 체성 감각계 및 소뇌실조, 파킨슨병과 같은 퇴행성 질환을 포함한 신경계장애, 그리고 심혈관계 및 자율신경계장애로 파악하여 이에 따른 감별진단을 고려했다. 하지만, 일부 어지럼 환자들은 자신이 자각한 증상을 구체적인 언어로 표현하는 데 어려움을 겪고 있으며, 인터뷰 방식 및 시간차를 둔 반복 질문에 어지럼증 증상 분류가 달라지기도 하였다. 또한 환자, 1차 진료의 및 전문의들은 어지럼을 서로 다르게 해석할 수도 있다.

이에 Bárány 학회에서는 의사, 과학자, 정책입안자, 환자 및 일반 대중들 사이에 의사소통을 개선시켜 진료 및 관련 연구의 발전을 위해 주요 전정계 증상에 대해 공식적인 정의를 제시하였다.

현훈(vertigo, internal vertigo)은 거짓 혹은 왜곡된 자신의 움직임을 느끼는 것으로, 빙글빙글 도는 것(spinning), 기울어지거나, 흔들리거나, 누군가 잡아당기는 것처럼 지각되기도 한다. 이러한 현훈에서는 속이 메슥거리고 토하는 증상이 흔히 동반하며, 머리의 움직임에 의해 악화된다. 눈에 보이는 주위가 돌거나 흐르는 듯한 거짓 감각은 외부 현훈(external vertigo)로 정의하였다. 이에 반해, 어지럼(dizziness)은 현훈에서 보이는 거짓운동지각 없이 왜곡 혹은 저하된 공간지남력에 의한 증상으로 개념적으로 정의하였다. 이러한 현훈과 어지럼은 자발적으로 발생하거나 다양한 인자에 의해 유발 및 악화될 수도 있다. 이외에도 진동시(oscillopsia) 및 자세불안(disequilibrium) 및 방향성 쏠림(directional pulsion) 등이 전정계장애에서 나타날 수 있는 증상이다.

앞서 설명한 어지럼증상 분류에 따른 접근방법은 최근까지도 임상에서 널리 행해지고 있지만, 다수의 연구에서 전정신경계의 장애가 현훈 이외의 비특이적 어지럼으로 나타나는 경우도 많고, 기립저혈압과 같은 심혈관계장애도 드물지만 현훈으로 나타날 수 있다. 이에 어지럼, 현훈 등의 증상 구분에 따른 접근은 어지럼 원인을 오인할 수 있는 위험이 있음이 확인되었다.

최근에는 어지럼, 현훈, 자세불안 등과 같은 세밀한 어지럼증상 분류보다는 어지럼/현훈의 발병양상, 지속시간, 유발 및 악화요인의 유무에 따른 분류가 이지럼 환자의 감별진단에 보다 유용하다는 것이 알려졌고, 환자들 역시 어지럼/현훈의 지속시간, 유발요인, 동반증상을 보다 정확하고 일관되게 표현하였다.

3 증상 발병양상, 지속시간 및 유발 요인에 따른 분류

1 급성자발지속어지럼/현훈
(Acute prolonged spontaneous dizziness/Vertigo)

뚜렷한 유발인자 없이 갑작스럽게 발생한 어지럼/현훈이 자세와 무관하게 지속되는 형태이다. 이는 심한 어지럼/현훈으로 나타나 발병 24시

표 3-1 어지럼의 발현 형태에 따른 주요 감별질환들

어지럼의 발현 형태	주요 질환
급성자발지속어지럼/현훈	전정신경염/미로염(내이염)
	뇌졸중(소뇌 및 후순환계)
재발성자발어지럼/현훈	메니에르병
	전정 편두통
	척추뇌바닥혈류 부전에 의한 일과성 허혈발작
	전정 발작
	심인성 어지럼/공황 발작
	자가면역성 내이 질환
	이경화증
	외림프 누공
	상반고리관 피열증후군
재발성체위어지럼/현훈	양성돌발체위현훈
	중추체위현훈
만성지속어지럼 및 불균형	퇴행성 뇌질환(소뇌변성, 파킨슨병, 알츠하이머병)
	양측성 전정 장애
	심인성 어지럼
	지속적체위지각어지럼(기능적 어지럼)
	노화성 전정병증

간 이내 신경과로 의뢰되거나 응급실을 찾게 되는 경우가 많고, 대부분 자율신경증상인 구역과 구토가 동반한다.

주요 감별진단으로는 전정신경염 및 급성미로염과 같은 급성말초전정 질환과 뇌줄기 및 소뇌 부위의 후순환계 뇌졸중이 있다(표 3-1). 특이적 치료 없이도 양호한 예후를 보이는 급성말초전정질환과 달리, 급성허혈 성뇌졸중은 항혈전제 및 일부의 경우는 혈관재개통술을 고려해야 하며, 크기가 큰 소뇌경색의 경우 수일 내로 뇌줄기압박 및 폐쇄성 수두증과 같은 치명적 합병증이 발생할 수 있어 두개골절제술을 통한 감압술을 고려해야 하기 때문에 신속하고 정확한 진단이 필요하다.

복시, 감각장애, 운동위약, 발음장애, 삼킴장애 및 실조증 등과 같은 뇌줄기 혹은 소뇌의 국소신경학적 이상이 동반되는 경우 뇌졸중을 진단하는 데 어려움이 없으나, 독립된 현훈만을 나타내는 경우 말초성 현훈과의 감별이 중요하다. 전통적으로 독립된 현훈은 뇌졸중의 증상으로 여겨지지 않았으나, 신경안과 및 영상검사의 발전에 따라 말초성 어지럼증을 흉내내는 독립 혈관성 현훈(isolated vascular vertigo)의 진단이 늘고 있다. 후하소뇌동맥의 내측분지(medial branch of the posterior inferior cerebellar artery territory)및 전하소뇌동맥(anterior inferior cerebellar artery territory)의 협착 및 폐색에 의해 소뇌, 전정신경핵 등의 구조물에 국소적인 허혈성 손상이 발생할 경우 위와 같은 말초급성전정질환과 유사한 뇌경색이 발생될 수 있음이 알려져 있다. 특히, 내이를 관류하는 내이동맥(internal auditory artery)이 후하소뇌동맥에서 기시하기 때문에, 초기 급성말초성 어지럼/현훈으로 발현한 내이경색(isolated labyrinthine infarction)은 뇌줄기 및 소뇌경색으로 진행할 수 있다.

확산강조영상은 급성뇌경색 진단의 표준 수단이나, 급성어지럼 발생 48시간 이내에는 12-20%의 위음성률을 보인다. 이에 반해 신경안과적 진찰을 포함한 전문적인 신경계 진찰이 급성뇌졸중과 급성말초전정질환을 감별하는 데 뇌영상보다 정확도가 높다.

균형장애는 어지럼/현훈과 함께 전정신경계장애에 흔히 동반되는 소견이나, 말초전정질환의 경우 중추보상작용에 의해 심한 자세불균형은 나타나지 않는다. 즉, 도움 없이 스스로 앉거나 서는 자세를 유지하거나 걸을 수 있다. 다시말해, 앉거나 서는 자세를 유지하지 못하는 심한 자세불균형은 뇌졸중을 시사하는 소견이다. 어지럼/현훈으로 인해 환자들이 서고 걷는 신경학적 진찰을 꺼려하는 경우, 침상에서 양손을 팔짱을 낀 채 앉은 자세를 유지할 수 있는지 평가할 수 있다. 또한, 말초전정장애의 경우 보통 병변측(안진의 반대방향)으로 넘어지려는 경향을 보이게 된다. 일부에서는 넘어지지 않기 위한 행동으로 반대측으로 기울어지는

표 3-2 급성자발성 지속성 어지럼증에서 말초 및 중추원인의 특징

	말초성	중추성
안진의 특징	일측성, 수평 및 회선성 안진(속상)이 정상측을 향함 주시방향에 따라 방향이 결코 변하지 않음	주시에 따라 안진이 변할 수 있음 다양한 형태 안진 가능; 순수 수직 혹은 회선 안진은 중추성
시고정 효과	억제	억제되지 않음
자세 불안정	한쪽방향 불안정성, 보행 가능	심한 불안정, 종종 걷지 못함
기타 신경학적 증상	없음	종종 동반(예, 복시, 실조증, 구음장애, 삼킴장애, 국소 혹은 편측 위약)
두부 충동 검사	양성	음성
수직 편위	음성	양성

경우가 발생할 수 있어, 환자에게 인위적인 시도를 하지 않도록 미리 언급해줄 필요가 있다.

안진의 양상도 중추성과 말초성 어지럼을 구분하는 데 유용하다(표 3-2). 말초전정질환의 경우, 자발안진은 수평 및 회선성으로 병변의 반대편을 향하며, 주시방향에 따라 안진의 방향은 변하지 않으며, 안진 방향으로 주시할 경우 안진의 크기가 커진다(Alexander rule). 이에 반해 중추성 어지럼의 경우, 말초형 안진의 형태를 포함한 다양한 형태로 나타날 수 있고, 특징적으로 주시에 따라 안진의 방향이 변할 수 있다. 따라서, 전형적인 말초형 안진이 아닌 경우 중추성 원인을 고려해야 하며, 또한 전형적인 말초형 안진이 관찰되는 경우에도 후술할 두부충동검사 음성일 경우에도 급성뇌졸중을 고려해야 한다.

시고정(visual fixation)에 의해 안진이 억제되는 것은 말초성 안진의 특징으로, Frenzel 고글(30-디옵터의 양안 고글)을 착용하여 안진을 관찰하는 것이 유용하다. 이는 눈을 확대하여 안진을 보다 쉽게 관찰할 수 있을 뿐 아니라, 시고정(visual fixation)을 제거하여 급성말초전정질환의 경우, 증가된 안진의 크기를 관찰할 수 있다. 시고정에 의해 억제되지 않는 안진을 보일 경우 중추성 어지럼을 강력히 시사한다.

두부충동검사(head impulse test)는 침상에서 전정기능저하를 평가하는 데 가장 효과적이다. 두부충동검사 시 환자는 검사자의 코를 바라보며 검사자는 양손으로 환자의 머리를 감싼 후 빠른 속도로 고개를 돌리면서 환자의 눈의 위치를 관찰한다. 정상적인 경우, 전정안반사(vestibule-ocular reflex)에 의해 고개의 움직임과 반대편의 보상성 눈의 움직임이 동일 크기로 나타나기 때문에 검사자의 코를 향한 안정적인 주시가 유지된다. 이에 반해, 환자 눈의 위치가 고개 움직임 방향에 따라 이동한 후, 검사자의 코를 바라보기 위해 보상성 신속운동이 발생하는 경우를 양성으로 판정하며 급성전정신경염 및 미로염과 같은 말초전정계장애에서 주로 관찰된다. 이에 따라 자발안진을 동반한 급성자발지속어지럼/현훈에서 두부충동검사가 음성일 경우는 중추성 어지럼을 강력히 시사한다. 단, 숨은 교정성 단속운동(occult catch up saccade)의 경우 육안으로 구분이 어렵고, 비디오 두부충동검사 시 진단의 민감도를 높일 수 있다.

안위이상(ocular misalignment)은 일반적으로 중추전정계장애에서 발생하며, 수직편위(skew deviation)는 전정긴장도 차이에 따른 수직성 안위이상(vertical ocular misalignment)을 일컬으며, 뇌줄기뇌졸중에서 주로 나타난다.

이러한 두부충동검사, 주시에 따른 방향 전환성 안진 및 스큐 편위의 소견을 종합하여 HINTS (acronym of negative head impulse test, direction-changing nystagmus and test of skew)라 일컫는다. 특히, 혈관 위험인자를 하나 이상 동반한 급성현훈/어지럼 환자에서 두부충동검사 음성, 방향전환성 안진, 스큐 편위 중 하나 이상이 관찰될 경우 100% 민감도와 96% 특이도로 뇌졸중을 예측한다. 이는 24-48시간 이내의 확산강조영상보다 높은 예측력이며 초기 뇌영상이 음성이어도 HINTS에서 중추성으로 판단된 경우에는 추적 뇌영상을 통해 뇌졸중 확인이 필요하다.

특히, 뇌혈관질환의 위험인자 수가 많을수록 뇌졸중의 위험이 높아져, 현훈과 함께 3개 이상의 혈관 위험인자를 가진 환자는 위험인자가 없는 환자에 비해 뇌졸중의 위험율이 5.51배 증가(95% CI, 2.10-9.79; P < 0.001)한다고 알려져 있다. 또한, 일과성 허혈발작 이후 뇌졸중의 위험도를 예측하는 도구인 ABCD2 점수는 어지럼/현훈으로 응급실을 방문한 환자에서 뇌혈관사고의 위험을 예측하는 데 유용하다. ABCD2 가 3점 미만인 경우 1%에서 뇌혈관사고가 확인된 반면, 4점 이상 경우 8.1%, 6점 이상의 환자에서는 27%에서 뇌혈관사고가 확인되었다.

전정신경염과 같은 말초어지럼의 경우 24-48시간 이내에 빠른 회복을 보이기 때문에, 2-3일 이후도 호전 없는 어지럼/현훈 및 극심한 두통 혹은 경부통과 동반한 어지럼/현훈은 중추어지럼을 확인하기 위한 뇌영상 및 혈관 검사를 고려해야 한다.

2 재발성 자발어지럼/현훈(Recurrent spontaneous dizziness/Vertigo)

뚜렷한 유발요인 없이도 어지럼발작이 반복적으로 발생하는 것으로, 증상이 없는 발작 사이 기간이 있다. 어지럼발작이 자주 반복될 경우, 환자들은 각 발작의 지속시간이 아니라 발작간 기간까지 포함하여 어지럼 지속시간으로 인식하여 만성 형태의 어지럼/현훈으로 표현하는 경우가 있어, 주의 깊은 병력 청취가 필요하다. 이에 해당하는 감별진단들은 급성자발지속어지럼보다 많고, 다양한 분과의 질환이 포함되어 있어, 신경과 의사도 진단에 어려움을 겪는 경우가 많다. 또한 발작 사이 기간에서는 검사상 정상 혹은 비특이적인 이상을 보일 뿐 확정적인 검사실 소견이 뚜렷하지 않아, 감별진단을 위해서는 세밀한 병력 청취(어지럼발작 지속시간 및 동반 증상)가 무엇보다 중요하다.

다양한 질환들이 있으나, 대부분 전정편두통, 메니에르병(Meniere's disease), 척추바닥동맥허혈(vertebrobasilar insufficiency), 공황발작/심인성 어지럼 및 전정발작(vestibular paroxysmal)에 해당한다(표 3-1).

메니에르병은 수십 분에서 수 시간에 이르는 반복적인 현훈과 함께 난청, 이충만감 및 이명과 같은 달팽이관 증상을 동반하는 것이 특징으로 일반적으로 30대 이후 시작된다. 단, 질병 초기에는 전정증상 및 달팽이관 증상이 개별적으로 발생할 수 있으며, 1-2년가량 경과가 진행하면서 두 증상이 동반하게 된다. 심한 현훈 때문에 동반된 달팽이관 증상을 잘 기억하지 못하는 경우도 있어, 어지럼 일기를 작성시키는 것이 자세한 병력 확인에 도움이 될 수 있다. 발작 빈도는 주당 수 회에서 적게는 1년에 1회 미만까지 다양하다. 발작기 흥분성 자발안진이 병변 측으로 향하다가 억제성 안진으로 변하여 정상 측으로 향한다. 이후 회복안진(recovery nystagmus) 현상으로 자발안진의 방향이 역전될 수 있다. 청력검사에서 가역적인 저음역대의 청력저하 소견은 초기에 전형적으로 나타나며, 진단에 중요한 역할을 한다. 병의 진행과 더불어 청력 저하도 악화된다.

전정편두통(vestibular migraine)은 청소년기 어지럼/현훈의 가장 흔한 원인이며 성인에서도 3번째로 흔한 어지럼/현훈의 원인으로 여성에서 더욱 흔하다. 현훈은 자발적으로 혹은 자세변화에 의해서도 발생할 수 있으며, 지속시간은 5분에서 3일까지 다양하다. 최근 국제적인 진단기준이 업데이트가 되었고, 앞선 전정증상과 더불어 현재 혹은 이전에 국제두통질환분류 3판에 부합하는 편두통 병력이 있거나, 어지럼발작기간의 반 이상에서 편두통성 두통(편측성, 박동성, 중등도 혹은 심한 강도, 일상생활에 의한 악화 중 두 가지 이상), 광과민증, 소리과민증 혹은 시각전조증상이 동반되며 다른 질환으로 더 잘 설명되지 않을 경우 진단할 수 있다. 안진 및 안구운동검사 소견은 명확하게 말초성 또는 중추성 이상으로 구분되지 않고 다양한 소견이 보일 수 있다. 편두통과 관련된 현훈의 기전은 아마도 편두통에서 보이는 뇌의 피질을 따라 뇌기능저하가 퍼지거나(cortical spreading depression), 뇌혈관의 일시적 수축 등이 전정피질을 포함한 다양한 전정기관에 영향을 주거나, 뇌간의 전정세포에서 신경전달물질의 이상으로 전정신경핵이 활성화되어 나타나는 것으로 추정된다. 일시적 청력의 감소, 이명 및 이충만감 같은 다양한 달팽이관 증상이 동반할 수 있으나, 메니에르병과 달리 청력손실이 심각하게 진행되지는 않는다.

척추뇌바닥혈류 부전에 의한 일과성 허혈발작에서의 어지럼/현훈은 자발적으로 급격히 발생하며 일반적으로 수 분에서 한, 두 시간 이내로 지속된다. 독립된 어지럼, 현훈으로 발현하는 경우는 드문 편이기는 하나, 고령에서 상대적으로 혈관성 어지럼/현훈의 빈도가 높아 주의를 요하며, 점차 유병률이 높아질 것으로 보인다. 뇌기저동맥경색으로 진단된 일부 환자들은 뇌경색 진단 전에 단독 현훈을 경험한 적이 있어, 빠르고 정확한 혈관성 어지럼/현훈 진단에 따른 치료로 뇌졸중을 예방할 수 있다.

전하소뇌동맥과 후하소뇌동맥이 어지럼과 관련된 주요 혈관으로, 각각 내이, 전정신경, 가측 다리뇌, 전정신경핵의 상부, 소뇌의 타래(flocculus)와 외측 연수, 소뇌의 결절과 목젖 부위에 혈류 공급을 한다. 특히 내이의 경우 대사량이 활발한 데 비해 전하소뇌동맥의 말단가지인 내이동맥(internal auditory artery)에 의해 혈류 공급을 받고 있어, 저관류 상태의 위험이 상대적으로 크다. 특히 고령의 혈관 위험인자가 있는 환자에서 갑작스런 말초형 현훈 소견과 함께 청력저하의 소견이 반복적으로 발생할 경우, 경동맥 이중초음파 혹은 CT, MR 등을 이용한 뇌혈관촬영을 이용하여 관련 혈관병변을 확인해 볼 필요가 있다.

전정발작(vestibular paroxysmia)은 5분 미만의 현훈이 반복적으로 발생하고, 자발적 발생 혹은 특정 머리 움직임에 유발되기도 하며, 고정적인 증상(stereotyped phenomenology)으로 나타난다. 종종 하루에도 수차례씩 발작이 발생하며 과호흡에 의해 유발될 수 있다. 제8뇌신경의 비정상적 방전(ephatic discharge)이 주된 병태생리기전으로 추정되며, 제8뇌신경이 소뇌다리뇌수조에서 굴곡 및 고리를 형성하는 전하 혹은 후하소뇌동맥에 의한 압박이 뇌혈관 자기공명촬영에서 확인되기도 하나, 이러한 소견은 건강한 무증상 성인의 30%에서도 확인되어 진단적 역할을 하진 못한다. Carbamazepine/oxcarbazepine에 의한 증상 호전은 진단에 도움을 준다.

공황발작의 반수 이상의 환자에서 어지럼/현훈이 관찰되며, 수 분 정도 지속되는 비특이적인 어지럼증 형태인 경우가 흔하나, 쓰러질 것 같은 느낌(presyncope) 및 현훈을 호소하기도 한다. 공황발작 환자들은 전정기능검사에서 종종 이상이 관찰되기도 한다. 반복적인 극심한 불안감이 죽어간다는 혹은 미쳐간다는 공포감과 화끈거림, 오한, 이인증, 구역, 소화장애, 심계항진, 발한, 숨가쁨 및 이상 감각 등의 다양한 신체 및 자율신경증상과 동반될 경우 공황발작을 진단할 수 있다. 이러한 치명적인 생각과 불유쾌한 신체증상은 악순환을 일으켜서, 불안한 생각이 발한, 떨림, 심계항진과 같은 증상을 일으키고, 이러한 신체증상은 임박한 위험으로 오인되어 불안을 가중시킨다. 이러한 발작은 갑작스럽게 발생하고, 대개 수 분 이내로 지속되며, 주변의 스트레스 이벤트에 의해 종종 유발된다.

3 재발성 체위어지럼/현훈(Recurrent positional dizziness/Vertigo)

체위의 특정 변화에 따라 나타나는 어지럼/현훈을 말한다. 체위어지럼/현훈은 또 다른 흔한 어지럼인 기립어지럼과의 구분이 필요하다. 머리 위치의 변화가 중력 축의 변화와 동반될 경우가 체위어지럼/현훈에 해당한다. 기립 혹은 침대에서 일어날 때는 체위어지럼/현훈 및 기립어지럼과 모두 관련되어 있으나, 앉은 자세에서 고개를 뒤로 젖히거나, 침대에 눕거나, 누운 상태에서 고개를 돌리는 경우 등은 체위어지럼/현훈에 해당한다. 즉, 혈압 및 뇌혈류량의 저하를 동반하지 않는 두위의 변화에 따른 어지럼 유발이 체위어지럼/현훈의 특징이다.

재발성 체위어지럼/현훈은 대부분 말초성인 양성돌발체위현훈(benign paroxysmal positional vertigo, BPPV)이며, 중추체위현훈은 상당히 드물지만 감별이 필요하다(표 3-1). BPPV는 가장 흔한 현훈의 원인이지만, 1921년 최초로 발표된 체위성 현훈과 발작성 안진은 뇌종양과 중추체위안진에 대한 보고였다. 체위성 안진의 특징적인 소견은 개별 BPPV의 진단뿐만 아니라 중추체위현훈을 감별하는 데 도움을 준다.

BPPV는 타원낭에 위치한 이석이 변성되어 떨어져 나와 반고리관 내에 들어가거나 팽대마루에 붙게 된 후, 이석의 중력 작용을 변화시키는 특정 두위 변화 및 위치에 따라 세반고리관내 이석의 위치가 변하거나 팽대마루를 굴곡 시키며 증상을 유발한다. 이때 세반고리관내 이석의 경우, 특징적으로 체위 변경 이후 2–20초간의 잠복기를 보이며, 1분 미만의 안진이 발생한다. 또한 반복 유발 시 피로도에 의해 초기의 심한 안진 및 현훈의 세기가 감소하는 특징이 있다.

이에 반해 중추체위현훈은 순수한 수직성 안진 혹은 회전성 안진을 보이거나, 상대적으로 잠복기가 매우 짧고(3초 이하), 안진의 지속시간이 길며(> 1분), 안진의 강도에 비해 현훈이 없거나 경미하며, 반복 유발에도 안진의 강도가 줄어들지 않고, 두위에 따라 안진의 방향이 변화하기도 한다. 드물게, 양성발작성 현훈과 유사한 잠복기, 지속시간, 피로도를 보이는 경우도 있어, 특정 반고리관 자극에 대해 예측되지 않은 안진이 보이게 될 경우도 중추체위성 현훈을 고려해야 한다. 또한, 대개는 자발성 수직성 안진(primary vertical nystagmus) 및 소뇌성 안구운동장애 및 실조증과 같은 중추성 병변을 시사하는 다른 신경학적 이상을 동반한다. 중추체위성 안진은 반고리관과 이석의 활성화를 처리하는 중추성 전정기능의 저하에 의한 것으로 생각되며, 소뇌결절에서 속도 저장의 지연(prolonged velocity storage) 및 소뇌에서 전정핵으로 가는 퍼킨지 세포 유도(Purkinje cell mediated) 억제 현상의 소실에 따른 중추성 수직성 전정안반사의 이상에 의한 것으로 추정된다. 대개 충부(vermis), 편엽(flocculus)을 포함한 전정소뇌(vestibulocerebellum) 및 제4뇌실 주변부 병변에서 발생할 수 있으며, 종양, 뇌졸중, 다발경화증, 약물중독, 편두통, 소뇌변성, 간헐성 운동실조증(episodic ataxia) 및 chiari malformation과 같은 두개경부기형(craniocervical malformation) 등 다양한 질환에서 나타날 수 있다.

BPPV는 가장 흔한 현훈의 원인으로, 응급실을 찾게 되는 흔한 원인이기도 하다. 50−60대의 여성에게서 호발하며, 일반적으로 아침 기상 시에 발생하며, 침대에서 일어설 경우, 누울 경우 및 돌아누울 경우와 같이 특정 체위변화에 따라 증상이 반복적으로 발생한다. 후반, 수평, 전반고리관과 같이 특정 반고리관을 자극하는 체위검사에서 다른 신경학적 이상 없이 특징적인 체위안진을 보일 경우 진단할 수 있다.

후반고리관 BPPV가 가장 흔한 형태로, Dix−Hallpike 술기로 진단한다. 이는 앉은 자세의 환자의 고개를 편측으로 45도가량 회전시킨 후 빠르게 눕히며 머리를 침대 밑으로 20도가량 아래로 누인다. 이때 특징적인 회선−상방안진이 유발된다. 심한 경추부 질환, 불안정성 및 혈관박리 등에 의해 Dix−Hallpike 술기 시행에 제한이 있을 경우 side lying test로 대체 가능하다.

수평반고리관 BPPV는 누운 상태에서 양쪽으로 고개를 돌리는 머리회전검사(supine head roll test) 시 특징적인 향지성(geotropic nystagmus) 혹은 원지성 안진(apogeotropic nystagmus)이 관찰된다. 관내이석(canalolithiasis)의 경우 향지성, 팽대무릉정결석(cupulolithiasis)의 경우 반향지성이 관찰되며, 타 관내이석과 달리 안진의 잠복기가 없을 수 있고, 고개를 돌리고 있을 경우에는 안진이 수 분 이상 지속되기도 한다.

이러한 BPPV는 epley, sermont, barbecue, gufoni, head−shaking과 같은 특정 체위정복술을 통해 즉각적이고 효과적인 치료가 가능하다.

상반고리관 BPPV는 가장 드문 형태로, Dix−Hallpike 검사 시 하향수직−회선안진을 보인다. 이러한 하향 수직안진은 중추체위안진의 가장 흔한 형태로, 소뇌의 편엽(flocculus), 소절(nodulus) 및 전정핵을 포함한 병변에서 보일 수 있는 체위성 하박안진(positional down−beating nystagmus)과의 감별이 필요하다.

4 만성지속어지럼 및 불균형(Chronic persistent dizziness and imbalance)

일반적으로 3개월 이상 지속되는 어지럼을 일컬으며, 현훈은 전정계의 병변이 심할지라도 중추신경계의 보상작용에 의해 수 주 이내로 호전이 되기 때문에, 비특이적 어지럼 형태로 나타난다. 양측성 전정부전(bilateral vestibular failure) 상태뿐 아니라 소뇌변성과 같은 퇴행성 질환 및 기능성/심인성 질환들이 주요 감별질환들이다(표 3-1). 일차의료기간에서 진단 및 치료가 어려운 경우가 많아, 전문 어지럼증클리닉으로 의뢰되는 경우가 많다. 특히 기능성/심인성 어지럼은 한국에서 전문적인 어지럼증클리닉에 의뢰된 환자들 중 두 번째로 흔한 어지럼의 원인이기도 하다.

양측성 전정장애(bilateral vestibulopathy)는 보행 혹은 기립 시 불안정을 보이며, 이는 어둠, 고르지 않은 땅, 혹은 머리 움직임에 의해 악화된다. 또한 머리 움직임에 의한 시력저하 및 동요시(oscillopsia)를 보인다. 일측성 전정장애에서 흔히 보이는 자발어지럼/현훈은 현저하지 않다. 비디오두부충동검사에서 양측성으로 저하(horizontal angular VOR gain on both sides < 0.6)된 소견이 보이면 진단할 수 있다. 이독성 약물, 양측성 메니에르병, 뇌수막염 및 유전질환이 원인일 수 있으나, 대부분에서 원인이 뚜렷하지 않다.

노화성 전정병증(presbyvestibulopathy, PVP)은 60세 이상의 노인에서 자세불균형, 보행장애 및 반복적인 낙상으로 나타나며 경도의 전정기능 저하가 동반된다. 비디오두부충동검사에서 전정기능은 양측성 전정신경병증보다는 좋다(0.6 < horizontal angular VOR gain on both sides < 0.8). 전형적으로 연령 관련 시력, 고유 감각 및 대뇌, 소뇌, 추체외로 기능장애와 동반한다.

최근 Bárány 학회에서는 전문가 집단 합의를 통해 만성기능적 전정질환장애로 분류할 수 있는 지속적 체위지각어지럼(persistent postural-perceptual dizziness, PPPD)이라는 새로운 용어를 도입하였다. 이는 과거 자세공포현훈(phobic postural vertigo), 공간동작불편(space-motion discomfort), 시각현훈(visual vertigo) 및 만성주관어지럼(chronic subjective dizziness, CSD)과 같이 유사한 증상을 보인 다양한 기능성 어지럼의 리뷰를 통해 진단기준을 만들었다. 어지럼, 자세불안 혹은 비회전성 현훈을 3개월 이상, 한 달 중 절반 이상을 경험해야 하며, 이는 기립 자세 혹은 특정 방향 및 자세와 무관한 일련의 동작, 또는 움직이는 시각 자극, 복잡한 시각 패턴에 의해 악화될 수 있다. 대부분 거의 매일 증상을 경험하며, 일시적으로 더 심해지는 경과를 보이기도 한다. 또한 말초 혹은 중추전정질환, 전정편두통, 공황발작 및 불안장애 등과 같은 어지럼/현훈을 유발하는 선행 사건이 동반된 경우가 흔하며, 대부분 선행 사건이 해소될 때 PPPD의 만성증상을 경험하기 시작한다.

소뇌변성뿐만 아니라 알츠하이머병 및 파킨슨병과 같은 퇴행성 뇌질환에서도 시각계, 전정신경계, 체성 감각계를 통합하는 중추신경계의 기능장애에 따른 만성어지럼 및 보행장애를 유발할 수 있으며, 매년 그 수가 증가되고 있다.

이러한 만성어지럼은 질환 특이적 치료가 가능한 경우가 적지만, 다양한 내과적 상태 및 약물도 만성어지럼의 원인이 될 수 있고, 다양한 원인이 병발할 수도 있다. 이에 복용약물에 대한 세심한 병력 확인 및 신경안과적 진찰뿐만 아니라 인지기능 및 추체외로 평가와 같은 폭넓은 신경학적 검사와 추적관찰이 필요하다. 또한 흔히 처방되는 전정억제약물은 중추보상작용을 억제하여 환자의 회복에 방해가 될 수 있어, 장기간 사용에 주의가 필요하며, 전정재활과 같은 치료법이 증상 개선에 도움이 될 수 있다.

4 결론

어지럼은 다양한 증상으로 나타나며 많은 원인질환을 감별해야 하므로 세밀한 병력 청취와 신경학적 진찰이 중요하며 효과적인 접근방법을 통해 감별진단 목록을 설정할 필요가 있다.

어지럼 증상 형태에 따른 분류법은 어지럼의 기전 및 원인질환 감별에 제한이 있어, 발병 형태 및 유발요인에 따른 분류방법을 이용하여 감별진단범위를 설정하고 관련된 신경학적 진찰 및 검사를 집중적으로 시행하는 것이 어지럼 환자의 진료에서 보다 유용하다.

급성자발지속어지럼/현훈에서는 전정신경염 및 뇌졸중을 감별해야 하고, HINTS로 알려진 신경안과적 진찰은 매우 유용하며, 발병 24-48시간 이내에는 자기공명뇌영상보다 뇌졸중 진단의 정확도가 높다. 재발성 자발어지럼/현훈은 대부분 메니에르병, 전정편두통, 척추기저허혈, 심인성 질환에 해당하며 발작간기에는 신경학적 진찰에서 이상이 없는 경우가 많고 발작기에는 다양한 신경학적 이상 및 비특이적 검사결과가 많아 자세한 병력 청취가 가장 중요하며 특히 어지럼/현훈의 지속시간과 동반증상이 감별에 중요하다. 재발성 체위어지럼/현훈은 BPPV가 대부분으로, 각각의 반고리관을 자극할 수 있는 검사법을 통하여 특이적인 체위 안진을 확인하여야 하고, 이에 부합하지 않을 경우 중추체위현훈을 의심해 볼 수 있다. 마지막으로 만성어지럼 및 불균형은 전정장애뿐 아니라 신경계의 퇴행질환 및 심인성/기능성 질환이 흔한 원인이며 다양한 원인이 혼재할 수 있어, 폭넓은 신경학적 진찰과 임상경과가 진단에 중요하다.

Chapter 03

Reference

- Baloh RW. Vertigo. Lancet 1998;352:1841-6.

- Bisdorff AR, Staab JP, Newman-Toker DE. Overview of the International Classification of Vestibular Disorders. Neurol Clin 2015;33:541-50, vii.

- Drachman DA, Hart CW. An approach to the dizzy patient. Neurology 1972;22:323-23.

- Edlow JA. Diagnosing dizziness: we are teaching the wrong paradigm! Acad Emerg Med 2013;20:1064-6.

- Johkura K. Central paroxysmal positional vertigo: isolated dizziness caused by small cerebellar hemorrhage. Stroke 2007;38:e26-7; author reply e28.

- Jung IE, Kim JS. Approach to dizziness in the emergency department. Clin Exp Emerg Med 2015;2:75-88.

- Kim HJ, Lee JO, Choi JY, et al. Etiologic distribution of dizziness and vertigo in a referral-based dizziness clinic in South Korea. J Neurol 2020;267:2252-9.

- Kim JS, Newman-Toker DE, Kerber KA, et al. Vascular vertigo and dizziness: diagnostic criteria. J Vestib Res 2022;32:205-22.

- Lempert T, Olesen J, Furman J, et al. Vestibular migraine: diagnostic criteria1. J Vestib Res 2021;32:1-6.

- Lempert T. Recurrent spontaneous attacks of dizziness. Continuum (Minneap Minn) 2012;18:1086-101.

- Müller KJ, Becker-Bense S, Strobl R, et al. Chronic vestibular syndromes in the elderly: presbyvestibulopathy—an isolated clinical entity? Eur J Neurol 2022;29:1825-35.

- Newman-Toker DE, Cannon LM, Stofferahn ME, et al. Imprecision in patient reports of dizziness symptom quality: a cross-sectional study conducted in an acute care setting. Mayo Clin Proc 2007;82:1329-40.

- Park JH, Do YR, Kim JS. Clinical approach to patients with dizziness. J Korean Med Assoc 2018;61:44-8.

- Staab JP, Eckhardt-Henn A, Horii A, et al. Diagnostic criteria for persistent postural-perceptual dizziness (PPPD): Consensus document of the committee for the Classification of Vestibular Disorders of the Bárány Society. J Vestib Res 2017;27:191-208.

CHAPTER 04 손발저림

안재영

손발저림은 손과 발에서 나타나는 감각이상을 의사나 환자 모두 일상적으로 사용하는 용어이나, 환자가 호소하는 손발저림이 다양한 이상감각 중에 신경병증 통증의 한 형태인 tingling (pins and needles)을 의미하는 것이 아닐 수 있어 자세한 병력 청취가 선행되어야 한다.

1 양성 및 음성증상

신경기능의 장애 또는 병변으로 인한 신경병증 통증은 먹먹함 혹은 둔하고 마취된 느낌(hypesthesia)으로 표현되는 음성증상과 자극에 대한 반응이 증가되어 나타나는 양성증상인 자발통(spontaneous pain), 통각과민(hyperalgesia), 이질통(allodynia), 이상감각(dysesthesia) 등으로 다양하다. 자발통은 외부자극이 없이 저절로 나타나는 통증이며, 통각과민은 정상상태의 일반적인 자극에 대해 평소보다 통증이 증강된 상태, 이질통은 통증을 유발할 만한 자극이 아닌데도 통증을 느끼는 것을 의미하고, 이상감각은 자극에 의해 나타나는 비정상적인 감각으로 반드시 통증이 동반하는 것은 아니지만, 불쾌감이 동반되는 경우로 정의된다.

2 용어

의사들은 감각이상(paresthesia)과 이상감각(dysesthesia) 두 가지 모두 양성적 감각증상을 일컫는 일반적인 용어로 사용하나, paresthesia는 전형적으로 tingling (pins and needles)에 사용되며, 통증을 제외한 다양한 비정상적인 감각증상들, 때로는 자발적인 감각이상들도 지칭한다. Dysesthesia는 통증을 포함하여, 자극의 유무와 상관없이 모든 이상감각을 의미한다. Tinling이 전형적인 양성 감각증상이지만, itch, pricking, bandlike, lightning-like shooting (lancinating), aching, knifelike, twisting, drawing, pulling, tightening, burning, electrical, searing 등 다양하게 나타날 수 있다.

3 감각의 신경해부

피부수용체(cutaneous receptors)는 자극의 종류에 따라 구분된다(표 4-1).

조직손상을 일으킬 수 있는 자극에 반응하는 통각수용기(nociceptor)와 온도 자극에 반응하는 온도수용기(thermoreceptor)에 해당하는 자유신경종말(naked nerve ending)과, 피부에 물리적 변형에 의해 자극이 되어 느끼는 촉각, 압각과 진동감각을 담당하는 기계수용체(mechanoreceptor)들에 해당하는 피막신경소체(encapsulated nerve terminal)로 구분된다. 말초신경의 구심신경은 등뿌리신경절(dorsal root)를 거쳐 척수의 후각으로 들어간다. 통각, 촉각, 온도감각을 담당하는 민말이집신경섬유(unmyelinated fiber)와 작은말이집신경은 다시 시냅스 경로를 통해 반대편 척수의 앞쪽 및 가쪽 기둥을 통해 뇌간을 거쳐 시상의 가쪽뒤배쪽핵(ventroposterolateral nucleus)에 도달한 후 두정엽의 중심뒤이랑(postcentral gyrus)와 다른 뇌피질로 이어지는 척수시상로(spinothalam-

표 4-1 피부수용체의 종류, 위치, 경로

감각수용체	자극종류	말단형태	위치	섬유종류	경로
통각수용기					
통증 온도	조직손상 온도변화	자유신경(Aδ, C) 종말[민말이집 (unmyelinated), nonencapsulated (캡슐화되지 않은) 신경섬유]	표피, 진피, 각막, 근육, 관절주머니	Aδ(그룹 III) 말이집 (myelinated) 신경섬유, C(그룹 IV) 민말이집신경섬유	앞쪽경로
기계적 수용기					
자유신경종말	촉각, 압력	캡슐화되지 않은 말단	표피, 진피, 각막, 치수, 근육, 인대, 힘줄, 관절낭, 뼈, 점막	Aδ, C 신경섬유	앞쪽경로
메르켈소체	식별감각, 약한 압력	캡슐화되지 않은 말단	표피바닥(basal epidermis)	Aβ (그룹 II) 말이집신경섬유	등기둥안쪽 섬유띠경로 (Dorsal Column Medial Lemniscal pathway, DCML pathway)
마이스너소체	두점식별감각	캡슐화된 말단	진피유두(털이 없는 부위)	Aβ (그룹 II) 말이집 신경섬유	DCML 경로
파치니소체	센 압력과 진동감각	캡슐화된 말단	진피, 피부밑조직, 뼈사이막, 인대, 바깥생식기관, 관절낭, 복막, 이자	Aβ (그룹 II) 말이집 신경섬유	DCML 경로
모낭신경말단 (peritrichial nerve ending)	촉각, 털움직임	캡슐화되지 않은 말단	모낭주변	Aβ (그룹 II) 말이집 신경섬유	DCML 경로
루피니소체	압력, 피부가 늘어지는 정도	캡슐화된 말단	관절낭, 진피, 피부밑조직	Aβ (그룹 II) 말이집 신경섬유	DCML 경로
근육과 힘줄의 기계적 수용기					
핵주머니근섬 (nuclear bag fiber)	근육늘임 (muscle stretch) 시작			Aα(그룹 Ib) 말이집 신경섬유, 근방추	DCML 경로 와 소뇌로 가능 상행감각 경로
핵사슬근섬유 (nuclear chain fiber)	근육늘임 진행		골격근		
골지힘줄기관 (golgi tendon organ)	힘줄늘임			Aα(그룹 Ib) 말이집 신경섬유	

Chapter 04

ic pathway or anterolateral system)를 형성한다(그림 4-1). 큰말이집신경
(large myelinated fiber)은 촉각, 위치감각, 운동감각(kinesthesia)을 담당
하며, 동측 척수의 뒤쪽 또는 뒤가쪽 기둥을 통해 하부 연수의 널판핵
(gracile nucleus) 또는 쐐기핵(cuneate nucleus)에서 첫 번째 시냅스를 형
성한다. 2차신경세포의 축삭은 반대편으로 교차한 후 내측섬유대(medi-
al lemniscus)를 따라 상행하여 시상의 가쪽뒤배쪽핵(VPL nucleus)에서
시냅스를 형성한다. 3차신경세포는 두정엽과 다른 피질로 연결된다(그림

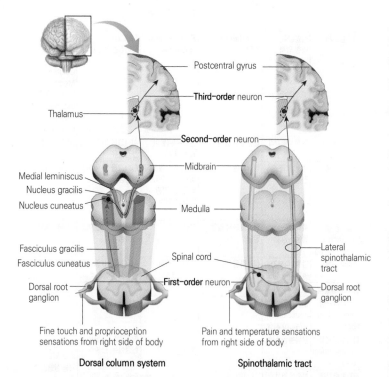

Postcentral gyrus

Third-order neuron

Thalamus

Second-order neuron

Midbrain

Medial leminiscus
Nucleus gracilis
Nucleus cuneatus

Medulla

Fasciculus gracilis
Fasciculus cuneatus

Spinal cord

Lateral
spinothalamic
tract

Dorsal root
ganglion

First-order neuron

Dorsal root
ganglion

Fine touch and proprioception
sensations from right side of body

Pain and temperature sensations
from right side of body

Dorsal column system

Spinothalamic tract

그림 4-1 등기동안쪽섬유띠로(dorsal column medial lemniscal trat)와 척수시상로
(spinothalamic tract)

4-1). 체성 감각은 척수시상로와 후주내측섬유대로(dorsal column-medial lemniscus pathway, DCML)로 전달되는 감각 말고도 촉각, 압력, 위치 감각 등은 양측 척수의 앞쪽 경로로도 전달되어, 척수후기둥이 완전 손상된 환자에서 신경학적 검진상 감각 장애가 심하지 않을 수 있다.

4 감각이상의 국소화

정확한 병력 청취와 신경학적 검사로 환자가 단순히 저림으로 표현하는 증상이 신경병증 통증의 종류의 하나인지, 어느 영역에 국한되어 있는지 알아낸 후 말초신경의 감각 부위 또는 피부분절의 관한 신경해부학적 지식(그림 4-2)을 바탕으로 감각장애의 분포 양상(그림 4-3)을 파악하는 것이 병변의 위치의 감별진단에 중요하다.

1 말초신경과 신경근

단일말초신경병증에서 환자가 느끼는 감각이상은 해당 신경의 감각부위를 벗어나서 나타날 수 있지만, 신경학적 검진에서는 해당 감각 영역에서만 이상소견이 나타난다(그림 4-3A).

신경근병변은 흔히 연관 신경줄기(nerve trunk)의 경로를 따른 방사통이 동반되며, 각 신경근의 지배를 받는 근육의 근력약화와 해당 심부건반사의 감소를 유발할 수 있다. 단일신경근의 병변은 주위 신경근의 감각 영역의 중복으로 신경학적 검사 상의 감각소실이 없거나, 최소한의 영역에 국한될 수 있다(그림 4-3B).

다발성 말초신경병증에서는 감각소실은 대칭적으로 원위부에서부터 단계적인 소실을 보인다(그림 4-3C). 무감각과 이상감각은 발가락에서부터 시작해서 대칭적으로 근위부로 퍼지며, 보통 하지감각이상이 무릎까

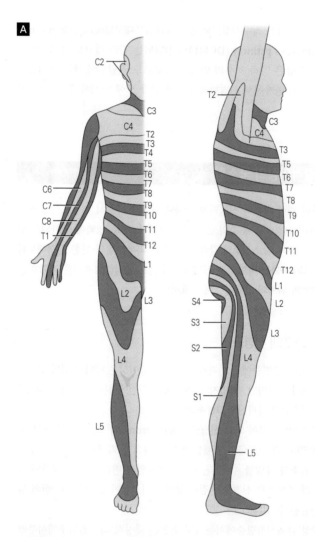

그림 4-2 척수신경 피부분절과 말초신경 감각영역 *(계속)*

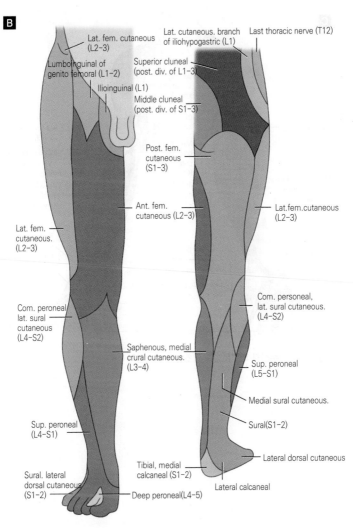

그림 4-2 척수신경 피부분절과 말초신경 감각영역

(계속)

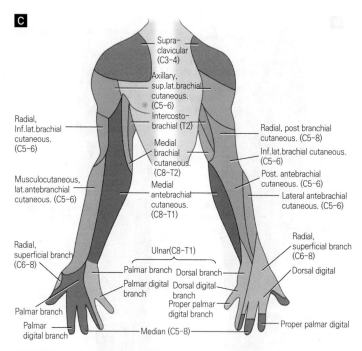

그림 4-2 척수신경 피부분절과 말초신경 감각영역

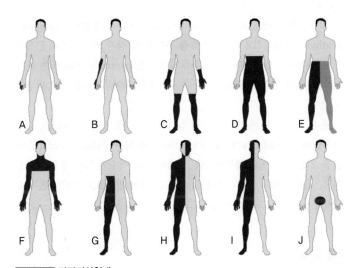

그림 4-3 감각이상형태.

A. 말초신경: 손목굴증후군(carpal tunnel syndrome), B. 신경뿌리: 경부 6분절 신경뿌리병증,
C. 다발신경병증(polyneuropathy), D. 척수횡단병변(transverse spinal cord lesion),
E. 브라운세카르증후군(Brown-Séquard syndrome), F. 중심척수증후군(central cord syndrome),
G. 단일등기둥병변(single dorsal column lesion), H. 뇌줄기(brainstem)-연수(medulla),
I. 시상(thalamic) 혹은 대뇌반구(cerebral hemisphere), J. 말총증후군(cauda equina syndrome)

지 올라오면, 손가락에 증세가 나타난다. 이러한 증상의 진행 과정은 신경의 길이 의존적(length-dependent) 손상의 과정으로 stocking-glove 양상으로 나타난다. 대부분의 다발성 말초신경병증은 모든 종류의 감각에 이상이 생기지만, 침범되는 신경의 크기에 따라 선택적 감각이상이 발생할 수 있다. 가는섬유신경병증(small fiber polyneuropathy)은 감소된 통각 및 냉온각 검사소견과 함께 작열통(burning), 통증을 동반한 이상감각이 나타나고, 심부건반사, 고유감각(proprioception), 운동기능에는 영향이 없다. 굵은섬유신경병증에서는 진동감각, 위치감각, 심부건반사가 떨어지고, 균형감각이상과 다양한 정도의 근력저하가 발생하나, 대부분의 표재성 감각은 유지된다.

감각신경세포병증(sensory neuronopathy) 또는 신경절병증(ganglion-opathy)는 비대칭적으로 감각저하를 유발하며, 상지 또는 하지의 근위부 또는 원위부에 발생한다. 이런 종류의 병증은 paraneoplastic 또는 특발성으로 흔히 생기며, Sjögren 증후군과 같은 자가면역질환에서 발생할 수 있다.

손과 발에 국한된 감각 증상이 갑자기 발생하였다면 국한된 말단감각증후군(restricted acral sensory syndrome)의 하나인 cheiro-pedal 증후군을 의심하고, 이런 경우에 원인 병변이 뇌나 척수에 있는 경우를 의심하고, 편측인 경우 뇌영상검사를, 손 또는 발에 양측으로 나타나면 척수영상검사를 먼저 고려해야 할 수도 있다.

2 척수

척수가 가로절단되면, 모든 감각은 절단부위 아래로 소실되며(그림 4-3D), 괄약근 및 운동기능에도 이상이 나타난다. 척수의 편측절단이 되면 병변부위 아래의 반대측 통각 및 온도감각과 동측의 고유감각과 운동기능의 이상이 발생되는 Brown-Séquard syndrome을 유발한다(그림 4-3E).

양측 발의 무감각 또는 감각이상은 척수에서도 기인할 수 있는데, 감각소실의 범위가 몸통까지 이어지는지, 하지에서 상부운동신경원 침범 징후가 있는지 확인이 필요하다.

몸통에 감각과민을 보이는 띠가 있다면 병변부위를 시사하는 소견이 되기도 한다.

해리감각소실(dissociative sensory loss)은 편측의 척수시상로(spi-nothalamic tract)가 침범될 경우 촉각(fine touch)과 고유감각은 유지되고, 통증과 온도감각이 소실되는 상태를 지칭한다. 척수의 중앙부위를 침범되어 양측 척수시상로가 침범되는 척수공동증(syringomyelia)에서는 양측으로 해리감각소실이 발생하게 된다(그림 4-3F).

척수의 후기둥(posterior column) 또는 뒤뿌리신경(dorsal root)이 침범되면 몸통에 띠를 두른 것 같은 감각장애 또는 한 군데 이상의 사지에 압박감이 발생할 수 있다. 경추의 척수후기둥에 침범되는 병변이 있을 경우 고개를 숙였을 때 등을 따라 다리로 전기충격과 같은 감각이상이 유발되는 Lhermitte 징후가 나타나는데, 다발성 경화증, 경추증(cervical spondylosis) 등에서 보일 수 있다.

3 뇌간

외측 연수에 작은 병변이 생기면 동측의 하행성 삼차신경로(descending trigeminal tract)와 반대편 사지와 몸통을 담당하는 척수시상로가 침범되어 동측 얼굴과 반대편 사지와 몸통에 교차되어 감각장애가 발생할 수 있다(그림 4-3H). 뇌교와 중뇌의 덮개(tegmentum)에 병변은 반대측의 모든 감각을 소실되게 만든다.

4 시상(Thalamus)

무딘감과 tingling을 동반하는 반신감각장애(그림 4-3I)는 시상의 병변에서 발생한다. VPL (ventroposterolateral)핵과 주위백색질을 침범하는 경우 편측의 지속적이며 심한 통증을 유발하는 Déjerine-Roussy 증후군 또는 시상통증증후군(thalamic pain syndrome)이 생길 수 있다.

5 피질

두정엽의 피질과 인접백색질을 침범하는 병변의 경우 피질감각(two-point discrimination, graphesthesia)은 저하되나, 일차감각(primary sensation)은 비교적 유지된다. 전방두정엽뇌경색에서는 반대쪽 사지에 일차감각의 소실이 발생하는 거짓시상증후군(pseudo thalamic syndrome)으로 나타날 수도 있다.

Reference

- Aminoff MJ. Numbness, tingling and sensory loss. In: James JR, Fauci AS, Kasper DL, et al. Harrisons' principles of internal medicine. 20th ed. New York: McGraw Hill; 2018. pp. 139-42.
- Chen WH, Lin HS, Chui C, et al. Cheiro-pedal syndrome: a revisit of etiology, localization and outcome. Clin Neurol Neurosurg 2017;157:59-64.
- Kim SH. Diagnosis and treatment of Tingling sensation on Hands and feet. J Korean Med Assoc 2005;48:472-8.

05 편마비와 언어장애

이시백, 노상미, 김용재

1 편마비

편마비는 한쪽 편의 위약을 뜻하며, 상지 및 하지의 심한 마비가 있을 경우 반신마비(hemiplegia)라 하고, 정도가 심하지 않을 경우 반신불완전마비(hemiparesis)라 한다. 이러한 증세는 뇌의 신경다발 중 크게 피질중뇌로(corticomescencephalic tract)의 병변에 의한 동향주시마비(conjugate gaze palsy), 피질숨뇌로(corticobular tract)의 병변에 의한 편측 안면마비 및 구음장애, 피질척수로(corticospinal tract)의 병변에 의한 편측 마비로 구분할 수 있다.

이 중, 피질중뇌로는 전두엽눈영역(frontal eye field, Brodmann area 8)에서 시작하여 피질척수로 앞쪽으로 평행하게 주행하며 속섬유막(internal capsule)의 뒷다리(posterior limb) 앞쪽에 위치하여 중뇌에서 동안신경 및 도르레신경핵에 도달하고 이후 다리뇌의 외전신경핵까지 도달한다. 다음으로 피질숨뇌로는 대뇌운동피질(precentral gyrus, Brodmann area 4)에서 시작하여 대뇌부챗살, 기저핵, 속섬유막을 거쳐 중뇌의 대뇌다리(cerebral peduncle)를 경유하여 뇌줄기에 있는 뇌신경의 운동핵까지 하행하는 경로로써 다리뇌에서는 저작근 및 안면근육의 움직임을 관장하는 삼차신경 아래턱분지와 안면신경핵으로 연결되며 이후

하행경로를 따라 연수에서 연하기능 및 발성에 관여하는 미주신경과 머리와 목의 움직임을 담당하는 더부신경 및 발음에 관여하는 설하신경에 도달한다. 한편, 숨뇌의 앞면에는 앞면정중고랑이 있고 양옆에는 피라미드라고 하는 융기부가 있는데 이는 팔, 다리 운동을 관장하는 피질척수로를 구성하는 신경섬유다발로 구성되어 있다. 이 피라미드는 아래로 내려가서 가늘어지고 섬유의 대부분은 반대편으로 교차하여 피라미드 교차를 형성한다. 그 아래쪽의 올리브(olive)는 타원형 융기부로 피라미드의 뒤쪽, 바깥쪽에 위치한다. 올리브 뒤에는 숨뇌와 소뇌를 연결하는 아래소뇌다리가 위치하며, 올리브와 아래소뇌다리의 사이의 고랑으로부터 제9뇌신경 혀인두신경, 제10뇌신경 미주신경, 제11뇌신경 더부신경이 시작된다(그림 5-1).

　마지막으로 피질척수로는 피라미드로라고도 하는데 대뇌운동피질(precentral gyrus, Brodmann area 4)에서 시작하여 척수의 회색질 앞쪽 뿔(anterior horn)에 있는 하부 운동뉴런(lower motor neuron)까지 연결되는 경로를 말하며 심부 근육(axial muscle)을 지배하는 앞쪽피질척수로(anterior corticospinal tract)와 상하지의 근육을 지배하는 가쪽피질척수로(lateral corticospinal tract)로 나눠진다.

1 운동신경계의 해부학적 구조

(1) 사람 대뇌운동피질의 구조

　① 운동피질의 외측면(그림 5-2, 5-3-A)
　　중심고랑(central sulcus) 앞쪽에 위치한 중심앞이랑의 뒤편으로 중심고랑과 맞닿아 있는 일차운동피질(Brodmann area 4)이 있으며, 그 앞으로 보조운동영역(Brodmann area 6) 및 전두엽눈영역(Brodmann area 8)이 있다.

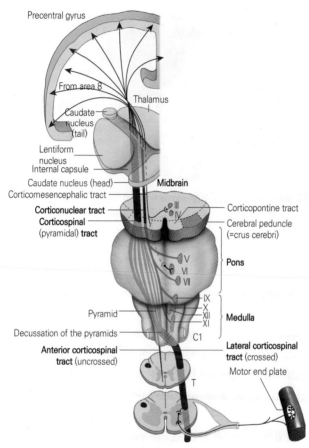

그림 5-1 피질척수로(피라미드로)의 경로

1. Precentral gyrus(중심앞이랑), 2. From area 8[전두엽눈영역(Bordmann area 8)에서],
3. Caudate nucleus (tail), Thalamus[꼬리핵(꼬리부분), 시상], 4. Lentiform nucleus(렌즈핵),
5. Internal capsule(속섬유막), 6. Caudate nucleus (head), Midbrain[꼬리핵(머리부분), 중뇌],
7. Corticomesencephalic tract(피질중뇌로), 8. Corticonuclear tract(피질숨뇌로), 9. Corticospinal
(pyramidal) tract[피질척수(피라미드)로, Corticopontine tract(피질다리뇌로)], 10. Cerebral
peduncle [=crus cerebri(대뇌다리)], 11. Pons(다리뇌), 12. Pyramid(피라미드), 13. Medulla(연수),
14. Decussation of the pyramids(피라미드의 교차), 15. Anterior corticospinal tract (uncrossed)
[앞쪽피질척수로(교차하지 않는)], 16. Lateral corticospinal tract (crossed)[가쪽피질척수로(교차하
는)], 17. Motor end plate(운동종판).

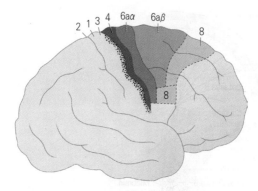

그림 5-2 **일차운동피질/중심앞이랑**(Brodmann area 4),
전운동피질(Brodmann area 6) **및 전두엽눈영역**(Brodmann area 8)

② 운동피질의 내측면(그림 5-3B)

중심고랑(central sulcus)을 중심으로 외측면의 중심앞이랑
(precentral gyrus)이 연장되어 있으며, 그 앞쪽으로도 보조운동영
역(Broadmann area 6)이 이어져 있고, 그 앞으로 뇌들보(corpus
callosum) 앞에서 시작하여 이를 감싸는 앞띠다발이랑(anterior
cingulate gyrus, Brodmann area 24)이 위치한다

③ 사람일차운동피질의 몸영역분포(homunculus)

일차운동피질 병변은 병변 반대측의 부분적인 근력 저하를 일으킬
수 있는데, 이를 그림으로 나타낸 지도를 축소인간(homunculus)
라고 한다. 그림과 같이 다리나 몸통보다 손이나 얼굴의 운동 영역
이 더 크고 넓게 분포한다(그림 5-4).

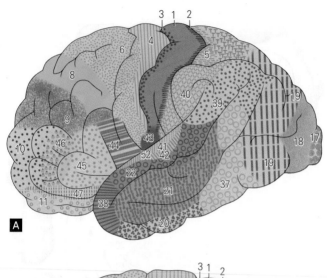

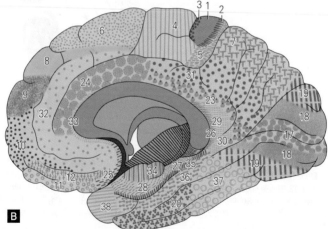

그림 5-3 대뇌피질영역(Brodmann area) A. 외측면, B. 내측면.

Modified from Brodmann K. Vergleichende Lokalisationslehre der Grosshirnrinde in ihren Prinzipien dargestellt auf Grund des Zellenbaues. Leipzing: Johann Ambrosius Barth, 1909.

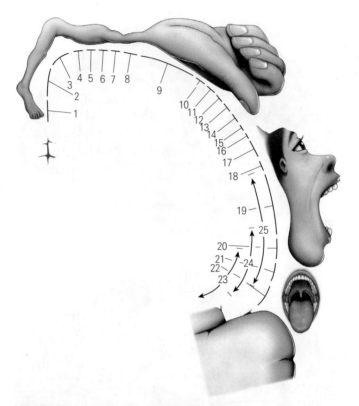

그림 5-4 운동 축소인간. 대뇌피질의 각 영역과 운동영역

1. Toes(발가락), 2. Ankle(발목), 3. Knee(무릎), 4 Hip(고관절), 5. Trunk(몸통), 6. Shoulder(어깨), 7. Elbow(팔꿈치), 8. Wrist(손목), 9. Hand(손), 10. Little finger(새끼손가락), 11. Ring finger(넷째손가락), 12. Middle finger(가운데손가락), 13. Index finger(집게손가락), 14. Thumb(엄지손가락), 15. Neck(목), 16. Brow(이마), 17. Eyelid and eyeball(눈꺼풀 및 안구), 18. Face(얼굴), 19. Lips(입술), 20. Jaw(턱), 21. Tongue(혀), 22. Swallowing(삼킴), 23. Mastication(씹기), 24. Salivation(침분비), 25. Vocalization(발성).

Modified from Penfield W, Rasmussen T. The Cerebral Cortex of Man. New York: Macmillan, 1950.

Chapter 05

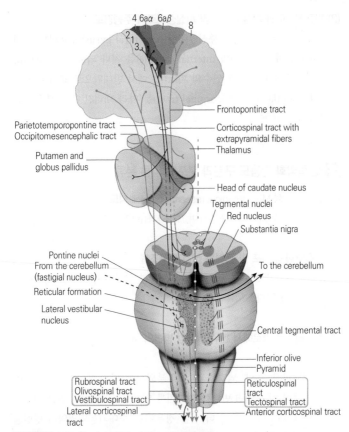

그림 5-5 운동기능과 관련된 뇌 구조 및 하행경로.

1. Frontopontine tract(전두다리뇌로), 2. Parietotemporopontine tract(두정측두뇌다리로),
3. Corticospinal tract with extrapyramidal fibers(피라미드외로와 함께 주행하는 피질척수로),
4. Occipitomesencephalic tract(후두중뇌로), 5. Thalamus(시상), 6. Putamen and globus pallidus
(조가비핵과 창백핵), 7. Head of caudate nucleus(꼬리핵의 머리), 8. Tegmental nuclei(덮개핵),
9. Red nucleus(적핵), 10. Substantia nigra(흑질), 11. Pontine nuclei(뇌다리핵),
12. From the cerebellum (fastigial nucleus)[소뇌로부터(꼭지핵)], 13. Reticular formation(그물체),
14. Lateral vustibular nucleus(가쪽전정신경핵), 15. Central tegmental tract(중심덮개로),
16. Inferior olive(하부올리브), 17. Pyramid(피라미드), 18. Rubrospinal tract(적핵척수로),
19. Resticulospinal tract(그물척수로), 20. Olivospinal tract(올리브척수로), 21. Vestibulospinal
tract(전정척수로), 22. Tectospinal tract(덮개척수로), 23. Lateral corticospinal tract(가쪽피질척수로),
24. Anterior corticospinal tract(앞쪽피질척수로)

(2) 피질척수로와 피질숨뇌로 및 피질중뇌로의 주행경로

피질척수로는 전두엽의 중심앞이랑(precentral gyrus)의 피라미드 세포에서 시작하여 내부피막(internal capsule)을 지나 뇌줄기(brainstem) 앞쪽으로 주행하며, 이후 연수의 피라미드에서 반대편으로 교차하여 외측피질척수로(lateral corticospinal tract)를 따라 내려간 후 하부운동신경에 도달한다(그림 5-5).

2 근력약화 중등도 구분과 분포에 따른 분류

(1) 근력의 수정 MRC (medical research council)척도

근력은 크게 5단계로 구분하며, 표 1-1과(p.12) 같이 정의한다.

(2) 근력약화의 분포 및 관련된 신경계 구조물

근력약화의 분포와 동반된 징후 및 관련 신경계 구조물을 정리하면 다음 표 5-1과 같다.

(3) 피질척수로 경로에서 편위약 원인 병변의 국소화(그림 5-6)

① 대뇌피질: 종양, 뇌경색 혹은 두부외상에 의해 대뇌피질에 병변이 발생할 경우 병변 반대쪽 편마비를 일으킬 수 있는데, 얼굴이나 팔이 다리보다 증상이 더 심할 경우에는 중대뇌동맥영역의 병변을 시사하며, 대가 더 심할 경우 전대뇌동맥영역의 병변을 시사한다. 또한, 전두엽눈영역을 침범할 경우 병변 쪽으로의 주시편위(gaze preference or eyeball deviation) -편마비는 병변 반대쪽에서 주시 편위는 병변 쪽으로- 가 나타날 수 있다.

② 속섬유막(internal capsule): 주로 뇌경색이나 뇌출혈에 의해 발생하며 피질척수로(피라미드로)와 피라미드외로(extrapyramidal

병변 위치	근력약화의 분포	감각소실	심부건반사[1]	가능한 동반 징후
표 5-1 신경축의 국소병변에 따른 일반적인 근력약화 양상				
중대뇌동맥영역	반대쪽 팔, 얼굴 > 다리[2]	동반	항진	실어증, 실행증, 시야결손, 주시마비
전대뇌동맥영역	반대쪽 다리 > 팔, 얼굴[2]	동반	항진	반대쪽 피질감각저하, 전두엽 징후, 가끔 실금 동반
속섬유막	반대쪽 얼굴=팔=다리[2]	없음	항진	없음("순수운동뇌졸중")
뇌줄기	같은 쪽 뇌신경 및 반대쪽 몸통[2]	동반	항진	병변 위치에 따라 다양함
경부척수 (횡단병변)	양쪽 팔, 다리[2]	동반	항진	대소변 혹은 성기능장애
흉부척수 (횡단병변)	양쪽 다리[2]	동반	항진	대소변 혹은 성기능장애
말총	양쪽 다리, 비대칭, 다발신경뿌리 병변 양상	동반	저하	드물게 대소변 혹은 성기능장애 동반, 가끔 통증 동반
앞뿔세포	초기에 국소적, 후기에 전신화	없음	항진	근위축, 근섬유다발수축, 연수위약
단일신경뿌리	해당 근분절근육	동반	저하	통증
신경얼기	완전 혹은 불완전 신경얼기 병변 양상	대개 동반	저하	특히 상완신경얼기염 시 통증이 흔함
단일신경	해당 말초 신경지배 근육	대개 동반	저하	다양한 근위축 및 통증 양상
다발신경	원위부 > 근위부	대개 동반	저하	다양한 통증양상, 후기에 근위축
신경근이음부	연수, 사지 근위부	없음	정상	안검하수, 외안근위약, 근육피로, 근력약화의 변동
근육	근위부 > 원위부	없음	정상	통증 흔함, 다양한 양상 (팔다리 이음근, 얼굴어깨위팔근 등), 가성비대, 근긴장증

1. 피질척수로 병변 발생 초기에는 정상 혹은 저하될 수 있다(신경 쇼크).
2. 피질척수로 병변 시 사지 위약의 분포

tract)가 연접하고 있어서 병변 반대쪽의 강직성 편마비(spastic hemiplegia)를 일으킬 수 있다. 또한, 피질연수로도 같이 침범될 수 있어서 병변 반대쪽 안면마비 및 설하신경마비도 관찰될 수 있다.

③ 대뇌다리(cerebral peduncle): 주로 뇌경색이나 뇌출혈 혹은 뇌종양에 의해 발생하며, 병변 반대쪽 위약을 야기하며, 간혹 병변 쪽 동안신경마비(웨버증후군)가 동반될 때가 있다.

④ 다리뇌(pons): 뇌경색, 뇌출혈 및 뇌종양에 의해 발생하며, 피질척수로를 침범하여 병변 반대쪽 혹은 양쪽 위약을 일으킨다. 다른 부위와 비교해 다리뇌에서의 피질척수로의 신경다발들은 보다 넓은 단면적에 걸쳐 분포하고 있어서 병변 발생 시 모든 신경다발이 침범되는 경우는 드물다. 또한, 피질연수로에서 안면신경핵이나 설하신경핵으로의 연접(innervation)은 다리뇌의 피질척수로 뒤쪽에서 이루어지기 때문에, 이 부위에서의 피질척수로 병변에서는 중추성 안면 혹은 설하신경마비는 드물고, 병변 쪽 삼차신경 혹은 외전신경부전이 관찰될 수 있다.

⑤ 연수의 피라미드(medullary pyramid): 주로 종양이나 뇌경색에 의해 발생하며, 피질척수로만을 선택적으로 침범하고 피질척수로의 후방에 존재하는 피라미드외로의 기능은 유지되어 병변 반대쪽의 이완성 편위약(flaccid contralateral hemiparesis)를 일으킬 수 있다.

⑥ 경부척수의 피질척수로: 경부척수의 피질척수로 병변은 종양, 척수염 및 외상에 의해 야기될 수 있으며, 병변 쪽의 강직성 편마비로 나타나는데 이는 피질척수로가 병변의 상부인 연수의 피라미드에

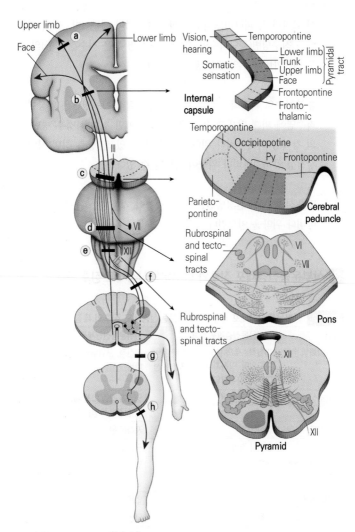

그림 5-6 피질척수로 잠재적 병변 위치

a. 운동피질병변, b. 속섬유막병변, c. 뇌다리병변, d. 다리뇌병변, e. 연수피라미드병변,
f. 경부척수 피질척수로병변, g. 흉부척수 피질척수로병변, h. 말초신경병변

서 교차하고, 피라미드외로가 함께 주행하기 때문이다. 또한, 경부 양측 척수병변(횡단척수염, 압박성 척수병 혹은 척수경색 등)의 경우 사지마비나 위약이 발생할 수 있다.

⑦ 흉부척수의 피질척수로: 흉부척수의 피질척수로 병변은 외상이나 척수염에 의해 발생할 수 있으며, 한 쪽에만 침범할 경우 병변 쪽의 강직성 하지마비나 위약을 일으킬 수 있고, 양측 침범 시에는 강직성 양하지마비나 위약이 나타날 수 있다.

⑧ 말초신경: 말초신경병변은 해당 신경이 지배하는 근육의 이완성 마비나 위약을 일으킨다.

3 상부운동신경세포 징후와 하부운동신경세포 징후 구분

표 5-2 │ 상부운동신경세포 징후 및 하부운동신경세포 징후의 특징

특징	상위운동신경세포 징후	하위운동신경세포 징후
근력약화의 분포	피질척수로의 분포를 따라; 편위약, 사지위약, 양하지위약, 일지불완전마비, 얼굴위팔위약	전신적, 근위부 혹은 원위부나 국소마비
감각소실의 분포	중추성 양상	양말과 장갑 양상 혹은 말초신경이나 신경뿌리 병변 양상
근긴장도	항진(경직)	저하(이완)
근위축	없거나 경미	중등도
근섬유다발수축	없음	있음
심부건반사	항진	감소
바빈스키 징후	있음	없음
발목클로누스	있음	없음
통증	없음	종종 동반

4 운동신경계별 근력약화를 일으키는 주요질환

(1) 대뇌, 뇌줄기: 뇌경색, 다발성경화증, 뇌종양 등
(2) 척수: 척수염, 척수경색, 압박성 척수병증 등
(3) 말초신경/신경얼기/신경뿌리: 신경뿌리병증, 당뇨신경병, 길랭-바레증후군, 만성염증성탈수초신경병, 아밀로이드신경병, 혈관염신경병 등
(4) 신경근이음부: 중증근무력증, 램버트-이튼증후군(LEMS)
(5) 근육병: 근디스트로피, 다발근염, 피부근염 등

5 근력약화를 감별진단하기 위한 주요검사

(1) 영상검사: 뇌 MRI, 뇌 CT, 척추 MRI 등
(2) 전기생리검사: 신경전도검사(nerve conduction study), 근전도검사(electromyography), 유발전위검사(motor evoked potential), 반복신경자극검사(repetitive nerve stimulation test) 등
(3) 혈액검사: routine lab, hormone, creatinine kinase 등
(4) 뇌척수액검사
(5) 조직검사: 근육생검, 말초신경생검 등
(6) 유전자검사

2 언어장애(Language disorder)

1 실어증(Aphasia)

실어증은 구강, 발성기관 및 청력에 이상이 없으나 뇌손상으로 인해 말의 표현과 이해가 되지 않는 상태를 말한다. 실어증은 우성반구 확인

(왼손잡이 여부), 교육 수준, 모국어를 고려하여 평가되어야 하며 편측마비, 피질감각저하, 시야장애 등 언어기능 평가에 영향을 줄 수 있는 다른 신경학적 이상소견에 대해서도 평가가 동반되어야 한다. 실어증과 관련된 뇌의 해부학적 위치는 주로 우성반구의 실비안고랑 주위(perisylvian area)인데 오른손잡이인 경우 대부분 좌측 뇌가 우성반구이다.

(1) 운동실어증(broca aphasia, motor aphasia)

운동실어증은 주로 브로드만 44, 45 영역과 연관되어 있으며 이마마루덮개(frontoparietal operculum)에 발생하며 간단한 음절 정도 이상의 말을 할 수 없으며 이름대기가 저하되어 있는 경우가 흔하다. 스스로 말하기, 읽기, 쓰기, 따라말하기는 저하되어 있고 청음이해력은 거의 정상이다. 쓰기가 정상이고 유창성만 저하되어 있는 운동언어상실증은 순수함구증(pure word mutism)이라고 한다.

(2) 감각실어증(sensory aphasia, Wernicke aphasia)

감각실어증은 유창성은 유지되어 스스로 말하기는 가능하나 청음이해가 저하되어 다른 사람의 말을 이해하지 못한다. 병변의 위치는 주로 위쪽관자이랑(superior temporal gyrus)이며 브로드만 22 영역에 해당한다. 증상이 경미한 경우 짧은 대화는 가능할 수 있으며 paraphasia가 나타나기도 한다.

(3) 완전실어증(global aphasia)

완전실어증은 운동실어증과 감각실어증이 모두 나타난 경우이며 환자는 말을 하는 것과 알아듣는 것이 모두 손상되어 의사소통이 되지 않는다. 손상된 병변이 큰 경우가 많아 우측시야장애, 우측반신마비 및 감각장애가 흔히 동반된다.

| 표 5-3 | **주요 실어증의 분류** | | | | |

	유창성	알아 듣기	따라 말하기	이름 대기	**가능한 병변의 위치**
운동실어증 (Broca aphasia)	–	+	–	–	브로드만 44, 45 영역과 연관되어 있으며 이마마루덮개 (Frontoparietal operculum)
피질경유운동실어증 (Transcortical motor aphasia)	–	+	+	–	Fronal, Striatum
감각실어증 (Wernicke aphasia)	+	–	–	–	위쪽관자이랑(Superior temporal gyrus)이며 브로드만 22 영역, Inferoposterior perisylvian
피질경유감각실어증 (Transcortical sensory aphasia)	+	–	+	–	Parietal, temporal, thalamus
완전실어증 (Global aphasia)	–	–	–	–	Perisylvian (large)
전도실어증 (Conduction aphasia)	+	+	–	–	위쪽관자이랑(Superior temporal gyrus), 아래마루엽 (Inferior parietal area) 병변, 활꼴다발(Arcuate fasciculus) 손상, Posterior perisylvian
명칭실어증 (Anomic aphasia)	+	+	+	–	좌측관자엽

(4) 전도실어증(conduction aphasia)

전도실어증은 비교적 드물게 발생하는 실어증으로 따라말하기는 심하게 저하되어 있지만 읽기, 쓰기, 말하기는 상대적으로 보존되어 있는 실어증이다. 위쪽관자이랑(superior temporal gyrus), 아래마루엽(inferior parietal area) 병변으로 발생할 수 있으며 활꼴다발(arcuate fasciculus) 손상에 의해 발생하는 것으로 여겨진다.

(5) 명칭실어증(anomic aphasia)

유창성, 이해, 따라말하기 등은 비교적 가능하나 이름대기 장애가 두드러진다. 좌측관자엽에 병변이 있을 경우 발생할 수 있으며 다른 형태의 실어증이 일부 회복되면서 나타나기도 한다.

(6) 피질경유실어증(transcortical aphasia)

피질경유실어증은 실어증 중 따라말하기가 보존되어 있는 경우이다. 피질경유운동실어증은 운동실어증이나 따라말하기가 가능하고 피질경유감각실어증은 감각실어증이나 따라말하기가 가능하며 완전피질경유실어증은 유일하게 따라말하기만 가능하며 때때로 말을 그대로 따라하는 반향언어증(echolalia)이 나타나기도 한다.

(7) 교차실어증(crossed aphasia)

교차실어증은 Bramwell에 의해 처음 정의되었으며 매우 드문 형태의 실어증이다. 오른손잡이의 경우 대부분 좌측대뇌반구의 병변으로 실어증이 생기지만 교차실어증은 우측대뇌반구의 병변으로 실어증이 발생한 것이며 이는 우측대뇌반구의 우성화에 따른 것으로 여겨진다.

References

- 대한신경과학회. 신경과 전공의와 지도전문의를 위한 역량중심 수련지침서. 도서출판 진기획; 2021.
- 대한신경과학회. 신경학용어. 2010.
- 대한신경과학회. 지도전문의를 위한 수련 교육 지침서. 도서출판 진기획; 2021.
- Baehr M, Frotscher M. Topical diagnosis in neurology: anatomy, physiology, signs, symptoms. 6th ed. Thieme; 2019.
- Campbell WW. DeJong's the neurologic examination. 7th ed. LWW; 2012.

CHAPTER **06** # 이상운동증 & 떨림
(Movement disorders & Tremor)

류동우, 박성경, 오윤상

1 이상운동증(Movement disorders)

이상운동증은 강직(spasticity), 위약(weakness)과 상관없이 발생하는 자발적 혹은 비자발적인 운동의 과잉 혹은 부족이 나타나는 신경학적 증후군이다. 운동의 과잉이 나타나는 경우 hyperkinesia, dyskinesia, abnormal involuntary movement라고 부를 수 있으며 흔히 dyskinesia라고 부른다. 운동의 부족이 나타나는 경우는 hypokinesia라고 부른다. hyperkinesia가 parkinsonism을 제외한 다른 hypokinesia보다 빈도가 많고 증상이 다양하게 나타날 수 있다.

1 이상운동증의 접근(Approach to movement disorders)

이상운동증은 일반적인 신경과질환처럼 localization의 의미는 크지 않으며 운동현상을 인지하고 분석하는 과정이 진단에 있어서 중요하다. 운동의 특징에 따라 종류를 정의하고 분포 범위를 확인하여 운동의 원인을 추정하는 과정이 요구된다(표 6-1, 6-2). 또한 동반된 다른 신경학적 이상 및 인지저하를 확인하며 가족력, 약물력, 동반질환을 확인하는 것이 필요하다.

(1) 이상운동증의 접근

표 6-1 **Hyperkinesias vs. Hypokinesias**

Hyperkinesias	Hypokinesias
• Abdominal dyskinesia • Akathitic movements • Ataxia/asynergia/dysmetria • Athetosis • Ballism • Chorea • Dystonia • Hemifacial spasm • Hyperekplexia • Hypnogenic dyskinesias • Jumping disorders • Jumpy stumps • Moving toes and fingers • Myoclonus • Myokimia and synkinesias • Periodic movements in sleep • REM sleep behavior disorder • Restless legs • Stereotypy • Tics • Tremor	• Akinesia/bradykinesia (parkinsonism) • Apraxia • Blocking (holding) tics • Cataplexy and drop attacks • Catatonia, psychomotor depression, and obsessional Slowness • Freezing phenomenon • Hesitant gait • Hypothyroid slowness • Rigidity • Stiff muscles

Principles and Practice of Movement Disorders 3rd

표 6-2 **이상운동증의 접근**

Step 1. Hypokinetic vs. hyperkinetic	
Step 2. 이상운동 분석	
침범부위	• Focal • Segmental • Multifocal • Unilateral • Generalized

(계속)

운동증상 특징	• Rhythmicity • Speed • Amplitude • Duration • Pattern (repetitive, flowing, continual, paroxysmal, diurnal) • Induction (action−, stimuli−, position−) • Complexity • Suppressibility
Step 3. 감별진단	
Pathologic origins	• Cortical • Subcortical • Brainstem • Spinal cord • Peripheral nervous system
Etiology	• Physiologic • Primary • Secondary • Heredo−degenerative • Psychogenic

2 특징에 따른 이상운동의 구분
(Phenomenology of movement disorders)

운동증상의 특징에 따라 이상운동증의 종류의 구분을 시도할 수 있다(표 6-3, 6-4, 6-5, 6-6). 다만 다른 이상운동증들이 비슷한 형태로 관찰될 수 있으며 특히 협조가 되지 않는 환자나 deformity를 동반하는 경우 이를 구분하기 어렵다. 또한 여러 가지 이상운동증이 동반되는 경우들이 있어 이상운동증의 분석에 있어서 면밀한 관찰과 분석이 필요하다(표 6-7).

표 6-3 리듬에 따른 구분

Rhythmic	Irregular	Arrhythmic
• Tremor • Orthostatic tremor • Dystonic tremor • Dystonic myorhythmia • Myoclonus • Myorhythmia • Periodic limb movement in sleep • Some stereotypies • Classic tardive dyskinesia	• Cortical myoclonus • Minipolymyoclonus • Dystonic tremor • Epilepsia partialis continua • Moving toes/fingers	• Akathitic movements • Athetosis • Ballism • Chorea • Dystonia • Hemifacial spasm • Hyperekplexia • Arrhythmic myoclonus • Some stereotypies • Tics

Principles and Practice of Movement Disorders 3rd p.40

표 6-4 지속성에 따른 구분

Paroxysmal	Continual	Continuous
• Tic • Paroxysmal kinesigenic dyskinesia • Paroxysmal nonkinesigenic Dyskinesia • Episodic ataxia • Episodic tremor • Hypnogenic dystonia • Paroxysmal dystonia in infancy • Self-stimulatory behavior • Some stereotypies • Akathitic movements • Some jumpy stumps	• Ballism • Chorea • Dystonic movements • Myoclonus, arrhythmic • Some stereotypies • Akathitic moaning	• Abdominal dyskinesias • Athetosis • Tremors • Dystonic postures • Minipolymyoclonus • Myoclonus, rhythmic • Tardive stereotypy • Myokymia • Tic status • Some jumpy stumps • Moving toes/fingers • Myorhythmia

Principles and Practice of Movement Disorders 3rd p.41

표 6-5	발생상황에 따른 구분

안정 시

- Akathitic movement
- Paradoxical dystonia
- Resting tremor
- Restless legs
- Orthostatic tremor
- Posture-specific tremors

활동 시

- Ataxia
- Action dystonia
- Action myoclonus
- Action, postural and intention tremor
- Task specific tremor
- Task specific dystonia

안정 혹은 활동 시에 모두

- Abdominal dyskinesias
- Athetosis, ballism and Chorea
- Dystonia
- Jumpy stumps
- Minipolymyoclonus
- Moving toes/fingers
- Myoclonus
- Myokymia
- Pseudodystonias
- Tics

Principles and Practice of Movement Disorders 3rd p.41

표 6-6	속도에 따른 구분

빠름	중간	느림
• Minipolymyoclonus	• Chorea	• Athetosis
• Myoclonus	• Ballism	• Moving toes/fingers
• Hyperekplexia	• Jumpy stumps	• Myorhythmia
• Startle	• Tremors	• Akathitic movements
• Hemifacial spasm (myoclonic)	• Tardive stereotypy	• Hemifacial spasm (tonic)

표 6-7 여러 이상운동증이 동반되는 질환

여러 이상운동증이 동반되는 질환

- Psychogenic movement disorders
- Tardive syndromes
- Neuroacanthocytosis
- Wilson disease
- Huntington disease
- Lesch - Nyhan syndrome
- Dentatorubral-pallidoluysian Atrophy (DRPLA)
- Ataxia-telangiectasia (A-T)
- Dystonia*
- Neurodegenerations with Brain Iron Accumulation (NBIAs)
- Cerebellar-parkinsonian syndromes
- Cerebellar-dystonia syndromes
- Fragile X-associated Tremor-ataxia Syndrome (FXTAS)
- Multiple System Atrophy (MSA)
- Spinocerebellar Ataxia-3 (SCA3)
- Progressive Supranuclear Palsy (PSP)
- Spasticity-cerebellar syndromes
- Multiple System Atrophy (MSA)
- Hereditary spastic paraplegias

Principles and Practice of Movement Disorders 3rd p.42

2 기저핵(Basal ganglia circuit)

　운동조절은 기저핵-시상-대뇌피질회로의 조절이 중요한 역할을 하며 이들의 생리적 기전을 이해하는 것이 필요하다(그림 6-1). 이들 회로의 이상으로 인한 이상운동증 및 파킨슨병의 발병기전이 병의 이해와 치료에 도움을 줄 수 있다.

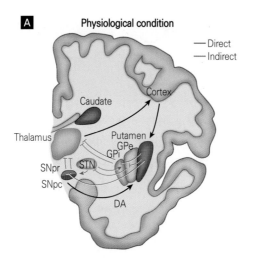

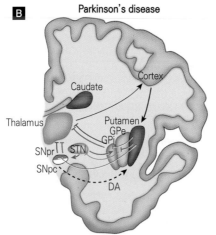

그림 6-1 기저핵-피상-대뇌피질 회로

a. Substatia Nigra에서 dopamine이 direct pathway의 D1 expressing neuron을 흥분시키고 indirect pathway의 D2 expressing neuron을 억제한다. b. 파킨슨병에서 substatia Nigra에서 분비되는 dopamine의 감소는 direct pathway를 억제하고 indirect pathway를 강화한다.

3 떨림(Tremor)

1 떨림의 정의

떨림은 몸의 여러 부분에 발생하는 비자발적 반복적으로 진동하는 운동이며 가장 흔하게 관찰되는 이상운동증이다. 생리적인 떨림부터 다양한 병적 떨림이 있을 수 있으며 증상 자체를 인식하지 못하는 경우부터 삶의 질에 심각한 영향을 줄 정도로 다양하게 이환되어 나타날 수 있다(표 6-8, 6-9).

표 6-8 떨림의 종류
Resting tremor
중력에 저항하지 않은 채로 아무 움직임이 없는 상태에서 나타나는 떨림
Action tremor
자발적인 움직임과 동반하여 나타나는 떨림 ① Postural tremor: 중력에 저항하여 자세를 유지하는 상태에서 나타나는 떨림 ② Kinetic tremor: 자발적인 움직임과 함께 일정하게 나타나는 떨림 ③ Intention tremor: 자발적인 움직임 중 목표물에 근접해서 심해지는 떨림 ④ Task-specific tremor: 특수한 작업과 관련해서 증가하는 떨림 ⑤ Isometric tremor: 움직임이 없는 상태에서 저항에 반대 방향으로 수축하는 떨림

| 표 6-9 | 떨림의 구분 |

떨림	Type	Frequency	M/C 신체부위	Associated feature
Essential tremor	Postural, Kinetic	8-12 Hz	Upper limb	
Parkinson tremor	Resting	4-6 Hz	Upper & lower limb	Bradykinesia, Rigidity, postural instability
Orthostatic tremor	Standing	13-18 Hz	Lower limb	
Holmes tremor	Postural, Resting, Kinetic	< 4.5 Hz	Upper limb	Pyramidal Sx. Nystagmus, cranial nerve sign
Dystonic tremor	Postural, kinetic	< 7 Hz	Neck	Null point, sensory trick
Cerebellar tremor	Intention		Upper limb	Ataxia, dysmetria
Neuropathic tremor	Postural	3-6 Hz	Upper limb	Paresthesia, hyporeflexia

Neurol India 2018 Vol. 66 Issue Supplement Pages s36-s47

2 본태성 떨림(Essential tremor)

본태성 떨림은 흔하게 대칭적으로 발생하며 주로 손에 postural & kinetic tremor의 형태로 나타난다. 40대 이전과 60대 이후에 두 번의 발생 peak를 보이며 절반 이상의 환자에서 가족력을 동반한다. 종종 인지장애, 보행장애, 신경병증 등을 동반할 수 있으며 나이가 들어감에 따라 심해지는 경과를 보인다. 일반적으로 과잉진단되는 경향이 있어 파킨슨병 떨림 및 근긴장이상증 떨림을 감별할 필요가 있다. 본태성 떨림의 치료로 약물치료(표 6-10)가 우선적으로 시행되어야 하지만 stereotactic surgery, deep brain stimulation, focused ultrasound thalamotomy 등의 수술적인 치료 및 보톡스 치료도 시도해 볼 수 있다.

표 6-10 본태성 떨림의 치료

약제	부작용
First-line	
Propranolol	Bradycardia, hypotension, erectile dysfunction
Primidone	Imbalance, sedation, vertigo
Second-line	
Topiramate	Decreased appetite, sedation, cognitive slowing, risk of nephrolithiasis
Gabapentin	Sedation
Atenolol	Same adverse effects as propranolol
Sotalol	Same adverse effects as propranolol
Alprazolam	Sedation, abuse potential

JAMA 2014 Vol. 311 Issue 9 Pages 948-54

3 생리적 떨림(Physiologic tremor)

인간은 생리적인 떨림을 가지고 있다. 일반적인 경우에는 관찰되지 않지만 몸을 움직이고 자세를 잡기 위해 나타날 수 있으며 특수한 경우에 증폭되어 관찰된다. 중추신경계 자극제(methylphenidate, dextroamphetamine 등), 수면부족, 스트레스, 카페인, 니코틴, 베타작용 흡입제, 술이나 신경안정제의 과량섭취나 중단 등에 의하여 증폭될 수 있다.

4 파킨슨병 떨림

파킨슨병은 nigrostriatal pathway에 dopaminergic cell loss를 보이는 신경퇴행성 질환으로 특징적인 떨림이 관찰된다. 파킨슨병 떨림은 resting tremor의 형태로 손과 발에 잘 나타나며 bradykinesia, rigidity, postural instability 등의 parkinsonism과 동반해서 나타난다. Postural instability and gait disturbance dominant type의 파킨슨병에서는 떨림이 뚜렷하게 관찰되지 않을 수 있다. 파킨슨병에서 떨림은 파킨슨 약물에 비교적 반응이 좋다. 파킨슨 떨림과 본태성 떨림의 구분이 어려운 경우가 있으며 이를 구분하기 위한 DAT (dopamine transporter) imaging이 도움이 될 수 있다(표 6-11).

표 6-11 본태성 떨림 vs. 파킨슨 떨림

	본태성 떨림	파킨슨 떨림
발병연령	Bimodal (adolescence or early adulthood or age ≥ 65 y)	Incidence increases with age, particularly age ≥ 60 y
가족력	Common	Rare
Alcohol 반응성	Common	No
양상	Postural and kinetic dominant	Resting
Frequency, Hz	7-12	4-6
분포	손, 머리, 목소리	손, 다리, 입, 혀

JAMA 2014 Vol. 311 Issue 9 Pages 948-54

5 약물유발 떨림

약물에 의해 떨림증이 발생한 경우 시간적 연관성을 확인할 필요가 있으며 갑자기 발생하는 양상이나 의심되는 약물의 투여(표 6-12)나 용량증가를 확인할 필요가 있다.

표 6-12 떨림유발약물

계열	약물
• Antiarrhythmic agents	• Amiodarone, mexiletine, procainamide
• Antidepressants	• Amitriptyline, imipramine, fluoxetine
• Antiepileptic drugs	• Valproate, tiagabine, gabapentin, oxcarbazepine, lamotrigine
• Antimicrobial agents	• Co-trimoxazole, vidarabine, acyclovir, amphotericin
• Bronchodilators	• Salbutamol, salmeterol
• Chemotherapeutic agents	• Cytarabine, thalidomide, ifosfamide, cisplatin, tamoxifen
• Gastrointestinal drugs	• Metoclopramide, cimetidine, misoprostol
• Hormones	• Levothyroxine, medroxyprogesterone
• Immunosuppressant	• Cyclosporine, tacrolimus
• Methylxanthines	• Theophylline, aminophylline
• Neuroleptic drugs	• Thioridazine, fluphenazine, chlorpromazine
• Drugs of abuse	• Alcohol, nicotine

Neurol India 2018 Vol. 66 Issue Supplement Pages s36-s47

6 기립성 떨림(Orthostatic tremor)

기립성 떨림은 서 있는 동안 다리에 high frequency에 미세한 떨림이 지속되며 보통 60세 이후에 잘 발생한다. 육안으로 떨림이 확인되지 않을 수 있으며 기립을 지속하기 힘들어 하는 증상이 있으며 근전도로 떨림을 확인할 수 있다. 치료로는 clonazepam, gabapentin 등을 사용할 수 있다.

7 Holmes tremor

Holmes tremor는 midbrain tremor 혹은 rubral tremor로 불리며 resting, postural, kinetic tremor가 침범부위에 동반되어 나타난다. 주로 pontine-midbrain에 stroke, trauma, demyelination 등에 의한 손상

으로 cerebellar outflow 및 dopaminergic pathway의 이상이 발생하여 나타난다. 일반적으로 손상 후 수개월에서 수년 후 발생하게 되며 해당 부위의 위약, 감각이상, 안구운동이상, 뇌신경이상 등이 동반된다. 치료는 dopaminergic medication 및 essential tremor treatment를 시행해서 조절을 시도해 볼 수 있다.

8 기능성 떨림(Functional tremor)

기능성 떨림은 과거 psychogenic tremor로 불렸으며 뚜렷한 원인 및 유발인자 없이 비교적 갑자기 심한 양상으로 나타나며 떨림의 양상이 일정하지 못하고 지속적으로 떨림이 나타나지 않고 변화하는 양상을 보인다. 일반적인 functional movement disorder와 마찬가지로 entrainment, distractibility, suggestibility를 보인다. 지속적인 진찰 시 쉽게 피로를 호소하며 부하를 주었을 때 떨림이 역설적으로 심해지는 양상도 관찰할 수 있다. 기능성 떨림 진단 시 다른 떨림 및 이상운동이 동반되었는지 고려할 필요가 있으며 기능성 떨림의 치료를 위해서 상담 및 정신과 의뢰가 필요할 수 있고 인지행동치료가 도움이 될 수 있다.

9 Fragile X tremor-ataxia syndrome

(1) 원인 유전자: 55-200 CGG repeat expansion in 5' noncoding region of FMR1 gene

(2) 증상: Tremor ataxia, cognitive symptoms, peripheral neuropathy.

(3) Commonly intention tremor (with kinetic, postural).

(4) Brain MR imaging: Bilateral T2 middle cerebellar peduncle hyper-intensity

References

- Matthew M. McGregor, Alexandra B. Nelson. Circuit Mechanisms of Parkinson's Disease. Nelson, Neuron 2019;101:1042-56.

- Principles and Practice of Movement Disorders 3rd.

- H. J. Groenewegen. The basal ganglia and motor control. Neural Plast 2003;10:1-2.

- Kamble N, P. K. Pal. Tremor syndromes: A review. Neurol India 2018;66:S36-S47.

- Elias W. J, Shah B. B. Tremor. Jama 2014;311:948-54.

07 발작

오주희

1 발작의 정의와 진단(Introduction)

발작(seizure)은 대뇌겉질세포 일부에서 비정상적 방전에 의해 발생하는 일시적인 신경학적 증상 또는 증후를 뜻한다(transient occurrence of sings and/or symptoms due to abnormal excessive or synchronous neuronal activity in the brain). 일반적으로 발작 자체가 진단이 될 수 없다. 뇌전증(epilepsy)은 자발적이고 유발되지 않은 발작이 반복적으로 발생하는 상태를 뜻하며, 실제 임상에서 뇌전증의 진단기준은 아래에 해당한다.

1) 24시간 이상 지난 시점에서 비유발발작이 최소 2번 이상 발생한 경우 [At least two unprovoked (or reflex) seizures occurring more than 24 hours apart]
2) 단 한 번의 비유발 발작이라도, 기저뇌질환을 고려하여 향후 10년 이내 발작 재발의 가능성이 60% 이상인 경우[One unprovoked (or reflex) seizure and a probability of further seizures similar to the general recurrence risk (at least 60%) after two unprovoked seizures, occurring over the next 10 years]

3) 뇌전증증후군에 합당한 경우(diagnosis of an epilepsy syndrome)

반면, toxins, drugs, or metabolic factors에 의해 일어나는 발작은 유발발작(provoked seizure)이라 하고, encephalitis, stroke, or traumatic brain injury와 같은 급성신경학적 손상에 의한 발작은 급성증상발작(acute symptomatic seizure)라고 일컫는다. 유발발작 및 급성증상발작은 일시적이고 가역적인 유발요인에 의해 발생하기 때문에 뇌전증으로 간주하지 않으며, 예방적 항경련제는 필요하지 않은 경우가 많으나 급성증상발작의 경우 발작으로 인한 이차적 뇌손상 및 뇌전증 지속상태와 같은 응급상황을 방지하기 위해 짧은 기간 일시적 항경련제를 사용하기도 한다.

2 감별진단(Differential diagnosis of paroxysmal events)

대뇌겉질세포의 비정상적 방전 없이 발작과 비슷한 일시적인 신경학적 증상을 나타낼 수 있는 현상을 비뇌전증 발작사건(nonepileptic paroxysmal events)이라 하며 뇌전증으로 잘못 진단되는 경우가 약 4.6-30% 정도로, 정확한 진단을 위해 자세한 문진과 주의 깊은 임상적 접근이 필요하다. 특히 성인에서 가장 흔하게 뇌전증(epilepsy)으로 잘못 진단되는 비뇌전증 발작사건(nonepileptic paroxysmal events) 경우는 실신(syncope)과 심인성 비뇌전증 발작(psychogenic nonepileptic events)으로 알려져 있다(표 7-2). 다음은 성인에서 발생할 수 있는 epilepsy mimic disorders를 정리한 표이다(표 7-1).

표 7-1 Common Seizure Mimics

Epilepsy mimic	Clinical clues
Periodic leg movements in sleep	• Repetitive stereotyped flexion of toes, ankles, knees, and hips • Resolve with waking
Postural Orthostatic Tachycardia Syndrome (POTS) or orthostatic intolerance	• Episodic periods of lightheadedness, cheat pain, blurred vision, abdominal pain • Comes on with standing and resolves with sitting/lying down
Panic attacks	• Brief episodes, lasting minutes only with sudden feeling of impending doom, accompanied by shortness of breath, choking sensation, palpitations, chest pain, paresthesia, dizziness, sweating, trembling, and feeling faint • Patient is very frightened but aware • No postictal sleepiness/confusion
Narcolepsy/ cataplexy	• Excessive daytime sleepiness, cataplexy (loss of tone in response to strong emotion), hypnagogic hallucinations, and sleep paralysis
Migraine with aura	• Most common aura is visual, typically in one visual field, and is characteristically a scintillating scotoma, which is then followed by a migraine headache • visual phenomena with occipital seizures are more commonly colored and of various shapes
Hemiplegic migraine	• Aura of focal weakness with or without speech disturbance; visual symptom and paresthesia onset before typical migraine-like headache • Often family history is positive
Psychogenic nonepileptic spells	• Two main symptomatologies: (1) unresponsive periods without motor phenomena or (2) motor phenomena with bizarre, irregular jerking and thrashing • Often prolonged > 15–30 minutes • Often minimal postictal phase • Frequent and refractory from onset
Paroxysmal kinesiogenic dyskinesia	• Brief (< 1 minute) attacks or abnormal movement, triggered by a sudden voluntary movement • The movements are most commonly dystonic but may be choreiform • Affects limbs on one or both sides • No altered awareness • Family history may be present

Epilepsy mimic	Clinical clues
Episodic ataxia	• Autosomal dominant • Brief episodes of cerebellar ataxia triggered by sudden movement, emotion, or illness • May have associated dysarthria, nystagmus, titubation, and nausea
REM sleep disorders	• Abnormal motor activity typically in the later third of sleep when the individual acts out their dreams • The individual can recall the event • The events are not as stereotypic as seizures
Adult	
Transient ischemic attacks	• Sudden onset of focal neurologic symptoms that typically reflect loss of function (ie, paresis, speech problems, etc), which then resolve completely within 24 hours, and usually within 30–60 minutes • Seizures more commonly present with positive symptoms due to an excess of neuronal discharge (visual: flashing lights, zigzag shapes, lines, shapes, objects; somatosensory: pain, paresthesia, or motor features, eg, clonic activity); transient ischemic attacks most commonly involve loss or reduction of neuronal function (eg, loss of vision, hearing, sensation, or limb power)
Any age	
Vasovagal syncope	• Typically triggered by prolonged standing, dehydration, change in posture, warm environment, or emotional upset (ie, blood draw) • Preceded by lightheadedness, blurred vision, ringing in the ears, pallor, diaphoresis, abdominal discomfort • Loss of tone, which may be followed by brief myoclonic jerks or tonic posturing • Rapid return to awareness but lightheadedness may remain for a brief period thereafter
Cardiac syncope–long QT	• Sudden loss of consciousness with pallor, atonia, or tonic posturing • Often triggered by fright, exercise, surprise, and immersion in water • Family history of syncope may be present
Neurogenic syncope (Chiari malformation, colloid cyst of the third ventricle)	• Headache and sensory symptoms associated with collapse • Exacerbated by straining

표 7-2	Comparison of the main clinical features of epileptic convulsive seizures, syncope and psychogenic non-epileptic seizures (PNES).		
	Epileptic seizure	**Syncope**	**PNES**
Trigger	Rarely	Frequent, f.e. prolonged standing	Frequent, f.e. conflict situation
Prodromi	Aura, f.e. déjá vue, fear	Sweating, blackness in front of the eyes	Nonspecific drowsiness
Falls	Commonly tonic	Flaccid tone	Slumping down, movements of bracing
Tongue biting	Frequent, lateral	Rarely	Rarely, tip of the tongue
Eyes	Open	Open, eyes turned upwards	Closed
Convulsions	Rhythmic, generalized	In 80% – multifocal, arrythmic, < 30 sec.	Alternating intensity, frequency and localization of movements, side-to-side head motions
Urinary incontinence	Frequent	Occassionally	Rarely
Duration	1-2 minute	< 30 seconds	From > 3 minutes to hours
Postictal state	Confusion, sleeping	Reorientated immediately	Clearing up slowly, like waking up

Chapter 07

3 문진(History taking)

우선적으로 뇌전증과 비뇌전증 발작사건을 감별하기 위한 문진 및 발작양상의 특징에 대한 정보에 대해 파악하고 과거력상 뇌전증 발생의 위험인자 여부에 대한 과거력 확인 및 뇌전증 혹은 신경계질환에 대한 가족력의 유무를 중점적으로 문진한다.

1 발작진단을 위한 병력 청취

환자나 목격자를 통해 발작 전, 발작 간, 발작 후 양상을 상세히 물어 보고 기록하는 것이며, 정확한 파악을 위해 환자의 가족, 친구를 통해 가능하면 발작 동안의 홈비디오나 스마트폰 동영상, CCTV 등의 영상 미디어를 구하거나 시행하는 것도 정보를 얻는 한 방법이다.

(1) 발작이 어떻게 시작했는지 확인한다.
  ① 어떤 상황에서 발작이 시작되었는가(자다가, 소변보다가, 싸우다가 등)?
  ② 시작 전에 전조가 있었는가(속에서 치밀어 오르는 느낌, 공포감, 시각, 후각, 미각 증상 등)?
  ③ 국소신경학적 증상이 있었는가(언어장애, 한쪽의 강직, 자동증, 감각이상 등)?
  ④ 초기에 머리와 눈이 한쪽으로 돌아갔는가(version)?

조짐이나 국소 또는 편측운동감각 징후로 시작되는 발작은 국소발작을 시사하며, 임상양상을 통한 병변의 국소화(semiological localization)가 가능하다.

(2) 발작 중에 환자가 보인 행동을 확인한다.
  떨림, 긴장성 자세, 소리지름(발작 초반 또는 발작 내내), 자동증(측두엽뇌전증에서의 특징), 배뇨, 혀깨물음(위치 확인), 안색 변화, 식은땀 등을 확인하고 발작 지속시간을 파악한다.

(3) 발작 후에는 의식회복이 바로 되었는지(당시 상황에 대한 인지여부), 정신 혼미, 수면, 두통, 국소마비, 실어증 등이 있었는지 확인한다.

(4) 몇 세부터 발작이 시작했는지 확인하는 것은 매우 중요하다.

특발성 전신발작이 3세 이전 혹은 18세 이후에 시작하는 경우는 드물다. 소발작이 성인기에 처음 시작되었다면, 실제로는 측두엽 기원의 focal impaired awareness seizure이거나 처음 발생 시 인지를 하지 못했을 가능성이 있다.

2 과거력

분만 과정에서 뇌손상이 있었는지, 출생 후 환자의 발육과 발달 과정이 어땠는지, 사고로 인한 두부 외상의 병력이 있는지 확인한다. 열발작(febrile seizure)의 유무를 확인하고, 뇌졸중이나 뇌염, 뇌종양과 같은 과거의 신경학적 손상이 있었는지 확인한다. 첫 번째 비유발발작 환자에서 과거 뇌질환의 병력은 향후 발작재발의 가장 중요한 위험인자이다.

3 원인인자(Etiologic factors)

(1) 약물금단(알코올, barbiturate, 진정제 등)은 성인에서 나타나는 발작의 흔한 원인이다. 알코올금단발작(alcohol withdrawal seizure)은 금주 후 6-48시간에 발생하나 13-24시간 내에 만성알코올중독자에게서 흔하다. 대부분 전신강직간대발작으로 나타나나 25%에서는 국소발작을 보일 수도 있다. 빈번한 낙상으로 인한 외상후뇌전증(post-traumatic epilepsy)을 앓고 있는 알코올중독자의 경우는 알코올금단이 발작의 역치를 낮춰 발작을 악화시킬 수 있다. 또한 알코올중독 환자가 처음 발작을 한 경우에는 경막하혈종(SDH)이 발작의 원인이 될 수 있으므로 이에 대해 반드시 고려해야 한다.

(2) 기존의 발작성 질환이 악화되는 경우는 흔하다. 발작이 잘 조절되었던 환자가 발작이 재발되어 병원에 오는 경우는

① 기존 항경련제를 복용하지 않은 경우(가장 흔하며, 혈액검사를 통해 약물농도를 확인하는 게 도움이 될 수 있다)

② 음주

③ 병발된 감염증

이 있다.

(3) 생활습관의 변화, 정신적 스트레스, 생리, 수면박탈 역시 발작을 악화시킬 수 있다. 감염이 병발된 기간 동안 발작이 재발한다면 일시적으로 약물 용량을 증가시킨다. 발작이 잘 조절되어온 환자가 뚜렷한 원인 없이 악화를 보인다면 발작에 대한 재평가가 필요하다.

4 발작의 가족력

가족력이 있는지 확인한다. 특히 generalized seizure에서 특징적이며, 발작의 유전적 원인은 유아와 청소년 환자에서 중요하다. 유전적 뇌전증의 예로 childhood absence epilepsy와 juvenile myoclonus epilepsy가 있다.

4 발작의 정확한 의학적 기술 (Precise description of seizure presentation)

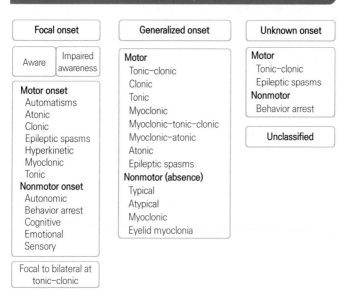

Focal onset	Generalized onset	Unknown onset

Aware	Impaired awareness

Motor onset
  Automatisms
  Atonic
  Clonic
  Epileptic spasms
  Hyperkinetic
  Myoclonic
  Tonic
Nonmotor onset
  Autonomic
  Behavior arrest
  Cognitive
  Emotional
  Sensory

Focal to bilateral at tonic-clonic

Motor
  Tonic-clonic
  Clonic
  Tonic
  Myoclonic
  Myoclonic-tonic-clonic
  Myoclonic-atonic
  Atonic
  Epileptic spasms
Nonmotor (absence)
  Typical
  Atypical
  Myoclonic
  Eyelid myoclonia

Motor
  Tonic-clonic
  Epileptic spasms
Nonmotor
  Behavior arrest

Unclassified

그림 7-1 Expanded version of 2017 ILAE seizure type classification

1 Focal onset

(1) 환자의 의식 정도(aware/impaired awareness)와 첫 두드러지는 증상이 motor인지 nonmotor인지에 따라 나눈다. 첫 두드러지는 증상의 feature로 seizure onset의 localizing 또는 epileptogenic zone을 판단하는 데 도움을 줄 수 있다.

(2) Focal seizure evolves to a bilateral tonic-clonic seizure (cf. 이전 secondary GTC seizure는 더 이상 쓰지 않는 용어임)

(3) Focal motor seizures

① Automatism: coordinated purposeless, repetitive motor activities (ex. Lip smacking, manual automatisms like as patting).

② Atonic: loss of tone in one body part.

③ Clonic: repeated, regularly spaced stereotypical jerking movements.

④ Epileptic spasms: clinically, present in young children with flexion of the waist and flexion or extension of the arms, usually in clusters.

⑤ Hyperkinetic or excessive muscular movement: variable features clinically, including thrashing or pedaling.

⑥ Myoclonic: jerking but, in contrast to clonic seizures, the jerking is irregular and not rhythmic.

⑦ Tonic: increased tone or stiffening of the limb or neck.

(4) Focal nonmotor seizures

① Autonomic: changes in heart rate, blood pressure, sweating, skin color, piloerection, or gastrointestinal sensations.

② Behavioral arrest: cessation of movement, which should be the dominant feature throughout the entire seizure and not just a brief part of the seizure (clinical symptoms include a blank stare and cessation from talking or moving).

③ Cognitive: experience changes in language (previous aphasic seizure) function, thinking, or associated higher cortical functions (déjà vu, jamais vu, hallucinations).

④ Emotional: clear emotional changes such as dread, fear, anxiety, or pleasure.

⑤ Sensory: classified according to changes in sensory phenomena such as taste, smell, hearing, vision, pain, numbness or tingling.

2 Generalized onset

(1) Generalized motor seizures :

    ① Clonic, Tonic, Myoclonic, Atonic, Epileptic spasms: 전신발생 (generalized onset)과 국소 발생(focal onset) 발작에 모두 포함하여 분류

    ② Tonic−clonic, Myoclonic−tonic−clonic, Myoclonic−atonic

(2) Generalized nonmotor (or absence) seizures

    ① Typical, Atypical, Myoclonic, Eyelid myoclonia

(3) 2017 ILAE seizure type classification에서는 새로운 전신발작으로 눈꺼풀 근간대를 보이는 소발작(absence with eyelid myoclonia), 근간대 소발작(myoclonic absence), 근간대−무긴장(myoclonic−atonic), 근간대−강직−간대(myoclonic−tonic−clonic)를 새롭게 추가

3 Unknown onset

(1) Motor seizures :

    ① tonic−clonic, Epileptic spasms

(2) Nonmotor seizures :

    ① Behavior arrest

4 Unclassified

5 Semiology & lateralizing/localizing features of seizures

발작은 그 양상에 따라 발작 부위를 편측화 또는 국소화하는데 많은 도움을 줄 수 있다. 물론 증상학적 분류만으로 발작시작부위를 편측화 또는 국소화할 수 없다는 점은 늘 염두해야 한다.

다음의 표들은 편측화, 국소화에 도움이 될 수 있는 증상학적 소견(표 7-3)과 의미있는 증상학적 소견의 신뢰도(reliability)를 소개(표 7-4)하고 있어 참고할 수 있겠다.

표 7-3	Lateralizing and localizing features of focal seizures
Frontal Lobe	• Prominent motor activity: herniclonic with porstictal hemiparesis (motor cortex), asymmetric tonic posturing (supplementary motor area), asynchronous movements • Complex automatisms: running, pounding, rocking • Vocalizations: swearing, shouting • Predilection for sleep • Eye deviation away from the seizure focus (frontal eye fields)
Temporal Lobe	• Aura: rising epigastric sensation; nausea; olfactory, gustatory, or auditory (lateral onset) hallucination; fear; déjà vu; jamais vu • Behavioral arrest • Ipsilateral automatisms: lip smacking, picking, postictal nose wiping • Contralateral dystonic limb posturing • Language dysfunction (if dominant hemisphere)
Parietal Lobe	• Somatosensory phenomena • Complex posturing
Occipital Lobe	• Stereotyped, nonthreatening, elementary, or complex visual phenomena including macropsia, micropsia, palinopsia, and metamorphopsia • Contralateral or ipsilateral eye deviation
Hypothalamus	• Ictal laughter

표 7-4 Some ictal or postictal clinical features with regard to anatomical origin and their reliability

Clinical feature	Anatomical origin	Lateralization	Reliability
Well-defined somatosensory symptoms	Parietal (primary sensory cortex)	Contralateral	High
Unilateral elementary visual phenomena	Occipital	Contralateral	High
Ascending visceral feelings	Mesiotemporal, insula, supplementary motor area	None	Moderate
Forced thinking	Frontal or mesiotemporal	Dominant hemisphere	Moderate
Ictal fear	Amygdala, hippocampus	None	High
Forced head version	Frontal, temporal	Contralateral	High
Nonversive head turning	Temporal	Ipsilateral	Moderate
Focal clonic activity	Frontal (primary motor cortex)	Contralateral	High
Unilateral dystonia	Temporal or frontal (basal ganglia)	Contralateral	High
Nystagmus	frontal eye field or parieto-temporal junction	Contralateral to fast component	High
Ictal laughing	Hypothalamus, temporal, mesiofrontal	None	Moderate
Ictal eye closure	nonepileptic seizure	None	High
Asymmetric termination of cloni	Temporal, frontal	Ipsilateral (to the last cloni)	High
Postictal paresis	Frontal, temporal	Contralateral	High
Postictal nose wiping	Temporal, frontal	Ipsilateral	High
Postictal aphasia/ dysnomia	Frontal, temporal, parietal	Dominant hemisphere	High

6 신체검진 및 신경학적 검진
(Physical and neurological examination)

신경영상의 발달로 신체 진찰과 신경학적 진찰의 의미가 축소되기는 하였으나, 세밀한 진찰은 뇌전증의 병인을 알려줄 수도 있기 때문에 저평가해서는 안된다.

1 Physical examination

(1) 얼굴 및 엄지, 사지의 크기가 좌우비대칭: 영아기나 소아기의 반대쪽 뇌손상을 의미할 수 있으며 발작 시 symptomatic focal epilepsy를 시사할 수 있다.

(2) 피부를 주의 깊게 관찰한다.

Neurofibromatosis, tuberous sclerosis, Sturge-Weber syndrome과 같은 신경피부질환에서 발작이 나타날 수 있다.

(3) Absence seizure (primary generalized seizure of childhood)는 과호흡을 시켜 유발해 볼 수도 있다.

2 Neurological examination

(1) Eyeball deviation과 head version은 focal seizures에서 가장 흔하게 처음 마주치는 발작시작증상 중 하나이다. Forced and sustained(> 5s) head and eyes deviation은 Positive Predictive Value (PPV) of 94% for contralateral localization(대부분 temporal or frontal lobe)으로 알려져 있다. 다만 stroke mimics symptom으로 가장 흔하게 혼동할 수 있는 진찰 소견으로, 대부분 acute stroke 시에는 병변의 ipsilateral한 방향으로 head & eyeball deviation이 있으며, contralateral limb paresis가 동반한 경우가 많다. seizure onset 시점에서의 head and

eyeball deviation은 대부분 contralateral한 방향이며, postictal paresis (Todd's phenomenon)이 동반되는 경우에는 seizure onset의 contralateral 방향으로 head, eyeball deviation 과 limb paresis 동반되는 경우가 많은 것이 stroke 발생 시 증상과 구분되는 점이라 할 수 있겠다.

7 검사(Lab investigations)

1 뇌파[Electroencephalogram (EEG)]

(1) 뇌파검사는 뇌에서 발생하는 abnormal electrical activity을 감지하고 발작 유형에 대한 정보를 제공하며, 발작병터(seizure focus)의 위치를 알려줌으로써 뇌전증의 진단(뇌전증은 임상적으로 진단하는 질환으로 EEG는 이를 뒷받침하는 검사), 항뇌전증약의 선택, 치료에 대한 반응 확인, 항뇌전증약의 중단 가능성 검토 및 수술부위 국소화(surgical localization) 등의 목적으로 사용될 수 있다.

(2) 뇌전증성 발작 여부가 모호하면 뇌파를 반복해서 검사하거나 비디오 뇌파검사장치(video-EEG monitoring)를 통해 확인한다.

(3) 발작이 의심되는 데도 routine EEG가 정상이라면 전날 4시간 이하의 수면만 취하도록 하는 수면박탈을 유도하거나 특수전극[측두부 또는 나비전극(sphenoidal electrode)]을 이용하여 뇌파검사를 하기도 한다.

2 Neuroimaging(신경영상검사)

뇌전증 환자에서 신경영상검사는 뇌전증발생과 연관된 뇌의 병터를 확인하고 약물난치성 뇌전증 환자인 경우 뇌전증유발구역(epileptogenic zone)을 파악하여 수술부위를 정하기 위한 목적으로 시행한다.

(1) 특히 부분발작의 경우에는 종양, 혈관기형, 뇌손상 후 변화, 대뇌피질 이형성증(cortical dysplasia), 해마경화 등의 이상소견 확인에 MRI는 CT보다 높은 민감도와 특이도를 가지고 있다.

(2) Acute symptomatic seizure를 시사할 수 있는 진찰 소견(eg. persistent focal deficit, prolonged altered consciousness or fever)이 보일 때는 응급영상검사를 고려할 필요가 있다.

(3) 뇌 CT와 뇌 MRI 이외에 사용할 수 있는 신경영상검사
   ① 뇌혈류량을 측정하는 SPECT (single photon emission computed tomography)
   ② 주로 포도당대사를 측정하는 PET (positron emission tomography)
   ③ 신경대사물들을 측정하는 MRS (magnetic resonance spectroscopy)

3 검사실 검사(Laboratory testing)

Provoked seizure 및 발작의 원인(etiology)을 찾기 위해 routine blood (CBC, glucose, electrolytes, calcium, magnesium, BUN, Cr, LFT 포함), urine test, 약물이나 toxin 의심 시 blood, urine toxicology, herpes encephalitis or SAH 등 의심 시에는 Lumbar puncture를 통해 조사한다.

8 첫 발작의 분류(Classification of a First Seizure)

1 Provoked seizures

Toxins, drugs or metabolic factors와 같은 원인에 의해 발생한 발작으로 원인을 교정해주는 것이 가장 중요하며, prophylactic antiseizure medication은 필요하지 않는 경우가 많다.

(1) Medication or drug of abuse including alcohol.
(2) Abrupt withdrawal of benzodiazepines, barbiturates, or alcohol.
(3) Any chronic medical condition such as DM, CKD: hypo/hyperglycemia, hypo/hypernatremia.

2 Acute symptomatic seizures

Encephalitis, stroke, or traumatic brain injury 등과 같은 acute brain process가 발생한 지 약 1주일 이내 발생한 발작으로 이는 뇌손상 자체에 의해 발생하는 발작으로 뇌전증으로 보지 않는다. 그러나 조기발작은 일반적으로 심각한 뇌손상이 발생하였다는 지표이므로 향후 뇌전증이 발생할 가능성이 일반적 뇌전증에 비해 3배 정도 높다고 알려져 있다.

(1) 뇌손상과 연관된 focal deficit이 동반된 경우가 많고, 대부분 focal onset seizure 양상이다. 치료는 underlying brain process를 target으로 하는 치료가 주이기는 하나, 발작으로 인한 2차 뇌, 신체손상을 막기 위해 short-term antiseizure medication을 유지하는 경우가 많다.

3 Remote symptomatic seizures

이전 뇌손상으로 인한 발작으로, 뇌전증의 발생 위험도가 높다.

(1) 뇌종양 환자의 30%에서 뇌전증이 발생
(2) 중추신경계감염 후 뇌전증 발생위험도는 약 3배로 추정(특히 세균수
    막염은 5배, 바이러스뇌염은 약 10배 이상)
(3) 뇌졸중 환자의 2–10%에서 뇌전증이 발생하는데 뇌경색보다는 뇌출
    혈이나 정맥뇌경색에서 발생빈도가 높고, 뇌줄기나 열공경색보다는
    뇌피질에 위치한 뇌경색, 뇌졸중의 정도가 심할수록 뇌전증 발생위
    험도가 증가한다고 알려져 있다.
(4) 관통성(penetrating) 두부 외상(traumatic brain injury)은 약 50배 이
    상 위험도를 증가시켜 생존자의 50% 정도가 뇌전증을 겪게 된다. 관
    통성 두부 외상의 경우에는 prophylactic antiseizure medication을
    쓰기도 한다.
(5) 알츠하이머병은 뇌전증의 위험도를 6–10배 증가시켜 진단 후 10년까
    지 생존자의 15% 정도가 발작을 경험한다.

4 Seizure associated with epilepsy syndrome

뇌전증증후군(epilepsy syndrome)이란 '하나의 독특한 뇌전증 상황을
정의할 수 있는 증상과 징후의 복합체'이다. 뇌전증증후군은 단순한 발
작 유형 이외의 것을 포함하며, 명백한 병리학적 이상소견이 있는 뇌전
증질환(epileptic disease)과는 구분된다. 그중 generalized epilepsy syn-
drome의 예만 들도록 하겠다(표 7-5).

표 7-5 Epilepsy syndrome

Syndrome	Usual age at onset	Seizure type (s)	Interictal EEG	Common comorbidities	Prognosis
Generalized epilepsy syndromes					
Childhood absence epilepsy	3–10 years	Typical absence seizures occurring multiple times per day	Generalized 3-Hz spike-and-wave discharge; most untreated patients have a recorded seizure on EEG	Learning problems, attention deficit hyperactivity disorder (ADHD)	Two-thirds remit typically by later childhood or adolescence; may evolve to juvenile myoclonic epilepsy if it does not remit
Juvenile absence epilepsy	8–19 years	Typical absence seizures; approximately 80% will also develop generalized tonic–clonic seizures	Generalized 3-Hz spike-and-wave discharge; most untreated patients have a recorded seizure on EEG	Learning problems, ADHD	Often controlled with antiseizure medications, but remission is rare
Juvenile myoclonic epilepsy	Adolescence to young adulthood	Myoclonic seizures' most also have generalized tonic–clonic seizures	Generalized polyspike-and-wave discharge, often activated with photic stimulation	ADHD, depression, anxiety	Often controlled with antiseizure medications, but remission is rare
Epilepsy with generalized tonic–clonic seizures alone	Adolescence to young adulthood	Generalized tonic–clonic seizures only	> 3-Hz Generalized spike and wave or polyspike and wave	ADHD, depression, anxiety	Often controlled with antiseizure medications, but remission is rare
Epilepsy with eyelid myclonia	2–14 years	Eyelid myoclonia, many patients also have typical absence and generalized tonic–clonic seizures	3- to 6-Hz generalized polyspike or polyspike-and-slow-wave, often triggered by eye closure or photic stimulation	Mild cognitive delay, ADHD, anxiety, depression	Eyelid myoclonia is often drug-resistant; remission is possible but rare
Myoclonic absence epilepsy	2–12 years	Myoclonic absence seizures; generalized tonic–clonic seizures may be seen in some cases	3-Hz generalized spike and wave time-locked with myoclonic jerks	Mild cognitive delay, ADHD, anxiety, depression	Remits in approximately 40% of cases

Chapter 07

Reference

- Cornes SB, Shih T. Evaluation of the patient with spells. Continuum (Minneap Minn) 2011;17:984-1009.

- Rossetti AO, Kaplan PW. Seizure semiology: an overview of the 'inverse problem'. Eur Neurol 2010;63:3-10.

- Schuele SU. Evaluation of seizure etiology from routine testing to genetic evaluation. Continuum (Minneap Minn) 2019;25:322-42.

- Wirrell E. Evaluation of first seizure and newly diagnosed epilepsy. Continuum (Minneap Minn) 2022;28:230-60.

08 실신과 의식저하

황윤하

1 실신

실신(syncope)은 뇌혈류 감소로 인한 일시적 의식소실로써, 자세를 유지하는 긴장도의 소실로 넘어지는 현상이 동반된다.

임상양상은 원인에 따라 다소 차이가 있으나 가장 흔한 유형인 혈관미주신경실신(vasovagal syncope)에서 전형적인 증상을 볼 수 있다. 대개 환자가 앉아 있거나 서 있는 자세에서 시작하며 조짐(prodrome)이 먼저 난다. 메스껍고 어지러우면서 휘청거리고 쓰러질 것 같은 두려움과 함께 안색이 창백해지거나 잿빛으로 변하고 얼굴과 전신에 식은땀을 흘린다.

뇌혈류가 6-8초간 갑자기 중단되거나 혈압이 60 mmHg 이하로 떨어지면 의식을 잃을 수 있기 때문에 실신의 기본적인 병태생리는 뇌혈류가 감소할 정도의 혈압강하이며, 혈압조절장애의 원인에 따라 반사실신, 기립저혈압에 의한 실신, 심장성 실신으로 대별된다.

1 반사실신(신경매개실신) (Reflex syncope, neutrally mediated syncope)

혈압과 혈관조절에 관여하는 중추신경의 중심은 연수의 고립로핵(nucleus tractus solitarius)이며 신경신호는 교감신경과 미주신경을 통해 심장과 혈관에 전달된다.

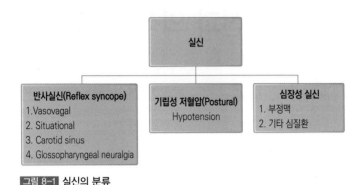

그림 8-1 실신의 분류

반사실신(reflex syncope), 즉 신경매개실신(neurally mediated synco-pe)에서는 유발자(trigger)에 대한 반응으로 나타나는 정상적인 혈압조절 기능의 장애로 서맥과 혈관확장이 발생하고, 혈압이 떨어지면서 전반적인 뇌혈류장애로 실신이 나타난다. 반사실신은 혈압조절장애의 원인에 따라 혈관억제실신(vasodepressor type), 심장억제실신(cardioinhibitory type), 혼합형(mixed type)으로 분류한다. 그러나 실제 임상에서는 실신의 원인을 찾는 데 의미를 두기 때문에 연수중심의 반사작용을 자극하는 상황, 즉 유발자의 종류(또는 구심신경)에 따른 분류를 사용하는 것이 유용하다.

(1) 혈관미주신경실신(또는 신경심장성실신) (vasovagal syncope)

혈관미주신경실신은 주로 오래 서 있기, 피나 사고 목격과 같은 강한 감정적 자극에 노출되거나, 탈수 및 공복과 동반한 열실신(heat synco-pe), 통증이 심한 병을 앓거나, 신체손상 후 공포와 통증 등에 의해서 발생한다. 이들 자극에 의해 교감신경이 활성화되고, 심장수축과 심박수가 증가하고 이로 인하여 심장의 C 섬유를 자극한다. 심장의 C 섬유는 연수의 혈관억제부위를 자극하고, 이로 인하여 교감신경의 긴장이 감소하여 혈압이 떨어지고 미주신경이 활성화되어 서맥이 발생한다. 서맥과 혈압저하로 인하여 복귀정맥혈이 감소하고 심박출량이 감소하여 뇌관류가 떨어지고 실신이 유발된다. 발한, 창백, 구역 같은 전구증상들이 대개 동반된다.

(2) 상황실신

① 배뇨실신

배뇨실신(micturition syncope)은 주로 남자에게서 발생하는데 노인뿐 아니라 젊은 사람도 밤에 자다 일어나서 소변을 보다가 생길 수 있다. 실신은 배뇨의 마지막이나 배뇨 후 조금 지나서 나타나는데, 의식소실은 매우 급격히 발생하고 의식 또한 갑자기 완전하게 회복된다. 방광이 가득 차면 반사적으로 교감신경계 활성으로 인해 혈관수축이 일어나는데, 갑자기 방광을 비우면 말초혈관확장이 일어나 혈류의 저류가 있으면서 실신을 유발할 수 있다. 음주, 배고픔, 피로, 상기도감염이 흔한 선행요인이다. 주로 야간에 쓰러지기 때문에 심한 두부 외상의 원인이 되기도 한다.

② 기침실신과 발살바실신

기침실신(tussive syncope)은 아주 심한 발작적인 기침 때문에 실신이 발생하는 것으로, 대개 몸집이 건장한 남자에게 생기는데, 담배를 피우고 만성기관지염이 있는 경우가 많다. 가끔 백일해나 후두염을 앓는 소아가 발병할 수 있다. 지속해서 심한 기침을 한 후 갑자기 전신에 힘이 빠지고 일시적으로 정신을 잃는다. 기침할 때 흉곽 내 압력이 크게 증가하여 정맥혈이 심장으로 돌아오는 것을 방해하기 때문이다. 또한 기침으로 두개강내압력이 증가되고 이산화탄소분압이 감소함으로써 혈관이 수축하는 것도 실신에 기여할 수 있다.

발살바수기는 닫힌 성대문(glottis)에 대항하여 숨을 내쉬려고 애

쓰는 것으로 기침실신과 같이 복귀정맥혈이 감소되어 실신이 나타 날 수 있다. 역도경기 중 나타나는 의식소실이나 자제할 수 없는 웃음, 배변 시 힘주기, 무거운 물건 들기, 수중다이빙, 힘든 트럼펫 연주의 상황에서도 발살바수기와 같은 현상을 볼 수 있다.

(3) 경동맥동실신

경동맥동실신(carotid sinus syncope)은 경동맥동의 기계적 자극에 의해 나타나며 경동맥동마사지(carotid sinus massage)로 진단한다. 경동맥동(carotid sinus)은 신전에 반응하는 부위로 신경자극은 혀인두신경의 분지인 hernig 신경을 통하여 연수로 전달된다. 경동맥동을 마사지하면 두 가지 반응이 나타나는데, 미주신경형 반응으로 동서맥(sinus brady-cardia), 동심정지(sinus arrest), 방실전도차단(atrioventricular block)이 나타나거나, 혈관억제형 반응으로 심박수의 변화 없이 혈압이 떨어질 수 있다. 경동맥동실신은 경동맥의 과민한 반응으로 유발되는데, 옷깃이 목에 꽉 조이는 옷을 입은 채로 한쪽으로 고개를 돌리거나 심지어는 경동맥동 주위를 면도할 때도 생길 수 있다. 증상은 대부분 환자가 서 있을 때 갑자기 발병하여 땅에 쓰러지게 되고, 가벼운 경련이 흔히 나타난다. 경동맥동실신에서 의식소실이 30초 이상 지속하는 경우는 거의 없고, 의식을 회복하면 주변에 대한 인지도 바로 가능하다. 유사한 기전으로 목이나 두개기저부의 종양 또는 림프절비대가 있을 때 흔히 실신이 나타난다.

(4) 혀인두신경통과 연관된 실신

혀인두신경통(glossopharyngeal neuralgia)은 주로 노인에서 발생하며 혀, 인두, 후두, 편도, 귀에 국소통증을 유발하는 질환으로 전체 환자의 2%에서 실신이 동반된다. 통증이 제9뇌신경을 따라 다량의 구심자극을 유발하고 고립로핵에서 기원하는 곁섬유(collateral fiber)를 통하여 혈관운동중추인 미주신경의 등쪽운동핵(dorsal motor nucleus)을 활성화해 실신이 발생하는 것으로 추정한다. 치료는 삼차신경통과 같이 항뇌전증약, 바클로펜이 도움이 된다.

2 기립저혈압에 의한 실신

여러 가지 신체활동이나 자세변화에 혈압을 유지하는 것은 심혈관계와 자율신경계의 정상적인 반응에 의한다. 혀인두신경과 미주신경의 자율신경감각신경종말은 대동맥궁과 경동맥동의 압력수용기와 심장벽에 있는 기계수용기로 압력에 민감하게 반응한다. 수용체의 신경구심자극은 연수에 있는 혈관운동중추, 특히 고립로핵으로 보내는데, 여기서 원심신경은 배가쪽연수(ventrolateral medulla)의 망상체(reticular formation)을 거쳐 척수의 중간외측세포기둥(intermediolateral cell column)의 교감신경을 통해 전달되고 골격근, 피부, 내장혈관 영역(splanchnic bed)에서 혈관운동의 긴장도를 결정한다. 이러한 압력수용기로부터 들어오는 신경자극이 줄어들면 흥분신호를 많이 내보내 혈압과 심박출량을 올림으로써 뇌혈류를 유지한다. 일어설 때 하지와 내장의 혈관으로 500-1,000 mL가량의 혈류가 저류된다(pooling). 이로 인해 교감신경이 작동하여 말초혈관의 저항이 커지면서 복귀정맥혈이 증가하고, 그 결과 심박출량이 증가하여 혈압의 감소를 최소화한다. 이런 보상기전으로 수축기 혈압을 5-10 mmHg 감소하고, 확장기 혈압은 5-10 mmHg 증가하며 박동수는 분당 10-25회 증가시킨다. 기립저혈압은 보상기전의 장애로 기립 또는 앉을 때 3분 이내에 수축기 혈압 20 mmHg, 확장기 혈압이 10 mmHg 이상 떨어지는 경우를 말하여, 부적절한 혈관내용적(intravascular volume), 자율신경계기능의 저하, 복귀정맥혈의 감소, 자세 변화에 대응한 심박출량증가능의 감소가 있을 때 나타난다. 기립저혈압으로 뇌혈류가 감소되면 기립못견딤(orthostatic intolerance) 증상이 나타난다. 대표적 증상으로 실신이 있고 어지럼, 몽롱함, 피곤함, 허약감, 심계항진, 발한, 시각이상증상, 청각이상증상 그리고 목과 허리의 통증이 나타난다.

3 심장성 실신

심장성 실신은 부정맥이나 심장의 구조적 심장병으로 인한 심박출량의 급작스런 감소로 발생한다. 심장부정맥은 심장성 실신의 주 원인이며 맥박이 35-40회/분 이하로 떨어지거나 150회/분까지 상승하게 되면 심박출량의 감소로 실신을 유발할 수 있는데, 특히 느린부정맥에 의한 실신이 흔하다. 서 있는 자세, 빈혈, 심장질환이 있는 경우에 자주 나타난다. 실신의 원인이 되는 심장병에는 심장동맥질환, 심근병, 판막심장병 등이 있다.

(1) 심장부정맥에 의한 실신

완전방실차단(complete atrioventricular block) 이 있고 심박수가 40회/분 이하일 때 가장 잘 발생한다(Adams-Stroke-Morgagni 증후군). 환자가 서 있다면 심정지가 4-8초간 지속해도 충분히 실신을 유발할 수 있고, 누워 있다면 심정지가 12-15초간 지속된다.

약제에 의해서도 서맥이나 빈맥이 발생할 수 있다. 항부정맥약은 심방결절(atrial node)기능이나 방실전도에 영향을 주어 서맥을 유발할 수 있다. 흔하지는 않지만 QT 간격을 연장시키는 약물 중 torsades de poines에 의한 실신을 일으키는 경우도 있다. 특히 여성이나 긴 QT 증후군을 가지고 있는 환자에서 이런 현상이 잘 나타난다. 부정맥약, 혈관확장제, 정신작용제, 항생제, 항히스타민제와 같은 약제가 QT 간격을 연장시킬 수 있다.

(2) 심장질환에 의한 실신

심장에 구조적인 문제가 있는 경우 순환요구량 증가에 따른 적절한 반응이 이루어지지 않아 실신을 일으킬 수 있다. 실신을 유발할 수 있는 심장질환에는 여러 가지가 있으나, 좌심실유출의 폐쇄가 가장 중요한 기전이다. 그러나 기계적 폐쇄에 의해 발생한 실신이라 해도 부적절한 반사나 기립저혈압이 실신의 유발인자로 함께 작용하는 경우가 많다. 예를 들어 대동맥판막협착증이 있을 때 심박출량저하뿐 아니라 부적절한 반사혈관확장(reflex vasodilation)이나 동반된 심장부정맥이 실신 발생에 영향을 줄 수 있다.

2 의식 저하

정상의식은 정상인이 깨어 있을 때의 상태로, 자신과 주위 환경을 충분히 인식하여 외부자극에 합당하게 반응하는 상태를 말한다. 의식을 정상적으로 유지하기 위해서는 깨어 있어야 하는 각성과 주위와 자신을 인식하는 두 가지 요소가 필요하다. 인식은 인지영역인 지남력, 기억력, 언어기능, 판단력, 시공간기능과 정서영역인 감정을 포함한다. 따라서 의식의 변화는 각성의 변화와 인식, 즉 인지 및 정신기능의 변화로 구분할 수 있다. 혼수는 각성이상에 해당하고, 혼동(confusion)은 인식이상에 해당한다. 얼마나 강한 자극에 대하여 의미 있는 반응이 일어나는지에 따라 각성도(level of alertness)를 구분하는데, 흔히 각성, 기면(drowsiness), 혼미(stupor), 혼수(coma)로 구분한다. 기면과 혼미 사이에 둔감(obtundation), 혼미와 혼수 사이에 반혼수(semicoma)를 넣기도 한다. 기면과 둔감은 각성과 혼미의 중간단계로서 각성상태가 각각 경미하거나 중등도로 감소된 상태를 말한다. 혼미는 강한 자극을 가하면 환자가 잠시 수면상태에서 깨어나지만 자극이 멈추면 다시 수면에 빠지는 상태를 말한다. 혼수는 환자가 눈감고 누워서 외부자극에 전혀 움직이지 않는 상태를 의미한다.

1 의식저하 환자의 진단

의식저하 환자는 주변 자극에 눈을 감고 있거나 심한 자극에도 반응하지 않기 때문에 점차 자극강도를 올려가면서 진찰한다. 음성자극으로는 이름을 묻거나 간단한 질문으로 시작하는 것이 좋고, 이에 반응하지 않는다면 박수를 치거나 더 큰 소리자극을 이용한다. 체성 통증감각을 확인할 때에는 대뇌감각피질영역이 넓은 얼굴에 통증자극을 가하면서 반응을 확인한다. 만일 이러한 자극에 반응이 없는 경우 자극의 강도를 높이게 되는데, 강한 자극을 가하더라도 조직손상의 위험이 적은 흉골, 손톱밑바닥, 안와 윗부분, 턱관절부위 등을 압박하면서 통증반응을 확인한다. 이와 같은 통증반응에도 눈을 뜨지 않으려 하고, 눈을 뜨게 하려면 환자가 저항하려는 것이 목격되면, 의식저하의 원인이 거짓이거나 혹은 기능적 무반응일 가능성이 있다. 따라서 거짓반응으로 의식저하를 나타내는 환자의 경우, 검사자가 환자의 팔을 얼굴에 떨어뜨릴 때 환자는 팔을 움직여 얼굴을 접촉하지 않으려 할 수 있다. 이러한 점은 의식저하상태를 구별하는 데에 도움이 된다.

의식저하 환자는 신경학적 진찰을 통해 신경학적 대칭성의 파괴나 병변국소화의 특징들을 확인한다. 특히 무의식 환자에서 한쪽 동공확대소견, 편측안구운동이상, 비대칭적인 사지움직임이상을 평가하고 뇌탈출증후군을 감별하는 것이 임상적으로 중요하다. 무의식 환자에서 신경학적 진찰은 보통 네 부위(의식, 뇌줄기, 운동기능 평가, 호흡패턴)로 이루어져 있다. 의식장애의 중증도를 측정하기 위해 흔히 글래스고혼수척도(Glasgow coma scale, 표 8-1)를 사용한다. 처음에는 사고현장이나 응급실에서의 외상환자에게 사용하기 위해서 고안되었지만, 중환자실 환자의 예후와 증상악화를 추적하는 데에도 도움이 된다. 하지만 뇌줄기기능에 대한 정보가 부족하기 때문에 이를 보완한 임상평가 체계인 FOUR 척도(full outline of unresponsiveness score)가 제시되었다(표 8-2). 뇌줄기기능이 보존되어 있으면 위치는 뇌줄기보다 위쪽이거나 광범위하게 뇌

표 8-1 글래스고혼수척도

세부항목	항목기술	점수
눈뜨기	자발적으로 눈을 뜬다(Open eyes Spontaneously).	4
	명령에 따라 눈을 뜬다(Open eyes to command).	3
	통증자극에 의해서 눈을 뜬다(Open eyes to pain).	2
	전혀 눈을 뜨지 않는다(No eyes opening).	1
운동신경반응	명령에 따른다(Obey command).	6
	통증자극에 국소화반응이 있다(Localize pain).	5
	통증자극에 회피반응을 보인다(Withdraw to pain).	4
	통증자극에 이상굽힘반응을 보인다(Abnormal flexor response).	5
	통증자극에 이상신전반응을 보인다(Abnormal extensor esponse).	2
	운동반응이 없다(No response).	1
구두반응	적절하고 지남력이 있다(Appropriate and oriented).	5
	지남력이 없고 혼동된 말을 한다(Disoriented and confused).	4
	부적절하고 혼란된 말을 한다(Inappropriate words).	3
	이해할 수 없는 소리를 낸다(Incomprehensive sounds).	2
	소리를 내지 못한다(No sounds).	1

가 손상된 것을 의미한다. 자극에 대칭적인 움직임인 대뇌제거경축
(decerebrate rigidity, extension posturing)이나 피질제거경축(decorticate
rigidity, flexion posturing)은 기질적이거나 대사혼수에서 모두 나타날
수 있다. 일반적으로 의식저하 환자에서 대칭적인 반응이 보이면서 뇌줄
기반사기능에 이상이 없다면 독성이나 대사반응일 가능성이 높은데, 뇌
병변이 동반되어 있다면 그 위치는 양측 대뇌 또는 사이뇌(diencepha-
lon)일 가능성이 높다. 뇌신경테스트는 뇌줄기신경핵 및 구심성(affer-
ent)-원심성(efferent) 섬유이상을 알아내는 데 필수적이다. 안구의 동공
반응과 안구움직임을 측정하는 것으로 중요한 정보를 얻을 수 있다. 혼

표 8-2 FOUR 척도

세부항목	항목기술	점수
눈반응	눈을 뜨고, 지시에 따라 보고 깜박일 수 있다.	4
	눈을 뜨지만 지시에 따라 볼 수 없다.	3
	눈을 감고 있지만 큰 소리에 눈을 뜬다.	2
	눈을 감고 있지만 통증에 눈을 뜬다.	1
	통증에도 눈을 감고 있다.	0
운동반응	엄지일등, 주먹쥐기, 손-두개를 할 수 있다.	4
	통증에 피하거나 밀쳐내려 한다.	3
	통증에 비정상적인 굴곡자세를 취한다.	2
	통증에 비정상적인 신전자세를 취한다.	1
	통증에 반응이 없거나 전신간대발작을 하고 있다.	0
뇌줄기반응	동공반사와 각막반사반응이 있다.	4
	한쪽 동공이 벌어져 있고 움직이지 않는다.	3
	동공반사나 각막반사 중 하나는 없다.	2
	동공반사나 각막반사 모두 없다.	1
	동공반사, 각막반사, 그리고 기침반사가 없다.	0
호흡	기도삽관이 없고 규칙적인 호흡.	4
	기도삽관이 없고 '체인-스트로크호흡'.	3
	기도삽관이 없고 불규칙적인 호흡.	2
	인공호흡을 하고 있으나 자발호흡이 있음.	1
	인공호흡을 하고 있고 자발호흡이 없음.	0

수 환자에서는 수의안구운동(voluntary eye movement)을 평가할 수 없기 때문에 전정안구반사(vestibuloocular reflex)를 통해 안구운동을 관찰한다. 안구머리반사(ovulocephalic reflex)검사에서 양안은 수평과 수직성 자극에 대하여 동향적으로 빠르게 움직여야 하는데, 하방성 두위 자극 시 눈꺼풀이 열릴 수 있다. 혼수 환자의 온도안진검사(caloric test)는 일반적으로 얼음물을 사용한다. 자발적 순회눈운동(ocular roving)은

정상 뇌줄기기능하에서 대뇌피질이 억제되면 발생할 수 있다. 전정안구반사가 떨어진 것은 정신과 약물이나 항뇌전증약(antiepileptic drug) 때문일 수 있다. 운동기능 평가는 자발적인 움직임이나 자세, 음성자극에 의한 움직임, 자극에 의한 움직임들을 평가한다. 호흡양상 중에 신경학적으로 국소화 가치가 있는 것들이 있다. 지속흡입호흡(apneustic breathing)은 하부교뇌병변으로 흡기호흡이 늘어나는 양상의 호흡이다. 교뇌 및 중뇌부위의 손상으로 중추신경성 과호흡(central neurogenic hyperventilation)이 일어날 수 있다.

2 의식저하의 원인

의식저하를 유발하는 질환으로는 구조적 뇌병변, 대사 혹은 영양결핍 질환, 외인성 독소, 중추신경계감염과 패혈증, 발작질환, 체온조절장애, 외상이 있다. 이러한 다양한 질환들이 광범위 혹은 전략부위에서 상행망상체활성계(ascending reticular activating system, ARAS) 구조물에 영향을 주면 의식저하가 발생한다.

(1) 구조적 뇌병변

의식과 연관된 뇌조직을 직접 파괴하거나 압박하여 나타난다. 허혈뇌졸중, 출혈뇌졸중, 염증질환, 뇌종양 같이 단일병변이라도 입쪽 ARAS, 사이뇌, 대뇌피질(주로 양측이지만 때론 좌측대뇌반구) 혹은 그와 연관된 상호연결부위를 침범하면 급성혼수를 유발할 수 있다. 또한 단일천막상종괴병터가 뇌탈출로 인하여 의식저하를 유발할 수 있다.

(2) 대사, 영양결핍 혹은 독성 뇌병증

간, 신장, 폐, 심혈관, 부신 같은 장기의 기능상실, 저나트륨혈증, 고나트륨혈증, 저칼슘혈증, 고칼슘혈증, 저마그네슘혈증, 고마그네슘혈증, 저인산혈증과 같은 전해질이상과, 저혈당, 고혈당, 갑상선기능이상, 선천

대사장애(포르피린증, 사립체병 등) 같은 다양한 대사뇌병증이 의식저하를 유발한다. 이는 ARAS의 다발시냅스기능장애에 의한다. 대부분 가역적인 ARAS의 장애로 반신마비와 같은 국소화 징후 없이 광범위장애를 유발한다. 호흡양상과 혈액가스분석은 대사 혹은 독성원인을 감별하는 데 도움이 된다.

(3) 전신감염과 중추신경계감염

전신감염 혹은 전신염증은 종종 가역적이면서 대사뇌병증과 유사한 뇌병증을 유발할 수 있다. 기전은 손상된 미세순환, 혈장아미노산의 불균형에서 유발된 뇌의 신경전달물질의 변경, 시토카인의 직간접 효과, 자유기(free radical) 생성, 다른 장기부전에 따른 이차효과등이다. 뇌파검사는 경도의 서파에서 돌발파억제양상(burst-suppression pattern)까지 중증도에 따라 양상이 다양하다. 후자의 경우 사망률이 70%에 이르는데 이는 주로 신경계질환보다는 다발장기부전에 의한다. 수막염으로 인한 의식저하는 염증매개체(inflammatory mediator)들의 독성효과와 뇌부종, 폐쇄 및 교통수두증, 발작, 동맥염에 의한 뇌혈관합병증, 허혈 혹은 출혈뇌졸중, 패혈정맥동혈전증으로 인한 이차합병증에 기인한다. 뇌염은 바이러스의 직접적인 침범 혹은 감염 후 면역매개기전으로 인해서 혈액뇌장벽 투과성의 변화와 다양한 염증성 변화로 혼수가 발생된다. 광범위 혹은 다초점성이지만, 단순헤르페스바이러스, 광견병으로 인한 뇌염의 경우 국소적으로도 발생한다.

(4) 고체온과 저체온

저체온은 중심체온이 35℃ 이하일 때로 정의하지만 의식저하를 유발하는 체온은 대개 28℃ 이하로 섬망과 혼미 이후에 혼수가 발생한다. 체온이 28℃ 이하면 동공반사가 사라지고 환자는 뇌사상태와 유사하게 된다. 또한 심실세동과 심정지의 위험에 처한다. 뇌파는 30℃에서 서파가 나타나서 20-22℃에서 돌발파억제(burst-euppression)양상으로 나타난다. 이것은 뇌의 시냅스전달의 점진적인 부전을 의미한다. 체온이 1℃ 감소할수록 뇌혈류는 6%씩 감소하여 25℃ 미만에서는 뇌혈관자동조절(cerebrovascular autoregulation)이 상실되어 혈압변동에 따른 수동적인 혈류변화(pressure−passive cerebral circulation)를 보이게 된다. 저체온은 시상하부의 질환에 의해 일차적으로 발생할 수 있지만, 상부척수손상, 갑상선저하증, 부신피질부전, 베르니케뇌병증, 진행된 패혈증, 진정제독성과 자율신경기능장애에 의해 이차적으로도 나타날 수 있다.

고체온은 체온이 38.5℃ 이상일 때로 정의한다. 42℃ 이상일 때 현저한 뇌병증을 유발하여 뇌파는 서행하고 종종 발작이 동반된다. 발작은 흥분신경물질인 세포외글루탐산염의 증가와 신경세포와 교세포(glia)막의 나트륨−칼륨펌프의 기능 손상과 연관되어 있다. 체온상승은 열생성 증환, 감소된 열소실, 시상하부기능장애로 인한다. 증가된 열생성의 원인은 악성고열, 갑상선항진증, 신경이완제 악성증후군(neuroleptic malignant syndrome), 코카인 혹은 암페타민 남용, 살리실산염독성 혹은 경련뇌전증지속상태가 있다. 손상된 열소실은 열사병, 자율신경기능장애, 항콜린제 사용, 더운 환경에 의한다. 뇌졸중, 뇌손상, 뇌염으로 인한 시상과 뇌줄기의 병터도 체온조절중추에 영향을 줄 수 있다.

(5) 외상

외상 후 곧바로 발생하는 의식저하는 뇌타박상, 광범위축삭손상, 뇌사까지 다양하다.

3 의식저하 환자의 치료 및 관리

의식저하 환자의 진단과 치료는 동시에 이루어져야 한다. 일반적으로 의식저하 환자는 중환자실에서 관리해야 한다. 흡인 및 질식방지, 적당한 환기를 위한 기도관리가 가장 중요하며 경우에 따라 기관내삽관을 하여야 한다. 대부분의 환자는 보조적인 환기기구가 필요하다. 뇌와 신장의 적절한 관류를 유지하기 위하여 혈장증량제(plasma volume expander)및 수축촉진제나 혈압상승제가 필요할 수 있다. 두개내압상승이 의심되는 경우 두개내압감시가 필요하다. 지속뇌파감시는 마취제를 사용하는 뇌전증지속상태, 뇌저능의 고위험군에서 한다. 체성 감각유발전위감시는 뇌손상 환자에서 사용되는데, 뇌내출혈의 악화여부 감시에 도움이 된다.

References

- 대한신경과학회. 신경학 3판. 범문에듀케이션; 2017;436-46.
- David K Chen, W Curt LaFrance Jr. Diagnosis and Treatment of Nonepileptic Seizures. Continuum (Minneap Minn). 2016;22:116-31.
- William P Cheshire Jr. Syncope. Continuum (Minneap Minn). 2017;23:335-58.

CHAPTER 09 기억저하

나승희, 이청휘, 류선영

1 기억장애 및 인지장애

인지기능이란 정보를 받아 저장하고, 조작하고 효율적으로 처리하여 행동을 유발하고 사고하는 전반적인 과정이며, 인지기능은 기억력과 학습능력, 언어, 지남력, 실행능력, 공간기능, 추론과 판단 등의 여러 하부 기능으로 나누어질 수 있다. 이 중에서도 기억장애를 주소로 내원하는 환자들은 응급실과 외래에서 모두 접할 수 있다.

기억장애를 주증상으로 하는 질환으로는 알츠하이머치매가 있고, 많은 수의 알츠하이머치매 환자가 최근 기억의 이상을 호소하며, 이는 서서히 발생하여 점차 악화되는 경과를 취하게 된다. 그러나 드물게 갑자기 발생하는 인지저하를 보이는 질환도 있고, 알츠하이머병 외의 다른 신경퇴행성질환이나 혈관성 또는 종양성 원인의 구조적 이상, 대사성/감염성 원인도 있으므로 다양한 감별질환을 고려한 적절한 접근과 진단이 필요하다. 본 장에서는 기억장애를 주소로 내원하는 환자들, 특히 치매가 의심되는 환자의 접근법과 주요질환에 대한 세부내용, 치료에 대해 알아보고자 한다.

2 병력 청취 및 신경학적 진찰

치매란 인지기능의 저하로 일상생활의 지장을 초래하여 기존의 직업적/사회적 기능을 수행할 수 없는 상태로, 질환명이 아닌 특정 상태, 증상을 지칭하는 말이다. 인지기능 평가, 일상생활능력 평가, 동반된 이상행동 유무, 원인질환과 관련된 문진 및 신경학적 진찰을 시행한다(표 9-1).

표 9-1 **치매 환자의 병력 청취 및 신경학적 진찰 항목**

평가항목	세부내용
1) [A] ADL, 일상생활능력	기본적(개인위생 등) 및 도구적(집안일, 전자제품이용, 취미생활, 외출 및 대중교통이용/운전, 돈 관리 및 직장생활) 일상생활 문진
2) [B] Behaviour, 이상행동 또는 문제행동	망상/환각, 공격성, 무감동/무관심, 우울, 불안, 과민, 탈억제, 수면이상, 비정상반복행동, 식습관의 변화 등
3) [C] Cognition, 인지기능	(1) 기억장애: 언제 발생하였는지, 갑자기/서서히 발생하였는지, 발생 이후 경과가 어떠한지, 구체적으로 어떤 내용의 기억장애인지, 기억장애의 정도가 얼마나 심한지, 환자가 병식이 있는지 (2) 언어장애: 이름대기장애, 유창성의 감소나 문법오류, 이해력 저하 (3) 시공간능력이상: 방향감각이상, 길찾기장애 등 (4) 집행기능장애: 판단력의 저하, 비합리적인 결정, 성격변화 등
4) [D] Differential diagnosis, 감별질환	(1) 심뇌혈관 위험인자(당뇨, 고혈압, 고지혈증, 흡연 등), 복용 중인 약물 및 음주력, 치매의 가족력 확인 (2) 동반된 신경학적 이상증상: 국소신경학적 결손(시야결손, 구음장애, 삼킴장애, 반신마비 및 감각이상), 병적 반사, 보행장애, 운동완만/경축 등의 추체외로 증상, 소변실금 등

3 감별진단을 위한 검사(Parameters for differential diagnosis)

병력 청취 및 신경학적 검사를 시행한 후에는 기억저하의 원인에 대하여 면밀한 검사가 필요하다. 기억저하는 다양한 원인질환에 의하여 유발될 수 있으며, 그 중 일부는 치료가능한 원인이다. 검사실검사(laboratory test), 뇌영상검사(neuroimaging), 인지기능검사 및 최근 중요성이 대두되고 있는 퇴행질환의 생물표지자(biomarker)를 이용한 검사를 통하여 보다 정확하게 병인에 따른 진단(etiologic diagnosis)을 시행할 수 있다.

1 검사실검사

미국신경과학회(American Academy of neurology)에서 권고하고 있는 기본 평가는 아래와 같다. 검사항목과 관련한 원인질환 일부를 함께 기입하였다(표 9-2).

표 9-2 Routine laboratory testing

검사항목			생각해볼 수 있는 질환
Complete blood cell count			
Serum BUN, creatinine			Renal failure
Serum liver function tests			Hepatic failure
Serum chemistry – glucose			DM 환자에서 반복되는 hypoglycemia
Serum chemistry – electrolytes			Adrenal insufficiency Hypo– and hyperparathyroidism
Serum TSH	추가검사*	Free T4	Hypothyroidism Hashimoto encephalopathy
Serum vitamin B$_{12}$	추가검사*	Homocysteine Methylmalonate	Vitamin B$_{12}$ deficiency
Serologic tests for syphilis (VDRL, RPR)**			Neurosyphilis
Serologic tests for HIV (HIV antibody)**			HIV–associated dementia

* 기본 검사항목에서 정상값(normal range)을 벗어났을 경우 시행

** Optional: depending on risk

2 뇌영상검사

(1) 구조신경영상(structural Imaging)

구조신경영상은 크게 두 가지 측면에서 의미가 있다. 첫째로는 뇌의 구조적인 문제로 인하여 발생하는 인지저하를 배제할 수 있다는 것이고 (표 9-3), 둘째로는 각 신경퇴행질환의 영상학적 특징을 이용하여 보다 정확한 감별진단을 할 수 있는 점이다(표 9-4).

검사방법으로는 크게 CT와 MRI가 있으며, CT는 검사에 소요되는 시간이 짧고, 비용이 저렴하다는 장점이 있으나 일반적으로 뇌의 세부적인 구조를 확인하기 위해서는 해상도가 높은 MRI가 선호되며, 환자의 상태에 따라 판단하여 검사방법을 선택할 수 있다.

표 9-3 기억저하를 유발할 수 있는 구조적 병변 및 관련 질환

분류	생각해 볼 수 있는 질환
Tumors	Primary and secondary brain tumors, Paraneoplastic encephalitis
Vascular injury	Subdural hematomas, Infarction
Inflammatory diseases	Vasculitis
Others	Normal pressure hydrocephalus, Creutzfeldt–Jakob disease

표 9-4 주요 신경퇴행질환의 MRI 소견

분류	영상학적소견
Alzheimer disease	Hippocampal, temporal and parietal atrophy
Vascular dementia	Lacunes, Microbleeds, White matter hyperintensities
Frontotemporal dementia	bvFTD: frontal and anterior temporal atrophy PNFA: left perisylvian atrophy SD: left anterior temporal pole atrophy
Progressive supranuclear palsy	Hummingbird sign, Mickey Mouse appearance
Corticobasal syndrome	Asymmetric superior frontal & parietal cortical atrophy

Abbreviations: bvFTD, Behavioral Variant Frontotemporal Dementia; PNFA, Progressive Non-fluent Aphasia; SD, Semantic Dementia.

(2) 기능신경영상(functional neuroimaging)

구조에 대한 영상검사뿐만 아니라, 기능신경영상검사를 통하여 진단에 도움을 받을 수 있다. 기본원리는 뇌혈류, 포도당대사, 혈액산소화를 통하여 뇌의 국소영역 활성도를 영상으로 확인하는 것이다. 주로 시행하는 검사로는 단일광자방출컴퓨터촬영술[single photon emission computed tomography (SPECT)], 양전자방출단층촬영[positron emission tomography (PET)], functional MRI 등이 있다.

① SPECT (single photon emission computed tomography)

99mtechnetium-hexamethyl-propylenamine oxime (Tc-HMPAO)와 99mTc-ethylcysteinate dimer (99mTc-ECD)가 방사능 추적자(radioactive tracer)로 많이 쓰이며, 추적자의 국소적인 분포는 뇌의 관류(perfusion)를 반영한다.

알츠하이머치매의 경우 측두-두정엽 부위의 관류가 감소하고, 전두측두엽치매의 경우 전두-측두엽 부위의 관류가 감소하는 것으로 알려져 있다(그림 9-1).

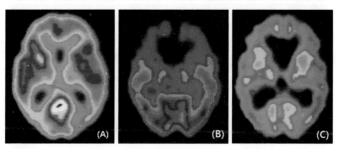

그림 9-1 전형적인 (A) 알츠하이머병, (B) 전두측두엽치매, (C) 루이소체치매의 SPECT 소견

(Rollin-Sillaire A. et al. J Alzheimers Dis. 2012)

② PET (positron emission tomography)

일반적으로 치매를 진단할 때는 2-[Fluorine-18] Fluoro-2-deoxy-d-glucose [(18F) FDG], positron emission tomography (PET), FDG-PET가 주로 이용되는데, 이 검사는 포도당대사를 이용한 검사법으로, 국소적인 시냅스활성도가 증가하면 증가하고, 시냅스의 기능이상이나 신경퇴행이 있을 때 신호가 감소한다.

알츠하이머병 Alzheimer disease (AD) 환자는 주로 측두두정연합피질(temporoparietal association cortex) 후방 및 띠이랑(cingulate)피질 후방부에서 포도당대사가 저하되는 소견을 보이며, 전두측두엽치매(Fronto-temporal dementia, FTD) 환자는 측두엽 전방부 및 띠이랑피질 전반부에서 대사가 저하된다. 루이소

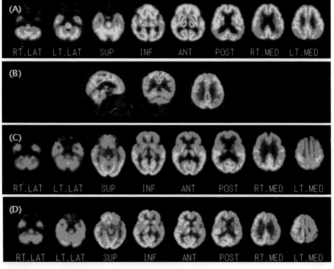

그림 9-2 각 질환에서의 전형적인 FDG-PET 소견

(A) 알츠하이머병, (B) 루이소체치매, (C) 전두측두엽치매, (D) 피질바닥핵변성

(T. Kato et al. Ageing Research Reviews, 2016)

체치매[dementia with Lewy Body (DLB)] 환자는 AD 환자와 비슷하게 측두-두정연합피질 후방부에서도 대사가 저하되지만, 후두엽의 1차시각피질 및 연합피질(occipital primary and association cortex)에서 대사가 저하되는 소견 및 'cingulate island sign'으로 AD와 구별된다. 피질바닥핵변성(corticobasal degeneration) 환자에서는 중심고랑주변-후전두엽, 중심곁소엽- 및 시상, 선조체의 대사저하가 두드러진다(그림 9-2).

③ 분자뇌영상(molecular Imaging)

위에서 언급한 FDG-PET뿐만 아니라, 뇌내단백질, 효소 등에 결합하는 리간드(ligand)를 이용한 PET 검사는 신경퇴행질환의 영상표지자(imaging biomarker)로 사용되고 있다. 이런 검사들은 신경퇴행질환의 조기 및 감별진단을 가능하게 하는 효과가 있으며, 대표적인 것으로는 아밀로이드 PET와 타우 PET가 있다.

가. 아밀로이드 PET

아밀로이드 PET는 알츠하이머병의 주된 신경병리학적 소견인 아밀로이드판(amyloid plaque)을 검출하는 검사이다. 매우 높은 민감도(96%, 95% CI 80-100) 및 특이도 (100%, 78-100)를 가지고 있으며, 임상적으로 ^{18}F-florbetapir, ^{18}F-florbetaben,

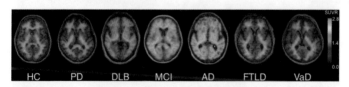

그림 9-3 ^{18}F-florbetaben을 이용한 PET 검사영상

HC, Health Control; PD, Parkinson Disease; DLB, Dementia of Lewy Dodies; MCI, Mild Cognitive Impairment; AD, Alzheimer Disease; FTLD, Frontotemporal Lobar Degeneration; VaD, Vascular Dementia (Villemagne et al. J Nucl Med 2011)

¹⁸F-flutemetamol, 세 개의 추적자(tracer)가 주로 사용되고 있다. 세 추적자 간의 진단정확도는 비슷한 것으로 알려져 있다. '양성'인 경우, 대뇌피질의 섭취로 인하여 회색질/백색질 간의 경계가 불분명해지는 소견이 관찰된다(그림 9-3).

나. 타우 PET

알츠하이머병의 다른 병리학적 소견인 신경섬유매듭(neurofi-brillary tangle, NFT)은 과인산화된 타우(hyperphosphorylated tau)단백이 주 구성성분이다. 계속해서 추적자가 개발되고 있는 상태이며, 타우단백은 피질의 신경세포소실 및 치매의 중등도와 연관성이 있어 추후 알츠하이머병의 조기진단 및 진행에 대하여 유용한 지표로 사용될 것으로 예상된다(그림 9-4).

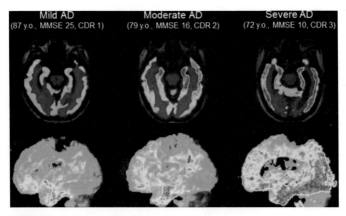

그림 9-4 Mild, moderate, severe AD 환자의 타우 PET 영상

(Nobuyuki et al. Curr Neurol Neurosci Rep, 2014)

3 생물표지자

신경퇴행질환의 생물표지자는 1) 조기 진단, 2) 감별진단, 3) 질환의 경과 추적, 4) 치료효과의 평가 목적으로 검사한다. 주로 알츠하이머병에 대한 연구가 이루어져왔으며, 2018년 National Institute on Aging-Alzheimer's Association (NIA-AA) Research Framework에서는 알츠하이머병의 분류체계에 신경영상과 뇌척수액에 기반한 생물표지자를 포함시켰다(표 9-5).

앞서 언급하지 않은 추가적인 생물표지자에 대한 설명은 다음과 같다.

(1) 베타아밀로이드 Aβ

알츠하이머병의 주된 병리소견인 노년판(senile plaque)은 Aβ로 구성되어 있으며 알츠하이머병 환자에서는 뇌척수액에서 정상인에 비하여 $A\beta_{1-42}$가 감소하는 것이 확인되었다. 여기에 제시된 기전으로 첫 번째로는 $A\beta_{1-42}$가 노년판에 축적되어 뇌척수액으로는 적은 양이 배출되기 때문으로 설명한다. 추가적인 연구에서 $A\beta_{1-42}$ 단독으로 측정했을 때보다

표 9-5 AT (N) biomarker grouping
A: Aggregated Aβ or associated pathologic state
CSF $A\beta_{42}$, or $A\beta_{42}/A\beta_{40}$ ratio
Amyloid PET
T: Aggregated tau (neurofibrillary tangles) or associated pathologic state
CSF phosphorylated tau
Tau PET
(N): Neurodegeneration or neuronal injury
Anatomic MRI
FDG PET
CSF total tau

A: 베타아밀로이드 변화, T: 타우병변, N: 신경퇴화를 의미

$A\beta_{1-40}$에 대한 $A\beta_{1-42}$의 비가 정상인과 알츠하이머병을 구분하는 데 더 도움이 된다고 보고되어 이를 활용하기도 한다.

(2) 총 타우(total tau, t-tau)

타우단백은 신경세포의 세포골격에 부착되어 있는 단백질로, 신경세포손상의 지표로 쓰인다. 나이에 따라 증가하는 경향을 보이며, 알츠하이머병 환자에서 뇌척수액의 총 타우량이 증가하나 다른 치매질환에서도 증가하여 알츠하이머병 감별진단 지표로는 한계가 있다.

(3) 인산화타우(phosphorylated tau, p-tau)

과인산화된 타우단백은 인산화로 인하여 미세관(microtubule)에 결합하지 못해 세포골격의 안정화에 기여하지 못하게 된다. 알츠하이머병의 병리소견인 신경섬유매듭의 구성성분으로, 다른 치매질환에서는 비교적 증가하지 않아 알츠하이머병 진단에 가장 유용한 생물표지자이다.

(4) 14-3-3 단백질

크로이츠펠터-야콥병에서 총 타우단백 및 14-3-3 단백질이 증가한다.

4 그 외의 검사

(1) 유전자검사

원인이 불명확하거나 젊은 환자에서 발생한 기억장애의 평가에 도움이 될 수 있다. 주요 퇴행치매 및 관련 유전자는 다음과 같다(표 9-6).

표 9-6 주요 퇴행치매 및 관련 유전자	
질환	**관련 유전자**
알츠하이머병	Presenilin 1 (PS1), Presenilin 2 (PS2), Amyloid Precursor Protein (APP)
전두측두엽치매	Tau, C9orf, progranulin
크로이츠펠트-야콥병	Prion Protein Gene (PRNP)

(2) 뇌파검사(electroencephalogram)

뇌파검사는 치매로 오인될 수 있는 뇌전증 환자를 감별하는 데 사용될 수 있다.

4 신경심리검사

치매 환자에서 신경심리검사는 인지기능의 유무 및 정도 파악, 감별진단, 그리고 추후 질병의 경과 파악 및 효과 판정에도 도움이 된다. 크게 선별검사와 치매검사총집으로 나뉜다.

1 선별검사(Screening test)

선별검사는 말 그대로 인지기능이 떨어진 사람을 가려내어 자세한 검사, 예를 들면 치매검사총집 및 치료로 연결될 수 있게 하는 것이다. 따라서 민감도가 높을수록 바람직하다.

(1) 선별인지기능검사

대표적으로는 mini-mental state examination (MMSE) 및 montreal cognitive assessment (MoCA)가 있으며 이 외에도 hasegawa dementia scale (HDS-R), 7-minutse screen test (7MS) 등이 있다.

① MMSE

총 열아홉 문항으로 이루어져 있으며 30점 만점이다. 시간지남력 5점, 장소지남력 5점, 주의력 5점, 기억등록 3점, 기억회상 3점, 구성능력 1점, 그리고 우리나라에서 표준화하여 쓰이는 K-MMSE에서는 언어능력 8점으로 구성된다. K-MMSE는 교육과 나이의 영향을 많이 받기 때문에, 이에 따른 정상치가 제시되고, 정상평균의 -1.5 SD이면 치매라고 의심할 수 있다.

② MoCA

경도인지장애 및 혈관성 인지장애를 보다 잘 선별하는 것으로 알려져 있으며 MMSE와 달리 전두엽기능 평가항목이 있어 주의력 6점, 집행기능 4점, 구성능력 4점, 기억력 5점, 언어기능 5점, 그리고 지남력 6점으로 총점은 30점이다. 마찬가지로 연령과 교육수준에 따른 기준치가 다르다.

(2) 인지기능에 대한 보호자 설문지

설문지 형태로 피검자의 교육 정도나 나이에 영향을 받지 않고, 초기단계의 치매를 진단하는 데 민감하다. 환자를 잘 아는 보호자가 작성하면 치매선별의 정확도가 높아진다. 국내에서 많이 사용되는 설문은 다음과 같다(표 9-7).

표 9-7 국내에서 사용되는 치매 설문지

검사	특징
K-DSQ	1년 전의 환자상태와 비교하여 해당항목에 표시 KDSQ-C, KDSQ-H, KDSQ-D 세 가지 파트로 구성되어 있다. * KDSQ-C: 기억력 다섯 문장, 기타인지 다섯 문항, 수행능력 다섯 문항으로 6점을 치매와 정상인에 대한 기준점으로 제시 * KDSQ-H: 혈관성 치매를 감별하기 위한 다섯 문항으로 구성 * KDSQ-D: 우울증 정도를 알아보기 위한 문항으로 구성
S-SDQ	최근 6개월에 해당되는 사항을 표시 기억력, 시공간력, 언어능력, 계산력, 도구능력 열다섯 문항으로 구성 8점 이상이면 치매로 진단
IQCODE	지난 10년간의 환자의 인지기능 및 일상활동능력 저하를 평가 총 스물여섯 문항으로 구성 전체점수를 응답한 문항수로 나눈 값이 점수이며 3.6점을 기준점으로 제시

Abbreviations for K-DSQ, Korean Dementia Screening Questionnaire; S-SDQ, Short form of Samsung Dementia Questionnaire; IQCODE, Informant Questionnaire on Cognitive Decline in the Elderly

(3) 일상생활능력 설문지

치매 환자의 일상생활능력 평가를 위하여 K-IADL (Korean version of IADL)이 주로 사용되고 있다. 최근 4주간 환자의 일상생활에 대한 열한 가지 문항으로 구성되어 있으며(시장보기, 교통수단 이용, 돈 관리 등) 총점을 해당항목 개수로 나누어 점수를 계산한다. 0.43을 기준으로 치매를 판별하고 있다.

2 치매검사총집

치매검사총집은 각 인지영역기능을 알아보는 검사를 묶어서 만든 것으로, 치매의 종류 및 심각도에 대한 정보를 제공한다(표 9-8). 기억력, 집중력, 언어능력, 시공간기능, 수행능력을 포함한다. 점수는 환자의 나이, 교육수준 및 다른 관련 요인을 고려한 정상기준과 비교하여 제시된다.

표 9-8 **국내에서 사용되는 치매검사총집**

서울신경심리검사(Seoul Neuropsychological Screening Battery, SNSB)
- 주의집중력, 언어능력 및 관련 기능, 시공간적 지각 및 구성능력, 기억력, 전두엽/집행기능의 다섯 가지 영역을 평가한다.
- 국내에서 개발되었으며, 1시간 30분에서 2시간 정도 소요된다.

CERAD (Consortium to Establish a Registry of Alzheimer Disease)
- 임상적, 신경심리학적 총집으로 나누어져 있어 치매의 진단과 경과를 추적하는 데 유용하다.
- 미국 CERAD에서 개발된 평가도구로, 국내에서는 CERAD-K로 표준화되었고, 30-40분 소요된다.

ADAS (Alzheimer's Disease Assessment Scale)
- 인지기능영역 평가척도(ADAS-cog)와 비인지기능영역 평가척도(ADAS-non cognitive subscale)로 나뉘어 평가된다.
- ADAS-cog는 초기 알츠하이머병 선별에 아주 민감하고, 치매치료제 연구에서 약물의 효과를 평가하는 데 가장 많이 사용되는 도구이다. 국내에서는 ADAS-K로 한국판이 개발되었다.

SIB (Severe Impairment Battery)
쉽고 간단한 문제로 구성되어 있어 위의 검사들이 어려운 중증 치매 환자 평가에 유용하다.

LICA (Literacy Independent Cognitive Assessment)
비문해자와 저학력 노인의 인지기능 평가를 위하여 국내에서 개발되었고, 30-40분 소요된다.

3 치매의 중등도 평가(Assessment of Dementia Severity)

치매의 중등도 평가는 환자의 약물 선택 및 치료계획을 세우는 데 있어서 매우 중요하다. 병의 경과 추적 및 치매치료제의 효과 여부 판정에도 유용하며, 특히나 우리나라에서는 치매치료제들의 보험기준으로 활용되고 있다.

(1) CDR (Clinical Dementia Rating)

CDR은 전 세계적으로 치매의 중등도를 평가하는 데 가장 많이 쓰이는 척도로, 환자 및 환자를 잘 아는 보호자와의 면담을 통하여 평가한다. 기억력, 지남력, 판단력과 문제해결능력, 사회활동, 집안생활과 취미, 위생 및 몸치장의 여섯 가지 영역으로 나뉘어지며, 각 영역은 0(없음), 0.5(의심스러움), 1(경함), 2(중등도), 3(심함) 중 하나로 점수가 매겨진다(단, 위생 및 몸치장의 경우 0, 1, 2, 3의 네 가지 단계로 평가한다). 이때, 인지장애로 인한 기능 저하만을 평가하며, 신체적인 장애 및 비인지적인 문제, 이를 테면 신체질환으로 인한 장애는 고려하지 않는다.

CDR 점수는 총 두 가지 방법으로 작성한다. 첫 번째로 기억력을 중심으로 계산하여 산출되는 전체 CDR 점수(Global Score, CDR-GS)이다. 전체 CDR 점수는 0부터 5까지 총 일곱 가지 단계로 나뉘어지며, CDR 0.5에 대부분의 경도인지장애 및 일부 경도 치매가 포함된다. 두 번째로, 각 영역의 점수를 모두 합한 것을 CDR 박스 총점(CDR-Sum of Boxes, CDR-SB)이라고 하며, 치매의 경과 추적 및 약물효과 여부를 민감하게 반영한다는 장점이 있어 많이 활용되고 있다(부록 1).

(2) GDS (Global Deterioration Scale)

GDS는 인지기능뿐만 아니라 일상생활 활동 및 이상행동을 포함하여 평가하는 도구이다. 각 점수별 특징에 대하여 구체적인 예시를 제공하고 있어 평가가 보다 용이하고, 시간이 짧게 소모된다는 장점이 있으나

CDR에 비하여 점수를 판정하는 기준이 체계적이지 못하다는 단점이 있다. 1-7점의 일곱 가지 단계로 구성되며, GDS 3점에 대부분의 경도인지 장애 및 일부 경도 치매 환자가 포함된다(부록 2).

(3) FAST (Functional Assessment Staging Tool)

GDS 6을 다섯 개의 보조단계로, GDS 7을 여섯 개의 보조단계로 세분화하여 정상인부터 중등도 치매 환자까지 폭넓은 평가가 가능하다는 장점이 있다.

[부록 1] Clinical Dementia Rating (CDR)(대한치매학회 홈페이지 발췌)

	CDR 0	CDR 0.5	CDR 1	CDR 2	CDR3
기억력 (Memory)	기억장애가 전혀 없거나 경미한 건망증이 때때로 나타남	경하지만 지속적인 건망증: 사건의 부분적인 회상만 가능 - "양성 건망증"	중등도의 기억 장애: 최근 것에 대한 기억장애가 더 심함 - 일상생활에 지장이 있음	심한 기억장애: 과거에 반복적으로 많이 학습한 것만 기억: 새로운 정보는 금방 잊음	심한 기억장애: 부분적이고 단편적인 사실만 보존됨
지남력 (Orientation)	정상	시간에 대한 경미한 장애가 있는 것 외에는 정상	시간에 대해 중등도의 장애가 있음: 사람과 장소에 대해서 검사상으로는 정상이나 실생활에서 길 찾기에 장애가 있을 수 있음	시간에 대한 지남력은 상실되어 있고 장소에 대한 지남력 역시 자주 손상됨	사람에 대한 지남력만 유지되고 있음
판단력과 문제 해결능력 (Judgment & Promblem solving)	일상생활의 문제를 잘 해결하고 사업이나 재정문제도 잘 처리함: 과거에 비해 판단력은 아직 좋음	문제해결능력, 유사성, 상이성 해석에 대한 경미한 장애	문제해결능력, 유사성, 상이성 해석에 대한 중등도의 장애: 사회생활에 대한 판단력은 대부분 유지되어 있음	문제해결능력, 유사성, 상이성 해석에 심한 장애: 사회생활에서의 판단력이 대부분 손상됨	판단이나 문제해결이 불가능함
사회활동 (Community Affairs)	직장생활, 물건 사기, 자원봉사, 사회적 활동 등에서 보통 수준의 독립적 기능이 가능함	이와 같은 활동에 있어서의 장애가 의심되거나 약간의 장애가 있음	이와 같은 활동의 일부에 아직 참여하고 있고 언뜻 보기에는 정상활동을 수행하는 것처럼 보이나 사실상 독립적인 수행이 불가능함	집 밖에서 독립적인 활동을 할 수 없으나 외견상으로는 집 밖에서도 기능을 잘 할 수 있어 보임	집 밖에서 독립적인 활동을 할 수 없고 외견상으로도 가정을 떠나 외부에서는 정상적인 기능을 할 수 없어 보임
집안생활과 취미 (Home and Hobbies)	집안생활, 취미생활, 지적인 관심이 잘 유지되어 있음	집안생활, 취미생활, 지적인 관심이 다소 손상되어 있음	집안생활에 경하지만 분명한 장애가 있고 어려운 집안일은 포기된 상태임. 복잡한 취미나 흥미(예를 들어 바둑)는 포기됨	아주 간단한 집안일만 할 수 있고 관심이나 흥미가 매우 제한됨	집안에서 의미 있는 기능 수행이 없음

(계속)

	CDR 0	CDR 0.5	CDR 1	CDR 2	CDR3
위생 및 몸치장 (Personal Care)	정상		가끔 개인 위생에 대한 권고가 필요함	옷 입기, 개인 위생, 개인 소지품의 유지에 도움이 필요함	개인 위생과 몸치장의 유지에 많은 도움이 필요하며, 자주 대소변의 실금이 있음

1. 기억점수=0인 경우
    CDR=0: 다른 항목도 전부 0이거나 한 가지가 0.5인 경우
    CDR=0.5: 위의 사항에 해당되지 않는 모든 경우
2. 기억점수=0.5인 경우
    CDR=0.5
    CDR=1: 기억력을 제외한 나머지 항목 중 적어도 세 가지가 CDR 1 이상 되는 경우
3. 기억점수=1 이상인 경우
    기억력을 제외한 다섯 항목 중 세 가지 이상 공통되는 항목의 점수를 CDR 점수로 한다. 단, 이때 세 가지 항목이 기억력 점수보다 높은 (또는 낮은) 점수로 일치하고, 또 다른 두 가지 항목이 기억력 점수보다 낮은 (또는 높은) 점수로 일치할 때는 기억력 점수를 전체 CDR 점수로 한다.
    1) 기억력 점수보다 큰 쪽이든 작은 쪽이든 한쪽으로 치우치면서 흩어진 경우는 기억력 점수에 가장 가까운 점수를 전체 CDR 점수로 한다(예를 들면, 기억력과 한 가지 항목=3, 두 항목=2, 남은 두 항목=1: CDR=2).
    2) 한 개나 두 개 항목의 점수가 기억력 점수와 일치하고, 나머지 항목 점수는 기억력 점수의 양쪽으로 두 개 이하씩 흩어진 경우는 기억력 점수를 전체 CDR 점수로 한다.
    3) 기억력 점수가 1 이상인 경우 전체 CDR 점수는 '0'이 될 수는 없다. 예를 들어, 기억력을 제외한 다른 항목들이 대부분 '0'이면 CDR=0.5가 된다.
    4) www.biostat.wustl.edu/adrc에서 CDR 개별 점수를 입력하면 전체 CDR 점수를 확인할 수 있다.

한국판 Expanded Clinical Dementia Rating (CDR)척도의 타당도. 나덕렬, 이병화, 함동석, 정지향, 윤수진, 유경희, 하충건, 한일우, 치매연구회. J Korean Neurol Assoc 19 (6):585-591, 2001.

[부록 2] GDS Global Deterioration Scale (대한치매학회 홈페이지 발췌)

Global Deterioration Scale (GDS)

환자의 인지능력은?

1 = ☐	인지장애 없음	임상적으로 정상. 주관적으로 기억장애를 호소하지 않음. 임상면담에서도 기억장애가 나타나지 않음
2 = ☐	매우 경미한 인지장애	건망증의 시기. 주관적으로 다음과 같은 기억장애를 주로 호소함: (1) 물건을 둔 곳을 잊음 (2) 전부터 잘 알고 있던 사람 이름 또는 물건 이름이 기억나지 않음 임상면담에서 기억장애는 객관적인 증거는 없음. 직장이나 사회생활에 문제없음. 이러한 자신의 증상에 적절한 관심을 보임
3 = ☐	경미한 인지장애	• 분명한 장애를 보이는 가장 초기 단계. 그러나 숙련된 임상가의 자세한 면담에 의해서만 객관적인 기억장애가 드러남. 새로이 소개받은 사람의 이름을 기억하기 어려울 수 있음. 책을 읽어도 예전에 비하여 기억하는 내용이 적을 수 있음. 단어나 이름이 금방 떠오르지 않는 것을 주위에서 알아차리기도 함. 귀중품을 엉뚱한 곳에 두거나 잃어버린 적이 있을 수 있음. 낯선 곳에서 길을 잃은 적이 있을 수 있음. 임상검사에서는 집중력의 감퇴가 보일 수 있음 • 직업이나 사회생활에서 수행능력이 감퇴함. 동료가 환자의 일 수행능력이 떨어짐을 느낌 • 환자는 이와 같은 사실을 부인할 수 있음. 경하거나 중등도의 불안증이 동반될 수 있음. 현재 상태로는 더 이상 해결할 수 없는 힘든 사회적 요구에 직면하면 불안증이 증가됨
4 = ☐	중등도의 인지장애	후기 혼돈의 시기. 자세한 임상면담 결과, 분명한 인지장애. 다음영역에서 분명한 장애가 있음 (1) 자신의 생활의 최근 사건과 최근 시사 문제들을 잘 기억하지 못함 (2) 자신의 중요한 과거사를 잊기도 함 (3) 순차적 빼기(예, 100-7, 93-7…)에서 집중력장애가 관찰됨 (4) 혼자서 외출하는 것과 금전 관리에 지장이 있음 그러나 대개 다음 영역에서는 장애가 없음: (1) 시간이나 사람에 대한 지남력 (2) 잘 아는 사람과 낯선 사람을 구분하는 것 (3) 익숙한 길 다니기 더 이상 복잡한 일을 효율적이고 정확하게 수행할 수 없음. 자신의 문제를 부정하려고 함. 감정이 무디어지고 도전적인 상황을 피하려고 함

(계속)

5 = ☐	초기 중증의 인지장애	• 초기 치매. 다른 사람의 도움 없이는 더 이상 지낼 수 없음. • 자신의 현재 일상생활과 관련된 주요한 사항들을 기억하지 못함 (예: 집주소나 전화번호, 손자와 같은 가까운 친지의 이름 또는 자신이 졸업한 학교의 이름을 기억하기 어려움) • 시간(날짜, 요일, 계절 등)이나 장소에 대한 지남력이 자주 상실됨. 교육을 받은 사람이 40에서 4씩 또는 20에서 2씩 거꾸로 빼는 것을 하지 못하기도 함 • 이 단계의 환자들은 대개 자신이나 타인에 관한 주요한 정보는 간직하고 있음. 자신의 이름을 알고 있고 대개 배우자와 자녀의 이름도 알고 있음. 화장실 사용이나 식사에 도움을 필요로 하지는 않으나 적절한 옷을 선택하거나 옷을 입는 데는 문제가 있을 수 있음(예: 신을 좌우 바꿔 신음)
6 = ☐	중증의 인지장애	• 중기 치매. 환자가 전적으로 의존하고 있는 배우자의 이름을 종종 잊음. 최근의 사건들이나 경험들을 거의 기억하지 못함. 오래된 일은 일부 기억하기도 하나 매우 피상적임. 일반적으로 주변상황, 연도, 계절을 알지 못함. '1-10' 또는 거꾸로 '10-1'까지 세는 데 어려움이 있을 수 있음 • 일상생활에 상당한 도움을 필요로 함(예, 대소변 실수). 또한 외출 시 도움이 필요하나 때때로 익숙한 곳에 혼자 가기도 함. 낮과 밤의 리듬이 자주 깨짐 • 그러나 거의 항상 자신의 이름은 기억함. 잘 아는 사람과 낯선 사람을 대개 구분할 수 있음 • 성격 및 감정의 변화가 나타나고 기복이 심함: (1) 망상적인 행동(예, 자신의 배우자가 부정하다고 믿음, 주위에 마치 사람이 있는 것처럼 얘기하거나 거울에 비친 자신과 얘기함) (2) 강박적 증상(예, 단순히 바닥을 쓸어내는 행동을 반복함) (3) 불안증, 초조, 과거에 없었던 난폭한 행동이 나타남 (4) 무의지증, 즉 목적 있는 행동을 결정할 만큼 충분히 길게 생각할 수 없기 때문에 나타나는 의지의 상실임
7 = ☐	후기 중증의 인지장애	• 말기 치매. 모든 언어구사능력이 상실됨. 흔히 말은 없고 단순히 알아들을 수 없는 소리만 냄. 요실금이 있고 화장실 사용과 식사에도 도움이 필요함. 기본적인 정신운동능력이 상실됨(예: 걷기) 뇌는 더 이상 신체에 무엇을 하라고 명령하는 것 같지 않음 • 전반적인 피질성 또는 국소적 신경학적 징후나 증상들이 자주 나타남

References

- 대한신경과학회. 신경학 제3판. 2017.
- 대한치매학회. 치매 임상적 접근 3판. 2020.
- 최성혜, et al. 한국판 Expanded Clinical Dementia Rating (CDR) 척도의 타당도. J Korean Neurol Assoc. 2001;19:585-91.
- 최성혜, et al. 한국판 Global Deterioration Scale의 타당도. J Korean Neurol Assoc. 2002;20:612-17.
- JACK JR, Clifford R., et al. NIA-AA research framework: toward a biological definition of Alzheimer's disease. Alzheimers Dement 2018;14.4:535-62.
- Kato T, Inui Y, Nakamura A, Ito K. Brain fluorodeoxyglucose (FDG) PET in dementia. Ageing Res Rev 2016;30:73-84.
- Knopman DS, DeKosky ST, Cummings JL., Chui H, Corey-Bloom J, Relkin N, Small GW, Miller B, Stevens JC. Practice parameter: Diagnosis of dementia (an evidence-based review): Report of the Quality Standards Subcommittee of the American Academy of Neurology. Neurology 2001;56:1143-53.
- Okamura N, et al. Tau PET imaging in Alzheimer's disease. Curr Neurol Neurosci Rep 2014;14:1-7.
- Rollin-Sillaire A, et al. Contribution of single photon emission computed tomography to the differential diagnosis of dementia in a memory clinic. J Alzheimers Dis 2012;30:833-45.
- Villemagne VL, et al. Amyloid imaging with 18F-florbetaben in Alzheimer disease and other dementias. J Nucl Med 2011;52:1210-17.

II 각론

한눈에 보는
실용 신경과학

CHAPTER **01** **뇌졸중**

조아현, 조현지, 한시령

1 뇌졸중의 정의와 분류

갑자기 진행하는 국소적인 뇌기능장애가 24시간 이상 지속하는 질환으로, 뇌혈관의 병에 의한 경우를 일컫는다. 신경계증상이 24시간 이내에 완전히 회복되는 경우 일과성 허혈발작이라 명칭하며 뇌졸중과는 별도로 분류한다.

뇌졸중은 혈관이 막혀서 뇌손상이 생긴 허혈뇌졸중(뇌경색)과 뇌혈관이 터져서 생긴 출혈뇌졸중(뇌출혈)로 구분된다.

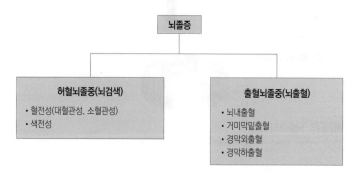

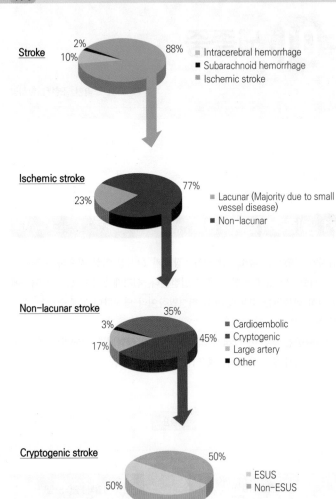

그림 1-1 뇌졸중의 분류

ESUS, embolic stroke of undetermined significance

1 분류체계

임상증상에 따른 분류의 대표적인 것으로 Oxfordshire Community Stroke Project(OCSP)(표 1-1)와 발생기전에 따라 뇌졸중을 분류한 TOAST 분류법(표 1-2)이 있다.

표 1-1 OCSP 분류
OCSP 분류
열공경색(Lacunar infarcts)
전체전순환뇌경색(Total anterior circulation infarcts)
부분전순환뇌경색(Partial anterior circulation infarcts)
후순환뇌경색(Posterior circulation infarcts)

표 1-2 TOAST 분류	
TOAST 분류	
큰동맥죽경화증	• 50% 이상의 협착, 폐색 • 뇌줄기나 피질하에 생긴 경우는 지름이 15 mm 이상 • 심장색전 원인을 배제
심장성 색전증	색전의 고위험, 또는 중간위험이 존재(표 1-3)
소혈관폐색	
다른원인뇌졸중	
원인불명뇌졸중	• 두 가지 이상의 원인 • 원인미상 • 불완전검사

1993년 TOAST 연구자들은 발생기전에 따라 뇌졸중을 분류하였다. TOAST (Trials of Org 10172 in Acute Stroke Treatment) 분류는 1993년 Adams 등이 발표한 분류법으로 뇌경색을 발생기전에 따라 '큰동맥죽경화증, 심장성 색전증, 소혈관폐색, 다른원인, 원인불명'의 다섯 가지로 분류한다.

표 1-3	Sources of cardioembolism (TOAST) – 색전의 고위험 또는 중간위험
High-risk sources	• Mechanical prosthetic valve • Mitral stenosis with atrial fibrillation • Atrial fibrillation • Left atrial/atrial appendage thrombus • Sick sinus syndrome • Recent myocardial infarction (< 4 weeks) • Left ventricular thrombus • Dilated cardiomyopathy • Akinetic left ventricular segment • Atrial myxoma • Infective endocarditis
Medium-risk sources	• Mitral valve prolapse • Mitral annulus calcification • Mitral stenosis without atrial fibrillation • Left atrial turbulence (smoke) • Atrial septal aneurysm • Patent foramen ovale • Atrial flutter • Lone atrial fibrillation • Bioprosthetic cardiac valve • Nonbacterial thrombotic endocarditis • Congenital heart failure • Hypokinetic left ventricular segment • Myocardial infarction (> 4 weeks, < 6 months)

2 SSS-TOAST 분류

1993년 최초 TOAST 분류보다 개선된 SSS (stop stroke study)-TOAST 분류이다(표 1-4).

TOAST 분류를 기본으로 원인불명을 제외한 네 가지 항목(큰동맥죽경화증, 심장성 색전증, 열공경색, 다른원인뇌졸중)을 확정(definite), 추정(probable), 가능(possible)의 세 가지 단계로 분류한다.

소혈관폐색에 의한 뇌경색 크기 기준을 15 mm에서 20 mm로 완화하

였고, 그 이상이라 할지라도 다른 아형의 증거가 없다면 소혈관폐색에
포함한다. 또한 50% 이상의 동맥협착이라도 죽상판이 있으면서 그 원위
부의 뇌색전증이 의심될 때에는 큰혈관죽경화증으로 분류한다.

표 1-4 Stop Stroke Study Trial of Org 10172 in Acute Stroke Treatment (SSS-TOAST) classification criteria to determine causative subtypes of acute ischemic stroke

Stroke mechanism	Level of confidence	Criteria
Large artery atherosclerosis	Evident	1. Either occlusive or stenotic (≥ 50% diameter reduction) vascular disease judged to be due to atherosclerosis in the clinically relevant extracranial or intracranial arteries, and 2. The absence of acute infarction in vascular territories other than the stenotic or occluded artery
	Probable	1. Prior history of one or more Transient Monocular Blindness (TMB), Transient Ischemic Attacks (TIAs), or stroke from the territory of index artery affected by atherosclerosis within the last month, or 2. Evidence of near-occlusive stenosis or nonchronic complete occlusion judged to be due to atherosclerosis in the clinically relevant extracranial or intracranial arteries (except for the vertebral arteries), or 3. The presence of ipsilateral and unilateral internal watershed infarctions or multiple, temporally separate, infarctions exclusively within the territory of the affected artery
	Possible	1. The presence of an atherosclerotic plaque protruding into the lumen and causing mild stenosis (< 50%) in a clinically relevant extracranial or intracranial artery and prior history of two or more TMBs, TIAs, or strokes from the territory of index artery affected by atherosclerosis, at least one event within the last month, or 2. Evidence for evident large artery atherosclerosis in the absence of complete diagnostic investigation for other mechanisms

(계속)

Stroke mechanism	Level of confidence	Criteria
Cardiogenic embolism	Evident	The presence of a high-risk cardiac source of cerebral embolism
	Probable	1. Evidence of systemic embolism, or 2. Presence of multiple acute infarctions that have occurred closely related in time within both right and left anterior or both anterior and posterior circulations in the absence of occlusion or near-occlusive stenosis of all relevant vessels; other diseases that can cause multifocal ischemic brain injury such as vasculitides, vasculopathies, and hemostatic or hemodynamic disturbances must not be present
	Possible	1. The presence of a cardiac condition with low uncertain primary risk of cerebral embolism, or 2. Evidence for evident cardiozortic embolism in the absence of complete diagnostic investigation for other mechanisms
Small-artery occlusion	Evident	Imaging evidence of a single clinically relevant acute infarction less than 20 mm in greatest diameter within the territory of basal or brainstem penetrating arteries in the absence of any other pathology in the parent artery at the site of the origin of the penetration artery (focal atheroma, parent vessel dissection, vasculitis, vasospasm, and so on)
	Probable	The presence of stereotypic lacunar TIAs within the past week
	Possible	1. Presenting with a classical lacunar syndrome in the absence of imaging that is sensitive enough to detect small infarctions, or 2. Evidence of evident small artery occlusion in the absence of complete diagnostic investigation of other mechanisms

(계속)

Stroke mechanism	Level of confidence	Criteria
Other causes	Evident	Presence of a specific disease process that involves clinically appropriate brain arteries
	Probable	A specific disease process that has occurred in clear and close temporal relation to the onset of brain infarction such as arterial dissection, cardiac or arterial surgery, and cardiovascular interventions
	Possible	Evidence for an evident other cause in the absence of complete diagnostic investigation for mechanisms listed above
Undetermined causes	Unknown [no "evident" or "possible" criteria for the causes (above)]	Cryptogenic embolism: 1. Angiographic evidence of abrupt cutoff consistent with a blood clot within otherwise angiographically normal looking intracranial arteries, or 2. Imaging evidence of complete recanalization of previously occluded artery, or 3. Presence of multiple acute infarctions that have occurred closely related in time without detectable abnormality in the relevant vessels Other cryptogenic: those not fulfilling the criteria for cryptogenic embolism Incomplete evaluation: absence of diagnostic tests that, up to the examiner's judgement, would have been essential to uncover the underlying cause
	Unclassified	The presence of more than one evident mechanism where there is either probable evidence for each or no probable evidence to be able to establish a single cause

2 뇌졸중의 임상양상

1 뇌혈관 분포 (그림 1-2, 1-3, 1-4, 1-5)

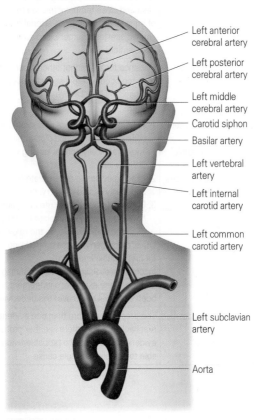

Left anterior cerebral artery

Left posterior cerebral artery

Left middle cerebral artery

Carotid siphon

Basilar artery

Left vertebral artery

Left internal carotid artery

Left common carotid artery

Left subclavian artery

Aorta

그림 1-2 뇌혈관

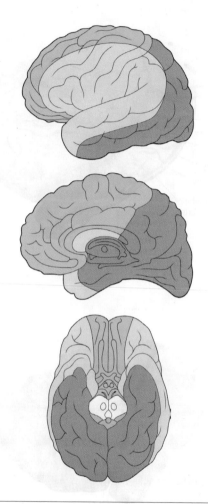

Anterior cerebral artery (supplies anteromedial surface)
Muddle cerebral artery (supplies lateral surface)
Posterior cerebral artery (supplies posterior and inferior surfaces)

그림 1-3 주요 뇌혈관의 분포 영역

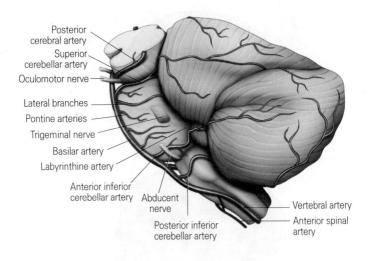

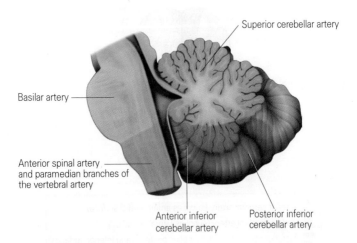

그림 1-4 후방순환혈관과 영역

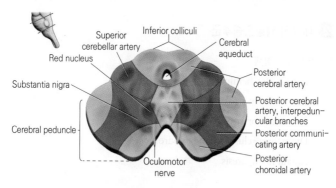

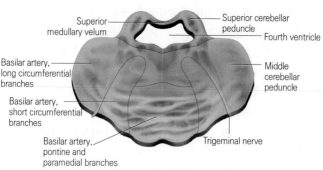

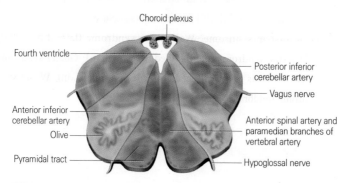

그림 1-5 뇌간의 혈관 분포

2 대표적 뇌졸중증후군

(1) 열공성 뇌경색
  - Pure motor hemiparesis
  - Pure sensory stroke
  - Sensorimotor stroke
  - Dysarthria−clumsy hand syndrome
  - Ataxia hemiparesis

(2) 중대뇌동맥: 반대측 마비 및 감각장애, 구음장애, 병변 측으로 주시 편위, 완전실어증, 반쪽무시

(3) 전대뇌동맥: 반대측 하지마비, 실금, 원시반사, 보속증, 사고속도의 둔화, 팔다리실조

(4) 내경동맥: 중대뇌동맥폐색 증상과 유사. 전대뇌동맥 영역이 포함될 경우 전대뇌동맥폐색의 증상이 나타날 수 있다.

(5) 후대뇌동맥: 동측성 반맹, Alexia without agraphia, 기억소실, 안면 인식장애

(6) Borderzone or watershed infarction: 상지의 근위부가 심한 마비, 감각증상 및 초피질성 실어증(transcortical aphasia)

(7) Brainstem syndrome: Wallenberg syndrome (lateral medulla), Dejerine syndrome (medial medullar), Millard−Gubler syndrome (caudal basis pontis), Benedict syndrome (midbrain), Weber syndrome (midbrain)

표 1-5	주요 뇌졸중증후군	
증후군	뇌경색병변	침범구조물에 따른 임상 증상
Wallenberg syndrome	Lateral medulla	• Inferior vestibular N: 안진, 동측쏠림 • Inferior cerebellar peduncle: 동측실조 • Ambiguus N: 삼킴장애, 쉰소리 • Trigeminal n. spinal tract N: 동측얼굴 감각 저하 • Ant. Spinocerebellar tract: 실조증, 동측근육통 저하 • Lat. Spinothalamic tract: 반대측 몸의 온도각/통각 소실 • Reticular formation (respiratory center): 딸꾹질
Dejerine syndrome	Medial medulla	• Medial longitudinal fasciculus: 안진 • Medial lemniscus: 반대몸통의 감각소실(position/vibration) • Hypoglossal N: 동측혀근육마비와 근육위축 • Pyramidal tract: 반대측 반신마비
Millard-Gubler syndrome	Caudal basis pontis	• Medial lemniscus: 반대측 몸통의 감각소실(position/vibration) • Facial nerve N: 동측안면마비(말초성) • Lateral spinothalamic tract: 반대측 몸통 감각소실(pain/temperature) • Pyramidal tract: 반대측 반신마비 • Abducens N: 동측 lateral rectus palsy
Benedikt syndrome	Midbrain	• Medial lemniscus: 반대측 몸통의 감각소실(position/vibration) • Red n.: 반대측 이상운동(무도증) • Substantia nigra: 반대측 akinesia • Oculomotor n.: 동측안구운동마비(동공확대)
Weber syndrome	Midbrain	• Substantia nigra: 반대측 akinesia • Corticospinal tract: 반대측 강직성 반신마비 • Corticonuclear fiber: 반대측 안면, 혀운동마비 • Corticopontine tract: 반대측 운동조절장애 • Oculomotor n.: 동측안구운동마비(동공확대)

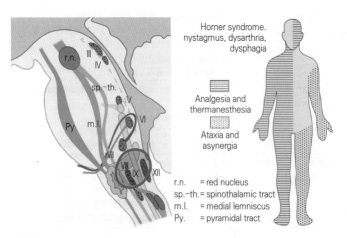

Inferior vestibular nucleus: nystagmus and tendency to fall to ipsilateral side
Dorsal nucleus of the vagus n.: tachycardia and dyspnea
Inferior cerebellar peduncle: ipsilateral ataxia and asynergia

Nucleus of the tractus solitarius: ageusia
Nucleus ambiguous: ipsilateral paresis of palate, larynx, and pharynx; hoarseness
Nucleus of the cochlear n.: hearing loss
Nucleus of the spinal tract of the trigeminal n.: ipsilateral analgesia and thermanesthesia of the face; absent corneal reflex

Central sympathetic pathway: Horner syndrome, hypohidrosis, ipsilateral facial vasodilatation

Anterior spinocerebellar tract: ataxia, ipsilateral hypotonia

Lateral spinothalamic tract: ataxia, ipsilateral hypotonia

Central tegmental tract: palatal and pharyngeal myorhythmia

Reticular formation (respiratory center): singultus (hiccups)

Horner syndrome. nystagmus, dysarthria, dysphagia

Analgesia and thermanesthesia

Ataxia and asynergia

r.n. = red nucleus
sp.-th. = spinothalamic tract
m.l. = medial lemniscus
Py. = pyramidal tract

그림 1-6 Wallenberg syndrome

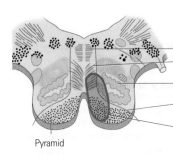

Medial longitudinal fasciculus: nystagmus
Medial lemniscus: contralateral impairment of touch, vibration, and position sense
Olive: ipsilateral palatal and pharyngeal myorhythmia
Hypoglossal n.: ipsilateral hypoglossal palsy with hemiatrophy of the tongue
Pyramidal tract: contralateral hemiplegia without spasticity but with present Babinski reflex

Pyramid

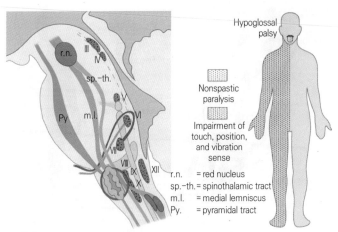

Hypoglossal palsy

Nonspastic paralysis

Impairment of touch, position, and vibration sense

r.n. = red nucleus
sp.–th. = spinothalamic tract
m.l. = medial lemniscus
Py. = pyramidal tract

그림 1-7 Dejerine syndrome (medial medullary infarct)

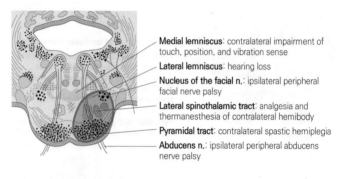

Medial lemniscus: contralateral impairment of touch, position, and vibration sense

Lateral lemniscus: hearing loss

Nucleus of the facial n.: ipsilateral peripheral facial nerve palsy

Lateral spinothalamic tract: analgesia and thermanesthesia of contralateral hemibody

Pyramidal tract: contralateral spastic hemiplegia

Abducens n.: ipsilateral peripheral abducens nerve palsy

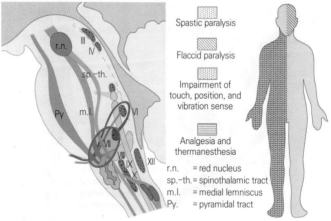

Spastic paralysis

Flaccid paralysis

Impairment of touch, position, and vibration sense

Analgesia and thermanesthesia

r.n. = red nucleus
sp.-th. = spinothalamic tract
m.l. = medial lemniscus
Py. = pyramidal tract

그림 1-8 Millard–Gubler syndrome, caudal basis pontis

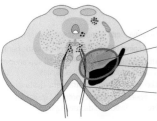

Medial lemniscus: contralateral impairment of touch, position, and vibration sense
Red nucleus: contralateral hyperkinesia (chorea, athetosis)
Substantia nigra: contralateral akinesia (parkinsonism)
Root fibers of the oculomotor n.: ipsilateral oculomotor palsy with fixed and dilated pupil

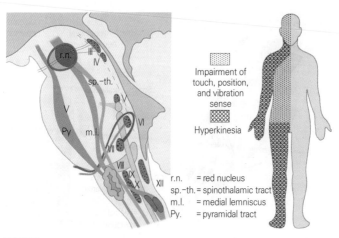

Impairment of touch, position, and vibration sense

Hyperkinesia

r.n. = red nucleus
sp.-th. = spinothalamic tract
m.l. = medial lemniscus
Py. = pyramidal tract

그림 1-9 Bendikt syndrome, midbrain

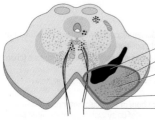

Substantia nigra: akinesia (parkinsonism)

Corticospinal fibers: contralateral spastic hemiplegia

Corticonuclear fibers: contralateral supranuclear facial and hypoglossal nerve palsies

Corticopontine tract: contralateral dystaxia

Root fibers of the oculomotor n.: ipsilateral oculomotor palsy with fixed and dilated pupil

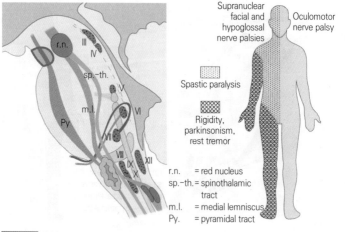

Supranuclear facial and hypoglossal nerve palsies

Oculomotor nerve palsy

Spastic paralysis

Rigidity, parkinsonism, rest tremor

r.n. = red nucleus
sp.-th. = spinothalamic tract
m.l. = medial lemniscus
Py. = pyramidal tract

그림 1-10 Weber syndrome, midbrain

(8) Thalamic syndrome(시상)

표 1-6 시상의 혈관 분포와 시상경색의 대표적 임상증상

	Arterial supply	임상증상
Anterior thalamus	Polar artery (=tuberothalamic artery)	혼돈, 기억저하, 언어장애, 반무시
Posterior thalamus	Posterior choroidal artery	시야장애, 반신마비, 반감각장애
Medial thalamus	Paramedian (thalamic-subthalamic) artery	의식장애, 졸림, 치매, 기억장애, 수직눈운동장애, 편측실조
Lateral thalamus	Thalamogeniculate artery	편측실조, 반감각장애, 반신마비, 신경병증통증, 무도증, 기립불능증 (astasia)

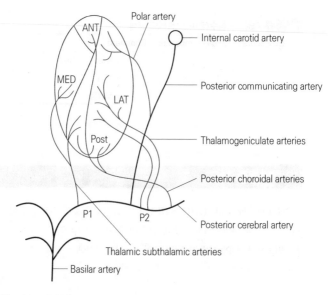

그림 1-11 시상의 혈관분포

표 1-7 ABCD2 score (TIA에 속발하는 뇌경색의 위험예측척도)

Risk factor		Point	Score
Age	≥ 60 years	1	
Blood pressure	Systolic BP ≥ 140 mmHg or diastolic BP ≥ 90 mmHg	1	
Clinical feature of TIA	Unilateral weakness with or without speech impairment OR	2	
	Speech impairment without unilateral weakness	1	
Duration	TIA duration ≥ 60 minutes	2	
	TIA duration 1–50 minutes	1	
Diabetes	1		
Total ABCD2 score		0–7	

표 1-8 ABCD2 점수에 따른 위험도 해석

ABCD2 score	2-day stroke risk	Comment
0–3	1.0%	특별한 이유(e.g. Afib)가 없다면 입원은 불필요
4–5	4.1%	대부분 입원치료 정당함
6–7	8.1%	입원치료 필요함

3 뇌졸중 척도

NIH stroke scale (NIHSS)(표 1-9)은 급성뇌졸중환자의 신경학적 진찰의 주요 부분을 빠트리지 않고 신속하게 평가할 수 있다. 신경학적 손상을 정량화하여 의료진 간 정보교환 및 치료결정에 도움을 준다.

표 1-9	NIH stroke scale
1a. Lever of consciousness	0= Alert; keenly responsive 1= Not alert, but arousable by minor stimulation 2= Not alert; requires repeated stimulation 3= Unresponsive or responds only with reflex
1b. Level of consciousness questions: What is your age? What is the month?	0= Answers two questions correctly 1= Answers one questions correctly 2= Answers neither questions correctly
1c. Level of consciousness commands: Open and close your eyes Grip and release your hand	0= Performs both tasks correctly 1= Performs one task correctly 2= Performs neither task correctly
2. Best gaze	0= Normal 1= Partial gaze palsy 2= Forced deviation
3. Visual	0= No visual lost 1= Partial hemianopia 2= Complete hemianopia 3= Bilateral hemianopia
4. Facial palsy	0= Normal symmetric movements 1= Minor paralysis 2= Partial paralysis 3= Complete paralysis of one or both sides

5. Motor arm
   Left arm
 	
   Right arm
	0= No drift
	1= Drift
	2= Some effort against gravity
	3= No effort against gravity
	4= No movement

6. Motor leg
   Left leg
 	
   Right leg
	0= No drift
	1= Drift
	2= Some effort against gravity
	3= No effort against gravity
	4= No movement

(계속)

7. Limb ataxia	0= Absent 1= Present in one limb 2= Present in two limbs
8. Sensory	0= Normal; no sensory loss 1= Mild-to-moderate sensory loss 2= Severe-to-total sensory loss
9. Best language	0= No aphasia; normal 1= Mild-to-moderate dysarthria 2= Severe aphasia 3= Mute; global aphasia
10. Dysarthria	0= Normal 1= Mild-to-moderate aphasia 2= Severe dysarthria
11. Exinction and inattention	0= No abnormality 1= Visual, tactile, auditory, spatial, or personal inattention 2= Profound hemi-inattention or extinction

Score=0-42

- 기능척도: 뇌졸중 후 기능장애의 정도는 이상생활동작을 평가하는 기능평가척도를 통해 평가할 수 있으며, 예후판정 및 치료에 대한 평가에도 이용된다. mRS, Barthel index가 있다. 수정 Rankin 척도(mRS)(표 1-10)는 총 여섯 개 항목으로 되어 있다.

표 1-10 Modified rankin score, mRS

0	무증상
1	증상은 있으나, 무의미한 장애; 모든 일상활동과 업무수행 가능
2	경미한 장애; 이전에 하던 모든 업무를 하지는 못하나, 도움 없이 자신의 용무수행
3	중등도장애; 일부 도움을 필요로 하나 도움 없이 걸을 수 있음
4	중등-심한 장애; 도움 없이 걸을 수 없고, 스스로 기본 신체요구를 충족시키지 못함
5	심한 장애; 침상의존상태, 요실금, 상시 간호를 요함
6	사망

4 뇌졸중의 임상 및 영상진단

급성기평가로써, 병력청취, 신체검사, 신경학적 진찰, 뇌졸중척도, 혈액검사, 심전도검사, 영상검사(CT/MR, 경동맥초음파검사, 두개강내초음파검사)가 있다.

영상검사는 병변의 크기와 위치, 뇌관류 및 뇌혈관상태를 보여주어 재관류치료의 대상 환자를 선정하는 데 중요하다. CT와 MRI가 있어, 장단점을 파악하여 선택한다.

1 비조영증강 CT

CT에서 급성뇌경색병변은 증상 발생초기 45분 이내는 발견하기 어렵다. 급성허혈변화 소견으로 1) 뇌백질구분의 소실, 2) 기저핵의 경계소실, 3) 뇌섬엽리본소실, 4) 뇌피질종창(swelling)이 보일 수 있다. 동맥위치에 급성기혈전이 고음영으로 나타나는 고음영동맥징후가 나타날 수 있다.

(1) ASPECT score(표 1-12): 비조영증강 CT에서 보이는 조기허혈변화를 정량화하는 수치로 중대뇌동맥 영역을 열 군데로 나누어 각 영역이 저음영일 때 1점씩 차감하는 점수체계이다. 이를 이용하여 뇌경색 ischemic core를 판단하여 재관류치료의 여부를 결정하기도 한다.

(2) Multimodal CT(표 1-13): 비조영증강 CT, 조영제를 주입하여 촬영하는 관류 CT (perfusion CT), CT혈관조영술(CT angiography)을 포함하는 것을 말한다.

급성뇌출혈은 CT에서 고음영으로 보인다. 급성뇌내출혈의 40%에서 혈종이 팽창하며 대개 여섯 시간 이내에 일어난다. CTA의 source image

에서 혈종 내에 조영제가 새어 밝게 보이는 경우(spot sign) 혈종의 팽창을 예측할 수 있다(표 1-14).

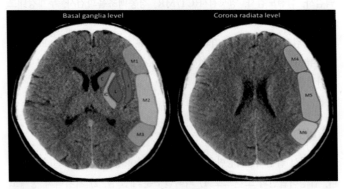

그림 1-12 MCA Alberta Stroke Program Early CT Score (ASPECTS)
C, caudate; IC, internal capsule; L, lentiform nucleus; I, insular cortex.

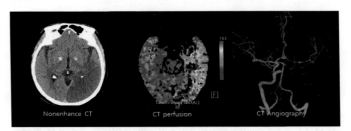

그림 1-13 Multimodal CT (NECT, CTP, CTA)

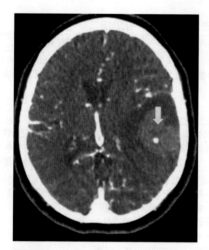

그림 1-14 Spot sign on CT Angiography

(3) CT 및 MRI의 금기사항
- 모든 CT는 임산부, 갑상선 항진, 갑상선종양, 갈색세포종의 경우 금기
- 조영증강 CT는 조영제알레르기, 신기능장애가 금기
- MR은 체내 금속삽입, 폐소공포증인 경우 금기

2 급성뇌졸중의 MRI 영상

Multimodal MRI는 다양한 영상(sequence)으로 이루어져 있고, 진단과 치료방침을 결정하는 데 중요한 도구이다. Diffusion-weighted Image (DWI, 확산강조영상), FLAIR image, Gradient-echo Image (GRE) 또는 Susceptibility-weighted Image (SWI), Perfusion-weighted Image (PWI)가 있다(표 1-11, 그림 1-15).

표 1-11	MRI 영상의 기본원리와 임상적용	
	기본원리	**임상적 적용**
DWI	물분자의 확산정도를 영상화하여 만듦. 세포독성부종이 있는 조직을 나타냄.	뇌경색이 있는 부위에서 빠른 시간 내에 고신호강도병변으로 나타남(7-14일 지속). 높은 민감도와 특이도.
FLAIR	반전펄스를 먼저 가하는 반전회복기법으로 뇌척수액의 신호를 억제하며 혈관성 부종이 있는 조직을 나타냄.	뇌경색이 발생한 시점으로부터 경과한 시간(발생 세 시간 이후부터 변화)을 간접적으로 유추할 수 있음. 아급성 또는 만성뇌경색병변을 나타냄.
GRE, SWI	기본적인 영상에 탈위상 또는 재위상 기울기를 추가한 영상, 상자성 물질 (paramagnetic material) 즉 데옥시헤모글로빈, 메트헤모글로빈, 혈철소(hemosiderin)가 자기감수성허상 (magnetic susceptibility artifact)을 일으켜 신호강도를 떨어뜨린다.	뇌출혈이나 출혈변환을 잘 나타냄. 혈관내혈전을 나타냄.
PWI	가돌리늄조영제를 주입한 이후 뇌조직에서 신호강도가 떨어지는 현상을 이용하여 빠르게 반복적으로 T2강조영상을 얻어 계산함.	허혈반음영을 반영함. 재관류치료의 대상 선정에 유용. 실제 허혈반음영을 잘 보여주는 cut-off에 대하여 논란이 있음.
MRA	Time of flight MRA: 유체속도강조기법	뇌경색, 뇌동맥류 및 뇌혈관병변. 촬영시간이 짧음. 혈관협착을 과대평가.

(1) DWI

급성허혈손상, 뇌경색부위의 cytotoxic edema에 의해 세포외공간에서 물분자의 확산이 제한되어, 뇌경색병변이 고신호강도를 띠게 만든 영상이다. 이러한 변화는 뇌졸중 발생 수분만에 고신호강도를 띤다. 조기진단을 가능하게 하고 작은 뇌경색을 찾아내는 데 매우 유용하다.

(2) FLAIR image

아급성, 만성병변을 감별하며, 증상 발생 세 시간부터 고신호강도 변화가 있으며, 12~24시간이 지나야 유의하게 신호변화를 발견할 수 있다. T2-WI에 비하여 피질병변, periventricular lesions을 잘 보여준다. 뇌조직 주변의 고신호강도로 출혈소견을 보여주어, SAH나 SDH를 쉽게 진단할 수 있다.

(3) GRE 또는 SWI

육안적 출혈뿐 아니라 미세출혈의 진단 및 폐색혈관발견에 민감도가 높다.

(4) PWI

Ischemic penumbra를 반영하며, 정량적으로 뇌에 관류되는 혈류량을 볼 수 있는 영상이다. 조영제 주입 후 촬영하여 시간-신호강도곡선을 얻어 시간-농도곡선을 얻고(동맥투입함수의 특성을 제외하여) 조직의 관류특성을 구하여 관류강조영상의 다양한 수치를 구한다. Time to peak, Mean Transit Time (MTT), Tmax, cerebral blood flow map, cerebral blood volume map가 있으며 MTT가 뇌관류상태를 잘 대변할 수 있는 지표이고 CBV가 감소하게 되면 뇌경색으로 진행할 가능성이 높은 조직이다. 일반적으로 DWI에서 보이는 병변은 허혈중심부(ischemic core)라고 생각하며, PWI에서 혈류가 떨어진 부분을 허혈반음영으로 생각한다. 따라서 DWI-PWI 불일치가 있는 부분을 재관류를 통해 생존가능한 부위라고 가늠하며 치료표적(therapeutic target)이 된다.

(5) 급성기 MR 혈관조영술

정지된 조직에서 나오는 신호는 억제하고, 움직이는 혈류 같은 조직은 신호를 강조하여 혈관이 잘 보이도록 재구성(3-D reconstruction)한다. Time-of-flight (TOF)기법이 널리 사용된다. 느린 혈류속도나 복잡한

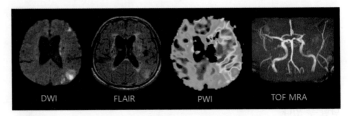

그림 1-15 Multimodal MRI: DWI, FLAIR, PWI, MRA (TOF)

혈류를 가진 혈관에서는 정확한 혈관의 신호를 보여주기 힘들다는 단점이 있다.

CT Angiography는 곁순환에 의해 관찰되는 폐색원위부동맥가지들도 관찰할 수 있으나 TOF MRA는 이러한 곁순환에 의한 혈류를 보여주지 못한다. 그러나, TOF MRA도 조영제를 사용하는 경우 곁순환에 의한 혈관들을 보여줄 수 있다.

3 출혈변환

가장 흔히 이용되는 분류는 ECASS 분류이다(표 1-12). CT에서 보이는 출혈변환을 중등도에 따라 4단계로 구분하고 있다. 크게 출혈경색(hemorrhagic infarction)과 실질혈종(parenchymal hematoma)으로 나뉘며, 출혈경색은 점출혈의 단계이고 실질혈종은 종괴효과를 동반한다. 영상학적으로 출혈변환이 있어도 임상증상의 변화가 없는 경우도 있다. 따라서 증상악화를 유발하는가에 따라 유증상출혈변환과 무증상출혈변환으로 구분할 수도 있다.

표 1-12	출혈변환의 분류(European Cooperative Acute Stroke Study 기준)
Hemorrhagic infarction 1	뇌경색 내부에 종괴효과가 없는 독립된 점상출혈
Hemorrhagic infarction 2	뇌경색 내부에 종괴효과가 없는 융합된 점상출혈
Parenchymal hematoma 1	뇌경색 영역의 30% 이하의 크기를 보이는 혈종, 약간의 종괴효과
Parenchymal hematoma 2	뇌경색 영역의 30% 초과의 크기를 보이는 종괴효과가 있는 혈종, 또는 뇌경색 영역 바깥까지 출혈이 있음.

4 급성기 뇌출혈과 MRI

	Phase of blood	T1	T2	Flair	T2* GRE
Hyperacute	Oxyhemoglobin				
Acute (12-48h)	Deoxyhemoglobin				
Early subacute (2-7d)	Methemoglobin intracellular				
Late subacute (8d-1m)	Methemoglobin extracellular				
Chronic (> 1m)	Hemosiderin and ferritin				

Hypointense   Isointense   Hyperintense

그림 1-16 뇌출혈시기에 따른 신호세기의 변화

5 뇌졸중의 급성기 치료

1 정맥내혈전용해술

허혈뇌졸중 환자에서 증상발생 세 시간 이내 투여가 가능한 경우 IV tPA 치료를 한다. 81세 이상의 환자에서도 적용 가능하다. 증상발생 3-4.5시간 이내 투여가 가능한 경우 IV tPA 투여를 할 수 있다. 단, 80세 이상, 심한 신경학적 장애(NIHSS 25 초과), 과거 뇌졸중과 당뇨병의 병력이 함께 있는 자, 경구 항응고제를 복용하고 있는 환자에서는 3-4.5시간 투여의 근거가 부족하다. IV tPA 치료는 치료하지 않은 군에 비하

표 1-13 대표적 IV tPA clinical trials

	ECASS II	NINDS	ECASS III	IST-3
Study design	Placebo-controlled double blind randomized study	Placebo-controlled double blind randomized study	Placebo-controlled double blind randomized study	Phase III open label probe design
Year	1998	1995	2008	2012
Subject number	800	624	821	3,035 (53%, 80 or older)
Initial NIHSS	11	14	9	
Time window	0-6	0-3	3-4.5	0-6
Primary outcome	mRS 0-1 at 3 mo	Global test stastistic (Barthel index, mRS, GCS, NIHSS at 3 mo)	mRS 0-1 at 3 mo	Oxford handicap score of 0-2 at 6 months
Result (%)	40.4 vs. 36 p = 0.277	39 vs. 26 p < 0.05	52.4 vs. 45.1 p < 0.05	37 vs. 35 OR 1.13 (0.95-1.35)
Symptomatic ICH (%)	8.8 vs 3.4	6.4 vs. 0.6	7.9 vs. 3.5	7 vs. 1

여 높은 뇌출혈의 위험(약 6%)이 있으므로 그 위험성에 대하여 숙지하고 있어야 한다.

대표적 임상 시험들로, ECASS I, NINDS 연구, ECASS II, ECASS III, IST-3, SITS-MOST이 있다(표 1-13).

▶ 정맥내혈전용해술의 적응증

1. 신경학적 장애가 동반되고 경미하지 않은 허혈성 뇌졸중.
2. 신경학적 장애가 자발적으로 신속히 호전되지 않아야 함.
3. 신경학적 장애가 심한 환자는 치료 시 주의해야 함.
4. 거미막하출혈(subarachnoid hemorrhage)으로 인한 증상이 아니어야 함.
5. 최근 3개월 이내에 두부외상(head trauma) 및 뇌졸중이 없어야 함.
6. 최근 3개월 이내에 심근경색이 없어야 함.
7. 최근 21일 이내에 소화기 및 비뇨기계출혈이 없어야 함.
8. 최근 14일 이내에 주요 수술(major surgery)을 시행하지 않았어야 함.
9. 최근 7일 이내 압박 불가능한 동맥천자(arterial puncture)를 시행하지 않았어야 함.
10. 두개내출혈(intracranial hemorrhage)의 과거력이 없어야 함.
11. 혈압은 수축기혈압 185 mmHg 및 확장기혈압 110 mmHg 이내로 조절되어야 함.
12. 신체검진 당시, 출혈 및 외상(골절 포함)이 발견되지 않아야 함.
13. 경구 항응고제를 복용하고 있다면 INR 1.7 이하여야 함.
14. 과거 48시간 이내 헤파린을 투여받았다면, aPTT가 정상범위 이내로 조절되어야 함.
15. 혈소판수치는 100,000 mm^3 이상이어야 함.
16. 혈당수치는 50 mg/dL (2.7 mmol/L) 이상이어야 함.
17. 경련(seizure) 후 발생한 신경학적 장애가 아니어야 함.
18. CT에서 저음영병변이 뇌반구의 1/3 이상인 다엽경색(multilobar infarction)이 아니어야 함.
19. 환자 또는 보호자가 치료에 따르는 위험과 이득에 대해 이해하고 있어야 함.

▶ 정맥내 tPA 투여방법

1. 몸무게 kg당 총 0.9 mg을 계산하여 용량의 10%는 1분 동안 bolus로 주고, 나머지를 60분간 주입한다(최대용량 90mg을 넘지 않는다).
2. 환자는 monitoring을 위해 intensive care unit 또는 stroke unit에 입원한다.
3. 혈전용해제 투여 중에는 신경학적 검진을 매 15분 간격으로, 다음 6시간 동안은 매 30분 간격으로, 다음 16시간 동안은 매시간 시행한다.
4. 환자가 심한 두통을 호소하거나 갑작스러운 혈압 상승, 오심, 구토 등의 증상이 발생했을 경우, rt-PA의 투여를 중단하고 응급 CT를 시행한다.
5. 혈압은 혈전용해제 투여 중 또는 투여 후 첫 두 시간 동안은 매 15분 간격으로, 다음 6시간 동안은 매 30분 간격으로, 다음 16시간 동안은 매 세 시간 간격으로 측정한다.
6. 혈압조절
   1) 수축기혈압이 180 mmHg 이상 또는 확장기혈압이 105 mmHg 이상인 경우
      - Labetalol 10 mg 정맥 투여한다. (1-2분 동안) 조절이 안되면 10-20분 간격으로 반복 투여할 수 있다(최대 300 mg까지 투여 가능).
      - 또는 labetalol 10 mg 정맥 투여 뒤 분당 2-8 mg 주입한다.
   2) 수축기혈압이 230 mmHg 이상 또는 확장기혈압이 140 mmHg 이상인 경우
      - Labetalol 10 mg 정맥 투여한다. (1-2분 동안) 조절이 안되면 10-20분 간격으로 반복 투여할 수 있다(최대 300 mg까지 투여 가능).
      - 또는 labetalol 10 mg 정맥 투여 뒤 분당 2-8 mg 주입한다.
      - 또는 nicardipine 시간당 5 mg 정맥 투여한다. 5분마다 시간당 2.5 mg 증량(최대 시간당 15 mg 투여 가능).

2 혈관내치료(동맥내혈전용해술, 물리적혈전제거술)

(1) 혈관내재개통치료(endovascular recanalization therapy, ERT)

전방부순환(ICA, M1, M2) 급성대혈관폐색에 의한 급성뇌경색 환자에서, 증상 발생 6시간 이내 혈관내재개통치료를 권고한다. IV tPA 대상

이 된다면 ERT 이전 치료를 시작하나, IV tPA 반응을 보는 데 시간을 지체하지 말고 ERT 시작을 동시에 진행한다. IV tPA의 비적응증인 경우 6시간 이내의 전방부순환뇌경색 환자에서 바로 ERT를 진행한다. 대표 연구들로, MR CLEAN, ESCAPE, EXTEND-IA, SWIFT-PRIME, REVASCAT(표 1-14)이 있다.

후방순환뇌경색의 경우 다중영상소견을 확인한 후 이득과 안전성이 기대될 때, 6시간 이내 ERT를 시행할 수 있다. 6시간이 지난 후방순환뇌 경색의 경우에도 multimodal imaging을 통하여 이득이 높다고 판단될 경우 ERT를 시행해 볼 수 있다.

다른 mechanical thrombectomy, aspiration devices보다는 stent-retriever thrombectomy를 우선순위로 시행한다. 마지막 정상인 시각으 로부터 6-24시간 이내의 전방순환큰혈관뇌경색 환자의 경우, multi-modal imaging을 통하여 target mismatch와 clinical deficit의 존재를 확인하고 ERT로 perfusion 개선을 하였을 때 이득이 예상되는 환자에서 는 ERT를 해 볼 수 있다(DAWN, DEFUSE 3 trial).

3 신경영상의 평가

출혈성 뇌졸중 또는 뇌졸중 이외의 원인을 확인하기 위하여 non-contrast CT 또는 MRI를 시행해야 한다. 허혈성 뇌졸중 환자에서 급성큰동맥폐색을 확인하기 위하여 non-invasive vascular imaging (CT angiography or MR angiography)이 권고된다. 마지막 정상인 시점으로 부터 6-24시간 이내의 환자의 혈관내재개통치료를 결정하기 위하여, multimodal imaging로 곁순환과 infarct core 확인[perfusion (clini-cal)-diffusion mismatch]이 권고된다.

4 임상연구

(1) 6-24시간 이내의 혈관내재개통술 치료

① DAWN trial
- 대상: Large artery occlusion of anterior circulation, 6-24 hours from LNT, target mismatch (clinical deficit vs. ischemic core)
- 평가변수: 90-day utility weighted mRS
- 결과: ERT group better compared to control, no difference of sICH

② DEFUSE-3 trial
- 대상: Large artery occlusion of anterior circulation, 6-16 hours from LNT, target mismatch (ischemic core and penumbral regions from CTA, diffusion-perfusion mismatch)
- 평가변수: 90-day mRS score distribution
- 결과: better in ERT group. OR 2.77 (1.63-4.70) no difference of sICH
- 한국의 진료지침에 의하면, 마지막 정상이었던 시각으로부터 6-24시간 이내 내원한 환자의 경우, 각 센터에의 프로토콜에 따라 collateral, infarct core, perfusion (clinical) -diffusion mismatch 를 평가하여, ERT를 하는 것이 추천된다.

표 1-14 5 stent retriever thrombectomtrials

(MR CLEAN, ESCAPE, EXTEND-IA, SWIFT PRIME, REVASCAT)

	MR CLEAN	ESCAPE	EXTEND-IA	SWIFT PRIME	REVASCAT
Publication year	2015	2015	2015	2015	2015
Participants (n)	500	315	70	196	206
Age	65.7	71.5	69.4	65.6	66.5
Baseline NIHSS (active/control)	17/18	16/17	17/13	17/17	17/17
Time window (h)	6	12	6	6	8
ICA/M1 occlusion (%)	27.6/63.8	26.7/68.6	31.4/54.3	16.3/68.4	26.2/63.6
Onset to randomization/ groin puncture/ first reperfusion (min)	200/260/NA	170/185/241	169/210/NA	185/224/252	225/269/355
Active arm	ERT with standard care	ERT with standard care	ERT with IV tPA	ERT with IV tPA	ERT with standard care
Control arm	standard care	standard care	IV-tPA	IV-tPA	Standard care
IV tPA (active/control)	87.1/90.6	72.7/78.7	100/100	100/100	68/77
Stent-retriever in active arm	81.5	78.8	77.1	88.8	95.1
mRS 0-2	32.6 vs. 19.1 2.16 (1.39, 3.38)	53.0/29.3 1.7 (1.3, 2.2) $p < 0.001$	71.4 vs. 40.0 4.2 (1.4, 12) $p = 0.01$	60.2 vs. 35.5 1.7 (1.23, 2.33) $p < 0.001$	43.7 vs. 28.2 2.1 (1.1, 4.0)
mRS 0-1	11.6 vs. 6.0 2.07 (1.07, 4.02)	35.4 vs. 17.7 NA	51.4 vs. 28.6 2.4 (0.87, 6.6) $p = 00.09$	42.9 vs. 19.4	24.3 vs. 12.6
Shift analysis	1.67 (1.21, 2.30)	3.1 (2.0, 4.7) $p < 0.001$	2.0 (1.2, 3.8) $p = 00.006$	2.63 (1.57, 4.4) $p < 0.001$	1.7 (1.05, 2.8)
Mortality	21.0 vs. 22.1 no difference	10.4 vs. 19.0 0.5 (0.3, 0.8) $p = 00.04$	8.6 vs. 20 0.45 (0.1, 2.1) $p = 00.31$	9.2 vs. 12.4 0.74 (0.33, 1.68) $p = 00.5$	18.4 vs. 15.5 1.2 (0.6, 2.2) $p = 00.6$
SICH (active, control, %)	7.7 vs. 6.4 No difference	3.6 vs. 2.7 1.2 (0.3, 4.6) $p = 0NS$	0.0 vs. 5.7 Absolute difference -6% (-13.2) $p = 00.49$	0.0 vs. 3.1 $p = 00.12$	1.9 vs. 1.9 1.0 (0.1, 7.0) $p = 01.00$

표 1-15 **혈관조영술에서 재관류의 정의**

TIMI		TICI	
0	재관류되지 않음	0	재관류되지 않음
1	처음 폐색된 혈관부위는 뚫렸으나 원위부혈관가지로 조영제가 채워지지 않음	1	조영제가 처음 폐색된 부위를 지나가기는 하였지만, 원위부 전체뇌종맥은 채워지지 않음
2	불완전하게 관류되거나 원위부혈관가지로 천천히 조영제가 채워짐	2	조영제가 처음 폐색된 부위를 지나서 원위부뇌동맥을 채우기는 하지만 완전하지 않음 1a 전체 혈관 영역의 2/3 미만만 조영제가 채워짐 2b 전체 혈관 영역이 정상보다 늦게 채워짐
3	모든 원위부 혈관가지가 모두 조영제로 채워지고 완전한 관류가 이루어짐	3	전체 혈관 영역이 즉시 조영제로 채워지고 다른 혈관에서와 같은 속도로 빠져나감

6 항혈전요법과 뇌졸중의 이차예방

1 급성기항혈소판치료

뇌졸중 발생 24–48시간 이내에 160–300 mg 아스피린투여가 권고된다.

Minor noncardioembolic ischemic stroke (NIHSS ≤ 3)환자에서 dual antiplatelet (aspirin and clopidogrel)를 24시간 이내 시작하고 21일간 지속하는 것이 90일간의 허혈성 뇌졸중 재발을 줄이는 데 효과적이다.

– 아스피린

급성뇌경색에서 아스피린의 사용은 뇌경색 재발을 30% 정도 감소시킨다. 심방세동을 동반한 환자에서도 유사한 재발억제효과를 보였다.

뇌경색 48시간 이내 아스피린을 가능한 빨리 160-325 mg을 투여할 것을 권고한다.

2 뇌졸중의 이차예방을 위한 항혈전제치료

Noncardioembolic ischemic stroke or TIA에 대하여 허혈성 뇌졸중의 이차예방을 위하여

- 아스피린 50-325 mg 하루 1회 또는,
- 클로피도그렐 75 mg 하루 1회 또는,
- 아스피린 25+디피리다몰 200 mg 하루 2회

를 사용해 볼 수 있다.

Recent minor (NIHSS ≤ 3) noncardioembolic ischemic stroke or high-risk TIA (ABCD score ≥ 4) 환자의 이차예방을 위하여 dual antiplatelet therapy (aspirin+clopidogrel)을 21-90일 동안 유지한 후 single antiplatelet therapy로 바꾸어야 한다.

Noncardioembolic ischemic stroke or TIA 환자에서 90일 초과한 dual antiplatelet 사용은 출혈 위험을 높인다.

- 실로스타졸 단독치료는 비심인성 뇌졸중환자, 특히 열공성 뇌경색 환자에서 뇌졸중의 이차예방에 사용할 수 있다.
- 트리플루잘은 아스피린이나 클로피도그렐을 사용하기 어려운 경우에 뇌졸중의 이차예방 목적으로 고려될 수 있다.
- 뇌출혈을 포함한 심각한 출혈의 위험이 있는 환자에게 항혈소판제 치료가 필요할 때, 실로스타졸 또는 트리플루잘은 뇌졸중의 이차예방을 위해서 추천될 수 있다.

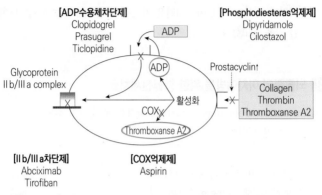

[ADP수용체차단제]
Clopidogrel
Prasugrel
Ticlopidine

[Phosphodiesteras억제제]
Dipyridamole
Cilostazol

Glycoprotein
IIb/IIIa complex

ADP

ADP

Prostacyclint

활성화

Collagen
Thrombin
Thromboxanse A2

COX

Thromboxanse A2

[IIb/IIIa차단제]
Abciximab
Tirofiban

[COX억제제]
Aspirin

그림 1-17 항혈소판제의 작용기전

표 1-16 항혈소판제의 작용기전과 반감기

	기전	용법	반감기	수술 전 중단
Aspirin	COX-1 비가역적 inhibitor	한 번	15-20분	7일
Clopidogrel	ADP 수용체길항제, P2Y12 수용체 비가역적 억제	한 번	11-13시간	7일
Cilostazol	PDE3 억제제, cAMP 증가	두 번	12시간	3일
Dipyridamole	PDE 억제제, cAMP 증가	두 번, 또는 세 번	12시간	7일
Triflusal	COX-1 비가역적 inhibitor	두 번	30분	5일

3 뇌졸중의 이차 예방

(1) 혈압

stroke or TIA와 고혈압이 있는 환자에서 thiazide diuretic, ACE inhibitor, angiotensin II receptor blockers가 혈압을 낮추는 데 유용하다. Office BP 목표는 130/80 미만이 추천된다.

(2) 고지혈증

허혈성 뇌졸중 환자에서(coronary heart disease 없고, cardiac sources of embolism 없는) LDL 100 초과인 경우 atorvastatin 80을 사용한다. 동맥경화성 혈관질환이 있는 허혈뇌졸중, TIA 환자에서 statin, ezetimibe를 사용하여 LDL 70 미만으로 낮추는 것이 추천된다.

(3) 당뇨병

허혈뇌졸중이 있는 당뇨병 환자에서 HbA1c ≤ 7%로 조절하여야 한다.

(4) 수면무호흡

수면무호흡은 높은 사망률, 뇌졸중, 심질환, 고혈압, 심방세동 위험을 높인다. 허혈뇌졸중, TIA 환자에서 obstructive sleep apnea가 있는 경우 CPAP 치료가 효과적일 수 있다.

4 원인에 따른 치료

(1) Intracranial large artery atherosclerosis

주요 뇌혈관협착에 의한 뇌졸중 및 일과성 허혈발작의 경우 아스피린 50-325 mg 투여가 뇌졸중 재발 방지를 위하여 권고된다. 70% 이상의 심한 협착에 의한 경우 clopidogrel 75 mg을 추가하여 90일간 사용해 볼 수 있다. 50% 이상의 협착의 경우 cilostazol 200 mg을 aspirin 또는 clopidogrel에 추가하여 사용해 볼 수 있다. 70% 이상이 심한 두개내동맥협착에 의하여 진행하는 뇌경색의 경우에는 angioplasty 또는 stent placement의 효과가 불분명하며 내과적 약물치료에 비교할 때 mortality와 morbidity를 높인다. 50% 이상의 두개강내동맥의 협착 및 폐색에 대하여 EC-IC bypass 수술은 추천되지 않는다.

(2) Extracranial carotid stenosis

① 경동맥협착에 의한 뇌경색과 일과성 허혈발작 환자에서 항혈소판 제, 지질강하치료제, 고혈압치료와 같은 내과적 치료가 반드시 필 요하다.

② 70% 이상의 경동맥협착에 의한 6개월 이내 발생한 ischemic stroke 환자에서 CEA는 추후 뇌졸중발생 위험을 줄이기 위하여 추천된다. 다만 수술 관련 morbidity and mortality risk가 6% 미 만으로 예측이 되는 경우이다.

③ Carotid artery stenting을 시행하는 것을 고려해 볼 수 있는 경우 는 아래와 같다.
   – 해부학적으로, 또는 내과적 상황이 수술의 위험을 올린다면, CAS를 시행하는 것이 바람직하다.
   – ICA stenosis 70% 이상 by noninvasive imaging, 50% 초과 by catheter-based imaging에서 시술 관련 합병위험이 낮고, periprocedure stroke or death risk < 6%인 경우 CAS가 CEA 에 대신 시행해 볼 수 있다. 특히 cardiovascular comorbidity related to endarterectomy 있는 환자에서,

④ Carotid end arterectomy가 선호되는 경우는 아래와 같다.
   – 70세 이상 환자의 경우 CAS보다는 CEA를 시행하는 것이 수술 관련 뇌졸중위험 관점으로 볼 때 선호된다.
   – 뇌졸중 발생 일주 이내 혈관개통술을 할 경우 CAS보다는 CEA 가 수술 관련 뇌졸중위험 관점으로 볼 때 낫다.

(3) Aortic arch atherosclerosis

Aortic arch atheroma가 있는 뇌졸중, 일과성 허혈발작 환자에서 LDL 목표를 70 미만으로 하여 엄격한 조절이 필요하며, 재발을 줄이기 위하여 항혈소판제치료가 추천된다.

(4) Moyamoya disease

① Moyamoya disease가 있는 허혈뇌졸중 및 일과성 허혈발작 환자에서 허혈뇌졸중 예방을 위하여 direct or iindirect ECIC bypass로 수술적 혈관재개통술을 행하는 것이 이로울 수 있다.

② 항혈소판제치료(예: 아스피린)를 해 볼 수 있다.

(5) Cardioembolism

① Non-valvular AF 환자(paroxysmal, persistent, permanent Afib, atrial flutter)에서 재발을 줄이기 위하여 항응고치료(apixaban, dabigatran, edoxaban, rivaroxaban, warfarin)가 추천된다.

② Valvular AF = moderate to severe MS, mechanical heart valve의 경우 뇌졸중 재발위험을 줄이기 위하여 warfarin 사용이 권고된다.

③ Hemorrhagic conversion 위험이 높은 환자에서는 항응고제 시작을 14일 이상 기다렸다가 시행한다.

④ ESRD 또는 투석 환자의 경우 warfarin 또는 dose-adjusted apixaban을 사용해 볼 수 있다.

표 1-17 CHAD2DS2-VASc: 총 9점

CHF/LVEF < 40%	1
HTN	1
AGE > 75	2
DM	1
Prior stroke or TIA or thromboembolism	2
Vascular disease (previous MI, peripheral arterial disease or aortic plaque)	1
Age 65-74	1
Sex category: female	1

0: Low, no antithrombotic therapy or aspirin; 1: Intermediate, oral anticoagulant or aspirin; 2: High, oral anticoagulant

표 1-18 NOACs 비교

	Rivaroxaban (xarelto)	Apixaban (Eliquis)	Dabigatran (Pradaxa)	Edoxaban (Lixiana)
Target	Factor Xa	Factor Xa	Thrombin	Factor Xa
Onset	1-3 hr	1-3 hr	1-3 hr	1-2 hr
Half-life	-9 hr, -13 hr (older)	-12 hr	12-17 hr	10-14 hr
AF	20 mg or 15 mg QD (GFR 30-49)	5 mg or 2.5 mg QD > 80세, Cr > 1.5, 60 kg 이하 중 두 개)	150 mg or 110 mg BID (GFR 30-49, > 75세, higher bleeding risk)	60 mg or 30 mg QD (CrCl 15-50, 60 kg 이하, P-gp inhibitor 복용 중 한 개 이상)
VTE (3-6 m)	20 mg QD, 15 mg BID for initial 21 d	5 mg BID, 10 mg BID for initial 7 d	150 mg BID	60 mg QD
VTE 예방	10 mg QD	2.5 mg BID	110 mg then 220 mg QD	not approved
신배설	33%	25%	80%	50%
Able to crush	Yes	Yes	No	No data

*뇌졸중 고위험군 AF: Dabigatran 150 bid or Rivaroxaban 20 qd
*출혈 고위험군 AF: Apixaban 5 bid or Dabigatran 110 bid
*복약순응도저하: Rivaroxaban 20 qd
*VTE 예방: 비만 (BMI > 30 kg/m^2), 에스트로겐치료, 하지정맥류, 고령(60세 이상), 장기간 부동(1주 이상), 울혈성 심부전, 호흡부전, 악성종양, 중심정맥 카테터 삽입, 항암화학요법, 중증감염증, 정맥혈전 색전증의 과거력

(6) LV thrombus

LVT가 있는 허혈뇌졸중 및 일과성 허혈발작 환자에서 최소 3개월 이상의 항응고치료가 필요하다. Acute MI 환자의 경우 LVT를 확인하기 위한 추가 영상검사(contrast echocardiogram, cardiac MR)가 필요하다.

(7) Patent foramen ovale (PFO)

Non-lacunar ischemic stroke of undetermined cause에서 PFO가 있는 경우 신경과, 심장내과 협의를 통하여 PFO의 원인적 역할을 고려한다. 60세 이하이면서 High-risk anatomic features (ASA, large right to left shunt)인 경우 transcathether device로 closure를 하고 장기간 항혈소판치료를 병행하는 것을 고려해 볼 수 있다. 약 4.9%의 periprocedural complication (예: Afib)을 감수해야 한다.

(8) Dissection

두개강 외 경동맥 및 척추동맥의 박리로 인한 허혈뇌졸중 및 일과성 허혈발작의 경우 항혈전제치료를 최소한 3개월 이상 하여 재발위험을 낮춘다. 항혈전제치료 도중에도 재발한 경우 endovascular therapy를 고려해 볼 수 있다.

(9) Antiphospholipid syndrome

확정된 antiphospholipid antibody syndrome 환자에서 warfarin을 사용하여 INR 2-3으로 맞추는 것이 바람직하다.

Persistent (12 weeks apart) presence of lupus anticoagulant, anti-cardiolipin or anti-beta 2 GIP antibodies, plus evidence of clinical criteria such as vascular thrombosis or pregnancy morbidity.

표 1-19 항인지질항체증후군의 진단기준

Clinical	Lab
1. Vascular thrombosis	1. Anti-Cardiolipin IgG/IgM
2. Pregnancy morbidity 　Death of normal fetus at ≥ 10 weeks 　Premature birth at ≤ 34 weeks due to 　preeclampsia 　≥ 3 consecutive abortions at < 10 weeks 　Placental insufficiency at < 34 weeks	2. Anti-beta 2 glycoprotein I (GP1)
	3. Lupus anticoagulant (LAC)

Definite APS: 1 Clinical + 1 Lab criteria

(10) Malignancy

Cancer와 venous thromboembolism (VTE)에서 new oral anticoagulant (NOAC)과 low molecular weighte heparin (LMWH)을 쓴다. 그러나 cancer related stroke 치료에 관한 근거는 없다. 그렇지만 VTE처럼 항응고치료가 중요하다. 항응고치료 중 vitamin-K Antagonist보다는 LMWH가 recurrent VTE를 낮추고 안전하기에 낫다. 항응고치료에 대한 대규모 연구는 없다. LMWH는 주사이기 때문에 지속적으로 사용하기 어렵다. 따라서 NOAC의 사용이 기대되고 있으나 아직 연구결과가 부족하다.

AHA guideline에 의하면 항응고치료의 근거는 아직 부족하며, Afib이 있는 암 환자에서의 NOAC의 사용만이 추천된다.

References

- 대한뇌졸중학회. 뇌졸중. 제2판. 범문에듀케이션; 2015.

- Bähr M, Frotscher M, Kueker W, et al. Duus' topical diagnosis in neurology. 5th ed. Thieme; 2012.

- Bnag OY, Chung JW, Lee MJ, et al. Cancer-related stroke: an emerging subtype of ischemic stroke with unique pathomechanisms. J Stroke 2020;22:1-10.

- Jang HM, Lee JJ, Lee MJ, et al. Comparison of enoxaparin and warfarin for secondary prevention of cancer-associated stroke. J Oncol 2015;2015:502089.

- Kidwell CS, Chalela JA, Saver JL, et al. Comparison of MRI and CT for detection of acute intracerebral hemorrhage. JAMA 2004;292:1823-30.

- Kleindorfer DO, Towfighi A, Chanturvedi S, et al. 2021 AHA/ASA guideline for the secondary prevention of ischemic stroke. Stroke 2021;52:e364-467.

- Ko SB, Park HK, Kim BM, et al. 2019 update of the Korean clinical practice guidelines for endovascular recanalization therapy in patients with acute ischemic stroke. J Stroke 2019;21:231-40.

- Powers WJ, Rabinstein AA, Ackerson T, et al. AHA/ASA Guidelines for the early management of patients with acute ischemic stroke: 2019 updates to the 2018 guidelines for the early management of acute ischemic stroke. Stroke 2019;50:e344-418.

- Wijman CAC, Venkatasubramanian C, Bruins S, et al. Utility of early MRI in the diagnosis and management of acute spontaneous intracerebral hemorrhage. Cerebrovasc Dis 2010;30:456-63.

홍윤정, 류나영, 신혜은, 이청휘
나승희, 양동원, 심용수

CHAPTER 02 치매

1 치매증후군

1 경도인지장애

(1) 개론

경도인지장애(mild cognitive impairment, MCI)는 임상적으로 정상 인지기능과 치매 사이의 상태를 가리킨다. 즉, 인지장애가 있으나 아직 치매로 진단할 수 있을 정도로 심하지 않은 상태일 때 경도인지장애로 진단할 수 있다(그림 2-1). 과거 연구에 의하면 경도인지장애를 진단받은 경우 연간 치매로 진행률이 연간 10-15% 정도에 이르는 것으로 알려져 있으며 이는 노인에서 치매 발병률인 연간 1-2%보다 뚜렷하게 높은 수치이므로 경도인지장애 환자들은 향후 수년 안에 알츠하이머병에 의한 치매로 진행할 가능성이 매우 높다고 할 수 있다. 치매 진단의 목표 중 하나는 조기진단을 통해 적절한 조치를 취함으로써 더 이상의 악화를 막거나 늦추고자 하는 것이다. 경도인지장애 상태에서는 아직 뇌퇴행성 변화가 치매 환자만큼 완연히 진행하지 않은 상태이므로 조기진단 및 예방적 치료를 시작하기에 중요한 시기라고 할 수 있다.

그러나 정상, 경도인지장애, 그리고 치매를 명확히 구분하는 것이 어려울 뿐만 아니라 원인질환에 따라 인지장애의 양상이나 향후 경과가 매우 달라질 수 있는 시기이므로 이 시기에 원인질환에 대한 검사와 감별진단이 이루어지는 것이 중요하다. 감별진단을 시행할 때에는 치매의 원인질환 중 가장 많은 부분을 차지하는 알츠하이머병에 의한 경도인지장애 상태인지 먼저 고려해 볼 필요가 있다.

최근 개정된 알츠하이머병의 '연구용 진단기준(research framework)' (Jack CR, 2018)에 따르면 더 이상 환자의 임상적인 증상을 바탕으로 정상/경도인지장애/치매를 구분하는 것이 아니라 바이오마커(biomarker) 검사결과를 바탕으로 알츠하이머병이냐 아니냐를 고려하고 전체를 한 개의 연속선상(continuum)으로 보는 쪽으로 추세가 바뀌고 있다.

그러나 여전히 환자진료 시에는 경도인지장애 상태인지 아니면 치매로 진행됐는지가 약물치료 결정을 할 때, 환자/보호자와 진단에 대해 소통할 때 중요한 부분을 차지하므로 경도인지장애의 특성에 대해 숙지할 필요가 있다.

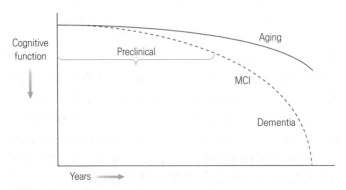

그림 2-1 **나이에 따른 인지기능 변화 및 치매의 진행**
Aging(노화)에 비해 알츠하이머병 환자는 인지 저하 정도가 크고 경도인지장애(MCI) 단계를 거쳐 치매 (dementia) 단계로 진행함.

(2) 임상적 특징

경도인지장애에서 임상적 특징을 논할 때에는 대부분의 원인질환인 알츠하이머병을 중심으로 진단과 설명이 이루어진다.

인지기능은 기억력 외에도 집중력, 언어능력, 시공간능력, 전두엽기능 등 다양한 기능을 포함한다. 경도인지장애는 기억력장애를 포함하느냐 여부에 따라 기억성 경도인지장애(amnestic MCI)와 비기억성 경도인지장애(non-amnestic MCI)로 분류할 수 있다. 과거에는 기억성 경도인지장애가 알츠하이머병의 특징적인 소견으로 여겨졌으나 비전형적 알츠하이머병(atypical presentation AD)의 경우 시공간능력장애/언어장애/성격변화 등으로 먼저 발현할 수 있으며 아포지방단백 4번 유전자형(apolipoprotein epsilon 4, APOE4) 존재에 따라 임상증상은 달라질 수 있으므로 최근에는 어느 증상부터 발현했는가를 중점으로 두고 있지는 않다. 경도인지장애에서는 치매 환자에서 나타나는 것처럼 한 가지 또는 여러 가지 인지장애가 있으나 아직 일상생활 유지기능(activity of daily living, ADL)장애는 나타나지 않아 독립적으로 살아가는 데에는 문제가 없어야 한다.

경도인지장애 단계에서는 아직 환자가 일상생활 기능장애는 없고 어느 정도의 판단력이 유지되므로 스스로 자신의 인지장애를 호소하는 경우가 대부분이지만 환자를 잘 아는 주위 사람들(가족, 가까운 지인)이 환자의 인지장애를 확인해주면 훨씬 증상의 신뢰도가 높다. 따라서 인지장애를 호소하는 환자의 경우 환자뿐만 아니라 주변 사람들로부터 환자의 증상에 관해 자세히 병력 청취하는 것이 매우 중요하다.

전형적인 알츠하이머병의 경우 해마를 비롯한 내측측두엽(medial temporal lobe)의 신경퇴행성 변화가 선행되기 때문에 초기부터 기억력 저하가 뚜렷하며 기억력 저하의 경우 환자가 가장 많이 호소하는 증상은 사건기억력(episodic memory) 저하로, 수시간/수일 내의 기억력이 저하되어 자세히 기억하지 못하는 증상이다. 또한 학습능력/암기력이 저하된다. 전형적인 알츠하이머병은 APOE4 유전자형을 동반하는 경우(약

50%)가 많으며, 동반할 경우 치매 발병을 앞당기고 인지 저하의 속도를 가속화시키는 위험인자로서 작용하는 것으로 알려져 있다. APOE4 유전자형이 한 개만 존재하는 이형접합자(heterozygote)인 경우 유전자형이 없을 때보다 약 3–5배 알츠하이머병 위험성이 증가하며, 동형접합자(homozygote, APOE 4/4)인 경우 약 15배 정도 알츠하이머병 위험성이 증가하며 치매 발병을 앞당기고 진행을 빠르게 하는 것으로 알려져 있으니 경도인지장애 환자에서 반드시 APOE 유전자형에 대해 검사를 진행하는 것이 필요하다.

비전형적인 알츠하이머병의 경우 내측측두엽보다는 다른 뇌피질기능의 저하가 먼저 뚜렷하게 나타나는데, ① 언어장애(로고패틱 진행성 실어증, logopenic variant primary progressive aphasia), ② 시공간기능장애(후부대뇌피질위축, posterior cortical atrophy), ③ 행동/성격장애(행동증상 아형 알츠하이머, behavioral variant AD) 등을 들 수 있다.

(3) 진단

경도인지장애의 진단은 두 가지 측면에서 진행되어야 한다.

첫째, 임상적인 소견을 바탕으로 '경도인지장애에 해당하는가?'를 판단하는 과정이다. 경도인지장애의 임상적인 진단은 2004년 발표된 진단기준을 바탕으로 한다(Petersen RC, 2004)(표 2-1). 경도인지장애를 진단내릴 때 진단 흐름도는 다음과 같다(그림 2-2).

여전히 임상적인 소견을 바탕으로 위와 같이 경도인지장애를 네 가지 타입(clinical phenotype)으로 분류하고 있으나 2018년 발표된 '연구용 진단기준(research framework)' (Jack CR, 2018)에서는 경도인지장애라는 진단기준을 없애고 숫자로 된 clinical staging을 사용하고 있다. 2018년 기준에 따르면 경도인지장애는 Stage 3에 해당하며 그 진단기준은 다음과 같다(Jack CR, 2018)(표 2-2).

둘째, 경도인지장애의 원인질환을 확인하기 위한 감별진단을 진행하는 과정이다.

Chapter 02

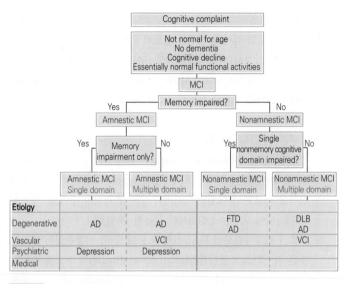

그림 2-2 경도인지장애 진단 시 흐름도 (Petersen RC, 2004; 2016)

표 2-1 경도인지장애의 진단기준

1) 환자 그리고/또는 정보제공자(가족, 가까운 지인)가 호소하는 인지 저하
2) 실제로 인지검사에서 인지장애가 존재
3) 일상생활 유지기능은 정상(복잡한 일상생활에서는 어려움을 호소할 수 있음)
4) 치매가 아님

표 2-2 Stage 3 진단기준

1) Performance in the impaired/abnormal range on objective cognitive tests.
2) Evidence of decline from baseline, documented by the individual's report or by observer (e.g., study partner) report or by change on longitudinal cognitive testing or neurobehavioral behavioral assessments.
3) May be characterized by cognitive presentations that are not primarily amnestic.
4) Performs daily life activities independently, but cognitive difficulty may result in detectable but mild functional impact on the more complex activities of daily life, that is, may take more time or be less efficient but still can complete, either self-reported or corroborated by a study partner.

원인질환을 감별하기 위해서는 우선 알츠하이머병의 전구기에 해당하는가를 염두에 두고 검사를 진행할 필요가 있는데, 검사는 ① 혈액검사, ② 구조적 뇌영상검사(뇌자기공명영상, MRI), ③ 기능적 뇌영상검사(FDG-PET/SPECT/functional MRI), ④ 뇌파, ⑤ 핵의학검사(Amyloid PET) 등이 진료범위 내에서 가능하다(그림 2-3).

① 혈액검사는 내과적 질환에 의한 인지 저하인지 확인하기 위해 갑상선기능검사, syphilis screening test, HIV test, vitamin B1, B12, B6 (folate, 엽산), 그리고 APOE genotype을 포함한다. 최근 혈액검사를 이용하여 아밀로이드 베타 수치를 측정할 수 있는 방법들이 개발되어 조만간 선별검사로 활용될 수 있겠다.

② 구조적 뇌영상검사인 MRI 촬영을 통해 종양, 뇌혈관질환병변 여부를 확인하고 소혈관질환(small vessel disease)의 정도를 확인할 수 있을 뿐만 아니라 뇌위축도(atrophic change)를 판단함으로써 신경퇴행성 변화가 어느 정도 진행되었는지를 확인할 수 있다.

③ 기능적 뇌영상검사를 통하여 알츠하이머병에 해당하는 뇌기능저하 소견이 경도인지장애 환자에서 존재하는 지를 판단할 수 있다.

④ 뇌파검사를 통해 간질, 대사성 뇌병증 여부를 확인할 수 있을 뿐만 아니라 정량뇌파검사를 통해 경도인지장애에서 알츠하이머병 가능성을 예측하는 다수의 연구가 진행되고 있다.

⑤ 경도인지장애 환자에서 알츠하이머병의 병리소견, 즉 아밀로이드 침착이 존재하는지 여부는 아밀로이드 PET 촬영을 통해 판단할 수 있다. 실제 임상소견과 더 연관성을 보이는 것은 타우침착량과 침착부위인데 타우 페트는 아직은 상용화되지는 않았다.

위의 다섯 가지 진단방법을 적절히 선택하고 활용함으로써 알츠하이머병에 의한 경도인지장애인지 감별진단에 활용하고 이는 임상적으로도 환자에 대한 치료 방향을 결정할 때 필요하다.

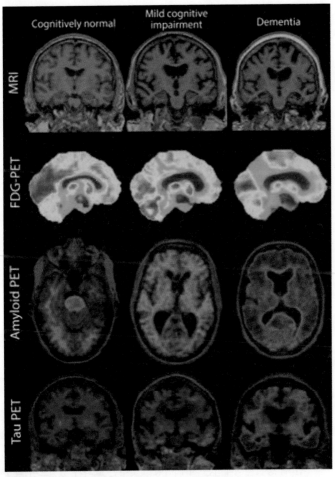

그림 2-3 경도인지장애에서의 뇌영상 바이오마커 소견(Petersen RC, 2016)

(4) 치료

경도인지장애에서 치료는 기저질환이 무엇인지에 따라 다르나 아직까지 근본적인 치료법은 없는 상태이다. 진료범위 내에서 다음의 다섯 가지 측면에서 고려할 수 있다(표 2-3).

표 2-3 경도인지장애에서 고려할 수 있는 치료

1) 아세틸콜린 분해효소 억제제(Acetylcholinesterase inhibitor)
2) 인지개선제(Cognitive enhancer)
3) 인지중재치료(Cognitive intervention)
4) 생활습관교정(Lifestyle modification)
5) 혈관성 위험인자의 조절(Vascular risk factor control)

---

① 아세틸콜린 분해효소 억제제의 처방

경도인지장애에서 아세틸콜린 분해효소 억제제를 미리 처방하는 것이 효과가 있는지에 대해서는 이견의 여지가 있어 표준화된 치료법은 아니다. 과거의 몇몇 임상시험에서도 경도인지장애에서 아세틸콜린 분해효소 억제제를 처방하는 것이 인지개선이나 치매로의 악화 지연에 유의한 효과가 있는가를 증명하는 데에는 실패했으며 2017년 발표된 practice guideline에서도 권장되지는 않으나 환자와 상의하에 사용할 수는 있겠다는 부연설명이 있는 정도이다(Petersen RC, 2017). 그러나 알츠하이머병이라면 이미 아세틸콜린 결핍이 진행되고 있을 것이며 경도인지장애 후기에서 치매로 넘어가는 경계선을 진료 시에 명확히 구분 짓기 어렵다는 측면, 그리고 임상시험에서 효과를 증명하는 데에는 실패했으나 중간분석(일년 뒤 중간분석에서는 치매 이행을 늦추는 효과가 있었으며 약 2년 정도는 유효한 것으로 추정됨) 또는 이차유효성 변수에서는 일부 효과가 있었다는 점 등을 고려할 때 환자/보호자와 논의를 통해 사용할 수 있다.

② 인지개선제의 처방

인지개선제(cognitive enhancer/brain pill)나 특정 식품이 임상시험
에서는 치매 발병을 늦추거나 통계적으로 유의한 인지개선 효과를
보이지 못했기 때문에 가이드라인에서 특정 식품이나 인지개선제
처방을 권유하고 있지는 않지만, 환자/보호자와 논의를 통해 사용
을 고려할 수 있다.

③ 인지중재치료

규칙적인 뇌활동이 인지개선 효과가 있다는 다수의 연구를 통해
최근 인지중재치료가 비약물적 치료로 시도되고 있다. 국내 연구
에서도 경도인지장애에서 유의한 인지개선 효과를 보고한 바가 있
어 2017년 신의료기술 승인을 받았으나 아직 프로그램 구성, 수가
생성, 전문인력 양성 등 실용화단계에는 이르지 못하였다.

④ 생활습관교정

규칙적으로 뇌활동(일기쓰기, 배우기, 사회생활, 노인대학, 취미생
활, 종교활동 등)을 유지할 것을 권장하고, 주 150분 (한 번에 30
분 이상) 이상의 규칙적인 중등도 강도 이상의 운동이 인지개선
효과를 보였다는 다수의 연구를 바탕으로 경도인지장애 환자에서
운동을 권장해야 한다. 또한 뇌기능에 도움이 되며 결핍 시 인지
저하를 유발할 수 있는 비타민 B군, 오메가 3가 풍부한 음식을 섭
취하도록 영양 관리를 병행하는 것이 도움이 될 수 있다. 금연, 금
주 등 생활습관 교정이 도움이 된다.

⑤ 혈관성 위험인자의 조절

고혈압, 당뇨, 고지혈증 등 혈관성 위험인자를 진단받고 정상범위
내의 수치를 유지하도록 약제를 복용하도록 하는 것 또한 경도인
지장애의 치료법으로 필수적인 부분이다.

2 주관적 인지 저하

(1) 개론

주관적 인지 저하(subjective cognitive decline, SCD)는 지속적인 인지 저하를 호소하는 대상자가 병원을 방문하여 치매 검사를 받았으나, 인지기능검사(standard neuropsychological tests battery)에서 정상소견을 보일 때 진단한다. 인지기능검사에서는 객관적인 인지장애를 보이지 않으나 미세한 인지 저하(subtle cognitive decline)가 생겼기 때문에 이를 보완하기 위해 끊임없이 노력하게 되고 환자 자신이 이러한 변화를 가장 먼저 인지하게 되는 시기이다(그림 2-4).

최근 10여 년간 다수의 연구를 통해 주관적 인지 저하가 있는 경우, 증상이 없는 노인에 비해 경도인지장애/치매 위험성이 증가하고 알츠하이머병의 위험그룹이라고 알려졌다. 따라서 주관적 인지 저하는 알츠하이머병의 first help-seeking stage일 수도 있으며 전임상 알츠하이머병의

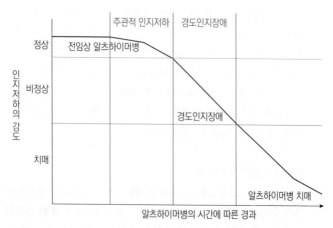

그림 2-4 **알츠하이머병의 전임상기 후기에 경험하는 '주관적 인지 저하'**

마지막 단계(last stage of preclinical AD)일 수 있으므로 조기진단이라는 측면에서 중요하다. 그러나 주관적 인지 저하는 다양한 원인으로 발생하기 때문에 모든 대상자가 알츠하이머병 환자라고 볼 수는 없다. 기저에 전임상 알츠하이머병을 가진 경우(약 20% 전후)도 있으나 단순 노화 현상이거나 다른 신경퇴행질환의 전임상기 증상일 수도 있다. 따라서 주관적 인지 저하를 진단한 이후에는 전임상 알츠하이머병 가능성이 높은 '위험그룹'을 적절히 선별해내는 것이 가장 중요하다.

(2) 임상적 특징

주관적 인지 저하자는 기억력 저하를 호소하는 경우도 있으나 기억력 외에 다른 인지기능의 저하를 호소하는 경우도 있으므로 병력 청취를 통하여 발현증상에 대해 확인할 필요가 있다. 과거 연구들에 따르면, 기억력 저하를 호소하는 경우, 증상 발현이 5년 이내인 경우, 인지 저하에 대해 걱정이 된다고 응답하는 경우, 본인의 인지기능이 같은 나이대 다른 사람들보다 못하다고 느끼는 경우, 가족 또는 가까운 지인도 지적을 하는 경우, 그리고 알츠하이머병을 시사하는 바이오마커 검사에서 양성 소견을 보이는 경우 진행위험도가 높은 것으로 보고 있다. 알츠하이머병에 해당하는 검사소견이란, 아포지방단백 4번 유전자형(APOE4)이 존재하거나 뇌위축이 나이대를 고려했을 때 심하거나 아밀로이드 페트 양성 또는 혈액 아밀로이드 베타 수치가 높은 경우 등을 들 수 있다.

(3) 진단

주관적 인지 저하에 대한 일관성 있는 진단 및 연구를 위하여 SCD-initiative (SCD-I)가 2012년 결성되었으며, 이 연구자 모임은 주관적 인지 저하에 대한 개념화 및 진단기준을 마련하기 위한 목적을 가졌다. SCD-I에서는 2014년 발표된 한 종설 논문을 통하여 주관적 인지 저하의 개념을 다음과 같이 정의하였다(표 2-4).

표 2-4 주관적 인지 저하의 연구용 진단기준

1) 주관적으로 지속적인 인지 저하를 경험할 경우
2) 표준 인지검사에서는 나이, 성별, 교육수준을 고려했을 때 정상범위의 수행

제외기준

1) 경도인지장애 또는 치매일 경우
2) 정신과적 질환 또는 알츠하이머병 이외의 신경학적 질환, 내과적 질환, 또는 약물로 인한 인지장애일 경우

adapted from Jessen F, 2014

SCD-I에서 연구용 진단기준 외에도 전임상 알츠하이머병의 위험성을 높이는 SCD plus research criteria를 제시하였는데, 그 기준은 다음과 같다(표 2-5).

표 2-5 SCD-plus research criteria

1) 다른 인지 저하보다도 기억력 저하를 호소하는 경우
2) 증상 발현이 5년 이내인 경우
3) 인지 저하에 대해 걱정된다고 응답하는 경우
4) 같은 나이대 다른 사람들보다 본인이 상대적으로 못하다고 느끼는 경우
5) 정보제공자(가족 또는 가까운 지인)도 인지 저하를 지적하는 경우
6) 아포지방단백 4번 유전자형(apolipoprotein epsilon 4) 보유자인 경우
7) 알츠하이머병에 해당하는 바이오마커 소견을 보이는 경우

adapted from Jessen F, 2014

주관적 인지 저하자를 진료 시에는 아래의 질문항목에 맞추어 증상을 분류하고 특성화 짓는 것이 필요하다. 다음의 질문은 SCD-I에서 제시한 '주관적 인지 저하에서 확인할 사항들'이다(표 2-6).

(4) 치료

주관적 인지 저하에서 약물치료는 권장되지 않는다. 다만, 대한치매학회에서 최근 개정된 '치매임상진료지침 2021'에서 노인 주관적 인지 저하자는 1년 또는 2년마다 주기적인 추적관찰을 통해 임상적인 진행 여부

표 2-6	What do we have to check in SCD?

1) Setting in which SCD is expressed
2) Association of SCD with medical help seeking (yes/no)
3) Report of SCD (spontaneously/ or request)
4) Onset of SCD (number of years)
5) Subjective decline in memory (yes/no)
6) Subjective decline in nonmemory domains
7) Concerns (worries) associated with SCD (yes/no)
8) Feeling of worse performance than others of the same age group
9) Association of SCD with experience of impairment (yes/no)
10) Confirmation of cognitive decline by an informant (yes/no)
11) Score on a depression scale, score on an anxiety scale
12) APOE genotype, if available

adapted from Jessen F, 2014

를 확인할 것을 권고하였다(Lee JS, 2022). 이는 전임상 알츠하이머병 후기에 해당할 경우 경도인지장애/치매로의 이행률이 연간 약 5–10% 정도에 이르며 일반노인보다 뚜렷하게 높은 진행위험도를 보이기 때문이다.

비약물적 예방법으로는, 경도인지장애 환자에서와 마찬가지로 인지중재치료, 생활습관 교정, 혈관성 위험인자의 조절 등을 들 수 있다.

3 알츠하이머병

(1) 개론

알츠하이머병은 1906년 Alois Alzheimer 박사가 자신의 환자 증례를 발표함으로써 처음 알려지게 되었다. 치매의 원인이 되는 주요 신경퇴행성 질환으로 전체 치매 환자의 약 70% 정도를 차지한다고 알려져 있다. 신경퇴행성 질환의 특성상 천천히 오랜 기간 질병이 진행하는 특성을 가지고 있으며 마침내 말기 치매에 이르러 다양한 합병증으로 사망에 이르게 된다.

국내 60세 이상 노인 중 치매 유병률은 약 7–8% 정도(90만 명, 2022년 7월 현재)로 추정된다(2022 중앙치매센터 자료). 위험인자 및 보호인자가 다양하고 아직 기전이 명확치 않은 부분이 있지만, 나이가 가장 큰 위험인자로 알려져 있으며, 60세 이상의 노인 중 치매 유병률은 약 10% 정도에 그치나 90세 이상의 노인 중 치매 유병률은 약 30%를 넘는다. 그 외 위험인자로는 여성, 아포지방단백 유전자형(APOE4)이 존재하는 경우, 교육수준이 낮은 경우, 알츠하이머병의 가족력이 있는 경우, 외상성 뇌손상 병력이 있는 경우, 혈관성 위험인자(고혈압, 당뇨, 고지혈증, 알코올 과다섭취, 흡연)를 가진 경우, 운동량이 적고 움직임이 없는 생활습관, 청력저하 등이 포함된다. 보호인자로는 건강한 식습관, 운동량이 많은 경우, 뇌활동이 활발한 경우 등이 포함된다.

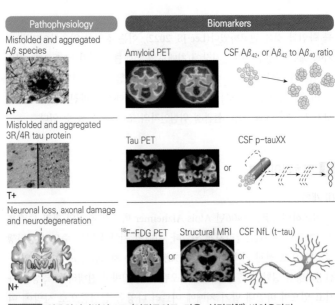

그림 2-5 알츠하이머병의 ATN(아밀로이드, 타우, 신경퇴행) 바이오마커
(Jack CR, 2016)

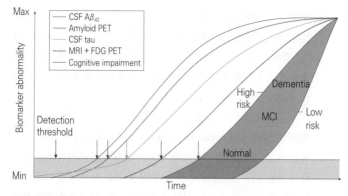

그림 2-6 **알츠하이머병의 바이오마커 발현 순서(dynamic biomarker cascade)**
(Jack CR, 2013)

알츠하이머병은 뇌내아밀로이드와 비정상 타우단백의 침착을 주요 병리소견으로 한다. 아밀로이드 침착, 타우 침착이 일정량 진행하면 이는 뇌신경손상을 가져오고 신경퇴행성 변화를 거쳐 마침내 인지장애를 일으킨다. 알츠하이머병의 특징적인 병리소견을 크게 A(아밀로이드), T(비정상 타우), N(신경퇴행)으로 분류할 수 있는데, 이를 발견하기 위해 사용하는 바이오마커는 그림 2-5와 같다. 알츠하이머병의 병리소견의 진행 및 이를 확인할 수 있는 각종 바이오마커의 진행순서는 그림 2-6과 같다.

(2) 임상적 특징

알츠하이머병은 약 20여 년에 걸쳐 서서히 진행하는 양상을 보인다. 대략적인 진행 과정은 아래와 같다(그림 2-7).

그림 2-7 **알츠하이머병의 임상경과**

① 전임상기(preclinical AD)

인지기능이 정상범위 내에 있으나 뇌내에서는 알츠하이머병의 병리소견이 진행되는 단계이며, 이 시기에 아밀로이드 페트 검사에서 양성 소견을 보인다. 전임상기의 후기에 주관적 인지 저하가 나타날 수 있다.

② 경도인지장애(mild cognitive impairment due to AD)

객관적이고 뚜렷한 인지장애가 있으나 일상생활 유지기능은 보존되어 독립적인 일상생활이 가능한 단계이며, 이 시기에 아밀로이드 페트에서 양성 소견을 보이고 MRI에서도 뇌위축 소견을 보인다.

③ 경증 치매(mild dementia)

일상생활 유지기능이 손상되어 독립적인 일상생활이 어려워지기 시작한 단계다.

④ 중등증-말기 치매(moderate to severe dementia)

일상생활 유지기능이 모두 손상되어 전적인 보호자의 케어가 필요한 시기이며, 중등증에서 행동장애가 가장 심하고, 말기 치매에 이르면 신체적인 일상생활기능(씻기, 이동하기, 요실금/변실금, 식사하기, 삼킴기능, 언어기능, 자세유지기능, 보행)의 손상이 일어난다. 말기 치매는 동반질환이 없고 케어가 잘 되는 경우 10년까지 지속될 수 있으며 마지막 단계에서 폐렴, 욕창, 각종 감염 등으로 사망한다.

(3) 알츠하이머병의 주요 증상

알츠하이머병의 주요 증상은 다음과 같다.

① 인지장애

기억력 저하가 전형적인 알츠하이머병의 첫 번째 증상인 경우가 많다. 초기에는 최근 일어난 사건에 대한 사건기억력부터 저하되며 학습능력이 저하되지만, 먼 과거의 중요한 사건들은 소실되지 않는다. 즉각회상(working memory)이나 의미기억(semantic memory)은 초기에는 보존되는 편이며, 약간의 이름대기 장애(word finding difficulty)가 동반될 수 있다. 치매가 진행할수록 기억력장애뿐만 아니라 전두엽실행능력장애 및 시공간장애 등 다발성 인지장애가 나타나고 점점 진행한다.

② 신경행동장애

알츠하이머병에서 거의 대부분 신경행동장애가 동반된다(약 80% 이상). 신경행동장애에는 무감동증(apathy), 불안(anxiety), 분노조절장애(irritability), 우울증(depression), 불면증(insomnia) 등 수면장애(sleep problem), 식욕저하나 식탐, 탈억제(disinhibition), 환각(hallucination), 초조(agitation), 공격성(aggression), 망상(delusion), 망상적 착오(misidentification) 등 다양하게 나타난다. 이는 약물적/비약물적 치료를 통해 조절이 가능하며 보호자/간병인의 부담감을 늘리고, 조절되지 않을 경우 환자나 보호자가 범죄/사고를 당할 수 있게 하며, 요양시설로 입소하는 주요 원인이 되므로 환자에게 이러한 증상이 있는지를 잘 확인할 필요가 있다.

③ 신경학적 이상소견

알츠하이머병에서는 대개 신경학적 이상소견은 관찰되지 않는다. 말기에는 파킨슨증/보행장애가 나타날 수 있으나 만약 환자가 초기부터 이러한 증상을 보이다면 루이소체치매를 의심해볼 수 있다. 말기 치매 환자에서는 보행장애, 삼킴장애, 균형유지장애, 언어장애 등이 나타나며 언어기능이 모두 소실되고 침상생활을 하게 되어 이로 인한 합병증(폐렴, 욕창, 각종 감염, 뇌졸중) 등으로 사망한다.

④ 비전형 알츠하이머병

기억력 저하가 전형적인 알츠하이머병의 첫 번째 증상이지만, 기억력 저하보다 다른 인지장애증상이 먼저 나타난다고 해도 비전형 알츠하이머병을 고려할 필요가 있다.

　가. Frontal variant AD(전두엽형 알츠하이머병): 행동장애 및 성격 변화가 기억력 저하보다 먼저 나타나고 더 뚜렷하므로 행동변이 전두측두엽치매(behavioral variant frontotemporal dementia)로 오인되기도 하지만 알츠하이머병의 병리소견을 보인다.

　나. Posterior cortical atrophy(후부대뇌피질위축): 시공간장애부터 뚜렷하게 나타나며 발린트증후군(Balint syndrome), 거스트만 증후군(Gerstmann syndrome), 시각실인증(visual agnosia), 실행증(apraxia) 등이 동반될 수 있다. 환자들은 잘 보이지 않는다 거나 방향감각이 떨어진다고 호소하며 초기에는 기억력장애는 뚜렷치 않다.

　다. Logopenic variant primary progressive aphasia(로고패닉 진행성 실어증): 초기부터 이름대기 장애가 뚜렷하며 따라말하기(repetition) 장애가 동반되나 다른 진행성 실어증과는 다르게 단어 의미나 유창성, 문법은 보존된다.

(4) 진단

실제 임상에서 알츠하이머병의 진단 시에는 다음의 검사방법을 사용한다.

① 병력 청취 및 신경학적 진찰

환자와 보호자에게 환자의 증상 발현 시점과 주요 증상, 그리고 진행되는 양상인지에 대해 자세히 병력 청취를 하고 신경학적 이상소견이 동반되었는지 확인이 필요하다.

② 혈액검사

혈액검사에는 일반적으로 인지장애를 가져올 수 있는 갑상선기능검사, 매독(syphilis), 후천성 면역결핍증(HIV), 비타민 B1, B12, B6 (folate), 아포지방단백 유전자형검사 등이 포함되어야 한다. 혈청 아밀로이드 베타검사 등이 상용화 예정이다.

③ 신경인지기능검사

신경인지기능검사총집은 표준화되어 있기 때문에 나이, 학력, 성별에 따른 정상치에 비해 환자의 상태가 어떤지 정확히 판단할 수 있고, 인지장애의 양상을 파악할 수 있다는 장점이 있다. 또한, 향후 인지장애의 진행 정도를 파악할 수 있고 임상시험에서 치료의 효과를 정량적으로 판단할 수 있다는 장점도 있어 선별검사인 간이정신상태검사(mini-mental state examination, MMSE)에 비해 신경인지기능검사총집을 이용할 것을 권유한다. 그러나 환자가 말기 치매상태일 경우 신경인지기능검사총집을 시행하기에 무리가 있다.

④ 뇌영상(MRI, SPECT/^{18}F-fludeoxyglucose Positron Emission Tomography, FDG-PET)

치매 진단에서 MRI 촬영은 필수적인 부분이다. MRI를 촬영함으로써 종양, 뇌경색, 뇌출혈 등으로 인한 치매 여부를 판단할 수 있고 신경퇴행의 정도를 파악할 수 있다. MRI에서 혈관성 병변의 위치와 크기를 확인함으로써 혈관성 인지장애(vascular cognitive impairment) 와 감별진단이 필요하다. MRI에서 뇌위축의 위치와 정도를 확인함 으로써 전형적인 알츠하이머병에 해당하는지, 향후 인지장애가 진 행할 가능성이 높은지 여부를 판단하는 데 도움이 된다.

치매 진단에서 기능적 뇌영상(SPECT/FDG-PET)을 촬영함으 로써 뇌혈류저하(SPECT의 경우), 포도당대사 감소(FDG-PET의 경우)의 정도와 부위를 관찰할 수 있다. 전형적인 알츠하이머병에 서는 초기부터 측두-두정엽의 뇌혈류저하/포도당대사 감소가 일 어나므로 이러한 특징적인 패턴이 있다면 알츠하이머병을 의심할 수 있으나 비전형적인 알츠하이머병의 경우 이러한 특징적인 패턴 을 벗어날 수 있음을 염두해두어야 한다.

⑤ 아밀로이드 페트(amyloid PET)

비전형적인 증상 발현이 의심되는 경우, 조발성 알츠하이머병이 의 심되는 경우, 경도인지장애에서 추후 치료 방향을 결정할 때 아밀 로이드 페트 촬영이 알츠하이머병의 확진법으로써 의미가 있다. 대 부분의 경우 알츠하이머병 여부를 확인하는 데에 유용한 검사이 나, 위음성(false negative)인 경우가 드물게 있으므로 임상양상이 알츠하이머병에 가깝거나 부분적인 침착이 의심되는 경우 알츠하 이머병을 완전히 배제하고 약물치료를 중단할 필요는 없다.

최근에는 알츠하이머병을 전임상 알츠하이머-경도인지장애-치매의 순서대로 정의하지 않고 다음과 같이 6단계로 수치화하는 경향이 있다 (표 2-7). Stage 1은 정상인지기능, Stage 2는 주관적 인지 저하, Stage 3는 경도인지장애, Stage 4는 경증 치매, Stage 5는 중등증 치매, Stage 6는 말기 치매 상태에 해당한다.

표 2-7 Numeric staging of AD

Stage 1. Performance within expected range on objective cognitive tests. Cognitive test performance may be compared to normative data of the investigator's choice, with or without adjustment (the choice of the investigators) for age, sex, education, etc.* Does not report recent decline in cognition or new onset of neurobehavioral symptoms of concern. No evidence of recent cognitive decline or new neurobehavioral symptoms by report of an observer (e.g., study partner) or by longitudinal cognitive testing if available.

Stage 2. Normal performance within expected range on objective cognitive tests. Transitional cognitive decline: Decline in previous level of cognitive function, which may involve any cognitive domain(s) (i.e., not exclusively memory). May be documented through subjective report of cognitive decline that is of concern to the participant. Represents a change from individual baseline within past 1 - 3 years, and persistent for at least 6 months. May be corroborated by informant but not required. Or may be documented by evidence of subtle decline on longitudinal cognitive testing but not required. Or may be documented by both subjective report of decline and objective evidence on longitudinal testing. Although cognition is the core feature, mild neurobehavioral changes—for example, changes in mood, anxiety, or motivation— may coexist. In some individuals, the primary compliant may be neurobehavioral rather than cognitive. Neurobehavioral symptoms should have a clearly defined recent onset, which persists and cannot be explained by life events. No functional impact on daily life activities.

Stage 3. Performance in the impaired/abnormal range on objective cognitive tests. Evidence of decline from baseline, documented by the individual's report or by observer (e.g., study partner) report or by change on longitudinal cognitive testing or neurobehavioral behavioral assessments. May be characterized by cognitive presentations that are not primarily amnestic. Performs daily life activities independently, but cognitive difficulty may result in detectable but mild functional impact on the more complex activities of daily life, that is, may take more time or be less efficient but still can complete, either self-reported or corroborated by a study partner.

Stage 4. Mild dementia Substantial progressive cognitive impairment affecting several domains, and/or neurobehavioral disturbance. Documented by the individual's report or by observer (e.g., study partner) report or by change on longitudinal cognitive testing. Clearly evident functional impact on daily life, affecting mainly instrumental activities. No longer fully independent/requires occasional assistance with daily life activities.

Stage 5. Moderate dementia Progressive cognitive impairment or neurobehavioral changes. Extensive functional impact on daily life with impairment in basic activities. No longer independent and requires frequent assistance with daily life activities.

Stage 6. Severe dementia Progressive cognitive impairment or neurobehavioral changes. Clinical interview may not be possible. Complete dependency due to severe functional impact on daily life with impairment in basic activities, including basic self-care.

(5) 치료(표 2-8)

표 2-8   알츠하이머병에서 고려할 수 있는 치료
1) 아세틸콜린 분해효소 억제제(Acetylcholinesterase inhibitor)
2) N-methyl-D-aspartate glutamate (NMDA) 수용체 길항제(Memantine)
3) 신경행동장애 조절(Medications for neurobehavioral symptoms)
4) 생활습관교정(Lifestyle modification)
5) 혈관성 위험인자의 조절(Vascular risk factor control)
6) 근본적인 치료(Disease modifying therapy, anti-amyloid therapy)

① 아세틸콜린 분해효소 억제제

알츠하이머병에 의한 치매 환자에서 아세틸콜린 분해효소 억제제
는 중등도의 인지개선 효과를 보였고 농도의존적 효과(dose-
dependent cognitive effect)를 보인다. 따라서, 치매가 진행함에 따
라 콜린성 결핍이 더 심해지므로 부작용에 주의하면서 약물 증량
이 필요하다. 아세틸콜린 분해효소 억제제를 처방할 때에는 초기
4주 이내 콜린성 부작용이 나타나는지를 관찰해야 하며 장기적인
부작용으로 식욕저하나 체중감소 등이 발생하는지를 확인해야 한
다. 만약 콜린성 부작용이 나타난다면 다른 아세틸콜린 분해효소
억제제로 변경하거나 NMDA 수용체 길항제로의 변경을 고려한다.
말기 치매 환자(MMSE 10점 이하, CDR 3점 이상)에서 약물처방
또는 중단의 기준은 명확치 않으나, 일반적으로 말기 치매 환자가
삼킴장애가 있고 언어기능이 완전히 소실되었을 때 효과/부작용
을 따져 감량/중단을 고려할 수 있다. 약물 중단 후 초기에는 금단
증상(withdrawal symptom)이 있을 수 있다(표 2-9).

② NMDA 수용체 길항제

중등증-말기 치매 환자에서 NMDA 수용체 길항제를 단독 또는
병합요법으로 처방할 수 있다. 병합요법을 사용한 알츠하이머병 치
매 환자에서 아세틸콜린 분해효소 억제제 단독처방보다 장기적으

표 2-9 **인지개선을 목적으로 하는 치매약물들**

	Donepezil	Galantamine	Rivastigmine	Memantine
제형	5-23 mg/일	8-24 mg/일	5-15 mg 패치/일	5-10 mg bid (20 mg/일)
작용기전	Acetylcholinesterase Inhibitors (AChEI)	AChEI, Allosteric modulation (nReceptor)	Both AchEI & BchEI dual actions	NMDA receptor antagonist
부작용	구역, 구토, 설사, 어지럼증, 불면증, 악몽, 두통, 복통, 부정맥의 악화, 식욕저하, 체중감소	구역, 구토, 설사, 어지럼증, 두통, 피부발진/가려움증		변비, 어지럼증, 졸림, 두통
보험기준	MMSE 0-26 (< 20) & CDR 1-3 (2-3)/GDS 3-7 (4-7)	MMSE 10-26 & CDR 1-2/ GDS 3-5	MMSE 10-26 (0-26) & CDR 1-2 (3)/GDS 3-5 (7)	MMSE ≤ 20 CDR 2-3/ GDS 4-7
사용시기	All stage	Mild to moderate	All stage	Moderate to severe

로 인지기능에 효과 및 요양시설로의 입소를 늦추는 효과가 다수의 연구에서 보고되었으며 NMDA 수용체 길항제는 초조/공격성 (agitation/aggression) 감소에도 일부 효과를 보였다.

③ 신경행동장애 조절

신경행동장애를 조절하기 위해 항우울제(anti-depressant), 향정신성약물(antipsychotics), 신경안정제(benzodiazepine) 등 처방을 고려할 수 있다. 그러나 치매 환자에서 신경행동장애가 처음 나타났을 때에는 환경의 변화, 간병인의 갑작스러운 교체, 신체적인 불편감, 통증, 내과적 질환 등 유발요인이 없는지 먼저 살펴본 후에 환자가 느끼기에 편안한 환경으로 바꿔주려는 노력이 선행되어야 한다. 향정신성 약물이나 신경안정제를 처방할 때에는 치매 환자가 대부분 신장기능이 저하된 노인임을 고려하여 저용량부터 시작하

여 천천히 부작용 여부를 보면서 증량해야 한다. 또한 신경행동장
애가 사라졌다고 여겨지면 장기적으로 유지하기보다는 서서히 감
량을 고려해야 한다.

④ 생활습관 교정

치매 환자에서도 규칙적으로 뇌활동(일기쓰기, 배우기, 사회생활,
노인대학, 취미생활, 종교활동 등)을 할 수 있는 만큼 유지할 것을
권장하고, 주 150분(한 번에 30분 이상) 이상의 규칙적인 중등도
강도 이상의 운동을 권장한다. 또한 뇌기능에 도움이 되며 결핍
시 인지 저하를 악화시킬 수 있는 비타민 B군, 오메가 3가 풍부한
음식을 섭취하도록 영양 관리를 병행하는 것이 도움이 될 수 있
다. 금연, 금주 등 생활습관 교정이 도움이 된다.

⑤ 혈관성 위험인자의 조절

고혈압, 당뇨, 고지혈증 등 혈관성 위험인자를 진단받고 정상범위
내의 수치를 유지하도록 약제를 복용하도록 하는 것 또한 치매의
치료법으로 필수적인 부분이다. 치매 환자는 불편증상을 호소하거
나 스스로 건강상태를 확인하기 어려우므로 주기적으로 1−2년마
다 혈관성 위험인자를 잘 조절하고 있는지를 확인하기 위한 혈액
검사를 고려한다.

⑥ 근본적인 치료(아밀로이드 제거)

'Aducanumab'은 아밀로이드 베타에 대한 면역치료법으로 경도인
지장애 및 초기 치매환자를 대상으로 2021년 미국식약처 승인을
받았으나 제한점이 많아 국내 도입이 보류되었으며, 이 약물의 제
한점이었던 부작용과 미미한 인지개선효과를 보완한 면역치료법인
'lecanemab'을 비롯하여 '2세대 면역치료제'가 임상시험에서 유의
한 효과를 보여주고 있어 조만간 국내에서도 사용허가가 기대된

다. 그러나 고비용, 보험급여문제, 실질적인 치료효과, 주사제 투여법의 한계 등 해결되지 않은 제한점들이 있어 향후 정착되기까지 기다려볼 필요가 있다.

4 혈관인지장애 및 혈관치매

(1) 개론

혈관인지장애(vascular cognitive impairment)는 혈관질환과 관련된 인지장애를 통합하는 용어로, 기존 연구에서 전체 치매환자의 54%까지 혈관질환이 관여되었다고 보고된 바 있다. 혈관인지장애에는 많은 유형과 다양한 형태 및 병리학적 원인이 있고, 알츠하이머병 등 신경퇴행성 질환들과 동반된 경우도 있다고 알려져 있다. 혈관인지장애의 종류와 이차예방을 통해 진행을 막을 수 있는 치료법에 대하여 아는 것이 중요하겠다.

(2) 혈관인지장애 진단

여러 진단기준이 있으나 NINDS-AIREN (National Institute of Neurological Disorders and Stroke and the Association Internationale pour la Recherche et l'Enseignement en Neurosciences)가 널리 쓰인다(표 2-10).

표 2-10 NINDS-AIREN 진단기준

기준	내용
1. 치매	기억력과 여러 인지기능 저하로 일상수행능력에 지장을 초래
2. 뇌혈관질환 (다음 중 한 가지)	뇌혈관질환 기왕력
	신경학적 검사상 징후 보임(무증상도 있기에 뇌혈관질환 기왕력은 없을 수도 있다)
	뇌 CT/MRI로 뇌혈관질환 병변이 확인됨
3. 치매와 뇌혈관질환의 시간적 연관성	뇌졸중 발병 후 3개월 내에 치매가 생긴 경우
	갑작스러운 인지기능의 저하
	인지기능 저하에 변동을 보이고 계단식으로 떨어지는 진행경과

(3) 혈관인지장애 종류

① 급성뇌경색 치매(단일뇌경색 치매 및 다발뇌경색 치매)

단일뇌경색 치매는 한 번의 뇌졸중이 인지 저하와 관련된 영역에 와서 생기는 치매를 말하며, 다발뇌경색 치매는 뇌졸중이 반복해서 나타나면서 대뇌피질의 손상에 의한 인지기능장애가 축적되어 치매로 나타나는 경우를 말한다.

② 아급성피질하혈관치매

소혈관질환에 의해 발생하며 시간에 따른 증상의 변동이 심하고 계단식으로 점차 나빠지는 경과를 보이며, 전두엽/집행기능의 저하, 무관심, 우울감, 운동장애, 파킨슨증이나 거짓연수마비 등의 증상을 보인다. 열공뇌졸중, 빈스방거형 혈관치매, 카다실과 뇌아밀로이드혈관병 등이 속한다. 고령에서는 알츠하이머병과 동반되어 나타나는 경우가 많아 명확히 구분하기는 쉽지 않을 수 있다.

(4) 혈관인지장애의 치료

가장 우선적으로 예방이 중요하다. 혈관인지장애를 일으키는 위험인자는 아래 표 2-11과 같으며, 이 중 고혈압, 당뇨, 고지혈증, 심장질환, 흡연, 비만, 운동부족 등 교정이 가능한 위험인자는 적극적으로 교정해주는 것이 좋다. 다만 혈압이 높은 혈관성 치매 환자는 혈압을 급격히 떨어트리면 치매 증상이 악화될 수 있어 수개월에 걸쳐 서서히 저하시키는 것이 좋다. 원인이 뇌경색인 경우는 항혈소판제나 항응고제 등을 사용한다.

알츠하이머병에 사용하는 아세틸콜린에스테라아제억제제가 혈관치매 환자의 인지기능 개선에도 도움이 된다는 연구들이 있다. 피질하혈관치매에서는 아세틸콜린이 다른 대뇌피질로의 이동이 막혀서 부족하기도 하고 고령의 경우 알츠하이머병이 동반된 경우가 많다는 임상병리학적 연구가 근거인데, 아직 혈관인지장애의 각 아형에 대한 치료효과와 연구가

표 2-11	혈관인지장애 위험인자
1. 비가역성 위험인자	• 연령 증가 • 유전적 소인(예: cerebral autosomal dominant arteriopathy with subcortical infarcts and leukoencephalopathy, CADASIL) • 인종 및 지역학적 특성 • 뇌졸중 기왕력(과거에 발생) • 저학력 수준
2. 가역성 위험인자 교정 가능	• 고혈압, 당뇨, 고혈당, 고지혈증 • 심장질환(부정맥, 관상동맥질환) • 흡연, 비만, 운동부족

더 필요하다.

또한, 적지 않은 수의 혈관성 치매 환자들에서 우울증이 관찰되는데, 세로토닌 특이 재흡수억제제(serotonin specific reuptake inhibitor)인 서트랄린(sertraline)이나 시탈로프람(citalopram)을 사용한다. 삼환계항우울제(tricyclic anti-depressants)는 기립성 저혈압 같은 항콜린 효과 때문에 고령의 혈관성 치매 환자에서는 사용하지 않는 것이 좋다.

5 전두측두치매(frontotemporal dementia, FTD)

(1) 개요

전두측두치매는 전두엽과 측두엽의 퇴행성 변화가 두드러지는 임상 증후군을 일컫는 용어로 행동변이 및 이상행동, 언어장애 등의 임상양상을 특징으로 한다. 65세 이하의 젊은 연령에서 발병하는 치매에서 흔히 관찰되며 일부 운동신경원 질환을 동반하는 환자에서의 예후는 불량하다. 인지기능 중 기억력보다는 언어와 수행기능의 저하, 이상행동이 두드러지는 특징으로 인하여 발병 후 3-4년이 경과한 이후에 진단되는 경우가 많다. 알츠하이머병 치매에 비하여 환자의 이상행동 및 진단지연에 따른 보호자의 심적, 경제적 부담이 크기 때문에 초기에 정확한 진단을 시행하여 부적절한 치료를 막는 것이 중요하다.

(2) 임상적 특징

① 행동 변이형 전두측두치매(behavioral variant FTD)

초기부터 관찰되는 탈억제, 무관심, 공감능력 소실, 보속적이며 정형화된 강박 행동, 먹을 것에 대한 집착, 신경심리 검사상의 집행기능 이상소견이 특징적이다.

② 비유창/비문법 변이 원발진행실어증(nonfluent variant primary progressive aphasia)

문법 오류, 말을 할 때 힘들어하는 말 실행증과 함께 복잡한 문장에 대한 이해력 저하, 단일 단어에 대한 이해력 보존, 물체에 대한 지식 보존 등의 소견으로 진단할 수 있다.

③ 의미 변이 원발진행실어증(semantic variant primary progressive aphasia)

이름대기 장애, 단일 단어 이해력의 저하를 주된 증상으로 하며 상대적으로 사물에 대한 지식 손상, 표면 읽기 장애와 쓰기 장애, 따라말하기의 보존, 운동언어와 문법 보존의 양상이 관찰된다.

(3) 진단

① 임상양상

초기부터 성격장애 및 행동장애, 언어장애 소견이 관찰된다.

② 실험실검사

기본적인 혈액 및 소변검사를 통하여 인지 저하와 관련한 다른 질환의 감별을 시행할 수 있다. 전두측두치매에서 특징적인 혈액검사 소견이나 CSF 표지인자는 밝혀진 바 없다. 그러나 타우단백질 및 TPD-43 단백질과의 연관성에 대해 많은 연구들이 진행되고 있어 향후 수년 내에 생물 지표를 이용한 유용한 진단법이 상용화 될 것으로 기대되고 있다.

③ 신경심리검사

기억력 및 공간지각능력검사에서는 인지기능이 비교적 유지되나 집행기능의 저하가 두드러지는 양상으로 관찰된다.

④ 뇌영상

CT 혹은 MRI 상 전두엽 그리고/혹은 측두엽의 위축 소견이 양측 성 혹은 비대칭성으로 관찰됨을 확인할 수 있다. 아울러 FDG-PET 상에서는 전두엽과 측두엽전방부에서 대사 저하가 관찰되며 아밀로이드 PET으로 알츠하이머병을 감별할 수 있다.

⑤ 유전자검사

전두측두치매 환자의 30-50%에서 가족력을 보이며 현재까지 MAPT, GRN, C9ORF72, VCP, CHMP2B, TARDBP, FUS 등의 유전자 돌연변이가 확인된 바 있다.

(4) 치료

전두측두치매는 알츠하이머병 치매나 혈관성 치매와 달리 완치 혹은 질환의 진행을 늦출 수 있는 약물은 없다. 다만 이상행동 증상의 조절을 위하여 SSRI(선택적 세로토닌재흡수억제제)나 SNRI(선택적 세로토닌-노르에피네프린재흡수억제제) 등을 사용해 볼 수 있으며 언어개입 치료 를 시행해 볼 수 있다. 아세틸콜린에스테라제억제제는 질환의 특성상 콜 린의 결핍과 무관하여 약물 효과를 기대하기 어렵고 전두측두치매의의 이상행동 증상을 악화시킨다는 보고도 있다. 메만틴은 신경흥분성을 차 단하고 신경보호작용이 있어 일부에서 사용해 볼 수 있으나 이중맹검 임상연구를 통해 유용성은 입증되지 않았다.

6 루이소체치매

(1) 개요

알츠하이머병 다음으로 흔한 퇴행성 치매로 전체 치매 환자의 30%가량을 차지한다. 치매, 파킨슨 증상과 함께 병리학적으로 루이소체가 관찰되는 것을 특징으로 하며 항정신병 약물에 대한 민감성이 있으나 인지약물 치료에 대한 반응이 좋으므로 정확한 진단을 통해 예후를 향상시킬 수 있다.

(2) 임상적 특징

인지기능 저하 및 일상생활상의 저하 소견과 함께 인지기능의 변동성, 환시, REM 수면장애, 파킨슨증 등을 특징적으로 보인다. 특히 인지저하의 경우 초기에 집중력과 집행기능, 시지각능력 저하가 두드러지게 관찰되다가 병이 진행되면서 기억장애가 동반되는 경우가 많다. 추가적으로 항정신병약물에 대한 감수성, 자율신경계이상, 낙상과 실신의 반복, 의식 소실, 과다수면, 환시 이외의 환각, 망상, 무감동 등의 증상이 관찰된다.

(3) 진단(표 2-12)

표 2-12 루이소체치매의 진단 기준

필수 기준	• 인지기능의 저하 • 초기부터 관찰되는 집중력, 집행기능, 시지각능력의 저하 • 질환의 진행에 따라 현저히 관찰되는 기억 저하
핵심 임상증상	• 인지기능의 변동성: 집중력, 각성 상태 • 반복적인 환시 • REM 수면장애: 다른 증상보다 선행할 수 있다. • 파킨슨 증상: 서동증, 안정 시 진전, 강직 중 1개 이상

(계속)

Chapter 02

지지 임상특징	• 항정신병약물에 대한 민감성
	• 자세불안정성 및 잦은 낙상
	• 실신 혹은 일시적 무반응
	• 자율신경계이상: 변비, 기립성 저혈압, 요실금
	• 과다수면, 과도한 주간수면
	• 후각 저하
	• 환시 이외의 환각
	• 체계화된 망상
	• 무감동, 불안, 우울
직접적 생물 표지자	• SPECT, PET 상의 바닥핵 도파민 운반체 섭취 감소
	• Iodine 123-MIBG 심근섬광조영에서 관찰되는 비정상적으로 낮은 심근 섭취
	• 수면다원검사상 무긴장증이 없는 REM 수면
지지적 생물 표지자	• CT/MRI 상 내측두엽의 상대적 보존 상태
	• SPECT/PET 관류/대사검사상의 낮은 섭취와 후두엽 활성화 저하 그리고/혹은 FDG-PET 검사상의 대상이랑 섬징후
	• 뇌파검사상 후두부의 서파와 전-알파/세타 영역의 주기적인 변동성

- 추정 루이소체치매: 두 개 이상의 핵심 임상증상 혹은 한 개의 핵심 임상증상과 한 개 이상의 직접적 생물 표지자
- 가능 루이소체치매: 직접적 생물 표지자가 없는 한 개의 핵심 임상증상, 혹은 핵심 임상증상이 없는 한 개 이상의 직접적 생물 표지자

(4) 치료

콜린에스테라제억제제인 rivastigmine, donepezil 등의 사용은 인지기능의 개선뿐 아니라 일상생활기능의 호전을 기대해 볼 수 있으며 무감동과 주의력 저하의 감소, 환시와 망상의 호전, 진행속도의 억제에도 효과적이다. 파킨슨병에 비하여 파킨슨증에 대한 약물 효과는 떨어지나 레보도파를 소량 사용하는 것이 운동증상 개선에 도움이 될 수 있다. 항정신병약물의 경우 망상이나 환시의 조절 목적으로 사용해 볼 수 있으나 과민반응을 일으킬 수 있어 환자의 상태를 관찰하며 제한적으로 사용해 볼 수 있으며 우울증상과 관련하여 SSRI, SNRI를 선택적으로 사용해 볼 수 있다. REM 수면장애에 대한 조정을 위하여 melatonin, clonazepam, quetiapine 등이 사용된다.

2 가역적 치매

표현 그대로 완전히 가역적인 병인은 많지 않지만, 이에 해당하는 환자들은 극적인 호전을 보이기도 한다. 증상의 소실까지는 아니어도, 적절한 치료를 통하여 병의 진행이 멈추거나, 인지기능이 호전되는 것은 환자의 삶의 질에 큰 영향을 주기 때문에 가역적인 원인에 대한 파악은 매우 중요하다.

1 평가

우선 기억 저하에 대하여 앞서 언급한 감별진단을 위한 공통검사를 시행하면서 가역적 치매를 의심할 수 있는 비전형적인 병력, 신경학적 진찰 소견이 있는지 확인해야 한다. 가역적 치매를 시사하는 비전형적인 소견은 다음과 같다(표 2-13).

표 2-13 가역적 치매를 시사하는 비전형적인 소견
1. 급속으로 진행되는 설명되지 않는 인지 저하
2. 증상 발생 당시 나이가 예상보다 젊은 경우
3. 증상의 변동이 두드러지는 경우
4. 인지 저하를 유발할 수 있는 물질에 노출되었을 가능성이 높은 경우   (예: 항콜린성 약물, 마약, 독성물질, 음주)
5. 인지 저하를 유발할 수 있는 위험이 큰 행위를 한 경우   (예: 무분별한 성관계, 주사약물 사용, 성매개감염병 환자, 면역저하자)
6. 신경학적 진찰에서 이상소견을 보일 때
7. 병력 문진 등을 통하여 예상한 인지상태와 인지검사 결과가 상이할 때

2 가역적인 원인(Reversible causes)

흔한 가역적 치매의 원인에 대해서는 'DEMENTIA'를 기억하면 연상하기 쉽다(표 2-14).

표 2-14 **가역적 치매의 원인**
Drugs with anticholinergic activity
Emotional: depression
Metabolic or endocrine
Eyes and ears declining, Epilepsy
Normal pressure hydrocephalus
Tumor or other space-occupying lesion, Trauma (subdural hematoma)
Infection (syphilis, AIDS)
Anemia (vitamin B12 or folate deficiency), Alcohol

3 급속진행치매(Rapidly progressive dementia)

1 개념

'급속'이라는 말의 모호함이 있으나, 통상적으로는 질병 관련 첫 증상이 나타난 시기부터 치매증후군의 증상을 나타내기까지 1년 혹은 2년 미만일 때를 지칭하며 일반적으로는 수주-수개월에 걸쳐 진행하는 양상을 보인다. 또한 가역적 치매의 상당수가 급속진행치매로 발현될 수 있다.

2 병인(Etiologies)

크게는 세 가지로 나눌 수 있다. 첫 번째는 비교적 짧은 시간 동안 심한 신경학적 손상을 유발하는 일차급속질환이다. 예를 들면 프리온병, 뇌염 등이 있다. 두 번째로는 상대적으로 천천히 진행되는 질환을 가진 상태에서 합병증이나 중추신경계의 병리 변화가 수반되는 것이다. 이를테면 알츠하이머병 환자에게서 뇌혈관질환, 경련 혹은 루이소체 병리가 동반되는 사례이다. 세 번째로는 중추신경계와 관련은 없지만 그 중등도가 심한 경우이다. 예를 들면 종양 말기의 환자를 생각해볼 수 있다.

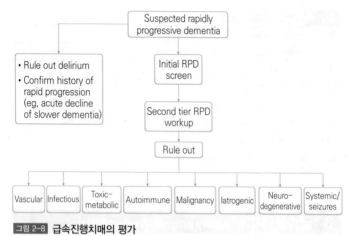

그림 2-8 급속진행치매의 평가

(Geschwind et al. Continuum: Lifelong Learning in Neurology, 2016)

보다 세분화하면 'VITAMINS'라는 용어를 통해 기억하기 용이하다(그림 2-8, 표 2-15).

초기 평가는 총론에서 감별진단을 위한 검사에서 언급한 바와 같이 검사실검사, 영상검사, 뇌척수액검사, 뇌파검사로 이루어지며, 검사 결과에 따라 의심되는 질환에 대한 추가검사를 시행한다.

3 주요 질환

(1) 프리온병(prion disease)

프리온병은 전염성 해면양뇌병증(transmissible spongiform encephalopathies, TSEs)이다. 뇌가 광범위하게 파괴되어 스폰지처럼 구멍이 뚫리는 뇌질환으로 뇌조직의 해면양(spongiform) 변화를 특징으로 하며 비정상 프리온단백과 정상 프리온단백이 결합하면, 정상 프리온단백을 변형시키는 전파성(transmissible)을 가진다. 변형된 프리온단백은 신경세

표 2-15 병인에 따른 급속진행치매의 분류 및 예시

Vascular	• Recurrent strokes, Subdural hematoma, Cerebral venous thrombosis, Cerebral amyloid angiopathy, Posterior reversible encephalopathy syndrome, Central nervous system vasculitis, Hereditary (CADASIL, MELAS)
Infectious	• Viral encephalitis (including herpes simplex virus, cytomegalovirus, EBV) • Bacterial encephalitis/meningitis, Fungal encephalitis/meningitis, • HIV-associated neurologic decline, • Progressive multifocal leukocenphalopathy (JC virus)
Toxic-metabolic	• Electrolyte disturbances, Hepatic encephalopathy, Uremic encephalopathy, • Nutritional/vitamin deficiencies, Metal toxicity, Endocrine abnormalities,
Autoimmune	• Autoimmune encephalitis, Multiple sclerosis, granulomatous disease, • Anti-MOG syndrome, Systemic inflammatory disease (CNS lupus, Sjögren syndrome, Behçet disease)
Malignancy	• Secondary CNS metastases (commonly lung, breast, renal, thyroid) • Primary CNS tumors, Lymphoma, Paraneoplastic encephalitis
Iatrogenic	• Medication overuse, Traumatic brain injury, Extrapontine myelinolysis, • Radiation-induced leukoencephalopathy
Neurodegenerative	• Prion disease, Alzheimer disease, Frontotemporal lobar degeneration, Lewy body disease, Huntington disease
Systemic/seizures/structural	• Nonconvulsive status epilepticus, Hypoxia/Hypercarbia, • Hydrocephalus (normal or high pressure)

CADASIL, cerebral autosomal dominant arteriopathy with subcortical infarcts and leukoencephalopathy; MELAS, mitochondrial encephalomyopathy, lactic acidosis, and strokelike episodes syndrome; MOG, myelin oligodendrocyte glycoprotein.

포의 기능이상 및 사멸을 초래하는 것으로 알려져 있으며, 쉽게 파괴되
거나 분해되지 않고 특수 소독 및 멸균이 필요하다.

① 발병기전

프리온단백은 20번 염색체에 있는 유전자(PRNP gene)에서 생성되
며, 정상 프리온단백(PrP)은 단백분해효소에 의해 절단되어 질병
을 일으키지 않는다. 그러나 변형 프리온단백 PrPSc은 단백분해효
소에 의해 분해되지 않으며, 정상 프리온단백에 결합하여 변형 프
리온으로 변성시키고, 이들이 점차 얽혀 불용성인 피브릴(fibril)을
형성하여 신경세포의 세포사멸(apoptosis)을 유도한다.

② 분류

사람에게 발생하는 프리온병은 대표적으로 크로이츠펠트-야콥병
(Creutzfeldt-Jakob disease, CJD)이 있으며 네 가지 형태로 발병한
다(표 2-16).

표 2-16 크로이츠펠트야콥병의 분류 및 임상양상	
산발 크로이츠펠트야콥병 (Sporadic CJD, sCJD)	• CJD의 약 85%를 차지하며 대부분 60-70세에 발병한다. • 첫 증상으로는 아급성진행성 치매(약 40%에서 나타남, 기억력 저하, 실어증, 전두엽/집행기능 저하 순으로 흔하다), 소뇌 증상(약 20%, 보행장애, 실조증), 전신증상(어지럼증, 피로) 및 행동심리 증상(불안, 우울)이 있다. • 질병 초기에 신경계 증상이 잘 동반되며, 시각장애, 소뇌기능장애, 감각장애, 운동장애 등이 있다. • 발병부터 사망까지 평균적으로 약 8개월의 기간을 가진다.
변종 크로이츠펠트야콥병 (Variant CJD, vCJD)	• 20-30세에 호발하는 것으로 알려져 있다. • 첫 증상으로 주로 우울증, 불안감, 초조감, 공격적 성향, 무감동증 등과 같이 정신 증상이 나타나 6개월 정도 지속 후 신경학적 이상이 발생한다. • MRI T2 강조영상에서 양측 시상베개에 고신호강도(pulvinar sign)를 보이는 것이 특징적이다. • 팔, 다리의 감각이상 및 통증, 이상운동증(운동실조증, 근간대경련, 무도증, 근긴장이상)이 대표적이다. • 발병부터 사망까지 평균 14개월 정도 소요된다.

(계속)

가족 크로이츠펠트야콥병 (Familial CJD, fCJD)	• 상염색체 우성으로 유전되며, PRNP 유전자의 변이로 인해 발생한다. • 산발성에 비해 발병 연령이 빠르고 병의 진행기간이 더 길다.
의인 크로이츠펠트야콥병 (Iatrogenic CJD, iCJD)	• 수술도구 및 장기이식 과정에서 변형 프리온단백이 옮겨져 병이 인위적으로 발생한 경우이다.

③ 진단기준(표 2-17)

표 2-17 질병관리청 2020년도 크로이츠펠트-야콥병 관리지침

산발 크로이츠펠트야콥병(sCJD)

환자(Definite)	의사환자	
	추정환자(Probable)	의심환자(Possible)
진행성 신경학적 증상이 있으면서 신경병리학적 또는 면역세포학적 또는 생화학적으로 CJD에 합당한 소견을 보이는 사람	다음 중 한 가지에 해당하는 사람 ① [기준1]의 Ⅰ, Ⅱ, Ⅲ를 만족 ② [기준1]의 Ⅰ, Ⅱ, Ⅳ를 만족 ③ 기준 Ⅰ, Ⅱ를 만족하며 뇌척수액에서 14-3-3 단백질이 검출된 사람 ④ 진행성 신경학적 증상이 있으면서 뇌척수액 또는 다른 조직 등에서 RT-QuIC 양성인 사람	[기준1]의 Ⅰ, Ⅱ를 만족하면서 이환기간이 2년 이내인 사람

[기준1] 산발성 크로이츠펠트-야콥병 기준

Ⅰ. 급속히 진행하는 치매(인지장애)

Ⅱ. 다음 소견 중 두 가지 이상

A. 간대성 근경련

B. 시각 또는 소뇌기능장애

C. 추체로 또는 추체외로기능장애

D. 무동성 무언증(Akinetic mutism)

Ⅲ. 전형적인 뇌파검사 소견(Periodic sharp wave complexes)

Ⅳ. 뇌자기공명영상(magnetic resonance imaging, MRI)의 미상핵(caudate nucleus) 또는 피각(putamen)에 고신호 강도가 있거나 또는 확산강조영상(diffusion- weight imaging, DWI) 혹은 액체감쇄역전회복(fluid attenuated inversion recovery, FLAIR)에서 적어도 두 개의 피질(temporal, parietal, occipital)에서 고신호 강도가 있는 경우

④ 치료

현재까지 이 병에 대한 치료법은 없으며, 동반 증상에 대한 조절 정도가 가능하다.

(2) 자가면역질환

급속진행치매에서 프리온병을 제외한 나머지 병인 중 상당부분을 차지한다. 비교적 젊은 환자들에게서 나타나며, 신경세포구조의 일부를 항원결정인자(epitope)으로 인식하는 항체가 신경세포에 결합함으로써 뇌기능의 저하를 유발된다. 변연뇌병증(limbic encephalitis)의 형태로 증상이 많이 나타나며, 불안, 우울감, 수면장애, 정신증 등 정신과적 증상이 발생하고 나서 아급성으로 기억장애, 경련 등의 신경학적 증상이 나타나는 경우가 많다.

혈액검사, 뇌척수액검사 등에서 원인이 되는 항체가 확인되면 진단하며, 치료에 대한 예후는 좋은 편이다. 대표적인 원인항체로는 항 Hu, 항 Yo 등 부종양증후군 관련 항체 및 항 NMSDA 수용체, 항 LGI1 항체 등이 있다.

4 일과성 완전기억상실증

일과성 완전기억상실은 최대 24시간 지속되는, 전향성 기억상실이 갑자기 발생하여 반복적인 질문을 동반하고, 때때로 역행성 기억상실을 동반하지만 다른 신경학적 기능 손상이 없는 임상증후군이다. 절차 기억을 포함한 다른 신경기능이 보존되어 운전, 자전거타기 등 이전에 학습된 활동을 수행하는 데 문제가 없다.

때때로 발살바수기와 관련된 활동이나 정서적 스트레스, 수영 등의 수중 활동, 성행위나 통증과 같은 선행요인이 존재한다. 주로 50-70세의 환자에게서 발생하고, 환자는 새로운 정보를 입력할 수 없어 같은 질문을 반복한다. 약간의 어지럼이나 두통 등은 동반될 수 있지만 의식 저하, 국소 신경학적 결핍 소견 등이 있다면 뇌전증이나 뇌졸중 등의 다른 진단을 배제할 필요가 있다. 이 외에도 해리성 기억상실, 약물부작용, 저혈당 등의 대사장애 등도 감별진단 중 하나이다. 추가검사는 이러한 감별진단을 배제하기 위해 시행된다. 뇌영상검사는 대개 정상이지만, 특히 48시간 내 시행된 확산강조영상(Diffusion-weighted Images, DWI) MRI에서는 한쪽 또는 양쪽 해마에 국한된 소견이 관찰될 수 있고 이는 T2 강조 또는 FLAIR 영상에서도 보일 수 있다. 그러나 이러한 소견 또한 가역적일 수 있다. Caplan과 Hodges 등에 의해 제시된 진단기준은 표 2-18과 같다.

표 2-18	일과성 완전기억상실의 진단기준(Lancet, 2010)
1. 관찰자에 의해 목격된 명백한 전향성 기억상실(anterograde amnesia)이 존재한다.	
2. 의식 저하가 존재하거나 기억 외 다른 인지기능에는 이상이 없다.	
3. 국소신경학적 증상 및 뇌전증의 징후가 없다.	
4. 최근 두부외상이나 발작 기왕력이 없다.	
5. 증상은 24시간 내 소실된다.	
6. 증상기간 동안 경미한 두통이나 어지럼, 구역 등이 관찰될 수 있다.	

일과성 완전기억상실은 특별한 치료를 필요로 하지 않는다. 증상은 24시간 내 자연적으로 소실되며 다른 진단이 의심되는 경우 추가검사 및 해당 진단에 따른 치료를 고려한다. 일과성 완전기억상실의 재발률은 낮은 편이며, 연구마다 상이하지만 8-18%까지 보고되었다. 또한 뇌졸중 및 발작의 위험, 인지장애의 측면에서 장기적인 위험이 더 높지 않다고 알려져 있다.

5 치료

1 인지기능개선제

알츠하이머치매에 사용하는 인지기능개선제에는 아세틸콜린에스테라아제억제제(ChE 억제제) 및 NMDA 수용체차단제 등이 있다. 사용 가능한 ChE 억제제는 donepezil, rivastigmine, galantamine이 있고, 각 약제 간 다소의 차이가 있지만 대부분 비슷한 약효를 보인다. 한 가지 ChE 억제제를 사용하였을 때 효과가 없다고 생각되면 약을 증량하거나, 다른 ChEI로 교체 투여하거나, NMDA 수용체차단제인 memantine을 추가할 수 있다. 치료 시작 후 3개월째 시행한 MMSE가 악화되면 치료의 반응이 없다고 생각할 수 있다.

ChE 억제제의 공통적인 부작용은 오심, 구토, 설사, 식욕감퇴 등의 위장장애이며 이 외에도 어지럼, 수면장애, 근경련(cramp) 등이 있다. 드물지만 심혈관계 부작용으로 QT 간격 증가 및 실신을 동반하는 서맥이 발생할 수 있다. 심혈관계 부작용을 예방하기 위해 투여 전후 심전도를 촬영하여 QT 간격 증가 및 서맥 발생 여부를 확인한다. 부작용은 약을 처음 시작하거나 증량 시 일시적으로 발생하는 경우가 많고 수일 후 감소하는 추세지만 내약성이 매우 낮다면 다른 ChE 억제제로 교체하는 것을 고려할 수 있다. 교체 시에는 약 3-5일 이상의 휴약기간을 두고 교체 시기에 두 가지 약제가 작용하는 것을 피한다.

(1) Donepezil은 5 mg으로 시작하여 4주 후 10 mg으로 증량할 수 있으며, 치매의 중증도에 따라 23 mg까지 증량할 수 있다. 대개의 부작용은 처음 수일간 관찰되다가 점차 호전될 수 있어 투여 전 이에 대해 알리고 필요 시 항구토제를 소량 처방하는 것도 도움이 된다. 오심 등의 위장관계 증상이나 수면장애 등의 부작용을 고려하여 아침 또는 저녁에 한 번 투여한다. 본래 위장관계질환이 있거나 저체중, 고

령 등의 부작용이 우려되는 상황이라면 기존 제안된 시작용량보다 낮은 2.5 mg으로 시작하는 것도 하나의 방법이다. 23 mg까지 증량 시에는 10 mg에서 15 mg를 거쳐 증량하는 것이 부작용을 줄일 수 있다. 알츠하이머치매 외에도 루이소체치매에서도 인지기능, 환시 등에 효과가 있다.

Donepezil은 최근 패치형 제제가 개발되었으며, 87.5 mg/patch, 175 mg/patch의 크기로 각각 5 mg, 10 mg 용량의 경구용 donepezil에 해당하는 용량이다. 주 2회 부착하며, 순응도를 높이기 위해 특정 요일(월/목 또는 화/금)에 부착하는 것이 좋다. 기존에 알려진 부작용 외에, 패치형의 특성상 부착부위의 발적, 가려움 및 기타 국소피부증상이 나타날 수 있어 이에 대한 주의가 함께 필요하다.

(2) Rivastigmine은 아세틸콜린에스테라아제뿐만 아니라 부티릴콜린에스테라아제를 모두 억제하는 효과가 있다. 경구약은 하루 두 번 복용하며, 1.5 mg bid에서 시작하여 환자의 반응과 부작용을 고려하여 6 mg bid까지 증량할 수 있다. 패치 형태는 하루 한 번 교체하여 사용하는데, 전날 붙였던 패치를 떼어내고 다른 자리에 부착한다. 패치형 제제는 경구형태에 비해 위장관계 부작용이 더 적게 나타나지만, 부착부위에 가려움이나 발적, 통증 등의 피부 부작용이 나타날 수 있다. 로션이나 필요 시 소량의 연고를 통해 증상을 개선시킬 수 있지만 부작용이 심한 경우에는 부착을 중단하고 다른 약제를 고려한다. 첫 4주간은 하루에 9 mg/patch를 붙이고, 부작용이 없는 경우 18 mg/patch, 27 mg/patch까지 증량할 수 있다. 본래 부착부위는 앞가슴이나 상완 등이지만 부작용을 줄이기 위해 흡수량이 다소 적은 허벅지에 먼저 부착해 보고 이상이 없는 경우 본래 부착부위로 옮겨 사용해 볼 수 있다.

(3) Galantamine은 아세틸콜린에스터라아제 억제 외에도 시냅스전 니코틴수용체를 함께 자극한다. 서방형 캡슐을 사용하는 경우 하루 한 번 복용하며, 8 mg부터 시작하여 4주 후 16 mg로 증량하고 환자의 반응과 부작용을 고려하여 24 mg까지 사용할 수 있다.

(4) NMDA 수용체차단제인 memantine은 어지럼, 환각 및 두통이 나타날 수 있으나 ChE 억제제에 비해 부작용이 적은 편이다. 반감기가 길어 하루 한 번 투약할 수 있고, 치매의 중증도가 높아 알약 복용이 어려운 경우에는 물약 형태로 투약할 수 있다. 하루 5 mg으로 시작하여 1–2주 간격으로 5 mg씩 증량하여 최대 20 mg으로 사용하고, 환자의 상태에 따라 더 천천히 증량할 수 있다. 신장기능이 매우 낮은 경우(CrCl 5–29 ml/min) 5 mg bid까지만 사용한다.

국내에서 사용하는 인지기능개선제의 보험기준 표 2–19 및 그림 2–9와 같다. 심사평가원에서는 6개월에서 1년 사이 MMSE와 CDR 또는 GDS 검사를 추적하도록 의무화하고 있다. MMSE 점수 항목과 CDR 또는 GDS 항목을 만족해야 한다.

표 2–19 인지기능개선제 보험기준

종류	MMSE	CDR	GDS
Donepezil 5, 10 mg	26 이하	1–3	3–7
Donepezil 23 mg	20 이하	2–3	4–7
Rivastigmine(경구)	10–26	1–2	3–5
Rivastigmine (patch)	26 이하	1–3	3–7
Galantamine	10–26	1–2	3–5
Memantine	20 이하	2–3	4–7

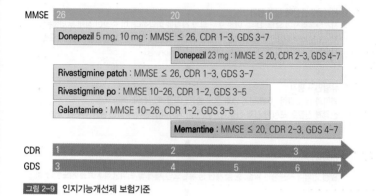

그림 2-9 인지기능개선제 보험기준

2 신경행동조절약물

치매에서 동반되는 신경행동증상은 행동증상(behavioural symptoms)과 심리증상(psychological symptoms)으로 나누어 생각해 볼 수 있다. 이는 직접 환자를 관찰하며, 또는 환자와 보호자와의 면담을 통해 파악할 수 있다. 주요 신경행동증상으로는 공격행동, 우울감, 무감동, 초조, 망상과 환각 등의 정신병증상(psychosis) 등이 있으며, 이러한 증상이 나타났다면 적절히 평가하고 치료 계획을 수립한다(그림 2-10). 이때 흔히 사용하는 약물과 부작용은 아래 표와 같다(표 2-20).

1. 신경행동증상에 대한 평가

신경행동증상의 유무, 내용, 변화 또는 유발 상황을 파악한다. 이 증상이 실제 문제행동인지, 그 문제행동이 안전을 위협할 수 있는 상황이 있는지 파악한다. 신경행동증상척도를 사용하면 편리하다(예: Neuropsychiatric inventory 등).

2. 유발인자 평가

병력과 복용 약물, 주변 환경 변화 등의 환경인자를 확인한다.
신경계 진찰을 포함한 신체 진찰, 신체질환의 악화나 표현하지 못한 통증 여부가 있는지 확인한다.

3. 비약물적 치료

환경 변화나 복용중인 약물, 통증 개선 등 유발요인 제거 및 비약물적 치료를 시도한다.

4. 약물치료 및 모니터링

비약물적 치료 및 유발인자 조절로 증상이 개선되지 않았다면 약물치료를 최소한으로 시도한다.
1) 치료하고자 하는 특정 증상을 고려하여 약물을 선택한다.
2) 기존 초기 용량의 1/3-1/2 용량으로 시작, 소량씩 증량하며 부작용 여부를 확인한다.
3) 장기간 처방을 피하며, 대상 증상이 개선된 이후 약제의 감량 및 중단을 계획한다.

그림 2-10 신경행동증상의 평가 및 치료 계획 수립

표 2-20 **신경행동증상에 흔히 사용하는 약물과 부작용**

항정신병약제	목표증상	부작용
	망상, 환각 등 정신병적 증상, 심각한 초조와 공격성, 심한 수면장애와 섬망 등	추체외로 증상(강직, 서동증, 떨림), 낙상, 불안, 졸음, 체중증가, 혈당조절 악화, 변비, 시야흐림, 입마름, 체위성 저혈압, 녹내장 악화, 무과립구증(클로자핀)
종류	**시작용량(mg)**	**사용범위(mg)**
Risperidone	0.25-0.5	0.25-3
Olanzapine	2.5	2.5-7.5
Quetiapine	12.5-25	25-100
Clozapine	6.25-12.5	12.5-100
Aripiprazole	2.5	2.5-5
항우울제	**목표증상**	**부작용**
	우울증, 불안, 망상과 관련 없는 단순 초조행동, 수면장애	졸림, 입마름, 배뇨곤란, 오심/구토, 수면장애, 저나트륨혈증, 불안, 초조, 두통, 좁은앞각녹내장 악화
종류	**시작용량(mg)**	**사용범위(mg)**
Nortriptyline	10-20	10-50
Trazodone	12.5-25	25-200
Fluoxetine	10	10-40
Sertraline	25	50-200
Paroxetine	10	10-40
Venlafaxine	12.5	200
Mirtazapine	7.5	15-30
항불안제	**목표증상**	**부작용**
	불안, 비공격성 초조행동, 수면장애	진정, 착란, 운동실조, 탈억제, 인지장애
종류	**시작용량**	**사용범위**
Alprazolam	0.25	0.25-2
Clonazepam	0.125	0.25-2
Lorazepam	0.5	0.5-4

REFERENCE

- 대한신경과학회. 신경학. 제3판. 범문에듀케이션; 2017.
- 대한치매학회 신경행동연구회. 치매의 신경행동증상. 대한의학; 2017.
- 대한치매학회. 치매 임상적 접근. 제3판, 대한의학; 2020.
- Arena JE, Rabinstein AA. Transient global amnesia. Mayo Clin Proc 2015;90:264-72.
- Bartsch T, Deuschl G. Transient global amnesia: functional anatomy and clinical implications. Lancet Neurol 2010;9:205-14.
- Graff-Radford J. Vascular cognitive impairment. Continuum (Minneap Minn) 2019;25:147-64.
- Guermazi A, Miaux Y, Rovira-Caellas A, et al. Neuroradiological findings in vascular dementia. Neuroradiology 2007;49:1-22.
- Hong YJ, Lee JH. Subjective cognitive decline and Alzheimer's disease spectrum disorder. Dement Neurocogn Disord 2017;16:40-7.
- Jack CR Jr, Bennett DA, Blennow K, et al. NIA-AA research framework: toward a biological definition of Alzheimer's disease. Alzheimers Dement 2018;14:535-62.
- Jack CR Jr, Bennett DA, Blennow K, et al. NIA-AA Research Framework: Toward a biological definition of Alzheimer's disease. Alzheimers Dement. 2018;14(4):535-562.
- Jack Jr CR, Bennett DA, Blennow K, et al. A/T/N: an unbiased descriptive classification scheme for Alzheimer disease biomarkers. Neurology 2016;87:539-47.
- Jack Jr CR, Bennett DA, Blennow K, et al. NIA-AA research framework: toward a biological definition of Alzheimer's disease. Alzheimers Dement 2018;14:535-62.
- Jack Jr CR, Knopman DS, Jagust WJ, et al. Tracking pathophysiological processes in Alzheimer's disease: an updated hypothetical model of dynamic biomarkers. Lancet Neurol 2013;12:207-16.
- Jeong Y, Kang SJ, Na DL. Vascular dementia. Ann Rehabil Med 2002;26:639-46.
- Jessen F, Amariglio RE, van Boxtel M, et al. A conceptual framework for research on subjective cognitive decline in preclinical Alzheimer's disease. Alzheimers Dement 2014;10:844-52.
- Kato T, Inui Y, Nakamura A, et al. Brain fluorodeoxyglucose (FDG) PET in

dementia. Ageing Res Rev. 2016;30:73-84.

- Knopman DS, DeKosky ST, Cummings JL, et al. Practice parameter: diagnosis of dementia (an evidence-based review). Report of the Quality Standards Subcommittee of the American Academy of Neurology. Neurology. 2001;56(9):1143-53.

- Lee JH. Treatment of vascular dementia: a comprehensive review. J Korean Neurol Assoc 2003;21:445-54.

- Lee JS, Kim GH, Kim HJ, et al. Clinical practice guideline for dementia (diagnosis and evaluation): 2021 revised edition. Dement Neurocogn Disord 2022;21:42-4.

- McDade EM. Alzheimer disease. Continuum (Minneap Minn) 2022;28:648-75.

- Petersen RC, Lopez O, Armstrong MJ, et al. Practice guideline update summary: mild cognitive impairment: report of the guideline development, dissemination, and implementation subcommittee of the American Academy of Neurology. Neurology 2018;90:126-35.

- Petersen RC. Mild cognitive impairment as a diagnostic entity. J Intern Med 2004;256:183-94.

- Petersen RC. Mild Cognitive Impairment. Continuum (Minneap Minn). 2016;22:404-18.

- Reisberg B, Ferris SH, de Leon MJ, et al. The global deterioration scale for assessment of primary degenerative dementia. Am J Psychiatry 1982;139:1136-9.

- Rollin-Sillaire A, Bombois S, Deramecourt V, et al. Contribution of single photon emission computed tomography to the differential diagnosis of dementia in a memory clinic. J Alzheimers Dis. 2012;30(4):833-45.

- Sperling RA, Aisen PS, Beckett LA, et al. Toward defining the preclinical stages of Alzheimer's disease: recommendations from the National Institute on Aging-Alzheimer's Association workgroups on diagnostic guidelines for Alzheimer's disease. Alzheimers Dement 2011;7:280-92.

CHAPTER 03 뇌전증

임성철, 김성훈

1 뇌전증의 역학 및 자연경과 (Epidemiology and natural history of epilepsy)

1 발생률과 유병률(Incidence & prevalence)

(1) 뇌전증의 발생률

연간 100,000명당 50–70명이다. 연령에 따른 발생률은 신생아기에서 가장 높고, 65–70세 이후 노인에서 급증하는 U자 곡선을 나타낸다. 노년의 뇌전증은 치매, 뇌졸중 다음 세 번째로 흔한 신경계질환이며 노년 뇌전증의 가장 흔한 원인은 뇌졸중이다.

(2) 뇌전증의 유병률

일반인의 3%가 일생에 1회 이상 발작을 하며, 이러한 사람 중 1/20 정도가 뇌전증으로 발전할 것으로 추정된다. 유병률은 1,000명당 4–10명 이며 소아에서 높고, 초기 성인에서 가장 낮다가 65세 이후 급증한다.

2 예후와 사망률(Prognosis & mortality)

(1) 예후

뇌전증의 평균 유병기간은 10년이며, 환자의 50% 이상은 2년 미만이지만 20-30%는 뇌전증이 평생 지속된다. 발작의 발생빈도는 1/3은 일년에 1회 미만, 1/3은 일년에 12회 미만, 1/3은 한 달에 1회 이상이다. 뇌전증 환자의 60%는 인지기능, 신경계 및 행동이상을 동반하고 있어 뇌전증을 단일질환보다는 동반 질병이 있는 복합장애로 보고 있다.

첫 번째 발작 후 두 번째 발작은 20-80%의 환자에서 3-5년 내에 나타난다. 첫 발작 후 시간이 경과함에 따라 재발가능성은 점차 감소하는데, 첫 발작 후 1년 내에 12%의 환자가 재발하고 특히 첫 6개월 내에 가장 많이 발생한다.

진단을 받고 5년 내에 70%의 환자가 장기완화(long-term remission) 상태가 되지만 2-5년간 뇌전증 발작이 없었던 환자의 20%에서는 다시 뇌전증 발작이 발생한다.

완화 후 첫 2년까지 재발률은 항뇌전증약을 계속 치료한 경우 22%지만 항뇌전증약을 서서히 중단한 경우에는 41%였다.

약물 중단 후 재발위험인자는 완화 전의 발작 간, 뇌전증 발작유형이 다양할 경우, 뇌의 구조적 이상 동반, 신경학적 검사상 이상 소견 동반, 과거 완화 후 재발 병력, 청소년근간대뇌전증(juvenile myoclonic epilepsy, JME) 등이다. 또한 비정상뇌파를 보인 경우는 정상뇌파를 보인 환자보다 재발률이 1.45배 높았다.

(2) 사망률

뇌전증 환자의 사망률은 일반인보다 2-3배 높다. 뇌전증 관련 사망의 원인에는 뇌전증지속상태, 뇌전증발작, 발작으로 인한 사고(익사, 뇌출혈), 원인불명의 돌연사(sudden unexpected death in epilepsy, SUDEP), 자살 등이 있다.

2 뇌전증발작과 뇌전증증후군
(Epileptic seizure and syndrome)

1 발작과 뇌전증의 정의(Definition)

국제뇌전증기구(International League Against Epilepsy, ILAE)에서는 2005년에 발작과 뇌전증의 개념적 정의(conceptual definition)를 제시하였다. 뇌전증을 진단하기 위해서 최소한 한 번 이상의 비유발성(unprovoked) 뇌전증발작이 있어야 한다. 여기서 뇌전증발작이란 과도한 또는 동시(synchronous)적으로 발생한 신경세포의 비정상적인 활동 때문에 일시적으로 나타나는 징후(sign) 또는 증상(symptom)을 의미한다. 비유발성의 의미는 발작의 역치가 낮아진 뇌의 상태가 일시적이 아니라 병적인 지속상태라는 의미이며, 반대로 유발성의 의미는 일시적으로 발작의 역치가 낮아진 상태를 의미한다. 뇌경색, 외상성 뇌손상, 두개내수술 후 1주일 이내, 심한 전해질불균형 발생 24시간 이내, 중추신경계감염 활성기에 발생한 발작은 유발성 발작에 속한다. 즉, 뇌전증의 개념적 정의는 뇌전증발작을 일으키는 지속적인 성향을 가진 뇌의 병적상태를 말하며, 이런 결과가 신경생물학적, 인지기능적, 심리적, 그리고 사회적으로 영향을 미치고 있다는 것을 의미한다.

2014년 ILAE는 앞서 제시한 뇌전증의 개념적 정의를 바탕으로, 실제로 임상에서 적용하여 뇌전증을 진단할 수 있도록 임상적 뇌전증의 정의(practical clinical definition)를 발표하였다(표 3-1).

다음 중 최소 한 가지를 만족하면 뇌전증이라 정의할 수 있다. 첫째, 적어도 두 번 이상의 비유발성 또는 반사(reflex)발작이 24시간 간격을 두고 발생한 경우. 둘째, 한 번의 비유발성 또는 반사발작이 있더라도 10년 이내 추가 발작이 발생할 확률이 60%를 넘을 것으로 판단되는 경우, 셋째, 뇌전증증후군(epileptic syndrome)으로 진단할 수 있는 경우이다.

첫째 조건에서 24시간 간격이란 조건을 둔 이유는, 24시간 안에 여러 번 발작이 발생하여도, 다음 이후 추가적인 발작이 발생할 확률은 한 번 발작을 한 경우와 거의 동일하기 때문이다. 둘째 조건에서 60%라는 기준은 선행 연구결과를 바탕으로 정해졌다. 한 번의 비유발성 발작이 있는 경우, 5년 이내에 추가 발작이 발생할 확률은 33% 정도였다. 하지만, 두 번의 비유발성 발작을 한 환자가 추가 발작이 있을 확률은 평균 73%였고, 95% 신뢰구간이 59–87%이다. 따라서 두 번 발작을 한 경우 추가 발작이 발생할 확률은 최소 59%, 즉 약 60%이기 때문에 한 번 발작을 하였더라도 추가 발작 가능성이 60%를 넘으면 뇌전증이라 진단할 수 있다. 대표적인 예가 뇌경색 후 발생한 뇌전증이다. 뇌경색의 크기, 위치, 원인, 뇌출혈 유무 등에 따라 모두 다르지만, 일반적으로 뇌경색이 발생하고 한 달 이후에 비유발성 발작이 발생하면, 이후 추가 발작이 있을 가능성은 65% 정도이다. 또 다른 예로, 한 번의 비유발성 발작이 발생한 환자에서, 뇌에 발작을 유발할 특별한 병변이 확인되지 않았으나 뇌파에서 뇌전증모양방전(epileptiform discharge)이 보이는 경우에는 추가 발작이 발생할 확률이 71%이다. 이런 경우에는 한 번의 비유발성 발작을 하였더라도 추가 발작이 발생할 확률이 60%를 넘기 때문에 모두 뇌전증으로 진단할 수 있다.

표 3–1 Operational (practical) clinical definition of epilepsy

Epilepsy is a disease of the brain defined by any of the following conditions
1. At least two unprovoked (or reflex) seizures occurring > 24 h apart
2. One unprovoked (or reflex) seizure and a probability of further seizures similar to the general recurrence risk (at least 60%) after two unprovoked seizures, occurring over the next 10 years
3. Diagnosis of an epilepsy syndrome

Epilepsy is considered to be resolved for individuals who had an age-dependent epilepsy syndrome but are now past the applicable age to those who have remained seizure-free for the last 10 years, with no seizure medicines for the last 5 years.

2 뇌전증발작의 분류

뇌전증발작은 환자 증상에 대한 세밀한 관찰과 이를 근거로 한 전문가의 판단에 의해 분류되어 왔다. 근래에는 비디오-뇌파모니터링검사, 뇌영상기술 및 뇌기능평가의 발전으로 발작증상을 해부학적-전기생리학적-임상적 결과를 토대로 진단하는 것이 가능하게 되었다. 1981년 ILAE에서 제시한 발작의 분류는 한쪽대뇌반구의 일부분에서 유발되는 뇌전증발작을 부분발작이라 하였고, 양쪽대뇌반구의 광범위한 부분에서 기인하는 뇌전증발작을 전신발작으로 구분하였으나, 어떤 발작(예: 강직, 연축 등)은 전신 또는 국소발작이 모두 가능하며 발작이 어느 부위에서 어떻게 발생했는지 모호한 경우가 있어 어떤 발작형태는 분류에 포함되지 못 하는 경우가 있었다. 이러한 기존 뇌전증발작 분류의 불확실성을 개선하기 위하여 2017년 ILAE는 뇌전증발작의 분류 기준을 새로 제시하였다(그림 3-1).

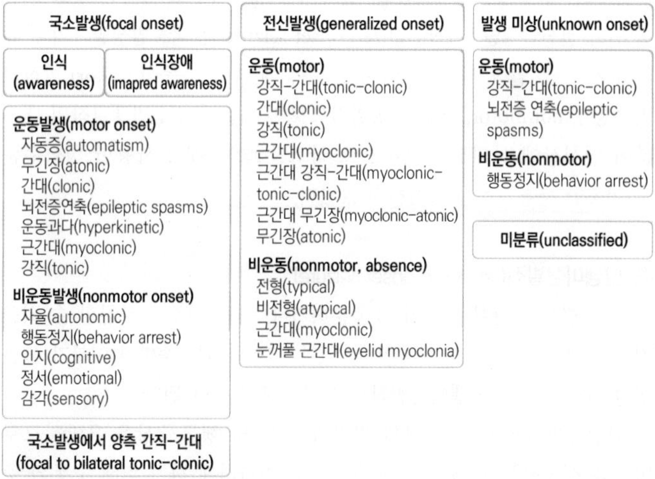

국소발생(focal onset)	전신발생(generalized onset)	발생 미상(unknown onset)
인식 (awareness)　　**인식장애** (imapred awareness)	**운동(motor)** 강직-간대(tonic-clonic) 간대(clonic) 강직(tonic) 근간대(myoclonic) 근간대 강직-간대(myoclonic-tonic-clonic) 근간대 무긴장(myoclonic-atonic) 무긴장(atonic)	**운동(motor)** 강직-간대(tonic-clonic) 뇌전증 연축(epileptic spasms) **비운동(nonmotor)** 행동정지(behavior arrest)
운동발생(motor onset) 자동증(automatism) 무긴장(atonic) 간대(clonic) 뇌전증연축(epileptic spasms) 운동과다(hyperkinetic) 근간대(myoclonic) 강직(tonic) **비운동발생(nonmotor onset)** 자율(autonomic) 행동정지(behavior arrest) 인지(cognitive) 정서(emotional) 감각(sensory)	**비운동(nonmotor, absence)** 전형(typical) 비전형(atypical) 근간대(myoclonic) 눈꺼풀 근간대(eyelid myoclonia)	**미분류(unclassified)**
국소발생에서 양측 간직-간대 (focal to bilateral tonic-clonic)		

그림 3-1 **2017년 뇌전증발작 분류**

(ILAE 2017 Classification of Seizure Types Expanded Version)

(1) 국소발생발작(focal onset seizure)

국소발작은 발작 중 인식(awareness) 유무를 구분하여 분류할 수 있다. 발작 중 움직임이 없더라도 자신과 환경을 인식할 수 있으면 의식 또는 인식이 유지된 것으로 평가하고, 인식장애가 발생하면 국소인식장애발작(focal impaired awareness seizure, FIAS)으로 분류한다. 국소발생발작(focal onset seizure)은 발작의 시작시점에서 보여지는 주된 증상을 반영하여 운동발생(motor onset) 또는 비운동발생(nonmotor onset)으로 분류할 수 있다.

(2) 전신발생발작(generalized onset seizure)

전신발생발작은 이전 분류에서 사용하였던 "양측대뇌반구에서 병발되는 발작"이라는 개념에 새로운 개념을 추가하여 "어떤 부위에서 시작하여 양측으로 연결된 네트워크를 따라 빠르게 파급되어 발생하는 발작"이라 정의되었다. 또한 양측대뇌에 빠르게 파급되었지만 전체 대뇌 피질을 포함하지 않을 수도 있고, 발작이 비대칭일수도 있다는 것도 포함하였다. 전신발생발작(generalized onset seizure)은 국소발생발작의 분류와 유사하게, 발작 시작시점의 주된 증상에 따라 운동성(motor) 발작과 비운동성(nonmotor, absence) 발작으로 나뉘는데 전신발생발작의 대부분이 인식장애 상태로 발생하므로 국소발생발작에서 사용한 의식수준을 이용한 분류기준은 포함하지 않았다.

(3) 발생미상발작(unknown onset seizure)

발작 발생에 관한 정보가 불충분하거나, 특정 범주로 분류할 수 없을 경우 발생미상발작으로 분류할 수 있다. 그러나 뇌전증발작 여부가 불분명한 발작인 경우 발생미상발작으로 분류해서는 안 된다.

뇌전증발작은 매우 다양한 감각과 운동 및 행동증상을 유발하므로 발작을 설명하는 용어 사용을 용이하고 명확하게 하기 위해 공통된 증상학적 특징을 분류에 추가하여 사용할 수 있다(예: focal aware clonic

표 3-2 뇌전증발작 중 감각, 운동 및 행동 기술에 사용되는 용어

Cognitive	Automatism
• Acalculia	• Aggression
• Aphasia	• Eye-blinking
• Attention impairment	• Head-nodding
• Deja vu or jamais vu	• Manual
• Dissociation	• Oral-facial
• Dysphasia	• Pedaling
• Hallucinations	• Pelvic thrusting
• Illusions	• Perseveration
• Memory impairment	• Running (cursive)
• Neglect	• Sexual
• Forced thinking	• Undressing
• Responsiveness impairment	• Vocalization/speech
	• Walking

Emotional or affective	Motor
• Agitation	• Dysarthria
• Anger	• Dystonic
• Anxiety	• Fencer's posture (figure-of-4)
• Crying (dacrystic)	• Incoordination
• Fear	• Jacksonian
• Laughing (gelastic)	• Paralysis
• Paranoia	• Paresis
• Pleasure	• Versive

Autonomic	Sensory
• Asystole	• Auditory
• Bradycardia	• Gustatory
• Erection	• Hot-cold sensation
• Flushing	• Olfactory
• Gastrointestinal	• Somatosensory
• Hyper/hypoventilation	• Vestibular
• Nausea or vomiting	• Visual
• Pallor	**Laterality**
• Palpitations	• Left
• Piloerection	• Right
• Respiratory changes	• Bilateral
• Tachycardia	

seizure onset). 이렇게 발작 중 보이는 감각과 운동 및 행동 기술에 사용되는 일반적인 용어를 표 3-2에 요약하였다.

3 뇌전증의 분류(Classification)

2010년 ILAE의 분류 및 용어위원회에서는 뇌전증 구조체계를 제시하였고 뇌전증 원인범주에 대한 용어를 유전성(genetic), 구조적/대사성(structural/metabolic), 원인미상(unknown)으로 대체하는 것을 제시하였다. 그후 논의를 거듭하여 2017년 ILAE는 3단계로 이루어지는 다층형 뇌전증 분류체계를 새롭게 제시하였다. 새로운 뇌전증 분류는 발작의 형태를 먼저 확인하고 그 유형에 따라 뇌전증의 종류를 분류한 뒤 발작유형, 뇌파, 영상소견 등에서 나타나는 특징들을 종합하여 뇌전증증후군 진단을 내리게 된다. 그리고 각 단계에서 발견되는 병인, 동반 이환을 확인하여 뇌전증 또는 뇌전증증후군에 포함시키게 된다(그림 3-2).

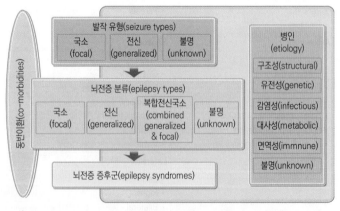

그림 3-2 뇌전증 분류체계(ILAE classification of seizures and the epilepsies)

(1) 뇌전증의 유형

뇌전증발작 분류에 따른 국소시작발작, 전신시작발작, 불명시작발작이 확인되고 이러한 발작이 2014년 ILAE에서 발표한 임상적 뇌전증의 정의(practical clinical definition)에 합당하면 뇌전증으로 진단한다. 뇌전증은 국소뇌전증(focal epilepsy), 전신뇌전증(generalized epilepsy), 전신국소복합뇌전증(combined generalized and focal epilepsy), 원인불명뇌전증(unknown epilepsy)으로 분류된다. 국소뇌전증 및 전신뇌전증의 진단은 임상적 소견과 함께 뇌파를 시행하여 뇌파소견이 뒷받침되어야 이루어질 수 있다. 원인미상뇌전증은 뇌전증의 유형이 국소뇌전증 또는 전신뇌전증으로 결정이 어려울 때 적용한다.

(2) 뇌전증증후군

뇌전증 진단의 마지막 단계는 뇌전증증후군의 진단이다. 뇌전증증후군의 진단은 뇌전증발작의 유형, 발생연령, 유발요인, 일중 변동, 예후 그리고 특징적인 뇌파 및 영상소견과 함께 지적장애, 정신장애 등 특징적인 동반 이환을 포함하여 진단한다. 따라서, 뇌전증증후군에는 원인과 치료, 예후의 함축된 의미가 포함되어 있다.

(3) 병인론

뇌전증발작이 발생한 것으로 평가되면 뇌파, 영상검사를 진행하여 뇌전증발작의 원인이 될 수 있는 신경생리학적, 해부학적, 구조적 이상소견을 찾게 되므로 뇌전증 진단과정과 동시에 원인적 분류가 이루어진다. 뇌전증의 병인은 구조성(structural)을 포함하여 유전성(genetic), 감염성(infectious), 대사성(metabolic), 면역성(immune), 불명(unknown) 등 여섯 개의 그룹으로 분류되며, 하나 이상의 원인이 관련되어 있어 복수의 병인 그룹으로 분류될 수도 있다. 구조성 병인은 영상검사에서 확인된 비정상병변이 뇌파소견과 임상증상과 연관성이 있어 원인으로 추론될 때 진단할 수 있으며, 후천적(뇌졸중, 외상) 또는 선천성, 유전적 기형으로 인해 발생한다. 유전성 병인은 유전자변이가 뇌전증발작에 직접적 원인일 때 진단할 수 있고, 잘 알려진 예로 SCN1A의 변이가 발견된 Dravet 증후군이 있다. 감염성 병인은 가장 흔한 뇌전증의 병인으로 감염병이 뇌전증발작 발생에 직접적인 원인일 때 진단할 수 있다. 그러나 뇌수막염 또는 뇌염의 급성기에 동반되어 발생하는 급성증상성 발작은 뇌전증발작에 해당되지 않는다. 대사성 병인은 잘 알려진 대사장애가 원인인 경우이고 아미노산병증, 포르피리아 등이 있다. 면역성 뇌전증은 면역장애가 원인이 되어 발생된 뇌전증발작일 경우 진단할 수 있다. 항 NMDA 수용체뇌염과 항LGI1 뇌염 등의 자가면역뇌염의 대표적 질환이다. 뇌전증의 원인이 밝혀지지 않은 경우에는 불명병인으로 분류된다.

(4) 동반 이환질환

뇌전증 환자에서 지적장애, 자폐스펙트럼장애, 뇌성마비 등의 다양한 종류의 문제들이 동반될 수 있다. 뇌전증발작과 뇌전증 분류의 초기단계에서부터 동반 이환을 고려하여 이들 질환의 조기 발견이 이루어져야 한다. 더 나아가 뇌전증의 진단 및 치료에도 이들 동반 이환질환에 대한 고려가 필요하다.

3 뇌전증의 병태생리(Pathophysiology)

1 뇌전증의 신경생리학: 안정막전위(Resting membrane potential), 활동전위(Action potential), 실무율(All-or none law), 불응기 (Refractory period)

(1) 활동전위

자극에 의해 세포막이 탈분극되어 차등전위가 발생하고, 이 차등전위가 문턱 이상으로 상승할 때 발생하게 된다. 활동전위의 발생과정은 아래 5단계로 설명된다.

- 1단계: 자극이 없는 신경세포는 Na, K 펌프작용에 의해 안정막정
  위상태를 유지한다. 이때 막전위를 측정하면 세포 밖을 기준으로
  안쪽이 −85 mV 수준으로 하전되어 있다.
- 2단계: 자극이 주어지면 일부 Na 채널이 열리면서 이를 통해 Na 이
  온이 세포 안쪽으로 이동하면서 탈분극현상이 나타난다.
- 3단계: 막전위가 −50 mVm, 즉 문턱전위에 도달하면 모든 Na 채널
  이 열리면서 일시에 많은 양의 세포 외 Na 이온이 세포 안으로 들
  어오게 된다. 이 결과 막전위가 역전되며 활동전위가 발생한다.
- 4단계: K 채널이 열리면서 Na 채널이 닫힌다. K 이온은 세포 밖으
  로 밀려나가고 이러한 과정에서 세포막은 재분극된다.
- 5단계: K 채널이 닫히면서 안정막전위가 회복되며 Na–K 펌프작용
  으로 이온이 재분배된다.

(2) 실무율

활동전위는 신경조직을 통해 먼 거리를 자극의 크기를 변화시키지 않
고 전달할 수 있는 특징이 있다. 문턱 이상의 자극에 대해서만 자극의
크기에 관계없이 동일한 크기의 활동전위를 나타내는 실무율원칙이 신
경세포의 이러한 특징을 가능하게 한다.

(3) 불응기

두 활동전위의 사이 간격이 줄어들면 두 번째 활동전위의 크기는 점
차 줄어든다. 결국 활동전위가 발생하지 않는 절대불응기에 도달하게 된
다. 절대불응기 뒤에 상대불응기가 뒤따르게 된다. 이러한 불응기가 존
재하기 때문에, 두 개의 활동전위가 융합되는 것이 방지되어 독립된 활
동전위로 작용할 수 있게 된다.

2 시냅스(Synapse)

시냅스전신경세포의 말단에 활동전위가 도달하면 시냅스 전 세포 말단 Ca 이온통로가 활성화되어 세포외 칼슘이 세포내로 들어가 세포내 Ca 이온농도가 상승한다. 이후 시냅스소포는 시냅스 전 세포의 세포막에 융합되고, 내부에 포함되어 있던 신경전달물질이 시냅스 틈새로 분비된다. 이렇게 분비된 신경전달물질이 시냅스 후 세포막에 있는 신경전달물질수용체에 결합하게 되면, 수용체단백질과 결합된 이온통로 또는 세포내신호전달과정을 통해 시냅스전류를 발생시킨다. 이러한 시냅스전류는 시냅스 후 신경세포전위를 유발하게 되고, 시냅스 후 신경세포의 막전위가 활동전위의 문턱 이상으로 상승하면 시냅 후신경세포에서 활동전위가 발생하게 된다.

3 신경전달물질과 수용체(Neurotransmitter and receptor)

신경전달물질은 신경세포의 몸체에서 만들어져, 축삭말단에 분포하는 시냅스전소포에 저장된다. 활동전위가 축삭의 말단에 도착하면 세포내 Ca 이온의 농도가 상승하고 이를 통해 시냅스소체가 세포막에 결합하여 신경전달물질을 시냅스 틈새로 분비한다. 신경전달물질에 의해 시냅스후세포의 과분극이 일어나면 시냅스 후 신경은 억제되고, 반대로 탈분극이 일어나면 시냅스후세포는 흥분한다. 흥분성 신경전달물질에는 글루탐산염, 아스파르테이트, 세로토닌, 노르아드레날린, 아드레날린 등이 있다. 억제성 신경전달물질에는 감마아미노부티르산(γ-aminobutyric acid, GABA), 글라이신 등이 있다. 도파민과 아세틸콜린은 흥분성인 경우가 대부분이지만 억제성으로 작용하는 경우도 있다. 이러한 신경전달물질 중 뇌전증과 가장 관련이 많은 것은 글루탐산염과 감마아미노부티르산이다.

글루탐산염은 중추신경계에서 가장 풍부한 흥분성 신경전달물질이다. 이 신경전달물질에 결합하는 수용체는 양이온을 선택적으로 통과시키는 이온통로이며, 대뇌피질과 해마에서 흥분성 시냅스전달 초기에 관여한다. 글루탐산염수용체는 작동방식에 따라 이온친화수용체, 대사친화수용체로 나뉜다. 이온친화글루탐산염수용체에는 NMDA 수용체, AMPA 수용체, 그리고 kainic acid (KA)수용체가 있다. 대사친화글루탐산염수용체(mGluR)에는 최소 여덟 가지 수용체 아형이 있으며, mGluR 그룹 1이 활성화되면 경련유발효과, mGluR 그룹 2와 그룹 3이 활성화되면 항경련효과가 있다.

감마아미노부티르산(GABA)은 시냅스전, 후에 존재하는 수용체에 결합하여 작용을 나타낸다. GABA 수용체아형에는 GABAA 수용체와 GABAB 수용체가 있다. GABAA 수용체는 이온친화형 수용체이고 GABAB 수용체는 대사친화형 수용체이다.

4 뇌전증의 전기병태생리(Electrical pathophysiology of epilepsy)

이전의 여러 연구들을 보면 뇌전증이 발생한 신경세포에서 과도한 전기방전이 관찰되었음을 알 수 있다. 따라서 뇌전증의 주된 병리기전은 신경세포의 흥분성 증가로 생각된다. 신경세포가 집단적으로 동기화되어 과도한 전기방전이 발생하면 두피뇌파에서 발작간극서파방전이 나타난다.

과도한 흥분이 있어도 신경세포들이 동기화하지 않으면 발작이 발생하지 않는다. 틈새이음(gap junction)과 혼선상호작용(ephaptic interaction)이 신경세포들이 동기화에 이용되고 있다. 틈새이음은 두 신경세포의 세포질이 직접적으로 연결되어 다양한 분자, 이온, 전기자극이 이동할 수 있게 되어있는 구조이다. 이 틈새이음을 통해 대뇌피질에 있는 신경세포는 전기적으로 서로 연결되어 있다. 세포밖 공간에서 발생하는 전류를 통한 신경세포의 상호영향을 혼성상호작용이라 한다. 억제기전이 감소하고 강력한 흥분자극이 있을 때 신경세포들이 동기화되면 돌발탈분극전환(paroxysmal depolarization)이 발생한다.

4 뇌전증의 진단

1 문진 및 병력청취(Clinical history)

문진 및 병력청취는 뇌전증의 진단에 가장 중요한 단계이다. 병력청취의 목표는 먼저 나타난 사건이 뇌전증발작이 맞는지를 결정하고, 어떤 유형의 발작을 보였는지를 확인하고, 다른 유사한 진단을 배제하는 것이다. 뇌전증발작은 간헐적으로 나타나 의사가 환자의 발작을 직접 목격할 가능성이 낮으므로 자세한 병력청취가 중요하다. 또한, 환자가 의식소실로 발작에 대한 정확한 설명을 제공하기 어렵기 때문에 발작을 직접 목격한 사람의 정보를 얻는 것이 좋다. 비디오촬영을 하도록 하는 것도 좋은 방법이다. 또한 유사한 사건이 과거에 발생했는지 여부를 물어보고, 열경련 유무, 두부손상, 지적장애, 뇌졸중, 두부외상, 두개내감염 같은 과거 병력, 뇌전증의 가족력, 약물 사용에 대한 정보도 중요하다. 특히, 알코올중독이나 금단현상 및 약물남용은 발작의 잠재적 원인이 될 수 있으므로, 이에 대한 자세한 문진이 필요하다.

발작에 대한 문진은 발작 전 상태, 발작 중 행동, 발작 후 상태로 나누어 질문한다.

(1) 발작 전 상태

일부 뇌전증 환자는 특정 조건에서 발작을 일으키는 경향이 있는데, 수면상태, 감정변화, TV 시청 또는 비디오게임, 시끄러운 음악 및 번쩍이는 조명 등이 포함될 수 있다. 또한 발열, 생리, 수면부족, 임신, 스트레스와 같은 특정 생리학적 상태도 발작에 대한 역치를 낮추어서 발작을 유발할 수 있다. 전구증상(prodrome)은 뇌전증 환자의 약 20%에서 경험하며, 발작 수십 분 또는 수일 전부터 발생하는 발작 발생을 시사하는 아득한 느낌, 혼란, 불안, 안절부절못하는 반응 등이 이에 해당된다. 전구증상의 임상적 중요도는 낮다. 하지만, 뇌전증발작이 발생하기 직전

에 발생하는 조짐(aura)은 뇌전증유발병터의 국소화에 중요한 정보를 제
공한다. 예를 들어, 조짐이 시각증상과 관련 있다면 후두엽 발병을 시사
해주며, 뱃속에서 치밀어 오르는 느낌은 측두엽 발병을 시사한다.

(2) 발작 중 행동

발작은 갑작스럽게 시작하고 수 초에서 수십 초에 걸쳐 증상이 빠르
게 진행되며 2–3분 이내에 저절로 소실된다. 이보다 더 오래 증상이 지
속된다면 뇌전증이 아닌 다른 질환을 의심해 볼 수 있다. 발작 중 행동
은 발작의 분류에 도움이 되며, 국소발작의 경우, 뇌전증유발병터의 국
소화 및 편측화에 유용하다. 예를 들어, 대발작 전에 머리와 눈을 왼쪽
으로 돌리면 오른쪽 전두엽의 발병을 시사하고, 한쪽감각장애는 반대쪽
두정엽 발병을 암시하며, 현저한 언어장애는 우성대뇌반구의 발병을 시
사해 준다.

(3) 발작 후 상태

졸림, 혼란증상 등이 있을 수 있다. 국소신경학적 결손도 존재할 수
있는데, 발작의 위치 따라서 근력마비, 실어증, 반맹증, 또는 무감각 등
이 나타날 수 있다. 이러한 증상은 몇 초에서 몇 시간까지 지속될 수 있
으며 증상 지속기간은 발작 발생부위, 나이 등과 관련이 있다. 예를 들
어, 전두엽 기원의 국소발작이 있는 젊은 성인은 발작 후 상태가 몇 초
동안만 지속될 수 있지만, 측두엽에서 기원하였고 이차성 전신발작이 있
는 노인 환자는 발작 후 상태가 며칠까지도 지속될 수 있다.

2 신체진찰과 신경학적 검사(Physical and neurologic examination)

일반적으로 뇌전증 환자는 신체진찰 및 신경학적 검사에서 이상이 드
러나지 않는 경우가 많지만, 세심한 신경학적 검사를 통해서 뇌의 구조
적인 병변을 시사하는 소견을 찾을 수 있다. 특히 소아뇌전증에서는 다

발신경섬유종증(neurofibromatosis)이나 결절경화증(tuberous sclerosis) 같은 모반증(phacomatosis)의 진단이 신체진찰을 통해서 이루어지기도 한다.

발작 중, 혀 물림이나 열상 또는 어깨탈구 등이 있을 수 있어 발작과 관련된 외상 확인을 위한 신체진찰도 수행해야 한다. 발작 중 발생하는 구강열상은 혀의 측면에 있는 경향이 높은 반면, 혀 끝의 열상은 발작과 관련이 없는 낙상이나 외상으로 가능성이 더 높다.

3 뇌파검사(EEG & video EEG monitoring)

뇌파검사는 뇌전증의 진단 및 분류에 매우 중요한 검사이다. 뇌파를 통해서 전신발작과 국소발작을 구별할 수 있으며, 발작병터의 위치를 알 수 있다. 극파(spikes), 예파(sharp wave), 극서파복합(spike and slow wave complex) 같은 뇌전증모양방전(epileptiform discharge)은 뇌전증에 대한 특이도가 높아, 뇌전증 환자가 아닌데 뇌파검사에서 뇌전증모양방전이 보이는 경우는 5% 미만이다. 따라서 뇌파에서 뇌전증모양방전이 관찰되면 뇌전증을 강력히 의심하게 되지만, 적어도 한번의 비유발성 발작이 있어야 뇌전증을 진단할 수 있음을 잊지 말아야 한다.

뇌파검사는 뇌전증에 대한 민감도가 높은 검사는 아니다. 뇌파검사 중 발작이 발생하는 경우는 드물기 때문에, 일반적으로 뇌파검사에서는 발작사이 뇌전증모양방전을 확인하게 된다. 뇌전증 환자에게 뇌파검사를 했을 때, 첫 뇌파검사에서 발작사이 뇌전증모양방전이 관찰되는 경우는 20-55%로 알려져 있다. 따라서 뇌파가 정상이라고 해서 뇌전증 환자가 아니라고 할 수는 없다. 뇌파검사를 반복해서 시행하면, 뇌전증 환자에서 뇌전증모양방전을 발견할 확률이 80-90%까지 높아질 수 있다. 또한 뇌파검사 중 과호흡(hyperventilation), 광자극(photic stimulation)을 시행하거나, 검사 전에 수면박탈(sleep deprivation)을 시도하여 뇌파의 민감도를 더 높일 수 있다. 뇌파를 촬영하는 시기도 중요한데, 뇌전증발작

24시간 안에 뇌파를 시행하는 경우 51%의 환자에서 뇌전증모양방전이
관찰되었지만, 24시간 이후에 뇌파를 시행한 경우에는 34%의 환자에서
만 뇌전증모양방전을 관찰할 수 있다는 연구결과도 있어서 발작 후 최대
한 빨리 뇌파검사를 하는 것이 좋다.

4 신경영상검사(Neuroimaging)

발작이 있는 모든 환자를 대상으로 신경영상검사를 수행하여 발작의
원인이 되는 구조적인 뇌이상 여부를 평가해야 한다. 첫 번째 발작 환자
에서 뇌자기공명영상(magnetic resonance imaging, MRI)검사상 구조적
인 이상이 발견된 경우, 추가 발작 가능성은 두 배 높다. 또한 뇌자기공
명영상에서 이상이 있는 뇌전증 환자의 경우 항경련제(anti-seizure
medication)에 대한 반응은 떨어지나, 뇌전증수술을 시행할 경우 뇌자기
공명영상에서 병변이 관찰되는 경우에는 수술 성공률이 2.5배 증가한다.
따라서 뇌전증 환자에서 신경영상검사는 꼭 필요하다. 신경영상검사는
두개내병변이 의심되는 경우에는 즉시 시행해야 하며, 특히 신경학적 검
사에서 새로운 국소적 결손 또는 지속적인 정신상태의 변화, 발열, 지속
적인 두통, 국소발작, 급성두부외상의 병력, 악성종양의 병력, 면역력 저
하, 항응고요법이 있는 환자에서는 즉시 촬영해야 한다. 첫 번째 발작이
있는 환자에서 시행한 신경영상검사에서 이상이 관찰되는 정도는 영상
검사 종류 및 환자의 연령에 따라 다르지만 약 30%의 환자에서 이상소
견이 관찰되며, 국소발작이 있는 환자에서는 이상이 발견될 가능성이 더
높다.

심박조율기나 심한 폐소공포증 같은 특별한 금기사항이 없는 경우,
뇌자기공명영상은 발작의 원인이 되는 뇌이상을 감지하는 데 민감도가
우수하고 방사선노출이 없기 때문에 컴퓨터단층촬영(computed tomog-
raphy, CT)보다 더 선호된다. ILAE에서는 뇌전증 환자에서 적합한 하니
스(harmonized neuroimaging of epilepsy structural sequences, HAR-

NESS)라는 MRI 프로토콜을 제시하고 있다. 이는 동방성(isotropic) 밀리미터(millimetric)의 3차원 T1강조영상과 액체감쇠역전회복영상(fluid attenuated inversion recovery, FLAIR), 그리고 고해상도의 2차원 서브밀리미터(submillimetric) 관상(coronal) T2강조영상이 포함된 프로토콜이다. 그 외에도 뇌 혈류량을 측정하는 단일광자방출컴퓨터단층촬영(single photon emission computed tomography, SPECT)과 포도당대사 정도를 측정하는 양전자방출단층촬영(positron emission tomography, PET)을 촬영하여 발작유발병터를 국소화하는 데 도움을 받을 수 있다.

5 검사실검사(Laboratory examination)

첫 번째 발작이 있는 모든 환자에서 혈액검사를 시행하여야 한다. 혈액검사는 전체혈구검사(complete blood count, CBC), 혈당, 전해질(나트륨, 칼륨, 칼슘, 마그네슘, 인), 신장기능검사, 간기능검사 등을 포함해야 하며, 소변검사, 필요하다 판단되는 경우 약물검사도 함께 시행한다. 임신 여부는 뇌전증 환자의 검사 및 치료 결정에 영향을 미칠 수 있으므로 가임기 여성에서는 임신검사도 시행한다.

혈청크레아틴인산화효소(creatine phosphokinase, CPK), 코티솔(cortisol), 백혈구 수, 젖산염(lactate), 신경세포특이엔올분해효소(neuron-specific enolase, NSE), 프로락틴(prolactin)수치가 전신발작 후 상승할 수 있지만, 이런 검사소견은 뇌전증에 비특이적이기 때문에 뇌전증 발작의 진단평가에 매우 유용하지는 않다. 하지만, 전신강직간대발작을 하였음에도 이런 수치가 상승하지 않는 경우에는 정신성 비뇌전증발작(psychogenic nonepileptic seizures, PNES)을 포함한 다른 비뇌전증성 질환을 의심해 볼 수 있다.

발열, 의식변화, 또는 신경학적 검사상 수막자극징후가 동반되어 중추신경계감염이 의심되는 경우에는 뇌척수액검사를 시행한다.

5 특수한 임상상황에서의 발작 (Seizure in special circumstances)

1 뇌혈관질환과 뇌전증

뇌졸중후뇌전증(poststroke epilepsy)은 성인에서 발생하는 뇌전증의 약 11%이며, 특히 노년기 발병 뇌전증의 약 1/3을 차지한다. 뇌졸중후발작(poststroke seizure)는 10-40%의 뇌졸중 환자에서 발생하지만 뇌전증으로 진행하는 경우는 2-4% 수준이다. 출산 전후 뇌졸중은 60% 정도의 높은 뇌전증이환율을 보이며 10% 정도가 난치성 뇌전증으로 진행한다.

뇌졸중 후 발생한 급성증상발작(acute symptomatic seizure)의 기준일은 보통 7일로 정의한다. 발작이 7일 이전에 발생하면 조기발작, 이후에 생기면 만기발작이라 한다. 조기발작은 과다한 글루탐산염 방출로 인한 일시적인 급성증상발작이며, 만기발작은 뇌전증발생흉터(epileptogenic scar)가 생성되어 신경세포의 과도한 흥분이 지속적으로 일어나는 것으로 평가한다.

항뇌전증약이 뇌전증발생을 예방하거나 약물중단 후 발작위험도를 낮춘다는 증거는 아직 없다. 원칙적으로 재발하는 발작에서만 항뇌전증약을 사용해야 한다. 뇌졸중후뇌전증으로 진단되면 항뇌전증약을 사용하게 되는데, 한 가지 약물로만 치료해도 70% 이상의 환자가 증상조절이 잘 된다. 신세대 항뇌전증약이 구세대 항뇌전증약에 비해 부작용이 적고, 약물 상호작용 위험이 낮으며, 골대사에 영향을 덜 끼쳐 사용의 빈도가 늘어나고 있다.

2 외상후뇌전증(Post-traumatic epilepsy)

외상후뇌전증은 두부외상 후 비유발성 발작이 반복적으로 발생하는 것으로, 두부외상 환자의 2-4%의 환자에서 발생한다. 외상의 정도와 종류, 기타 위험인자가 발생률에 영향을 줄 수 있다. 외상후뇌전증 환자의 80%가 외상 후 첫 5년 내에 발생한다. 증상뇌전증의 20%, 전체 뇌전증의 5%가 두부외상에 의한 뇌전증으로 분류된다.

외상후발작(post-traumatic seizure)은 뇌상 후 1주일을 기준으로 조기발작과 만기발작으로 분류한다, 이 둘은 예후와 임상적 의의가 다르다. 조기발작은 급성증상성 발작으로 원인이 제거된 후 발작 재발의 가능성이 높지 않으나, 만기발작은 뇌전증발생 가능성이 높다. 외상 24시간 이내 발생하는 발작을 즉각발작(immediate seizure)이라 분류하기도 한다.

3 뇌종양(Brain tumor)

뇌종양 환자 중 30-70%에서 뇌전증발작이 발생한다. Grade II astrocytoma, ganglioglioma와 같은 저등급신경아교종에서 고등급뇌종양보다 뇌전증이 더 흔히 동반되는데, 저등급뇌종양 환자의 60-85%, 고등급뇌종양 환자의 20-40%, 뇌전이암 환자의 15-20%에서 뇌전증이 발생한다. 뇌전증증상이 발생되기까지 epileptogenesis를 위한 시간이 필요하기 때문에 저등급뇌종양에서 뇌전증이 더 많이 동반되는 것이라 생각되고 있다.

뇌백질보다 뇌피질뇌종양에서 뇌전증이 더 흔하며, 측두엽피질, 일차운동피질, 보조영역(supplementary area)에서 뇌전증발생 위험이 높다. 난치성 뇌전증의 빈도는 12-50%로 알려져 있으며 난치성일 경우 종양의 수술은 가능한 빠른 시기에 진행될 수 있게 해야 한다.

항뇌전증약과 항암제의 약물 상호작용도 고려해야 한다. 많은 항암제가 CYP-450 효소계를 통해 대사가 되므로 간효소를 유도하는 항뇌전증약은 항암제의 대사를 촉진해서 혈중농도를 감소시킬 수 있으며, 이를 통해 항암제의 효능에 영향을 줄 수 있다. 실제로 효소를 유도하는 항뇌전증약이 taxanes, vinca alkaloids, methotrexate, teniposide irino-tecan과 같은 campththecin 유사물질의 효과를 감소시켰다는 보고가 있으며 cisplatin, carmustine을 투여 중인 환자에서 carbamazepine, valproic acid의 혈중농도가 감소하였다. 반대로 효소억제항뇌전증약은 항암제의 독성을 증가시킬 수 있다.

6 뇌전증의 약물치료

뇌전증으로 진단되면 치료를 시작하게 된다. 대부분 약물치료로 장기 완화상태에 이르게 되며 9-24%는 intractable epilepsy로 수술적 치료를 고려하게 된다.

1 약물치료의 시작

(1) 뇌전증의 실제적 임상 정의(practical clinical definition)

다음 3개의 조건 중 1개 이상 항목에 만족하면 정의
1. 24시간 이상 간격으로 발생한 두 번 이상의 비유발발작
2. 한 번의 비유발발작이 있고 향후 10년 내 비유발발작의 재발 가능성이 일반적인 발작의 재발률보다 높은(60% 이상) 경우
3. 뇌전증증후군으로 진단된 경우

Practical clinical definition을 고려하여 약물치료의 시작여부를 결정한다. 한 번의 비유발발작 있은 후 4년 동안 추적관찰기간에 두 번째 발작이 발생할 가능성은 33%(95% 신뢰구간 40-52%)이지만, 두 번째 발작 후 세 번째 발작의 가능성은 73%(95% 신뢰구간 59-87%)이고 3회 이후 4회째 재발 가능성은 76%(95% 신뢰구간 60-90%)로 보고하였다. 따라서 1회의 비유발 발작의 경우 재발가능성이 60%이상이면 약물치료를 고려한다. 1st unprovoked seizure에서 약물치료를 고려하는 경우를 정리

표 3-3 1ˢᵗ unprovoked seizure에서 약물치료의 시작 결정	
치료하지 않음	**치료 시작 고려**
6세 미만의 열성경련	이전 뇌병변/뇌질환에 의한 경련
알콜 금단 경련	뇌파 검사에서 뇌전증모양방전
대사성/독성 원인으로 인한 경련	뇌영상 검사상 의미 있는 이상소견
경련성 실신	야간 발작nocturnal seizure
급성 증후성 경련	
- Brain insult 1주 이내의 경련	
- 뇌졸중, 외상, 두부수술, 중추신경계 감염,	
저산소성 뇌손상	

하였다(표 3-3).

2 약물치료의 중단

(1) 뇌전증 치료의 완결

뇌전증 환자의 70-80%는 5년 이상의 장기간 완화상태에 이를 수 있다. 그러나 50%의 환자는 치료가 없어도 완화상태에 도달할 수 있다. 이는 항경련제가 뇌전증 발작을 예방하지만 질병의 경과를 변화시킬 수는 없음을 시사한다. 일정 기간 경련이 없는 환자에서 치료의 중단 여부의 결정이 필요하게 된다. 전통적으로 뇌전증은 한번 진단하면 약제를 중단해도 진단이 사라지지 않는다. ILAE에서는 이러한 환자를 대상으로 완결상태(resolved state)를 정의하였다. 완결의 개념은 "앞으로 무발작 상태를 보장할 수 없으나 현재 더이상 뇌전증이 없는 상태"라고 정의할 수 있다.

Epilepsy resolve
연령의존 뇌전증에서 적용 나이가 경과한 경우(benign Rolandic epilepsy)
최근 10년 동안 무발작이고 최근 5년은 약물치료를 중단하였을 때

(2) 약물 중단

2년 이상 약물을 복용하며 발작이 없는 경우 중단을 고려할 수 있다. 보통 3-5년간 약물을 유지하고 증상이 없는 경우 약제 중단을 추천한다. 약물 중단 시 20-40%에서 재발이 일어나며 중단 2년 내 재발률은 29% 정도이다. 대부분의 재발은 중단 6개월 내에 빈번하며 전체 재발의 80%가 1년 내에, 90%가 2년 내에 발생한다.

2년간 증상이 없었다고 해서 무조건 약제를 중단할 필요는 없으며 환자의 직업, 환경, 뇌전증 증후군 등을 고려하여 중단 여부를 신중하게 결정해야 한다. 예를 들어 청소년근간대뇌전증 (juvenile myoclonic epilepsy)은 약물 반응이 좋으나 약제를 중단하면 재발하는 경우가 흔하다. 정해진 약물 중단의 방법은 없으나 2-3개월에 25% 정도씩 감량하는 방법을 사용하기도 한다.

약물 중단 시 고려사항을 정리하였다(표 3-4). 그러나 이러한 재발률을 높이는 임상적 요소나 검사 소견만으로 중단 또는 장기간 유지를 결정해서는 안된다.

표 3-4 약물 중단 시 고려사항

연령	영아기, 청소년기 발생경련이 소아기, 성인기에 비해 재발위험이 높다.
뇌전증증후군	뇌전증 증후군에 따라 재발 가능성에 차이가 있다(JME, BRE, LGS).
임상증상	경련 유형은 재발에 차이가 없다. 긴 유병기간, 많은 발작횟수는 재발이 많다
뇌병변	뇌병변이 있는 경우 재발률이 높다
뇌파소견	비정상 뇌파를 보이는 경우 재발률이 높다

7 뇌전증 약물

다양한 작용기전을 가진 약제들을 사용하고 있다. 기본적으로 신경세포의 흥분을 감소시키거나 억제기능을 증가시키는 방법으로 작용하게 된다. 대표적으로 이온통로의 조절(Na, K, Ca), 억제성 신경전달 작용강화, 흥분성 신경전달의 약화 그리고 신경전달물질의 분비 조절에 관여하는 약제가 있다.

1 약물치료의 원칙

전통적으로 뇌전증 약물의 치료는 단일제제 투여가 원칙이다. 첫 번째 단일제제를 사용하여 경련이 조절되고 부작용이 없는 용량까지 증량하고 효과가 없으면 두번째 약제로 변경한다. 같은 방식으로 두 번째 단일제제가 실패하는 경우 약제 변경 또는 약제 조합을 시도한다(그림 3-3). 그러나 최근에는 저용량 다약제 조합을 사용하기도 하므로 약제의 선택은 환자의 상태에 따라 변경해야 한다.

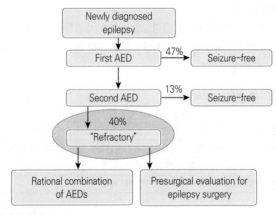

그림 3-3 뇌전증의 약물치료

2 뇌전증 약물의 선택

다양한 항경련제가 존재하므로 선택에 어려움이 있다. 기존약물 (PHT, CBZ, PB) 과 새로운 약물 (LEV, ESL, LCS) 간에 임상적 효과의 차이는 없으며 새로운 약물은 부작용이나 다른 약물과의 상호작용이 적은 경향을 보인다. 효과가 동일한 경우 부작용이 적은 약물을 선택하므로 최근에는 새로운 약물을 주로 사용하는 경향이 있다. 그러나 기존 약물에 반응이 좋은 환자도 있으므로 약물에 대한 충분한 이해가 필요하다. 뇌전증 약물의 선택에는 크게 약물요인, 경련요인, 환자요인의 고려가 필요하다.

(1) 경련요인

뇌전증 약물의 선택에 있어 가장 먼저 고려할 것은 경련의 양상이다. 일부 약물은 특정 경련을 오히려 악화시킬 수 있으므로 주의가 필요하다. 대표적으로 carbamazepine이나 phenytoin은 myoclonic seizure를 오히려 악화시킬 수 있다. Valproic acid나 levetiracetam처럼 대부분의 경련에 효과가 있는 경우도 있다. 최소한 발작 악화를 일으키는 약제는 선택하지 않아야 한다.

	PB	PHT	CBZ	VPA	ESM	BZD	GBP	LTG	OXC	TPM	ZNS	LEV	VGB
Focal	+	+	+	+	0	+	+	+	+	+	+	+	+
Tonic clonic	+	+	+	+	0	+	+	+	+	+	+	+	+
Absence	0	−	−	+	+	?	−	+	0	?	?+	+	−
Myoclonic	+	−	−	+	0	+	−	+	0	+	+	+	−
Atonic	?	0	0	+	0	+	0	+	0	+	?+	?	?

(2) 약물 요인

약물 요인으로 약물의 작용기전, 대사, 치료농도, 부작용, 상호작용을 고려해야 한다(표 3-5, 3-6, 3-7, 3-8). 뇌전증 약물은 약물별로 작용기전의 차이가 있으며 조합하는 경우 효과가 강화되거나 오히려 효과가 감소될 수 있다. 2가지 이상의 항경련제를 조합하는 경우 같은 작용기전의 약물은 부작용을 증가시키는 경우가 많고 환자의 다른 약제와 상호작용으로 인해 문제가 발생할 수 있어 주의가 필요하다.

표 3-5 Ion channel 조정 관련 약제

	기전	용량/용법	부작용	대사, 반감기
Phenytoin	Na channel Fast inactivation	100 mg/day start titration (3-7일) Target 200-400 mg/ day (TID) Max: 600 mg/day	어지럼증, 두통, 졸림, 복시, 잇몸부종, 소뇌위축	Metabolism: Liver T1/2 = 6-7 hr 치료농도:10-20 mcg/mL
Carbamazepine	Na channel Fast inactivation	100-200 mg/day start titration (1-4주) Target: 400~1600 mg/day (BID) Max: 1600 mg/day	어지럼증, 두통, 졸림, 복시, 저나트륨혈증	Metabolism: Liver 치료농도: 4-12 mcg/mL
Oxcarbazepine	Na channel Fast inactivation	300 mg/day start titration (1-3주) Target: 600-900 mg/ day (BID) Max: 2400 mg/day	저나트륨혈증, 피부발진, 어지럼증, 복시, 졸림	Metabolism: Liver T1/2 = 1-3.7 h (licarbazepine 8-10 h)
Eslicarbazepine	Na channel Slow inactivation	400 m/day QD start titration (1주) Target: 800-1200 mg/day (QD) Max: 1600 mg/day	어지럼증, 복시, 졸림	Metabolism: Liver T1/2 = 13-20 h
Lamotrigine	Na channel Fast inactivation	25 mg/day start titration (50 mg/2wk 증량) Target: 50~200 mg (QD or BID) Max: 400 mg/day	피부발진, 스티븐-존슨신드롬, 어지럼증, 복시, 졸림, 구토	Metabolism: Liver T1/2 = 24 h (VPR사용시 2배)
Lacosamide	Na channel Slow inactivation	50 mg BID start (1주 간격 증량) Target: 200 mg/day Max: 400 mg/day	어지럼증, 복시, 졸림	Metabolism: kidney T1/2 = 13 h
Rufinamide	Na channel Fast inactivation (LGS only)	200 mg BID start (2일단위 400 mg증량) Target: 2400-3200 mg Max: 4000 mg	어지럼증, 복시, 졸림	Metabolism: Liver T1/2 = 8-12 h
Ethosuximide	Ca channel (Absence only)	250 mg BID start Titration (250 mg/주 증량) Max: 1000 mg/day	어지럼증, 졸음, 스티븐존슨신드롬	Metabolism: Liver T1/2 = 53 h

표 3-6 Multifunctional

	기전	용량/용법	부작용	대사, 반감기
Valproic acid	GABA activation Ca, Na, K channel	500 mg/day start (BID) Titration: 500 mg/주 Target: 500-2500 mg/day	간독성, 구역, 체중증가, 탈모, 떨림	Metabolism: Liver T1/2 = 8-18 hr 치료농도: 50-100 mcg/mL
Topiramate	Na channel GABA activation AMPA/kainate Carbonic anhydrase inhibitor	25 mg/day start (BID) Titration: 50 mg/2주 Target: 100-400 mg/day	인지장애, 언어장애, 신장결석, 식욕저하, 저림, 땀분비이상	대사없이 70% kidney T1/2 = 20-30 hr
Zonisamide	Na, Ca channel Carbonic anhydrase inhibitor	200-300 mg/day start (QD/BID) Target: 200-500 mg/day	졸림, 식욕부진, 흥분, 신장결석	Metabolism Liver 70%, kidney 30% T1/2 = 63 hr
Other mechanism				
Levetiracetam	SV2A 결합	500-1000 mg/day (BID) 2주 간격 증량 Target: 1000-2000 mg/day	졸림, 피로, 우울, 감정동요	Metabolism: kidney T1/2 = 6-8 hr
Perampanel	AMPA receptor	2 mg QD start Titration 2 mg/2주 Target 4-8 mg	어지럼증, 졸림, 균형장애	Metabolism: liver T1/2 = 105 hr

표 3-7 GABA-A 수용체 관련 억제성 강화

	기전	용량/용법	부작용	대사, 반감기
Phenobarbital	GABA-A결합 Cl channel open	30 mg/day (QD-TID) Target 30-200 mg/day	졸림, 집중력저하, 우울감	Metabolism: Liver T1/2 = 80-100 h 치료농도: 20-40 mcg/ml
Clobazam	GABA-A receptor partial agonist	10 mg/day (5 mg QD or BID) Target 10-40 mg/day Max: 60 mg/day	졸림, 피로, 어지러움	Metabolism: Liver T1/2 = 36-42 h
Vigabatrin	GABA transaminase 억제 신경 말단의 GABA 양 증가	500 mg BID start Titration(500 mg/주 조정) Target 2000-3000 mg/day Max: 3000 mg/day	비가역적 시야장애, 졸림, 피곤, 어지럼, 체중증가	대사 없이 kidney 배설 T1/2 = 10.5 h

표 3-8 세포 흥분성 조절

	기전	용량/용법	부작용	대사, 반감기
Gabapentine	Ca channel에 작용 세포 흥분성 감소 (no GABA effect)	300 mg/day QD-TID start Titration (300 mg/일 조정) Target 900-1200 mg/day Max: 2400 mg/day	졸림, 어지럼, 실조증, 근간대성 경련	대사 없이 kidney 배설 T1/2 = 5-7 h
Pregabaline	Ca channel에 작용 세포 흥분성 감소 (no GABA effect)	75 mg BID start Titration (150 mg/주 조정) Target 300 mg/day Max: 450 mg/day	졸림, 어지럼, 실조증, 근간대성 경련	대사 없이 kidney 배설 T1/2 = 6 h

① 뇌전증 약물의 조합

뇌전증 약물을 조합하여 사용하는 경우 약역학에 따라 두 약물의 복합효과가 기대효과의 합과 동일하다면 부가, 단순 기대효과 합 보다 효과가 적다면 부가 이하, 기대 효과의 합보다 더 좋은 효과를 낸다면 부가 이상이라고 한다. 뇌전증 조절에 대한 기대효과와 부작용에 대한 기대효과를 고려할 수 있으며 조절에 부가 이상이며 부작용에 부가 이하인 경우가 가장 좋을 것이다.

(부가: O, 부가 이상: ⇧, 부가 이하: ⇩)

효과/부작용	PHT	PB	CBZP	VPA	LTG	LEV	TPM
PHT	–	O/⇩	O/O	⇧/O	O/O		
PB	O/⇩	–	O/O	O/O	⇧/⇧		
CBZP	O/O		–	O/⇩	⇩/O	⇧/⇩	
VPA	⇧/O	O/O	O/⇩	–	⇧/⇩	⇧/⇩	
LTG	O/O	⇧/⇧	⇩/O	⇧/⇩	–		⇧/⇩
LEV			⇧/⇩	⇧/⇩		–	⇧/⇩
TPM					⇧/⇩	⇧/⇩	–

② 뇌전증 약물의 상호작용

많은 뇌전증 약물이 간에서 대사되며 CYP-450효소계를 거친다. 간 효소 유도 효과가 있는 CBZP, PHT, PB는 다른 약물의 농도를 낮추며 간효소 억제효과를 가지는 VPA는 다른 약물의 용량을 높일 수 있어 복합제 사용시 고려가 필요하다. LEV, ZNS, VGB, PRGB는 효소유도/억제 작용이 없으며 LTG, TPM, OXC는 비교적 경미한 영향을 주는 것으로 알려져 있다.

(3) 환자요인(특정 환자에서 치료)

대부분의 뇌전증 약물이 간 또는 신장을 통해 대사 및 배설되므로 해당 질환이 있는 환자에서 약제 선택 및 주의가 필요하다. 간 질환 환자에서는 약물 대사 과정이 간에서 이루어지거나 간독성의 위험성이 있는 VPA나 PB, PHT, CBZP 등의 약물보다는 신장으로 배설되는 LEV, LCS 같은 약물을 선택하는 것이 좋을 것이다. 신장 질환이 있는 경우 신장으로 배설되는 약물의 용량 조절이 필요하다(표 3-9).

표 3-9 신장질환에서 약물 조절

	CKD stage3 GFR 30-59 mL/min	CKD stage4 GFR 15-29 mL/min	CKD stage4 GFR <15 mL/min	ESRD
Levetiracetam	50% reduction 500-1000 mg Q12 hr	50% reduction 250-750 mg Q12 hr	50% reduction 500-1000 mg Q24 hr	IHD: 250-500 mg after HD PD: same GFR<15 CRRT: 250-750 mg Q12 hr
Topiramate	50-100% use	50% use	25% use	IHD: normal dose after HD PD/CRRT same GFR<15
Gabapentin	200-700 mg BID	200-700 mg QD	100-300 QD	IHD: HD후 100% add PD: 300 mg QOD CRRT: same GFR <15

(계속)

	CKD stage3 GFR 30–59 mL/min	CKD stage4 GFR 15–29 mL/min	CKD stage4 GFR <15 mL/min	ESRD
Pregabalin	50% reduction	25–150 mg QD	25–75 mg QD	IHD: HD후 100% add
Lacosamide	100% use	Slow titration max 300 mg/day	Slow titration max 300 mg/day	IHD: HD후 50% add
Valproic acid	No adjust	No adjust	No adjust	No adjust
Lamotrigine	No adjust	75% use	100 mg QOD	IHD: HD후 100 mg 투여 PD: same GFR<15 CRRT: 50% 감량
Zonisamide	75–100% use	50–75% use	50% use	IHD, CRRT same GFR<15
Carbamazepine	No adjust	No adjust	No adjust	No adjust
Oxcarbazepine	No adjust	50% 용량으로 시작	50% 용량으로 시작	No adjust
Phenytoin	No adjust	No adjust	No adjust	No adjust
Phenobarbital	No adjust	No adjust	No adjust	HD후 50% add
Vigabatrin	q24 hr	q48 hr	q72 hr	IHD: HD후 투여 PD/CRRT: same GFR<15

8 뇌전증 지속상태(Status epilepticus)

1 뇌전증 지속상태

뇌전증 지속상태는 경련이 멈추지 않고 지속되는 상태로 심각한 후유장애를 일으키거나 사망할 수 있는 질환이다. Mortality는 3–5% 정도이나 치료가 지연되는 경우 30분 이상 경과되면 10–20%, 2시간 이상 경과시 40%, 48시간 이상 경과하면 60% 이상으로 급격하게 mortality가 증가한다.

고전적으로 "충분한 기간동안 지속되거나 충분히 반복되어 고정적이고 지속적인 뇌전증 상태를 만드는 발작"으로 정의한다. 그러나 충분한 기간과 충분한 반복의 개념이 불분명하다. ILAE에서 t1, t2의 시간적 개념을 도입하여 정의를 개정하였다. 경련의 종류에 따라 t1, t2를 다르게 적용하고 있다(표 3-10).

표 3-10 뇌전증 지속 상태의 정의

발작의 중단 기전의 실패로 인해 비정상적으로 긴 시간(t1)의 경련이 나타나는 상태
장기적인 신경 손상을 초래할 수 있는 시간(t2) 이상 경련이 지속되는 상태

	T1	T2
Generalized convulsive status epilepticus	5분	30분
Focal status epilepticus with impaired consciousness	10분	60분 이상
Absence status epilepticus	10-15분	unknown

2 뇌전증 지속상태의 치료

기술한 것처럼 지연될수록 위험하므로 빠른 치료가 중요하다. 일반적으로 t1의 time point부터 적극적인 치료를 시작한다. 경련 시간의 기준이 애매한 경우가 있을 수 있는데 실제 임상적 경련이 지속되는 시간 또는 2회 이상의 경련이 의식회복없이 반복되는 경우로 경련의 시간을 정의할 수 있다. Time point에 따라 t1을 넘어갈 때는 impending SE로 보고 benzodiazepine shooting을 사용한다. t1-t2사이의 시간에 benzodiazepine에 효과가 없는 경우 established SE로 IV AED infusion을 사용하고 T2를 지나면 refractory SE로 보고 continuous infusion을 고려한다.

Duration of seizure
임상적으로 경련이 반복되고 있는 시간
의식 회복 없이 2회 이상의 경련이 반복되는 시간

[뇌전증 지속상태의 치료 protocol]

T1 (impending SE) > 5분

대부분의 환자는 IV line을 가지고 있으므로 Ativan 2-4mg을 IV 로 투여한다. 반응이 없는 경우 한번 더 투여한다. IV line을 확보하지 못한경우 midazolam 5-10 mg IM으로 대체가 가능하다.

T1-T2 (established SE): 1차치료 실패

Ativan투여에도 경련이 지속되는 경우 IV 약물을 투여한다. 기술하는약물은 모두 normal saline 100 cc에 mix해서 30분간 투여하도록 한다. 약물간 효과의 차이는 없으며 대체적으로 valproic acid와 levetiracetam으로 liver/kidney problem을 기준으로 선택하면 크게 무리가 없다. 경련이 멈추면 해당 약물의 상용량을 그대로 유지한다.

약물	용량	주의사항
Valproic acid	30 mg/kg (max 3000 mg)	liver failure에서 주의
Levetiracetam	60 mg/kg (max 4500 mg)	Renal failure에서 주의
Fosphenytoin	30 mg/kg (max 2300 mg)	liver failure에서 주의 EKG monitoring, arrhythmia 주의
Phenytoin	20 mg/kg 가능하면 fosphenytoin 추천	liver failure에서 주의 EKG monitoring, arrhythmia 주의 Extravasation 시 조직 손상 위험
Phenobarbital	20 mg/kg	liver failure에서 주의 respiratory failure: intubation 고려

IV AED실패 T2 이후(refractory SE)

정맥 마취제 infusion을 시행한다. 반드시 intubation을 시행하고 진행한다. 임상적으로 midazolam infusion을 가장 흔히 사용하고 propofol infusion을 사용할 수 있다. 이외에 thiopental, pentobarbital, ketamine을 사용할 수 있다.

Infusion은 우선 임상적 경련이 중단될 때까지 maintain dose를 증량하고 EEG monitor중이라면 EEG seizure가 보이지 않고 burst suppression에 진입할 때까지 증량한다. 여기서도 치료가 되지 않으면 super-refractory SE로 약물을 추가하거나 케톤 식이, 저 체온 치료, 면역치료 등을 고려할 수 있으나 정해진 바는 없다.

약물	용량
Midazolam	Loading: 0.1-0.2 mg/kg
	Maintain: 0.1-0.4 mg/kg/hr (EEG monitor시 1 mg/kg/hr)
Propofol	Loading: 3-5 mg/kg
	Maintain: 5-10 mg/kg/hr
Pentobarbital	Loading: 5-15 mg/kg
	Maintain: 0.5-3 mg/kg/hr
Thiopental	Loading: 2-3 mg/kg
	Maintain: 3-5 mg/kg/hr
Ketamine	Loading: 1-3 mg/kg
	Maintain: 1-5 mg/kg/hr
중단 기준	EEG monitor에서 burst suppression에 진입하고 inter-burst interval이 10초 이상 24시간 이상 유지되면 6-12시간 동안 감량 중단

▶ Infusion 처방 예시

Midazolam	Midazolam 원액 사용(Midazolam 15 mg/3 mL)
	Mida 5 mg/cc → 0.1 mg/kg/cc 로 맞춰 사용
	환자 체중 A kg → (0.1 X A)/5 cc = 0.1 mg/kg/cc 단위로 조정
	Loading: 0.1-0.2 mg/kg
	Maintain: 0.1-0.4 mg/kg/hr (EEG monitor시 1 mg/kg/hr)
Propofol	Fresofol MCT 2% 50ml 원액사용 = 20 mg/cc
	환자 체중 A kg → A/20 cc = 1 mg/kg/cc 단위로 조정
	Loading: 3-5 mg/kg
	Maintain: 5-10 mg/kg/hr
Pentobarbital	Pentobarbital 100 mg/2cc
	10A (1000 mg/20 cc)+NS80cc → 1000 mg/100 cc → 10 mg/cc
	동일 비율로 총량 조절
	환자 체중 A kg → A/10 cc = 1 mg/kg/cc 단위로 조정
	Loading: 5-15 mg/kg
	Maintain: 0.5-3 mg/kg/hr

(계속)

Thiopental	Pentothal sodium 0.5 g 10A을 NS200 cc에 mix 2.5% 수용액이 됩니다. 25 mg/cc → 1 mg/kg로 맞춰서 사용 환자 체중 A kg → A/25 cc = 1 mg/kg/cc 단위로 조정 Loading: 2–3 mg/kg Maintain: 3–5 mg/kg/hr
Ketamine	Ketamine 1A = 250 mg/5 cc Ketamine 8A (2000 mg/40 cc) + saline 60 cc = 2000 mg/100 cc = 20 mg/cc 동일 비율로 총량을 조정해서 사용 환자 체중 A kg → A/20 cc = 1 mg/kg/cc 단위로 조정 Loading: 1–3 mg/kg Maintain: 1–5 mg/kg/hr

9 뇌전증의 수술적 치료

뇌전증 환자의 일부는 약물로 조절되지 않아 수술적 치료를 고려하게 된다. 뇌전증 수술을 고려하는 경우 약물 난치성 뇌전증 여부와 수술이 가능한 뇌전증인지 여부가 중요하다.

1 약물 난치성 뇌전증

2가지 이상의 적절한 약물을 사용함에도 12개월 이상 무발작 상태 유지에 실패하는 경우로 정한다. 약물 난치성 뇌전증을 진단할 때 고려해야할 부분이 있다. 우선 뇌전증 진단이 명확한지 여부와 환자가 약물을 제대로 복용하였는지 여부 그리고 잘못된 약물 사용 여부를 확인하여야 한다.

2 수술 전, 후 평가

수술 전 경련 초점을 확인하기 위해 24시간 뇌파검사, MRI, PET, SPECT (SISCOM) 검사를 시행한다. 또한 인지와 언어중추 확인을 위한 인지검사, 와다검사, fMRI를 시행할 수 있다. 검사상 경련 초점이 확인 되는 절제술을 시행하여 경련 초점을 제거하게 되며 mTLE의 temporal lobectomy가 여기에 해당한다. 경련초점이 불분명한 경우 invasive EEG monitoring과 cortical mapping을 시행하여 초점을 확인하기도 한다. 경 련초점이 여러 군데 이거나 절제가 불가능한 환자에서는 DBS나 VNS 등 의 방법을 사용하기도 한다.

수술 후 평가에는 일반적으로 Engel classification을 널리 사용한다(표 3-11).

표 3-11 Engel classification

Class 1. 발작 소실

발작의 완전한 소실
생활에 지장이 없는 단순발작만 있는 경우
약간의 발작이 있었으나 수술 2년 이후 발작이 소실된 경우
약물 중단시에만 발작이 있는 경우

Class 2. 드문 발작(2~3회/년)

초기에 소실되었다가 최근 드문 발작
수술이후 드물게 발작 지속
야간 발작만 있는 경우

Class 3. 주목할 만한 호전(90% 이상 소실)

주목할 만한 호전 또는 상당기간 소실되었다가 다시 발작 시작

Class 4. 주목할 만한 호전 없음(90% 미만 감소)

발작 감소가 있으나 일상생활이 달라질 정도는 아님
오히려 발작의 악화

Reference

- 임상뇌전증학. 제3판. 범문에듀케이션; 2018.
- Epilepsy: Oxford Specialist Handbooks in Neurology. Oxford University Press, 2009;1-12.
- Evidence-based guideline: management of an unprovoked first seizure in adult: report of the Guideline Development Subcommittee of the American Academy of Neurology and the American Epilepsy Society. Neurology 2015;85(17):1526-7.
- Operational classification of seizure types by the International League Against Epilepsy: Position Paper of the ILAE Commission for Classification and Terminology. Epilepsia. 2017 58(4):522-530.
- Textbook of Clinical Neurophysiology. Oxford: Oxford University Press, 2017;301-9.
- The New Classification of Seizures by the International League Against Epilepsy 2017. Curr Neuol Neurosci Rep. 2017 Jun;17(6):48.

CHAPTER 04 수면

정유진, 최윤호

1 수면의 구조

인간의 수면은 뇌파, 안전위도, 근전도의 기록을 통해 렘수면[급속 눈운동수면, REM (rapid eye movement) sleep] 과 비렘수면[비급속눈운동수면, NREM (non-rapid eye movement) sleep]으로 나눈다(그림 4-1).

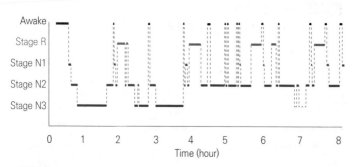

그림 4-1 정상 성인의 수면기록(Hypnogram)

각성상태에서 N1, N2, N3의 비렘수면으로 차례로 들어가고, 그 후로는 비렘수면과 렘수면이 약 90-110분 주기로 4-6회 반복된다. 전반부는 비렘수면, 후반부는 렘수면이 많다.

2 수면 중 생리변화

비렘수면과 긴장성(tonic) 렘수면 시에는 부교감신경계가 활성화되는 반면, 위상성(phasic) 렘수면 시에는 교감신경이 우세한 경향을 보인다. 각성상태와 비교하여 비렘수면 중에는 에너지 소모가 적어지고 더 낮게 설정된 온도에서 체온이 유지된다. 렘수면 동안에는 몸을 떨거나 땀분비와 같은 체온조절 반응들이 관찰되지 않는다. 비렘수면 동안의 호흡수와 심박수는 규칙적으로 일정하게 유지되어 에너지 소모를 줄이는 역할을 하게 된다(표 4-1). 반면 렘수면 때에는 호흡패턴과 심박동이 매우 불규칙한 특징을 갖는다. 렘수면기간의 이러한 불규칙한 심혈관계 기능변화가 심혈관질환의 고위험군에서 심근경색을 일으킬 수 있는 위험요소로 작용할 수 있다. 또한, 렘수면 동안의 불규칙한 호흡패턴 변화와 상기도의 근긴장도의 변화가 수면무호흡증을 악화시킬 수 있다.

표 4-1 수면 중 생리변화

Physiologic parameters	NREM sleep	REM sleep
Muscle tone	↓	↓↓
Pupil size	↓	↓ Tonic phase ↑ Phasic stage
Thermoregulation	Normal	Impaired
Heart rate	↓	Irregular (↑ / ↓)
Blood pressure	Regular or stable	Irregular (↑ / ↓)
Respiratory rate	↓	Irregular in phasic stage
Respiratory volume	↓	↓ Phasic stage
Penile erection	Rare	Frequent

3 수면-각성 조절

수면 및 각성 상태를 유지하는 체계는 수면을 증진시키는 S과정(sleep homeostatic process, process S)과 각성상태의 유지를 담당하는 C과정(circadian process, process C)의 상호 작용으로 조절된다(그림 4-2). S과정은 깨어있던 시간에 비례하여 수면의 요구가 증가하고 잠을 잔 시간이 길어지면 깨어나려는 부하가 걸리는 내부적인 수면 조절 기전이다. 깨어 있는 시간이 길어질수록 수면압력(수면에 대한 필요성)이 증가하는 것을 설명할 수 있다. 정상인에서 S과정의 수면력은 취침 전 최대치가 되며 적절한 밤 수면 후 사라지게 된다. C과정은 일주기리듬(circadian rhythm)에 의해 조절되며, 생체 시계와 같은 역할을 통해 개인의 수면 성향을 결정하는 요인으로 빛과 같은 환경적 요소들의 변화에 의존하여 일정한 수면-각성 주기를 유지하는데 중요한 역할을 한다.

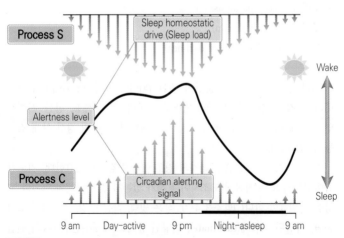

그림 4-2 수면-각성 조절에 대한 2과정 모델
S과정의 수면압력은 C과정에 대항하여 낮 시간 동안에 증가되며 밤 수면을 시작하면서 감소한다. 밤 동안의 충분한 수면이 이루어지면서 S과정이 감소하고 다시 각성주기가 시작된다.

4 수면장애 환자의 진찰

수면장애의 진단에 가장 중요한 단계는 수면에 대한 문진(history taking)이다. 환자뿐만 아니라 함께 자는 사람(bed partner)으로부터 정보를 얻는 것이 중요하다. 우선적으로 가장 중요한 수면 문제가 무엇인지 증상을 통해 논리적으로 접근해야 한다.

수면장애 클리닉을 방문하는 환자들은 대개 다음 중 하나 또는 둘 이상의 증상을 호소한다.

1) 불면증(insomnia)
2) 과도한 낮 졸음(excessive daytime sleepiness)
3) 코골이(snoring), 수면무호흡(sleep apnea)
4) 수면 중 신체의 움직임이나 이상 행동(parasomnia)
5) 탈력 발작(cataplexy)
6) 수면마비(sleep paralysis)
7) 야간 통(nocturnal pain)
8) 야간 호흡곤란(nocturnal dyspnea)

이러한 증상들에 대한 문진이 우선시되어야 하며, 이 외에도 환자의 내과, 신경과, 정신건강의학과 병력과 가족력, 약물 복용, 정신−사회적인 상태에 대한 인터뷰, 이학적 검사, 신경학적 검사 및 정신 상태 검사 등이 필요하다.

특히, 폐쇄수면무호흡증 환자의 경우 이학적 검사가 중요한데, 기도가 좁아졌는지 또는 커진 편도조직이나 혀가 있는지 및 연구개의 크기와 모양을 확인해야 한다(그림 4-3, 4-4). 작은 윗턱, 작은 구강, 만성적인 코의 울혈, 확장된 비갑개(turbinate), 편향된 중격도 폐쇄수면무호흡의 원인이 될 수 있으므로 자세한 관찰이 필요하다. 경우에 따라서는 이비인후과 의사에게 비인두 또는 구인두 같은 곳의 특별한 폐쇄가 존재하는지

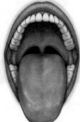

Ⅰ형
물렁입천장과 목젖
전체가 보인다.

Ⅱ형
물렁입천장과 목젖의
일부가 보인다.

Ⅲ형
물렁입천장이 보이며
목젖의 기저부가 보이거나
보이지 않는다.

Ⅳ형
물렁입천장이
보이지 않는다.

그림 4-3 Modified Mallampati score
소리를 내지 않고 입을 최대한 크게 벌리고 혀를 최대한 바깥쪽으로 내밀도록 한 후 관찰한다.

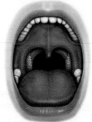

Tonsils, size 1, are
hidden within the pillars

Tonsils, size 2,
extend to the pillars

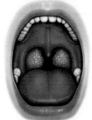

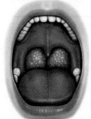

Tonsils, size 3, extend
beyond the pillars but
not to the midline

Tonsils, size 4,
extend to the midline

그림 4-4 Friedman tonsil grade

내시경 검사를 의뢰해야 한다.

5 수면설문지

설문지를 이용하면 한눈에 빠르게 환자의 수면력을 파악할 수 있다.

1 엡워스졸림척도(Epworth sleepiness scale, ESS)

주관적인 주간졸림증의 정도를 나타내는 8문항 척도로, 총점은 0−24점으로 점수가 높을수록 주간졸림증이 심하고, 10점 이상이면 과도한 주간졸림이 있음을 의미한다(표 4-2).

표 4-2 엡워스 졸림척도(ESS)

활동	졸리운 정도			
	전혀 졸리지 않다 0	조금 졸리다 1	상당히 졸리다 2	매우 많이 졸리다 3
다음 중 적절한 답을 골라서 각 문항에 V표 하십시오.				
1. 앉아서 독서할 때				
2. TV 볼 때				
3. 공공장소에서 하는 일 없이 가만히 앉아 있을 때				
4. 한 시간 이상 계속 운전 중인 차 속에서 승객으로 앉아 있을 때				
5. 오후에 쉬면서 혼자 누워 있을 때				
6. 앉아서 상대방과 대화할 때				
7. 술을 마시지 않고 점심식사 후 조용히 앉아 있을 때				
8. 차에 타고 수분 동안 신호를 기다리고 있을 때				

2 스탠포드 졸림척도(Stanford sleepiness scale, SSS)

7단계로 주간 각성 정도를 평가한다. 3점 이상이면 현재 주간졸림증이 있다고 간주한다(표 4-3).

표 4-3　스탠포드 졸림척도(SSS)

다음 중 당신의 현재 느낌과 가장 가까운 항목 하나를 체크하십시오.
1. 전혀 졸립지 않고, 정신이 맑고 활기참을 느낀다.
2. 최상의 상태는 아니지만 집중해서 일을 할 수 있다.
3. 정신을 차리고는 있지만 다소 나른해진 상태이다.
4. 약간 정신이 몽롱하고 기운이 없다.
5. 몽롱해서 정신을 집중할 수가 없고, 정신을 계속 차리고 있기가 힘들다.
6. 졸립고 멍한 상태이며, 눕고 싶다.
7. 눈은 뜨고 있지만 깨어 있을 수가 없다. 금새 잠들 것 같다.

3 불면중증도지수(Insomnia severity index, ISI)

주관적으로 느끼는 불면 증상의 심한 정도를 측정하기 위해 사용하였으며 총 7항목, 총점 0-28점으로 높은 점수일수록 더 심한 불면 증상을 나타낸다(표 4-4). 0-7점은 임상적 불면증이 없는 것, 8-14점은 역치 이하의 불면증, 15-21점은 중등도의 불면증, 22점 이상을 중증의 불면증으로 정의하여, 일반적으로 15점 이상인 경우 불면증 위험군으로 분류한다.

표 4-4 **불면중증도지수(ISI)**

다음은 불면증에 관한 질문들입니다. 각 질문에 대하여 귀하에게 가장 맞는 답 하나에만 V표 하십시오.

1. 당신의 불면증에 관한 문제들의 현재(즉, 최근 2주간) 심한 정도를 표시해 주세요.	없다 (0)	약간 정도 (1)	중간 정도 (2)	심하다 (3)	매우 심하다 (4)
a. 잠들기 어렵다	☐	☐	☐	☐	☐
b. 잠을 유지하기 어렵다	☐	☐	☐	☐	☐
c. 쉽게 깬다	☐	☐	☐	☐	☐
2. 현재 수면 양상에 관하여 얼마나 만족하고 있습니까?	매우 만족 ☐	약간 만족 ☐	그저 그렇다 ☐	약간 불만족 ☐	매우 불만족 ☐
3. 당신의 수면 장애가 어느 정도나 당신의 낮 활동을 방해한다고 생각합니까? (예, 낮에 피곤함, 직장이나 가사에 일하는 능력, 집중력, 기억력, 기분 등)	전혀 방해 되지 않는다 ☐	약간 ☐	다소 ☐	상당히 ☐	매우 많이 ☐
4. 불면증으로 인한 장애가 당신의 삶의 질의 손상정도를 다른 사람들에게 보인다고 생각합니까?	전혀 그렇게 보이지 않는다 ☐	약간 ☐	다소 ☐	상당히 ☐	매우 심하게 보인다 ☐
5. 당신은 현재 불면증에 관하여 얼마나 걱정하고 있습니까?	전혀 그렇지 않다 ☐	약간 ☐	다소 ☐	상당히 ☐	매우 많이 ☐

4 베를린수면무호흡설문(Berlin questionnaire, BQ)

코골이 및 수면무호흡에 대한 평가로 총 3개의 카테고리로 구성된다 (표 4-5). Category 1은 수면 행동에 대한 항목으로 2점 이상이면 양성으로 판정, Category 2는 각성 시 수면과 피로도에 대한 항목으로 2점 이상이면 양성으로 판정한다. Category 3은 고혈압이 있는 경우 양성으로 판정된다. 총 3개 중 2개 이상의 카테고리에서 양성인 경우 고위험군으로 분류한다.

표 4-5 베를린수면무호흡설문(BQ)

CATEGORY 1	CATEGORY 2

CATEGORY 1

1. 코골이가 있나요?
   - a. 예
   - b. 아니오
   - c. 모름

만약 코를 곤다면

2. 코골이 소리가 어떤가요?
   - a. 숨소리보다 약간 크다
   - b. 말소리만큼 크다
   - c. 말소리보다 크다
   - d. 매우 크다(옆방에서 들릴 정도로)

3. 얼마나 자주 코골이가 있나요?
   - a. 거의 매일
   - b. 일주일에 3-4회
   - c. 일주일에 1-2회
   - d. 한달에 1-2회
   - e. 거의 없거나 없다

4. 코골이로 사람들을 성가시게 한 적이 있나요?
   - a. 예
   - b. 아니오
   - c. 모름

5. 수면중에 무호흡이 있는 것을 다른 사람이 알고 있나요?
   - a. 거의 매일
   - b. 일주일에 3-4회
   - c. 일주일에 1-2회
   - d. 한달에 1-2회
   - e. 거의 없거나 없다

CATEGORY 2

6. 수면후에 얼마나 자주 피곤함을 느끼나요?
   - a. 거의 매일
   - b. 일주일에 3-4회
   - c. 일주일에 1-2회
   - d. 한달에 1-2회
   - e. 거의 없거나 없다

7. 깨어있을 때에 피곤함을 느끼나요?
   - a. 거의 매일
   - b. 일주일에 3-4회
   - c. 일주일에 1-2회
   - d. 한달에 1-2회
   - e. 거의 없거나 없다

8. 자동차 운전 중에 잠이 든 적이 있나요?
   - a. 거의 매일
   - b. 일주일에 3-4회
   - c. 일주일에 1-2회
   - d. 한달에 1-2회
   - e. 거의 없거나 없다

9. 얼마나 자주 자동차 운전 중에 잠이 드나요?
   - a. 거의 매일
   - b. 일주일에 3-4회
   - c. 일주일에 1-2회
   - d. 한달에 1-2회
   - e. 거의 없거나 없다

CATEGORY 3

10. 고혈압을 앓고 있나요?
    - a. 예
    - b. 아니오

High risk: 2개 이상의 category에서 positive
Low risk: 1개 이하의 category에서 positive

5 피츠버그수면질지수(Pittsburgh sleep quality index, PSQI-K)

주관적으로 지난 한 달간의 수면의 질을 평가하는 것으로, 19항목으로 구성되었다(표 4-6). 총점 0-21점으로 점수가 높을수록 수면의 질이 떨어지는 것이며, 5점을 초과한 경우 수면의 질이 좋지 않음을 의미한다.

표 4-6	한국판 피츠버그 수면질지수(PSQI-K)

다음은 지난 한 달 동안의 당신의 평상시 수면습관들에 대한 질문들입니다. 각 질문에 대하여 귀하에게 가장 맞는 답 하나에만 V표 하십시오.

1. 지난 한 달 동안, 몇 시에 잠자리에 들었습니까?   오전/오후 _____ 시 _____ 분

2. 지난 한 달 동안, 밤마다 잠드는 데 얼마나 오래 걸렸습니까?   _____ 시 _____ 분

3. 지난 한 달 동안, 아침에 몇 시에 일어났습니까?   오전/오후 _____ 시 _____ 분

4. 지난 한 달 동안, 실제로 잠잔 시간은 하루에 평균 얼마나 됩니까?   _____ 시 _____ 분

5. 지난 한 달 동안, 어떤 이유로 잠자는 데 얼마나 자주 문제가 있었습니까?	한 번도 없었다 (0)	한 주에 한 번보다 적게 (1)	한 주에 한두 번 정도 (2)	한 주에 세 번 이상 (3)
a. 30분 이내로 잠들 수 없다	☐	☐	☐	☐
b. 한밤중이나 새벽에 깬다	☐	☐	☐	☐
c. 화장실에 가려고 일어난다	☐	☐	☐	☐
d. 편안하게 숨 쉴 수 없다	☐	☐	☐	☐
e. 기침을 하거나 시끄럽게 코를 곤다	☐	☐	☐	☐
f. 너무 춥다	☐	☐	☐	☐
g. 너무 덥다	☐	☐	☐	☐
h. 나쁜 꿈을 꾼다	☐	☐	☐	☐
i. 통증이 있다	☐	☐	☐	☐
j. 그 외에 다른 이유가 있다면(아래에 적어주세요)				
이 이유 때문에 얼마나 자주 잠드는 데 어려움이 있습니까?	☐	☐	☐	☐
6. 지난 한 달 동안에, 잠들기 위해 얼마나 자주 약을 먹었습니까? (처방약 또는 약방에서 구입한 약)	☐	☐	☐	☐
7. 지난 한 달 동안, 운전하거나, 식사 때 또는 사회활동을 하는 동안 얼마나 자주 졸음을 느꼈습니까?	☐	☐	☐	☐
8. 지난 한 달 동안, 하는 일에 열중하는 데 얼마나 많은 어려움이 있었습니까?	☐	☐	☐	☐

	매우 좋은 (0)	상당히 좋은 (1)	상당히 나쁜 (2)	매우 나쁜 (3)
9. 지난 한 달 동안, 당신의 전반적인 수면의 질은 어느 정도라고 평가하십니까?	☐	☐	☐	☐

(계속)

한국판 피츠버그 수면질지수(PSQI-K)의 평가 방법

1. Subjective sleep quality 주관적 수면의 질	C1	#6
2. Sleep latency 수면 잠복기	C2	#2+5a : 0=0, 1~2=1, 3~4=2, 5~6=3 (#2 : ≤15=0, 16~30=1, 31~60=2, >60=3
3. Sleep duration 수면 시간	C3	#4 (>7=0, 6~7=1, 5~6=2, <5=3
4. Habitual sleep efficiency 평소의 수면 효율	C4	Hours asleep(#4)/hours in bed(#3-#1)×100
5. Sleep disturbance 수면 방해	C5	Sum of 5b to 5j (0=0, 1~9=1, 10~18=2, 19~27=3)
6. Use of sleep medication 수면제 약물의 사용	C6	#7
7. Daytime dysfunction 주간 기능 장애	C7	#8 + #9 (0=0, 1~2=1, 3~4=2, 5~6=3)

#2. <15분: 0   16-30분: 1   31-60분: 2   >60분: 3
#4. >7시간: 0   6-7시간: 1   5-6시간: 2   <5시간: 3
#5, #7, #8
　　지난 한달 동안 없었다: 0   한 주에 1번보다 적게: 1   한 주에 1-2번 정도: 2   한 주에 3번 이상: 3
#6. 매우 좋음: 0   상당히 좋음: 1   상당히 나쁨: 2   매우 나쁨: 3
#9. 전혀 없었다: 0   매우 조금 있었다: 1   다소 있었다: 2   매우 많이 있었다: 3

6 수면일기(Sleep Diary, Sleep Log)

2주간 잠자는 패턴과 수면과 관련된 일상생활을 환자가 기록해 오는 것이다(그림 4-5).

기상 시각, 불 끄고 잠자리에 든 시각, 잠들기까지 걸리는 시간, 수면 도중 깬 횟수, 수면 도중 각성 시간을 기재하도록 한다. 이를 통해 아래의 항목들을 계산할 수 있다.

– 수면 잠복기: 잠자리에 누워서 잠들기 까지 걸리는 시간(분)
– 총 침상시간: 기상시각-불 끄고 잠자리에 든 시(분)
– 총 수면시간: 총 침상시간-수면 잠복기-수면 중 각성 시간(분)
– 수면 중 각성 횟수: 수면 도중 잠에서 깬 횟수의 합계(회)
– 수면 중 각성 시간: 수면 도중 깼다가 다시 잠들기 까지 걸린 시간의 합(분)
– 수면 효율: 총 수면시간/총 침상시간×100

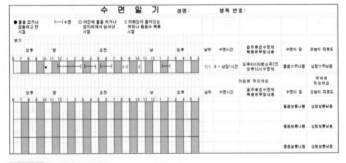

그림 4-5 수면일기 예시

출처: 세브란스병원 수면건강센터

또한, 주간 수면 관련 낮잠 유무, 낮잠 시간 및 횟수(일)를 파악하는 것도 중요하다. 카페인 음료, 음주, 운동 등 기타 수면에 영향을 줄 수 있는 여러 가지 단서들도 찾아볼 수 있다. 임상의는 자료를 분석해서 지연성 수면위상 증후군이 있는지, 불면증이 어느 정도 심한지, 잘못된 수면 습관이 있는지, 기타 다른 문제가 있는지를 파악하게 된다. 수면일기를 작성하는 것은 환자로 하여금 자신의 수면 문제에 대해 보다 객관적인 평가를 할 수 있도록 동기부여를 해 줌과 동시에, 자기 모니터링을 통해 치료적 효과를 갖기도 한다.

7 수면다원검사(Polysomnography, PSG)

수면다원검사는 수면 중 뇌파(electroencephalography, EEG), 안전도(electro-ocluography, EOG), 근전도(EMG), 심전도, 호흡, 혈액 산소포화도, 코골이, 다리 움직임, 체위 같은 여러 가지 생체신호를 기록하여 수면 중 나타나는 전기 생리 변화를 모니터링함으로써 수면의 질을 평가하고, 다양한 수면장애를 진단하는 표준화된 도구이다.

1 수면다원검사의 적응증

(1) 수면관련호흡장애의 진단과 평가 및 추적평가
    코골이, 상기도 저항증후군, 폐쇄수면무호흡증, 중추수면무호흡증후군 등
(2) 주간졸음증의 진단과 장애 정도의 평가 및 추적평가
    기면증, 특발성 과다수면증 등
(3) 수면중 이상행동증의 진단과 장애 정도의 평가
    렘수면행동장애, 몽유병, 야경증 등
(4) 주기적사지운동증의 진단과 장애 정도의 평가
(5) 만성 불면증의 원인을 찾기 위해

가. 급여대상

1. 수면무호흡증: 가),나) 또는 가),다)의 조건을 만족하는 경우

   가) 주간졸림증(daytime sleepiness), 빈번한 코골이(habitual snoring), 수면무호흡, 피로감 (nonrestorative sleep), 수면 중 숨막힘, 잦은 뒤척임, 수면 중 잦은 각성 등 하나 이상의 증상이 있는 경우

   나) 신체검진상 후두기관내 삽관시 어려움의 평가(Modified Mallampatti score) grade 3 이상 또는 Friedman 병기분류에 따른 편도 크기(Tonsil size) grade 2-3 이상주 또는 내시경검사를 이용한 Muller maneuver상 상기도 폐쇄소견이 확인될 경우

      ※ 주: 만13세미만 연령의 경우는 grade 3이상, 만13세이상 연령의 경우는 grade 2이상 적용

   다) 고혈압, 심장질환, 뇌혈관질환 또는 당뇨 기왕력이 있거나 체질량지수(BMI)가 30 kg/m²이상인 경우

2. 기면증 또는 특발성 과다수면증: 가),나) 또는 가),다)의 조건을 만족하는 경우

   가) Epworth Sleepiness Scale 10 이상

   나) 과도한 주간졸림증이 있고, 허탈발작이 동반될 때(narcolepsy with cataplexy)

   다) 하루에 7시간 충분히 잠을 자도, 과도한 주간졸림증이 3개월 이상 지속되어 일상생활에 불편을 초래할 때(narcolepsy without cataplexy or idiopathic hypersomnia)

나. 인정횟수

1) 진단 시: 1회 인정

2) 진단 후 양압기 치료를 위해 적정압력을 측정하는 경우와 치료목적의 처치 또는 수술 후: 각각 1회씩 인정

3) 마지막 검사 시행 6개월 이후 환자 상태의 급격한 변화로 임상적으로 필요한 경우에 사례별로 인정함.

* 수면다원검사의 급여기준 (2018년 7월 1일 보건복지부 고시 내용)

2 수면다원검사의 해석

(1) 수면 단계(sleep staging)

30초로 된 에포크(epoch) 단위로 판정하며 각성상태, 비렘수면 단계(stage N1, N2, N3), 그리고 렘수면 단계(stage R)의 총 5개로 구분한다. 한 에포크에 다른 수면 단계가 동시에 있으면 그 에포크에서 50% 이상을 차지하는 수면 단계로 결정한다(그림 4-6).

- 각성상태. 뇌파에 알파(8–13Hz)리듬이 있다.

- N1단계수면. 뇌파에 알파리듬이 거의 사라지고 세타리듬이 나타나면서 안전위도검사에 느린눈운동이 있다. 일과성두정예파(vertex sharp wave)가 전두엽 중앙부와 두정영역(vertex area)에서 나타난다. N2단계수면. 전두엽 중앙부와 두정영역에 K-복합체(K-complex)와 수면방추파(sleep slindle)가 있다.
- N3단계수면. 델타파 (>75 mV, <4 Hz)가 전체 에포크 중 20% 이상 나타난다.
- 렘수면. 급속눈운동, 턱근전도에서 보이는 무긴장(atonia)이 특징적이다.

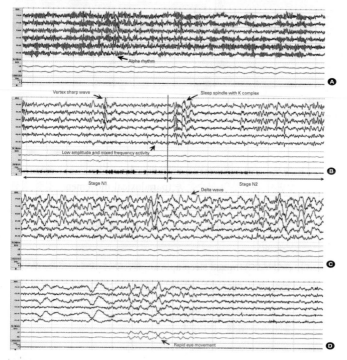

그림 4-6 **수면 단계(sleep staging)**

(2) 호흡

① 수면무호흡(sleep apnea)

열전대(oronasal thermistor, 흰색 화살표)에서 안정호흡진폭에 비해 호흡진폭이 90% 이상 감소가 10초 이상 지속될 때 판정한다. 최저산소포화도기준을 요구하지 않는다(그림 4-7).

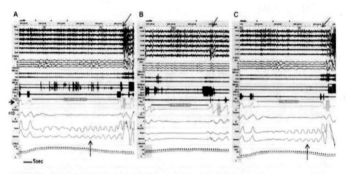

그림 4-7 **수면무호흡(sleep apnea)**

가. 폐쇄무호흡(obstructive sleep apnea): 서미스터에서 호흡이 없으면서 흉복부의 모순운동 (paradoxical movement, 검정 점선 화살표)이 나타난다.

나. 중추무호흡(central sleep apnea): 호흡과 흉복부의 호흡노력이 모두 없다.

다. 혼합무호흡(mixed sleep apnea): 전반부는 중추무호흡, 후반부 (검정 점선 화살표)는 폐쇄무호흡이 관찰된다. 산소포화도감소와 뇌파의 미세각성(붉은 실선 화살표)이 세 가지 형태 무호흡에서 모두 함께 나타난다.

② 수면저호흡(sleep hypopnea)과 호흡노력각성(respiratory effort related arousal, RERA) (그림 4-8)

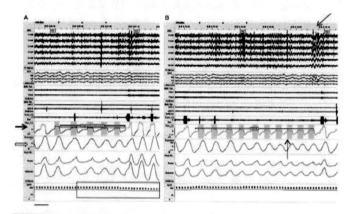

그림 4-8 수면저호흡(sleep hypopnea)

가. 저호흡: 코압력탐촉자(nasal pressure transducer, 검정 실선 화살표)에서 10초 이상 기저 호흡의 30% 이상 진폭이 감소하면서 4% 이상 산소포화도가 감소한다(붉은 상자).

나. 호흡노력각성: '수면무호흡/저호흡 없이 기도 내 저항이 증가하여 각성이 나타나는 것'

무호흡 및 저호흡의 기준에는 맞지 않으나 10초 이상 코 압력탐촉자 파형의 윗부분이 평평한 모양(검정 점선 화살표)을 보이면서 뇌파에서 미세각성(붉은 화살표)이 나타난다.

③ 저환기(hypoventilation)

가. 동맥혈 PCO_2분압값이 10분 이상 동안 55mmHg를 초과하거나,

나. 수면 중 동맥혈 PCO_2분 압값이 깨어서 누워 있을 때보다 10mmHg 이상 증가되고 그 값이 10분 이상 50mmHg을 초과

하는 경우

④ 체인-스토크호흡(Cheyne-Stokes Breathing)

중추성수면무호흡 또는 저호흡이 40초 이상 호흡 진폭이 점점 커
졌다가 점점 작아지는(crescendo and decrescendo) 양상의 호흡과
반복되어 3번 이상 나타날 때(그림 4-9)

최소한 2시간 이상의 검사에서, 중추성수면무호흡 또는 저호흡이
호흡 진폭이 점점 커졌다가 점점 작아지는 양상의 호흡과 반복되
는 것이 수면시간당 5번 이상 될 때

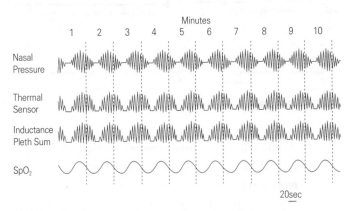

그림 4-9 체인-스토크호흡(Cheyne-Stokes Breathing)

8 다중수면잠복기검사(Multiple Sleep Latency Test, MSLT)

낮시간에 주간 졸림 정도를 객관적으로 평가하고 렘수면의 출현을 진
단하는 방법이다. 대개 전날 수면다원검사를 하고 그 다음날 아침부터 2
시간 간격으로 5세션을 진행한다. 첫 번째 세션 시각은 환자의 평소 수
면 습관과 일주기 리듬을 고려하여 전날 수면다원검사 시간(시작 및 종

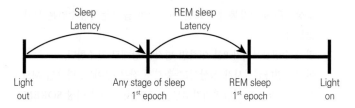

그림 4-10 다중수면잠복기검사(Multiple Sleep Latency Test, MSLT)

료시간)과 함께 결정한다. 불을 끄고 환자에게 잠을 자라고 요청한 후 일단 잠이 들면 중간에 각성유무와 관계없이 15분 동안 기록한 후 종결한다. 만약 환자가 20분 안에 잠들지 못하면 검사를 끝낸다(그림 4-10). 검사 전 수면에 영향을 줄 수 있는 약은 2주 전부터 복용하지 말아야 하며, 평소와 같이 수면을 취하여 수면 박탈이 없어야 한다. 검사 전 한 달 동안의 수면 습관과 스케줄, 약물 복용 사항을 정확하게 파악해야 하므로 미리 수면일지를 작성하도록 한다.

▶ 검사결과 판독 및 해석

1. 수면잠복기(sleep latency): 검사실 불을 끄고 난 후부터 첫 수면으로 기록되는 에포크가 나타날 때까지의 시간

2. 입면(sleep onset): 검사실 불을 끄고 난 후부터 첫 번째 수면 단계(1단계를 포함한 어떤 수면 단계도 상관없음)가 나타나는 시점으로 정의한다. 20분이 경과해도 잠들지 않는 경우는 수면 잠복기를 20분으로 계산한다.

3. 급속눈운동수면잠복기(REM sleep latency): 수면 시작에서 급속눈운동수면의 첫 번째 에포크까지의 시간

4. 평균 수면잠복기(mean sleep latency): 각 수면잠복기검사에서 얻은 수면잠복기의 평균

5. 입면 급속눈운동수면(sleep onset REM, SOREM): 입면으로부터 15분 이내에 출현하는 급속눈운동수면

- 정상인은 수면잠복기가 10분 이상이며 급속눈운동수면은 보이지 않는다.
- 평균 수면잠복기가 8분 이하면 병적인 상태로 간주한다.
- 야간수면다원검사가 정상이고 충분히 잠을 잤어도, 다음날 MSLT 에서 1) 평균 수면잠복기가 8분 이하이며, 2) 2번 이상 SOREM이 나타나면 기면증으로 진단할 수 있다.

9 활동기록기(Actigraphy)

휴대 장치를 이용해서 신체의 움직임을 측정하여 기록하는 것을 의미한다. 일반적으로 자주 사용하지 않는 손의 손목에 착용하는데, 이렇게 기록된 신체 움직임 정보를 특정한 알고리즘을 사용하여 정량화하고 또그것을 수면 혹은 각성 상태로 판독할 수 있다(그림 4-11). 수면/각성 판독은 기본적으로 신체 움직임이 수면 상태에서는 줄어들고, 각성 상태에서는 늘어난다는 가정을 바탕으로 하고 있다. 야간수면다원검사에 비교할 때, 액티그래피의 장점은 하루 24시간, 수 일 혹은 수 주 동안 지속적으로 환자의 수면-각성 상태를 점검할 수 있다는 것이다.

(1) 장점
야간수면다원검사에 비교할 때, 하루 24시간, 수 일 혹은 수 주 동안 지속적으로 환자의 수면-각성 상태를 점검할 수 있다.

(2) 사용 및 연구에 대한 권장
① 불면증, 수면무호흡증, 일주기 리듬장애 등 수면장애 평가(제한적)
② 불면증(우울증을 동반한 경우를 포함) 및 일주기 리듬 장애 환자군의 치료 효과 평가
③ 노인 및 영유아 환자군에서 수면다원검사가 힘든 경우, 수면일기

와 동반해서 사용가능

(3) 제한점

① 야간수면다원검사와 시간대별, 30초 에포크 단위로 끊어서 비교 시, 결과의 불일치

② 움직임이 최소화된 상태의 휴식 기간이 수면 상태로 잘못 판독 가 능

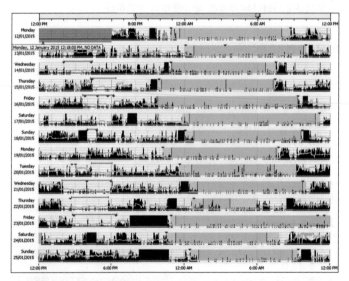

그림 4-11 액티그래피 자료 예시

검은색 선은 피험자가 해당 시간에 보여준 움직임 횟수, 노란색 선은 빛의 세기, 빨간색 점들은 특정 알고 리즘에 의해 판독된 수면/각성 상태. 짙은 파란색 블록은 기기 오류 혹은 피험자 실수 등으로 측정이 실패 한 시간을 의미, 옅은 파란색 블록은 알고리즘에 의해 판독된 야간수면시간. 측정은 2주간 진행되었다.

10 수면(각론, 질환 및 치료)

1 수면관련호흡장애(Sleep Related Breathing Disorders)

〈분류〉

제3판 국제수면장애분류(International Classification of Sleep Disorders, ICSD-3)에서는 폐쇄수면무호흡장애, 중추수면무호흡증후군, 수면관련저환기장애, 수면관련저산소혈증장애로 분류하였다. 일반적으로 폐쇄 및 중추수면무호흡이 동시에 존재하는 경우가 많고 우세하게 나타나는 무호흡 형태에 따라 진단한다.

(1) 폐쇄수면무호흡장애(obstructive sleep apnea disorders)

* 성인 폐쇄수면무호흡 진단기준: 증상+RDI ≧ 5 또는 RDI ≧ 15

① 호흡장애지수 [respiratory disturbance index (RDI)]= (무호흡 + 저호흡 + 호흡노력각성)의 횟수/시간

▶ **성인 폐쇄수면무호흡(OSA) 진단기준**

◆ 기준 A와 B가 모두 충족하거나 C가 충족해야 함, (A and B) or C

A. 다음 중 한 가지 이상 존재함.
  1. 졸림, 비회복수면(nonrestorative sleep), 피로 또는 불면 증상을 호소함.
  2. 숨을 멈추거나, 숨을 헐떡이거나, 숨이 막히면서 잠에서 깸.
  3. 수면파트너나 다른 관찰자가 수면 중 습관적 코골이, 호흡중지를 확인함.
  4. 고혈압, 기분장애, 인지저하, 관상동맥질환, 뇌졸증, 울혈심부전, 심박세동, 제2형 당뇨병의 진단.

B. 수면다원검사(polysomnography, PSG) 또는 이동간이수면검사(OCST)에서 다음이 확인됨:
  1. 폐쇄수면호흡 삽화[폐쇄 및 혼합무호흡, 저호흡, 또는 호흡노력관련각성(respiratory effort related arousal, RERAs)]가 시간당 5회 이상.
  또는

C. 수면다원검사 또는 이동간이수면검사에서 다음이 확인됨:
  1. 폐쇄수면무호흡 삽화(폐쇄 및 혼합무호흡, 저호흡, 또는 RERAs)가 시간당 15회 이상.

② 수면무호흡의 중등도 - 호흡장애지수(RDI)

5 이상 15 미만 - 경증(mild), 15 이상 30 미만 - 중등도(moderate),

30 이상 - 중증(severe)

(2) 중추수면무호흡증후군(central sleep apnea syndromes)

① 체인-스톡스 호흡이 있는 중추수면무호흡(central sleep apnea with Cheyne-Stokes Breathing)

② 체인-스톡스 호흡이 없는 의학적 질환으로 인한 중추무호흡 (central apnea due to a medical disorder without Cheyne-Stokes breathing)

▶ 중추수면무호흡 진단기준

체인-스톡스 호흡이 있는 중추수면무호흡	체인-스톡스 호흡이 없는 의학적 질환으로 인한 중추무호흡

◈ 기준A 또는 B가 충족되면서 동시에 C와 D가
충족해야 함, (A or B) + C + D
A. 다음 중 한 가지 이상 존재함.
  1. 졸림.
  2. 수면의 시작 또는 유지의 어려움, 수면 중
  잦은 각성 또는 수면 후에도 회복되지 않는
  피로감.
  3. 수면중 호흡곤란으로 깨어남.
  4. 코골이.
  5. 목격된 무호흡
B. 심방세동/심방조동의 존재, 울혈심부전,
  신경학적 장애.
C. 수면다원검사(진단 또는 양압적정)에서 다음
  이 확인됨.
  1. 수면시간당 5회 이상의 중추무호흡 그리
  고/또는 중추저호흡.
  2. 중추무호흡증 그리고/또는 중추저호흡의
  총 횟수는 무호흡 및 저호흡의 총 횟수의
  > 50%.
  3. 환기 양상은 체인-스톡스 호흡(cheyne-
  Stokes breathing, CSB)기준에 부합함.
D. 이 장에는 다른 동반 수면장애, 약물 사용(예:
  아편유사제) 또는 물질사용장애로 설명되지
  않음.
	◈ 기준A-C가 모두 충족해야 함
	A. 다음 중 하나 이상 존재:
	  1. 졸림.
	  2. 수면개시 또는 유지 어려움, 잦은 각성
	  또는 비회복수면.
	  3. 호흡곤란으로 깨어남.
	  4. 코골이.
	  5. 목격된 무호흡.
	B. 수면다원검사에서 다음이 확인됨.
	  1. 수면시간당 5회 이상의 중추무호흡
	  그리고/또는 중추저호흡.
	  2. 중추무호흡 그리고/또는 중추저호흡 횟수
	  는 무호흡 및 저호흡 총 횟수의 >50%
	  3. CSB 없음.
	C. 이 장에는 의학적 또는 신경학적 장애로 인해
	  발생하며 약물 사용이나 물질 사용에 의한 것
	  이 아님.

③ 고지주기호흡으로 인한 중추수면무호흡(central sleep apnea due to high altitude periodic breathing)

④ 약물 또는 물질로 인한 중추수면무호흡(central sleep apnea due to a medication or substance)

⑤ 일차중추수면무호흡(primary central apnea)

⑥ 치료중발생 중추수면무호흡(treatment-emergent central sleep apnea)

▶ **치료중발생 중추수면무호흡 진단기준**

◇ 기준 A-C가 모두 충족되어야 함

A. 진단적 수면다원검사에서 시간당 5회 이상의 주로 폐쇄호흡사건이(폐쇄 또는 혼합 무호흡, 저호흡 또는 호흡노력관련각성) 관찰됨.

B. 보완호흡수없이 양압기를 사용한 수면다원검사에서 폐쇄호흡 사건의 소실과 아래 모두의 중추무호흡 또는 저호흡의 출현 또는 지속이 관찰됨:
  1. 중추무호흡-중추저호흡 지수 시간당 5 이상(CAHI ≥ 5/hour).
  2. 중추무호흡과 중추저호흡의 숫자가 전체 무호흡과 저호흡 총 숫자의 50% 이상.

C. 중추수면무호흡이 다른 CSA장애(예를 들어, 체인-스톡스호흡이 동반된 CSA 또는 약물 또는 물질로 인한 CSA)에 의해 더 잘 설명되지 않는다.

(3) 수면관련저환기장애(sleep related hypoventilation disorders)

비만저환기증후군(obesity hypoventilation syndrome)은 유병률이 높고 임상적 특징도 뚜렷해 별도의 장애로 등재되었다. 다른 수면관련 저환기장애와 달리, 비만저환기증후군 진단은 각성 중(주간) 저환기 (PaCO$_2$ > 45 mmHg)가 필수적이다. 이 범주의 다른 질환의 진단에는 각성 중 저환기가 꼭 필요하지는 않다.

① 비만저환기증후군(obesity hypoventilation syndrome)

② 선천중추폐포저환기증후군(congenital central alveolar hypoventilation syndrome)

③ 시상하부 기능장애가 있는 후기발병중추저환기(late-onset central

Chapter 04

▶ **비만저환기증후군 진단기준**

◈ **A-C가 모두 충족해야 함**

A. 각성 중 저환기($PaCO_2 > 45$ mmHg)가 있음: 동맥 PCO_2 또는 경피 PCO_2로 측정.

B. 비만(BMI > 30 kg/m², 어린이의 경우 동 연령과 성별이 95백분위 수 초과)이 동반됨.

C. 저환기가 폐실질질환, 기도질환, 폐혈관질환, 흉벽질환(비만으로 인한 부하 외의), 약물, 신경질환, 근육 위약, 또는 알려진 선천 또는 특발중앙폐포저환기증후군(central alveolar hypoventilation syndrome)에 기인하지 않음.

◈ **주석**

1. 수면다원검사를 시행할 때 $PaCO_2$ 또는 비침습적으로 $PaCO_2$ 추정치를 측정한다면 수면 중 저환기가 악화되는 것을 관찰할 수 있다.

2. OSA가 종종 동반되며, 이러한 경우 OSA와 비만저환기증후군 둘 다 진단해야 한다.

3. 동맥산소포화도 감소(arterial oxygen desaturation)가 종종 관찰되지만, 진단에 필요하지는 않다.

  hypoventilatin with hypothalamic dysfunction)

④ 특발중추폐포저환기(idiopathic central alveolar hypoventilation)

⑤ 약물 또는 물질로 인한 수면관련 저환기(sleep related hypoventilation due to medication or substance)

⑥ 의학적 질환으로 인한 수면관련 저환기(sleep related hypoventilation due to medical disorder)

(4) 수면관련 저산소혈증(sleep related hypoxemia disorder)

▶ **수면관련 저산소혈증 진단기준**

◈ **기준 A와 B가 모두 충족되어야 함**

A. 수면다원검사, 이동간이수면검사 또는 야간 산소측정기로 측정한 동맥 산소포화도 (SpO_2)가 성인에서 88% 이하이거나 소아에서 90% 이하로 수면 중 5분 이상 나타남.

B. 수면관련 저환기가 관찰되지 않음.

◈ **주석**

1. 만일 수면관련 저환기가 확인되면(동맥혈가스, 경피 PCO_2 또는 호기말 CO_2 센서로 측정하였을 때) 이 장애는 수면관련 저환기로 분류한다.

2. OSA 또는 CSA가 있을 수 있지만 이것이 저산소혈증의 주요한 원인이 아니어야 한다.

3. 만일 알려진 생리학적 원인이 있다면[예: 지름길(shunt), 환기/관류(V/Q) 불일치, 낮은 혼합 정맥 산소 그리고/또는 높은 고도] 명시해야 한다.

(5) 치료

① 폐쇄수면무호흡의 치료

가. 비강지속기도양압(nasal continuous positive airway pressure, nasal CPAP): TOC

나. 구강장치(oral appliance): 아래턱을 앞으로 내밀어 기도를 넓히는 장치, 경증–중등도 수면무호흡증후군에 적용할 수 있다.

다. 수술적 치료: 목젖입천장인두성형술(uvulopalatopharyngo-plasty, UPPP), 턱끝혀근전진술(genioglossus advancement), 목뿔뼈전진술(hyoid advancement), 위아래턱전진술(maxillo-mandibular advancement)

② 다른 수면관련호흡장애의 치료

가. 원인불명 중추성수면무호흡증후군: 아세타졸라마이드(acetazolamide), 비강지속기도양압치료 시도해 볼수 있다.

나. 체인–스토크 호흡

가) 원인 질환인 심부전의 치료

나) 이단기도양압(bilevel positive airway pressure, biPAP), 비침습양압환기(noninvasive positive pressure ventilation, 'adaptive servo–ventilation')

다. 수면관련저환기증후군: 비침습양압환기

11 불면증(Insomnia)

ICSD-3 분류
만성불면장애(chronic insomnia disorder), 단기불면장애(short-term insomnia disorder): 수면장애 및 관련 주간증상이 최소 일주일에 3회 이상 발생하며 3개월 이상 지속되는지에 따라 분류된다.

▶ **만성불면장애 진단기준**

기준 A-F가 모두 충족해야 함
A. 환자는 다음 중 하나 이상을 보고하거나 환자의 부모 또는 돌보는 사람이 관찰한다.
1. 수면개시의 어려움
2. 수면을 유지하기 어려움
3. 원하는 시간보다 일찍 깨어남
4. 적절한 시간에 취침하는 것에 대한 저항
5. 부모나 돌보는 사람 없이 수면개시의 장애
B. 환자는 야간 수면장애와 관련되어 다음 중 하나 이상을 환자가 자기보고하거나 환자의 부
모 또는 돌보는 사람이 관찰한다:
1. 피로/권태
2. 주의, 집중 또는 기억장애
3. 사회, 가족, 직업 또는 학업 수행 장애
4. 기분장애/과민성
5. 주간졸림
6. 행동문제(예: 과잉행동, 충동성, 공격성)
7. 동기/에너지/기획력 감소
8. 오류/사고 발생 경향
9. 수면에 대한 우려 또는 불만족
C. 보고된 수면/각성 호소 증상이 불충분한 기회(즉, 충분한 시간이 수면에 할당됨) 또는 부
적절한 환경(즉, 환경이 안전하고 어둡고 조용하며 편안함)으로 설명할 수 없음
D. 수면장애 및 관련 주간 증상이 최소 일주일에 3회 이상 발생
E. 수면장애 및 관련 주간 증상이 최소 3개월 이상 지속
F. 수면/각성장애가 다른 수면장애로 더 잘 설명되지 않음

〈 **제2판 국제수면장애분류(ICSD-2)에 따른 일차불면증의 아형** 〉

정신생리불면증(psychophysiological insomnia)은 일차적으로 각성이
고조되어 있고 학습된, 수면방해연관(sleep-preventing association)의
결과로 불면증을 호소하는 것이 특징이다. 이러한 유형의 불면증이 있는
것으로 추정되는 환자는 집에서 평소의 수면환경에서 잠을 자려고 할
때 종종 수면장애가 있지만, 새로운 수면환경에서 또는 잠을 자려고 노
력하지 않을 때는 쉽게 잠들 수 있다. 또한 과도하게 수면에 대해 걱정하
고 관심을 보이며, 특히 취침시간에 인지와 신체의 각성수준이 높아져서
불편해한다.

역설불면증(paradoxical insomnia)은 이전에 수면상태오해(sleep state misperception)라고 불렸던 수면장애로, 수면방해 정도의 확실하고 객관적인 증거 없이 심각한 수면장애를 호소하는 증상이다. 이런 형태의 수면장애가 있는 것으로 추정되는 사람들은 실제로 취하는 수면의 양을 과소평가하는 경향이 있다. 본질적으로, 그들은 실제 수면시간을 각성으로 인식하는 것으로 생각된다. 많은 환자들이 수면다원검사로 측정하면 정상적인 수면시간을 가지고 있지만, 다른 불면장애와 같은 수면/각성 문제를 호소한다.

부적절한 수면위생(inadequate sleep hygiene)은 양질의 수면과 정상적인 주간 각성을 유지하는데 맞지 않는 일상생활 활동을 유지함으로 발생한다고 추정된다. 이 형태의 불면증 환자는 주간 낮잠, 매우 불규칙한 수면/각성 일정, 수면을 방해하는 제품(카페인, 담배, 알코올)을 취침시간에 지나치게 가까운 시간에 주기적으로 복용하거나 취침시간 직전에 정신, 육체 활동 또는 정서적으로 화나게 하는 활동, 수면 이외의 활동을 침대와 침실에서 하거나 편안한 수면환경을 유지하지 못하여 지속적인 수면과 각성장애가 발생한다.

〈DSM-IV-TR 및 ICSD-2에 따른 이차불면증〉

- 정신과적 장애으로 인한 불면증(insomnia due to mental disorder)
- 의학적 상태로 인한 불면증(insomnia due to medical condition)
- 약물 또는 물질로 인한 불면증(insomnia due to drug or substance)

▶ 불면증을 흔하게 동반하는 질환들

정신건강	기분장애, 불안장애, 조현병, 섭식장애, 주의력결핍과다활동장애(ADHD), 적응장애, 경계성격장애
신경계	두통, 신경병성 통증, 뇌졸중, 뇌전증, 뇌손상, 치매, 파킨슨병
심혈관계	고혈압, 협심증, 심부전
호흡기계	만성폐쇄성폐질환, 천식
소화기계	과민대장증후군, 위식도역류, 위궤양

(계속)

내분비계	갑상샘항진, 당뇨
근골격계	류마티스관절염, 만성통증질환
생식기계	임신, 폐경
비뇨기계	요실금, 야간유뇨증, 양성전립샘비대
수면장애	수면무호흡, 하지불안증후군, 주기사지운동장애

Principles and Practice of Sleep Medicine, 7th edition

▶ 불면증을 유발할 수 있는 약물들

항우울제	*SSRIs(Fluoxetine, etc.), *SNRIs(Desipramine, Nortriptyline, Protriptyline), *MAOIs(Phenelzine, Selegiline transdermal, Tranylcypromine), Atypical drugs(Bupropion, Vilazodone) Antipsychotics(Fluphenazine, Haloperidol, Perphenazine, Thioridazine, Trifluoperazine, Aripiprazole)
파킨슨약	*MAO-B inhibitors(Selegiline, Rasagiline, Safinamide), Adenosine antagonists(Istradefylline)
치매약	Cholinesterase inhibitors(Donepezil, Galantamine, Rivastigmine)
항뇌전증약	Lamotrigine, Phenytoin, Valproate, Zonisamide
항생제	Flumazenil, Beta-lactams(Penicillins, Cephalosporins), Fluoroquinolones(Clarithromycin, Erythromycin), Macrolides(Clarithromycin, Erythromycin)
심혈관계 작용 약물	*ACE inhibitors(Captopril, Cilazapril), Beta antagonists(Propranolol, Labetalol, Metoprolol), Hypolipidemic drugs(Atorvastatin, Lovastatin, Simvastatin)
각성제	Amphetamine, Methylphenidate, Modafinil, Armodafinil, Atomoxetine, Solriamfetol, Pitolisant, Caffeine, Theobromine
비만치료제	Sympathomimetics(Phentermine, Diethylpropion, Phendimetrazine), Combination drugs(Phentermine/topiramate, Naltrexone/bupropion)
진통제	*NSAIDs(Ibuprofen, etc.), Opioid agonist(Ibuprofen, etc.)
기타	담배, 니코틴 제제, 알코올, 충혈제거제(Pseudoephedrine), 스테로이드(Prednisone), 기관지확장제(Theophylline), 아편유사제대항제(Naloxone, Naltrexone)

*ACE, angiotensin-converting enzyme; MAO-B, monoamine oxidase receptors B; MAOI, monoamine oxidase inhibitor; NSAID, nonsteroidal antiinflammatory drug; SNRI, serotonin-norepinephrine reuptake inhibitor; SSRI, selective serotonin reuptake inhibitor.

Principles and Practice of Sleep Medicine, 7th edition

1 평가 및 진단

(1) 수면 설문지: 정상 기준치

- 불면중증도지수(insomnia severity index, ISI): < 8
- 피츠버그수면질지수(Pittsburgh sleep quality index, PSQI): < 6
- 벡우울증척도(Beck depression inventory II, BDI–II): < 14
- 한국판 수면에 대한 비합리적인 신념 및 태도 척도(dysfunctional beliefs and attitudes about sleep, K–DBAS–16): 평균점수가 10에 가까울수록 비합리적 신념
- 엡워스졸림척도(Epworth sleepiness scale, ESS): < 11

표 4-7	불면증 진단적 평가 항목 권고표

1. 병력 청취 및 검사(strong recommendation)

- 가능하면 보호자들로부터도 환자의 병력을 청취한다. 이전 혹은 현재 신체적 질환들을 평가한다.
- 약물 사용력(약, 술, 커피, 담배, 불법적 약물들)
- 신체 검사
- 필요한 경우 추가: 혈액검사(blood count, thyroid, hepatic and renal parameters, C-reactive protein, haemoglobin, ferritin and vitamin B12) 및 심전도, 뇌파, CT/MRI, 생체리듬 마커(멜라토닌, 심부 체온 등)

2. 정신과적/심리학적 병력(strong recommendation)

- 이전과 현재의 정신장애
- 성격적 요인
- 작업 및 가족 상황
- 대인관계 갈등

3. 수면 병력(strong recommendation)

- 수면장애의 병력(유발 요인을 포함하여)
- 같이 자는 사람으로부터의 정보(자는 동안 주기적으로 다리를 차는지, 자는 동안 숨이 멎는 지 등)
- 근무 시간/일주기리듬(교대근무, 자고 깨는 시간이 앞으로 당겨지거나 뒤로 늦춰져 있지 않은지)
- 수면-각성 패턴, 낮잠을 자는지(수면일기 및 설문지를 통해 평가)

(계속)

4. 활동기록계(actigraphy)

- 수면-각성 주기가 불규칙하거나 일주기리듬 수면각성장애가 의심될 때(strong recommendation)
- 정량적으로 수면지표 등을 파악하고자 할 때(weak recommendation)

5. 수면다원검사(polysomnography)

- 주기성 사지운동증이나 수면무호흡증, 기면병 등이 의심될 때(strong recommendation)
- 치료에 잘 반응하지 않는 불면증(strong recommendation)
- 직업적으로 불면증이 위험을 초래할 수 있는 경우[직업 운전수 등(strong recommendation)]
- 객관적인 수면지표와 주관적인 불면증 사이에 큰 차이가 있을 것으로 의심되는 경우(strong recommendation)

유럽수면학회(European Sleep Research Society, ESRS) 진료지침(2017)

2 치료

(1) 불면증 인지행동치료(cognitive-behavioral Tterapy for insomnia, CBT-I)

가장 효과적이고 안전하며, 치료 종료 후에도 지속적인 수면 개선을 유도할 수 있는 만성불면장애의 일차치료로, 수주의 치료 과정이 필요하며 1–2주 간격으로 시행하여 일반적으로 4–8회가 필요하다.

① 수면교육
- 수면과 각성을 조절하는 수면항상성과 하루주기리듬에 대해 교육한다.
- 수면의 구조(NREM, REM 등)에 대해 설명한다.
- 만성불면장애가 생기는 기전에 대해 설명한다.

② 수면위생(sleep hygiene) 교육
효과적인 수면을 위하여 수면환경에 대한 교정(빛, 소음 등)과 수면을 방해할 수 있는 요소(카페인, 지나치게 긴 낮잠, 잠자기 직전의 심한 운동, 음주, 흡연 등)를 교정하도록 설명한다.

③ 자극조절(stimulus control)
- 수면과 잠자리의 연관성을 올리고자 하는 것
- 잠자리는 잠을 자는 용도로만 사용한다. 잠이 오지 않을 경우
에는 잠자리에서 일어나 다른 장소로 이동하여 독서를 하거나
라디오를 듣는 등 비교적 자극이 적은 일을 하다가, 잠이 오면
다시 잠자리에 가서 눕도록 한다.

④ 수면제한(sleep restriction)
잠자리에 누워있는 시간을 환자가 실제 잘 수 있는 시간으로 제한
하는 것으로, 환자의 수면일기를 바탕으로 최적의 수면시간을 가
질 때까지 조금씩 잠자리에 누워 있는 시간을 조절한다. 수면효율
이 85% 이하라면 15분씩 줄이고 90% 이상이라면 15분씩 늘린다.
단, 잠자리에 누워있는 시간은 5시간 이내로는 제한하지 않아야
한다.

⑤ 이완훈련(relaxation training)
자율신경 각성(autonomic arousal), 긴장과 잠을 방해하는 생각들
을 줄이기 위해 복식호흡이나 점진적 근육이완을 시행한다. 수
일-수주 동안의 연습이 필요하다.

⑥ 인지치료(cognitive therapy)
수면에 대한 비합리적인 신념 및 태도, 불면증이 신체건강 및 주간
생활에 나쁜 영향을 줄 것으로 지나치게 걱정하는 것에 대해 상의
하고 비현실적임을 깨닫도록 설명한다. 모든 문제를 불면증의 탓으
로만 돌리지 않도록 한다.

(2) 불면증의 약물치료

수면제를 사용하는 원칙은 작용시간이 빠르고 반감기가 길지 않아 오전에 진정효과가 없고 부작용이 적은 약을 사용하는 것이다.

| 표 4-8 | 국내에서 사용 가능한 공인 수면제 |

Category	Name	Dose (mg)	T mas (h)	Half-life (h)	적응증	부작용
Benzodiazepine receptor agonist	Zolpidem 스틸녹스	10	1.6 (0.5-1.5)	2.5 (1.4-4.5)	수면개시/ 유지	수면관련섭식 장애(SRED), 몽유병, 혼동
	Zolpidem CR	6.25, 12.5	1.5 (1.5-2.0)	2.8 (1.6-4.5)	수면개시/ 유지	
	Eszopiclone 조피스타	1, 2, 3	1	6 (9 > 65세)	수면개시/ 유지	두통, 이상미각
Benzodiazepine	Triazolam 할시온	0.125, 0.25	1-2	2-6	수면개시	반동불편
	Flunitrazepam 루나팜	1		10.7-20.3	수면유지	진정
	Flurazepam 달마돔	15	1.5-4.5	48-120	수면유지	진정
Heterocyclics (Histamine receptor antagonist)	Doxepin 사일레노	3, 6		15 (10-30)	수면유지	진정, 입마름, 변비, 요정체, 발한, 기립성저혈압
Melatonin	Melatonin PR 써카딘	2			수면유지	두통

증례로 배우는 수면장애

표 4-9 국내에서 사용 가능한 수면에 도움을 주는 약물

Category	Name	Dose (mg)	T mas (h)	Half-life (h)	적응증	부작용
Benzodiazepine	Clonazepam	0.125, 0.25	1–2.5	20–40	수면유지/RBD	진정
	Diazepam	2, 5		30–100	수면유지	진정
	Alprazolam	0.25, 0.5	0.6–1.4	6–20	수면개시/유지	진정
	Lorazepam	0.5, 1	0.7–1	10–20	수면개시/유지	진정
Phenylpiperazine	Trazodone	25, 50	1–2	9 (7–15)	수면유지	기립성저혈압, 체중증가
Tricyclic antidepressant	Amitryptyline	10, 25		39 (5–45)	수면유지	입마름, 변비, 요정체, 발한, 기립성저혈압
NE and specific serotonergic antidepressant	Mirtazapine	7.5, 15, 30		25 (13–40)	수면유지	식욕증가, 입마름
Antipsychotic	Quetiapine	12.5, 25, 50	1–2	6		저혈압, QTc 연장

증례로 배우는 수면장애

12 과다졸림의 중추장애 (Central disorders of hypersomnolence)

ICSD-3 분류

기면병(Narcolepsy) 1형, 기면병 2형, 특발과다수면(Idiopathic Hypersomnia), 클라인-레빈증후군(Kleine-Levin syndrome), 의학적 질환으로 인한 과다수면, 약물 또는 물질로 인한 과다수면, 정신장애와 관련된 과다수면, 수면부족증후군(insufficient sleep syndrome)

1 기면병(Narcolepsy)

주간과다졸림(excessive daytime sleepines, EDS)과 렘수면 해리(REM sleep dissociation)의 징후이다.

탈력발작을 동반한 기면병은 미국 0.02%, 서유럽 0.18%, 일본 0.16-0.18%로 비교적 드물다. 남녀 모두에서 발생하나, 남성에서 약간 더 흔하다. 10-25세에 주로 발병하며, 15세와 35세에서 발병률의 정점을 가지는 두봉우리 분포(bimodal distribution)를 보이기도 한다.

(1) 병태생리

히포크레틴(hypocretin) 신호전달의 결핍에 의해 유발되며, 가쪽뒤시상하부(lateral posterior hypothalamus)의 히포크레틴 신경세포가 선택적으로 소실되어 발생하는 것으로 추정된다. 정확한 발병기전이 규명된 것은 아니지만 자가면역 질환의 일종으로 여겨지고 있으며, 사람백혈구항원(human leukocyte antigen, HLA) 아형 DR2/DRB1*1501과 DQB1*0602와 밀접하게 관련되어 있다.

이차성 기면병의 원인으로는 유전성 신경질환이 가장 많고, 그 외 뇌종양, 두부외상, 뇌졸중, 신경퇴행질환, 다발경화증, 중추신경계 감염의 보고가 있다.

(2) 임상증상

① 주간과다졸림(EDS) 및 수면발작(sleep attack)

매일 반복적으로 억누를 수 없는 수면 욕구를 느끼거나 잠에 빠져든다. 일반적으로 졸림은 환자의 교육, 사회 및 직업 수행 능력에 심각한 영향을 미친다.

② 허탈발작(cataplexy)

의식은 유지하면서 갑작스럽고 짧은(2분 미만), 양측의 대칭적인

근긴장도 소실로 정의된다. 강한 감정(보통 긍정적인)에 의해 유발
되며, 거의 모든 환자가 웃음과 관련된 감정에 의해 유발되는 것으
로 보고된다. 발작 중 일시적이고, 가역적인 심부건반사(deep
tendon reflex) 소실이 강력한 진단소견이다.

③ 수면마비(sleep paralysis)

수면-각성 전환 시 의식이 있고 수면환경을 인지하고 있음에도 자
발적인 근육을 움직일 수 없는 일시적인 무능력을 말한다. 이러한
경험은 수 분 동안 지속될 수 있으며 대부분 약간의 자극으로 없
어지나 매우 고통스러울 수 있다(가위눌림).

④ 입면 및 출면 환각(hypnagogic/hypnopompic hallucination)

잠이 들거나 잠에서 깰 때 생기는 생생한 꿈과 같은 경험으로, 시
각, 청각 및 촉각 현상이 결합된 특성을 갖는 경우가 대부분이다.

⑤ 야간 수면장애

자주 깨는 경우가 많고 잠들기 어려운 때도 있다. 잠꼬대, 수면주
기사지운동, 수면호흡장애 및 렘수면행동장애를 비롯한 여러 다
른 수면장애의 동반도 비교적 흔하다.

⑥ 비만, 우울, 불안장애의 빈도가 높다.

(3) 평가 및 진단

① 수면 설문지: 정상 기준치
  - 엡워스졸림척도(Epworth sleepiness scale, ESS): < 11
  - 피츠버그수면질지수(Pittsburgh sleep quality index, PSQI): < 6
  - 벡우울증척도(Beck depression inventory II, BDI-II): < 14

② 수면일기(sleep diary) 및 활동기록기(actigraphy)

수면 부족, 교대 근무 또는 하루주기리듬수면장애 등에 의해 결과
가 왜곡될 수 있기 때문에 MSLT를 시행하기 전에 적어도 1주일
이상 수면일기와 함께 활동기록기 검사를 할 것이 강하게 권고된
다.

③ 야간수면다원검사

적어도 7시간 수면을 취하도록 한다. 1단계 수면이 증가할 수 있
고, 빈번한 각성으로 인해 정상적인 수면유지가 어려울 수 있으며,
렘수면무긴장소실(REM sleep without atonia)이 관찰될 수 있다.

④ 다중수면잠복기검사(multiple sleep latency test, MSLT)

평균 수면잠복기가 8분 미만이며, 전형적으로는 5분 미만이다. 메
타분석에서 탈력발작을 동반한 환자의 평균 수면잠복기는 3.1 ±
2.9분이었다. 추가로 2회 이상의 입면기렘수면(sleep onset REM
period, SOREMP)이 있어야 한다. 최근 자료에 따라 기면병 진단
에서 MSLT 시 하나의 입면기렘수면은 선행 야간수면다원검사의
입면기렘수면으로 대체될 수 있다.

⑤ 뇌척수액내 히포크레틴-1 수치 측정

기면병 1형 진단에 매우 특이하고 민감한 검사다. 110 pg/mL 미만
의 값은 진단에 매우 특이적이며, 각 검사실 자체 표본에서 얻은
수치가 정상 대조군 평균 값의 33% 미만이면 비정상인 것으로 대
신할 수 있다. 다른 질환을 가진 중증 환자에서도 낮은 경우가 있
으므로 임상상황에 맞게 해석되어야 하며, 현재 국내에서는 상용
화되어 있지 않다.

⑥ HLA typing

　기면병 1형 환자의 85-90%에서 양성으로 나와 진단에 도움은 되지만 18-35%의 정상인에서도 양성으로 확인될 수 있어 민감도가 떨어진다.

▶ **기면병(Narcolepsy) 1형**

진단기준
기준 A와 B가 모두 충족되어야 함
A. 3개월 이상 매일 억제할 수 없는 졸림을 느끼거나 낮잠에 빠져듦
B. 다음 중 하나 이상을 만족함: 　1. 탈력발작과 함께 수면잠복기반복검사에서 평균 수면잠복기가 8분 이하이고 입면기렘 　　수면이 2회 이상. 선행 야간수면다원검사에서 수면개시 15분 이내의 입면기렘수면은 　　수면잠복기반복검사의 입면기렘수면 1회로 대신할 수 있음 　2. 뇌척수액 히포크레틴-1 농도가 110 pg/mL 이하 또는 정상대조군 평균 수치의 3분의 1 　　이하임

▶ **기면병(Narcolepsy) 2형**

진단기준
기준 A-E가 모두 충족되어야 함
A. 3개월 이상 매일 억제할 수 없는 졸림을 느끼거나 낮잠에 빠져듦
B. 표준화된 방법으로 수행된 수면잠복기반복검사에서 평균 수면잠복기가 8분 이하이고, 입 　면기렘수면이 2회 이상임. 선행 야간수면다원검사에서 수면개시 15분 이내의 입면기렘수 　면은 수면잠복기반복검사의 입면기렘수면 1회로 대신할 수 있음
C. 탈력발작이 없음
D. 뇌척수액 히포크레틴-1 농도를 측정하지 않았거나, 히포크레틴-1 농도가 110 pg/mL 초 　과 또는 정상대조군 평균 수치의 3분의 1을 초과함
E. 과다졸림 그리고/또는 수면잠복기반복검사 소견이 수면부족, 폐쇄수면무호흡, 지연수면 　위상장애, 약물이나 물질의 남용 및 금단과 관련이 없음

(4) 치료

① 생활습관교정

　－ 규칙적인 수면습관: 수면위생을 잘 지키고, 정해진 시간에 잠들고 일어나며 수면시간을 유지한다.

　－ 계획적인 낮잠: 환자와 함께 스케줄을 정하여 10-20분 정도의

짧은 낮잠을 잔다.

② 약물치료

- 아직까지 완치가 없으므로 약물치료를 장기간 할 수 있음을 환자에게 미리 설명한다.

표 4-10	국내에서 현재 사용 가능한 기면병의 약물치료
주간졸림	
Modafinil	• 가장 먼저 고려할 수 있는 약물 • 내성, 의존성, 중독 현상이 나타날 가능성이 매우 낮음 • 용량: 100-400 mg/day • 용법: 기상 후 100-200 mg, 점심 100-200 mg • 흔한 부작용: 두통, 예민, 구역, 구강건조
Armodafinil	• 모다피닐의 다른 이성체(R-enantiomer of modafinil) • 모다피닐보다 긴 반감기 • 용량: 150-250 mg/day • 흔한 부작용: 두통, 구역, 어지럼
Methylphenidate	• Modafinil 효과가 없는 경우 시도하거나 추가해서 복용 • 용량: 10-60 mg/day • 용법: 기상 후 10 mg, 점심 식전 30분 5 mg, 오후 3시경 5 mg • 서방형 경우 기상 후 20 mg • 흔한 부작용: 야간수면장애, 정신병(Psychosis), 편집증
허탈발작	
Venlafaxine XR	• 가장 먼저 사용 고려 • 음식과 함께 복용, 75-375 mg/day
Fluoxetine	• 갑작스러운 중단은 피하는 것이 좋음 • 아침에 복용, 20-60 mg/day
Clomipramine	• 약 복용 후 졸림이 심해지면 취침 전 복용 • 10-200 mg/day
Imipramine	• 약 복용 후 졸림이 심해지면 취침 전 복용 • 50-250 mg/day

Sodium oxybate는 주간졸림과 허탈발작, 야간수면장애 모두에 효과가 좋은 약물로 미국 FDA 승인을 받았으며, 미국에서는 제1형 기면병의 첫 번째 치료 약물로 고려되고 있다. 그러나 아직 국내에서는 시판되지 않은 상황이다.

증례로 배우는 수면장애

2 특발과다수면(Idiopathic hypersomnia)

진단기준
기준 A-E가 모두 충족되어야 함
A. 적어도 3개월 동안 매일 억누를 수 없는 수면 욕구가 있거나 낮에 잠에 빠져듬
B. 탈력발작은 없음
C. 표준화된 검사기법에 따라 시행된 수면잠복기반복검사(multiple sleep latency test)에서 입면기렘수면(sleep onset REM periods)이 2회 미만이거나, 선행 수면다원검사에서 렘수면 잠복기가 15분 이하인 경우 입면기렘수면이 없음
D. 다음 중 적어도 하나가 존재함:
   1. MSLT에서 평균 수면잠복기가 8분 이하
   2. 만성 수면부족을 교정한 후 시행한 24시간-수면다원검사, 또는 수면일지와 함께 평가된 활동기록(수면박탈이 되지 않은 상태에서 평균 최소 7일 이상 기록)[3]에서 24시간 동안의 총수면 시간은 660분 이상(일반적으로 12-14시간)[4]이 되어야 함
E. 수면부족증후군은 배제되어야 함[필요한 경우에는 야간에 잠자리에 머무는 시간(time in bed)을 연장 시키려는 시도를 하고 난 후에도 졸림이 개선되지 않음을 확인해야 하는데, 가급적이면 최소 1주일 이상 활동기록기를 통해 확인하는 것이 좋다].
F. 과다수면 그리고/또는 수면잠복기반복검사 결과가 다른 수면장애, 의학적 또는 정신장애, 또는 약물 사용 등으로 더 잘 설명되지 않음

3 클라인-레빈증후군(Kleine-Levin syndrome)

진단기준
기준 A-E가 모두 충족되어야 함
A. 환자는 적어도 2일에서 5주 동안 지속되는 2회 이상의 반복적인 과다졸림과 수면시간 과다를 경험함
B. 삽화는 보통 1년에 1회 이상, 적어도 18개월에 1회 반복됨
C. 삽화 사이에 각성, 인지기능, 행동 및 기분은 정상임
D. 삽화 시기에는 다음 중 적어도 하나가 있어야 함:
   1. 인지기능장애
   2. 지각변화
   3. 섭식장애(식욕 부진 또는 과식)
   4. 탈억제행동(예: 성욕 과다)
E. 과다수면 및 이의 관련 증상은 다른 수면장애, 다른 의학적, 신경과적 또는 정신과적 장애(특히 양극성장애) 또는 약물의 사용으로 더 잘 설명되지 않음

13 하루주기리듬수면각성장애
(Circadian rhythm sleep-wake disorders)

ICSD-3 분류

지연수면각성위상장애(delayed sleep-wake phase disorder), 전진수면각성위상장애 (advanced sleep-wake phase disorder), 불규칙수면각성리듬장애(irregular sleep-wake rhythm disorder), 비24시간수면각성리듬장애(non-24-hour sleep-wake rhythm disorder), 교대근무장애(shift work disorder), 시차장애(jet lag disorder), 달리 분류되지 않은 하루주기수면각성장애(circadian sleep-wake disorder not otherwise specified)

하루주기리듬수면각성장애에 대한 일반 기준

A-C 기준을 충족해야 함

A. 내인성 하루주기리듬 체계의 변경 또는 내인성 하루주기리듬과 개인의 신체적 환경 또는 사회/근무일정에 의해 요구되는 수면-각성 일정 간의 불일치로 인해, 수면-각성 리듬장애가 만성적이고 반복적으로 나타남

B. 하루주기리듬장애는 불면증관련 증상, 과도한 졸림 또는 모두를 유발함

C. 수면 및 각성장애는 정신적, 육체적, 사회적, 직업적, 교육적 또는 기타 중요한 기능영역에서 임상적으로 심각한 고통 또는 손상을 초래함

하루주기리듬(circadian rhythm)은 모든 생명체에 내재하는 약 24시간의 생물학적 리듬이다. 인간의 생체리듬은 유전적으로 결정되며 일반적으로 24시간보다 약간 길다. 따라서 내인성 하루주기시스템의 장애 또는 개인의 하루주기 수면 성향의 타이밍과 24시간의 사회적 및 신체적 환경사이의 불일치로 인해 재발 또는 만성 수면각성장애가 발생할 수 있다.

지연수면각성위상장애는 청소년과 젊은 성인에서 더 흔하며, 유병률은 7-16%이다. 불면증을 호소하는 수면클리닉 환자의 약 10%에서 존재한다. 전진수면각성위상장애는 연령 증가가 위험요인으로 생각되며, 불규칙수면각성리듬장애의 경우 신경발달장애 및 알츠하이머병, 파킨슨병, 헌팅턴병과 같은 신경퇴행질환의 경우 위험도가 증가한다.

1 평가 및 진단

(1) 수면 설문지: 정상 기준치

- 피츠버그수면질지수(Pittsburgh sleep quality index, PSQI): < 6
- 불면중증도지수(insomnia severity index, ISI): < 8
- 아침형-저녁형 설문지(morninness-eveningness questionnaire):
  16-41(저녁형), 59-86(아침형)
- 엡워스졸림척도(Epworth sleepiness scale, ESS): < 11
- 벡우울증척도(Beck depression inventory II, BDI-II): < 14

(2) 수면일기(sleep diary) 및 활동기록기(actigraphy)

적어도 7일(바람직하게는 14일) 동안 관찰하여 평소 수면기간을 확인한다. 관찰기간 동안 업무/등교일 및 휴일이 모두 포함되어야 한다. 수면시간의 지연 및 전진(일반적으로 2시간 이상), 불규칙한 수면삽화(적어도 3회 이상, 일반적으로 4시간 미만)에 따라 분류된다.

2 치료

(1) 시간요법(chronotherapy)

지연수면각성위상장애의 경우 5-6일간 매일 3시간씩 취침시간을 늦추어 원하는 목표의 수면-각성 시간대로 진입하도록 시도할 수 있다.

(2) 멜라토닌(melatonin) 투여 + 밝은 빛 치료(light therapy)

지연수면각성위상장애의 경우 목표 수면 중간시간의 8시간 전, 또는 목표 취침시간의 5-6시간 전에 멜라토닌 0.5 mg을 복용하고, 목표 기상시간에 일어나자마자 10,000 lux의 밝은 빛을 30분간 쪼이도록 한다. 2-3일 간격으로 취침시간과 기상시간을 30분씩 당기고, 이 시간에 맞춰 야간 멜라토닌 투여 및 아침 밝은 빛 치료를 시행하도록 한다. 최소 2주

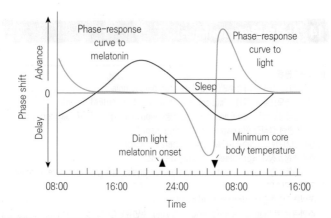

그림 4-12 빛에 대한 인체 내 위상반응(phase-response curve)

빛은 체온의 최저점 직전에 비추면 위상지연(phase delay)이 일어나고, 직후에 비추면 위상전진(phase advance)이 일어난다. 반면, 멜라토닌을 체내에 투여했을 때 DLMO(dim light melatonin onset) 직전에 가장 위상 전진 폭이 크고, 체온의 최저점 이후인 오전 기상 무렵에 투여했을 때 위상 지연 폭이 가장 크다.

Kolla and Auger, Jet lag and shift work sleep disorders: how to help reset the internal clock, Cleve Clin J Med. 2011 Oct;78(10):675-84.

이상 하는 것이 좋으며, 반복적으로 시도해 볼 수 있다.

반대로, 전진수면각성위상장애의 경우 저녁 시간에 밝은 빛(10,000 lux) 치료 후 기상 후 멜라토닌 복용을 시도할 수 있다.

14 사건수면(Parasomnias)

ICSD-3 분류

1. 비렘(NREM)관련 사건수면(NREM-related parasomnias)
   비렘수면으로부터 각성장애(disorders of arousal from NREM Sleep),
   : 혼돈각성(confusional arousals), 몽유병(sleepwalking), 야경증(sleep terrors),
     수면관련 섭식장애(sleep related eating disorder)
2. 렘(REM)관련 사건수면(REM-related parasomnias)
   렘수면행동장애(REM sleep behavior disorder),
   반복단독수면마비(recurrent isolated sleep paralysis), 악몽장애(nightmare disorder)
3. 기타 사건수면
   폭발머리증후군(exploding head syndrome),
   수면관련 환각(sleep related hallucinations), 수면유뇨증(sleep enuresis),
   의학적 질환으로 인한 사건수면, 약물 또는 물질로 인한 사건수면, 상세불명 사건수면

---

1 비렘(NREM)관련 사건수면(NREM-related parasomnias)

(1) 비렘수면으로부터 각성장애(disorders of arousal from NREM sleep)

각성장애의 일반적 진단기준

기준 A-E가 모두 충족되어야 함

A. 수면으로부터 불완전하게 깨어나는 삽화가 반복됨

B. 삽화 중 타인이 개입하거나 교정하려는 시도에 반응이 없거나 부적절하게 반응함

C. hedqksehl는 인지나 꿈 이미지가 없거나 제한적(예: 단일 시각적 장면)임

D. 삽화에 대한 부분적 혹은 완전 기억상실

E. 장애가 다른 수면장애, 정신장애, 의학적 상태, 약물 혹은 물질 사용으로 더 잘 설명되지
   않음

주석

1. 삽화는 주로 주요 수면의 첫 1/3동안 발생함

2. 삽화 이후 수분 이상 지속적으로 혼돈 상태 또는, 지남력장애를 보일 수 있다.

① 혼돈각성(confusional arousals): 환자가 잠자리에 머무는 중 발생하는 정신혼돈이나 혼돈 행동으로 특징지어지는 삽화. 공포나 침대 밖으로 걸어다니는 행동은 없음

② 몽유병(sleepwalking): 각성이 보행과 기타 잠자리 밖에서의 복합적 행동들과 연관됨

③ 야경증(sleep terrors): 각성이 공포에 질린 비명과 같은 두려운 발성으로 시작하는 갑작스러운 공포의 삽화로 특징지어짐. 삽화 중 강렬한 공포와 산동, 빈맥, 빈호흡, 발한 등의 자율신경 각성의 징후가 있음

일반적으로 서파(N3)수면으로부터의 부분적인 각성 동안 시작되는 복잡한 행동으로 구성된다. 대부분의 매우 짧지만 일부 어린이들에서는 30-40분까지 지속될 수 있다. 삽화 중 환자를 깨우기가 매우 어려울 수 있으며 깨워도 혼돈 상태인 경우가 흔하다. 성인은 삽화의 단편을 기억할 수도 있지만 일반적으로는 삽화를 기억하지 못한다. 보통 서파수면에서 발생하기 때문에 대부분 수면 간의 첫 1/3 또는 전반에 나타난다. 수면부족 이후의 회복기와 같이 서파수면이 증가한 경우 다른 시간대에 나타날 수 있으며, 낮잠 중에는 거의 발생하지 않는다.

소아에서 가장 흔하게 발생하며 일반적으로 사춘기때에는 소실되지만 청소년기나 성인기까지 지속될 수도 있으며 드물게는 청소년기나 성인기에 발병하기도 한다.

수면부족과 환경적인 스트레스가 가장 강력한 요인이다. 드물기는 하나 갑상샘항진증, 편두통, 두부 손상, 뇌염, 뇌졸중 등이 잠재적 유발 요인으로 보고되었다.

(2) 수면관련 섭식장애(sleep related eating disorder, SRED)

진단기준
기준 A-D가 모두 충족되어야 함
A. 주요 수면기간 동안 각성 후 발생하는 기능장애적인 섭식의 삽화가 반복됨
B. 불수의적 섭식의 반복된 삽화와 관련하여 다음 중 적어도 하나가 존재해야 함:
  1. 독특한 음식의 형태 및 조합 또는 먹을 수 없거나 독성물질을 섭취함
  2. 음식을 찾거나 요리하는 동안 발생하는 수면과 관련된 해롭거나 잠재적으로 해로운 행동이 나타남
  3. 반복된 야간섭식으로 인한 유해한 건강 결과가 있음
C. 섭식 삽화 중에 의식의 자각이 부분적인 또는 완전한 상실이 있으며, 그 후에 동반되는 회상의 손상
D. 이 장애는 다른 수면장애, 정신과적 장애, 의학적 질환, 약 또는 물질 사용에 의해 설명되지 않음

여성이 전체 환자의 2/3에서 3/4을 차지하며, 10대 후반에서 20대에 시작하고 만성 경과를 보인다. 일반인에 비해 비만, 섭식장애, 우울증의 빈도가 높다.

환자의 상당수가 몽유병, 하지불안증후군, 주기사지운동장애 및 OSA 등과 같은 수면장애를 동반한다. 또한, 특히 zolpidem에서 흔하게 보고되지만, benzodiazepines, benzodiazepine receptor agonists, mirtazapine, risperidone, quetiapine, lithium carbonate, anticholinergics 등 다양한 범위의 진정수면제에서 유발되는 것으로 보고되었다.

(3) 감별 진단

① 비디오-수면다원검사

고진폭 과동기화 델타파(high-amplitude hypersynchronous delta waves)와 함께 서파수면에서의 빈번한 각성이 보일 수 있다. 그러나 이러한 소견은 증상이 없는 사람과 OSA와 같은 다른 장애에서도 발생했다는 보고가 있어 특이도가 낮다.

일년에 한 두번의 삽화를 보이는 성인에서 수면검사 중 사건수면이 기록될 가능성은 매우 낮을 것이다. 그러나 유사한 임상 표

현을 보이는 렘수면행동장애나 야간 뇌전증 등의 질환을 배제하는 데 도움이 될 수 있고, 수면관련호흡장애나 수면주기사지운동장애 등과 같은 잠재적인 유발요인을 찾아내는 데 유용할 수 있다.

(4) 치료

혼동각성 등 경증의 각성장애의 경우 나이가 들면서 대부분 호전되므로 병의 특성을 환자와 보호자에게 설명하고 유발 요인을 조절한다. 몽유병이 심한 경우는 삼환계항우울제 혹은 벤조디아제핀계 약물(clonazepam 등)을 사용할 수 있다.

SRED의 경우 동반 수면장애를 치료하고 약물 등 악화 요인을 제거하는 것이 첫 번째이며, 도파민작용제(dopamine agonist), topiramate, clonazepam, SSRI 등이 도움이 될 수 있다.

2 렘(REM)관련 사건수면(REM-related parasomnias)

(1) 렘수면행동장애(REM sleep behavior disorder)

진단기준

기준 A-D가 모두 충족되어야 함

A. 수면관련 발성 그리고/또는 복합운동행동의 삽화가 반복됨
B. 이러한 행동이 렘수면 중에 발생하는 것이 수면다원검사에 의해 확인되거나, 꿈행동화 (dream enactment)의 임상 병력을 바탕으로 렘수면 중에 발생하는 것으로 추정됨
C. 수면다원검사 기록에서 렘수면무긴장소실(REM sleep without atonia, RWA)을 보임
D. 장애가 다른 수면장애, 정신장애, 약물 혹은 물질 사용으로 더 잘 설명되지 않음

양상은 아주 다양하지만 주로 싸우거나 쫓기는 등 불쾌하고 폭력적인 꿈에 대한 행동으로 나타나며, 때로는 과격한 행동으로 인해 본인이나 함께 자는 배우자가 다칠 수 있다. 꿈을 꾸는 당시에 깨우면 내용을 생생히 기억하나, 대부분 아침 기상 후에는 기억하지 못한다.

50세 이후 남성에서 흔하며, 시누클레인병(synucleinopathy)을 보이는

퇴행성 뇌질환에서 흔히 동반되며, 선행으로 나타나기도 한다. 다계통위축증의 90%, 루이소체치매의 50%, 파킨슨병의 46%에서 렘수면행동장애가 보고된다. 반대로, 특발렘수면행동장애(idiopathic RBD) 발병 후 10년 이상이 지나면서 신경퇴행질환의 발생은 매우 흔하며, 최근 보고된 연구에서 파킨슨/치매로 80% 이상에서 최종 전환되었다. 소아에서는 사실상 특발성인 경우는 없으며, 일반적으로 기면병, 뇌간종양, 항우울제, 신경발달장애 및 다양한 희귀 질환과 관련이 있다.

허혈성 또는 출혈성 뇌혈관질환, 다발경화증, 진행핵상마비, 길랭-바레증후군, 뇌간종양, 척추소뇌실조증(Machado-Joseph disease), 미토콘드리아뇌병증, 정상압수두증, 투렛증후군, 그룹 A 피부건조증 및 자폐증 등 신경학적 장애와 연관되어 나타날 수 있으며, 항우울제(venlafaxine, SSRI, mirtazapine), 베타차단제(bisoprolol, atenolol), acetylcholinesterase inhibitors 및 selegiline 등의 약물을 복용하거나 알코올, barbiturate 등의 약물을 갑작스럽게 중단한 경우 유발될 수 있다.

(2) 평가 및 감별 진단

① 수면 설문지: 정상 기준치
- 한국판 렘수면행동장애 척도(RBD questionnaire-Korean version, RBDQ-KR): < 18.5
- 한국판 렘수면행동장애 선별검사 질문(RBD screening questionnaire, RBDSQ-K): < 5

② 비디오-수면다원검사
렘수면 중 지속 또는 간헐적으로 무긴장 소실(loss of REM atonia) 및 근수축(phasic muscle twitch activity)을 보여준다. 이는 야간뇌전증발작, 폐쇄수면무호흡, 비렘사건수면, 수면제와 관련된 행동장애 등을 감별하는 데 도움을 준다.

(3) 치료

① 안전한 수면환경 구성 및 교육

② 약물치료

- Clonazepam: 0.25–2 mg/수면무호흡 악화, 인저저하, 낙상 위험 등에 유의

- Melatonin: 3–15 mg

- 기타 보고: Pramipexole, Zopiclone, Zonisamide, Donepezil, Memantine, Ramelteon, Agomelatine, Cannabidiol

표 4-11 Distinguishing Features of Nocturnal Events

Feature	Disorder of arousal	Sleep-related eating disorder	REM behavior disorder	Recurrent isolated sleep paralysis	Exploding head syndrome	Periodic limb movements of sleep	Psychogenic events	Nocturnal seizures
Behavior	Confused; semipurposeful movement with eyes open	Eating typically high-calorie foods; eyes open	sometimes combative with eyes closed	Episodes of inability to move	Painless sensation of explosion inside the head	Typically triple flexion of the leg	Variable	Dependent on the portion of brain involved
Age of onset	Childhood and adolescence	Variable	Older adult	Variable	Adult	Any but more common in adults	Adolescence to adulthood	Variable
Time of occurrence	First third of night	First half of night	During REM	Typically on awakening	Usually near sleep onset but can be variable	More common in the first half of night	Anytime	Anytime
Frequency of events	Less than one per night	Variable	Multiple per night	Variable less than weekly	Rare	Every 10–90 sec	Variable	Frontal seizures: multiple per night
Duration	Minutes	Minutes	Seconds to minute	Seconds to minutes	Seconds	Typically less than 5 sec	Variable minutes or longer	Usually < 3 min
Memory of event	Usually none	Usually none or limited	Dream recall	Yes	Yes	Variable	None	Usually none
Stereotypic movements	No	No	No	No	Similar sensation	Yes	No	Yes
Polysomnogram findings	Arousals from slow wave sleep	Arousal from NERM sleep	Excessive electromyogram tone during REM sleep	Arousal from REM sleep	Usually occurs in light sleep	Periodic limb movements	Occur from awake state	Potentially epileptiform activity

Principles and Practice of Sleep Medicine, 7th edition

15 수면관련 운동장애
(Sleep related movement disorders)

> **ICSD-3 분류**
> 하지불안증후군(Restless Legs Syndrome), 주기사지운동장애(Periodic Limb
> Movement Disorder), 수면관련 다리근육경련(Sleep Related Leg Cramps),
> 수면관련 이갈이(Sleep Related Bruxism), 수면관련 리듬운동장애(Sleep Related
> Rhythmic Movement Disorder), 영아 양성수면근간대경련(Benign Sleep Myoclonus
> of Infancy), 입면기 척수고유근간대경련 (Propriospinal Myoclonus at Sleep Onset),
> 의학적 질환으로 인한 수면관련 운동장애, 약물 또는 물질로 인한 수면관련 운동장애,
> 상세불명 수면관련 운동장애

1 하지불안증후군(Restless legs syndrome, RLS)

세계적으로 3.2-11.5%, 국내 약 3.9%의 유병률을 보이는 드물지 않은 질환으로, 남성보다 여성에서, 나이가 많을수록 흔하다. 뇌의 철분결핍과 중추신경계 도파민이상, 유전이 주요 병인으로 생각된다. 이차성 원인으로는 철분결핍, 임신, 만성신부전이 대표적이다. 약물로는 항히스타민제, 일부 중추신경계 도파민수용체길항제 및 대부분의 항우울제가 유발할 수 있으며, 도파민촉진활성을 갖는 bupropione은 예외로 동반된 우울증 치료에 권장된다.

2 주기사지운동장애(Periodic limb movement disorder, PLMD)

RLS 환자의 약 50-80%에서 PLMD가 동반된다.

PLMs는 발의 등쪽(혹은 무릎 및 고관절) 굽힘을 특징으로 하는 정형화되고 반복되는 움직임이다. PSG상 측정되는 PLMs의 정의는 0.5-10초 동안의 움직임이 5-90초 간격으로 적어도 4번 이상 있는 경우를 말한다.

3 평가 및 감별진단

(1) 설문지

- 한국판 국제하지불안척(international RLS severity scale, IRLS)
  : 경도(0–10), 중등도(11–20), 중증(21–30), 최중증(31–40)
- 한국판 하지불안증후군 삶의 질 설문지(RLS QoL): 0–100(점수가
  높을 수록 높은 수면의 질)

(2) 운동억제검사(suggested immobilization test, SIT)

수면시간 1시간 전에 호흡 측정이 없는 PSG를 이용하여 침대에 편안
하게 깨어있는 상태로 똑바로 앉아 다리를 뻗은 상태에서 시행하며, 깨
어서 쉬는 동안 각성 주기사지운동(periodic limb movement of wake-
fulness, PLMW)과 하지불안증후군의 관련 감각요소를 평가한다.

(3) 수면다원검사

PLMD는 N1단계의 수면개시와 함께 나타나며, N2단계 수면 동안 빈
번하고, N3단계에서 빈도가 감소하며, 일반적으로 렘수면 중에는 없다.

(4) 감별검사

혈액검사(Hb, Fe, Ferritin, Transferrin saturation, Glucose, Renal
function 포함), 신경전도검사(Nerve conduction study, NCS) 등

- 다리경련(leg cramping), 체위불편감(positional discomfort), 관절
  통/관절염, 근육통, 다리부종, 말초신경병증(peripheral neuropa-
  thy), 신경뿌리병증(radiculopathy), 습관적발두드리기(habitual foot
  tapping)
- 신경이완제유발정좌불능증(neuroleptic–induced akathisia), 척수
  병증(myelopathy), 증상성 정맥부전(symptomatic venous insuffi-
  ciency), 말초동맥질환(peripheral artery disease), 습진(eczema), 정

형외과문제(orthopedic problems), 고통스러운 다리 및 움직이는
발가락(painful legs and moving toes) 및 긴장유발안절부절(anxi-
ety-induced restlessness)

4 치료

(1) 비약물치료

원인이나 악화 요인인 수면 전 카페인, 알코올, 항히스타민제, 혹은 항
정신병약을 피하거나 조절한다. 샤워나 족욕, 보행, 스트레칭 혹은 다리
마사지가 효과가 있다. 적당한 운동과 정신활동도 도움이 된다.

(2) 약물치료

① 철분치료: 경구 혹은 주사 철분제
② Dopamine agonists: Pramipexole, Ropinirole, Rotigotine
  - 저용량에서도 치료 효과 좋으나, 점차 용량 증가 및 증상격화
    (augmentation) 발생 가능
③ Alpha 2-delta ligands: Pregabalin, Gabapentin
④ Opioid계 약물: Oxycodone, Propoxyphene, Methadone 및 Tra-
  madol 등
⑤ Benzodiazepine: Clonazepam 등

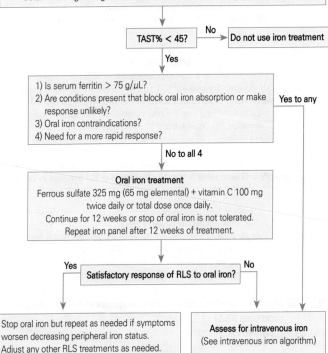

Acurate diagnosis & iron assessment
Are all 4 core RLS features present?
Rule out mimics, especially leg cramps and positional discomfort.
Assess symptom severity (frequency & impact).
Obtain morning fasting serum ferritin, iron, total iron binding capacity, TSAT%.

TAST% < 45? → No → Do not use iron treatment

Yes

1) Is serum ferritin > 75 g/μL?
2) Are conditions present that block oral iron absorption or make response unlikely?
3) Oral iron contraindications?
4) Need for a more rapid response?

Yes to any

No to all 4

Oral iron treatment
Ferrous sulfate 325 mg (65 mg elemental) + vitamin C 100 mg twice daily or total dose once daily.
Continue for 12 weeks or stop of oral iron is not tolerated.
Repeat iron panel after 12 weeks of treatment.

Yes ← **Satisfactory response of RLS to oral iron?** → No

Stop oral iron but repeat as needed if symptoms worsen decreasing peripheral iron status.
Adjust any other RLS treatments as needed.

Assess for intravenous iron
(See intravenous iron algorithm)

그림 4-13 Algorithm for Oral Iron Treatment of Adult RLS

Intravenous iron for RLS if:
Moderate to servere RLS, serum ferritin is ≤ 100 μg/L with TSAT% < 45,
and any of the following are present:
Oral orin treatment failure: intolerance or lack of efficacy.
A condition that blocks oral iron absorption or makes response unlikely.
Oral but not IV iron contraindication.
Clinical need for a more rapid response than with oral iron.

↓

IV iron treatment
Recommended (evidence-based from RCTs):
FCM 1,000 mg over 15 minutes or 500 mg over 7.5 min ×2, 5-7 days apart.
Optional (based on expert clinical consensus but lacking adequate RCTs):
LMW ID 975 mg over 1-4 hours after 25 mg test dose.
Repeat iron panel at 8 and 16 weeks after infusion.

↓

Evaluate clinically 6-12 weeks after IV iron and adjust any other RLS treatment as indicated.

↓

Consider repeat IV iron if:
There was a clinically significant response to the initial iron infusion, RLS symptoms
return or significantly worsen ≥ 12 weeks after IV iron,
peripheral iron status has clearly decreased post infusion,
And serum ferritin is < 300 μg/L with TSAT% < 45.

그림 4-14 Algorithm for intravenous (IV) iron treatment of adult restless legs syndrome (RLS)

Allen RP, et al. Sleep Med 2018;41:27 – 44.

표 4-12 Factors that affect selection of an agent for initial treatment in patients with RLS

Factor that impacts the choice of agent	Treatment choice
Time of day (daytime symptoms)	Preferably a long-acting agent
	Twice-a-day dosing of a short-acting agent
Sleep disturbance disproportionate to other symptoms of RLS, e.g., severe insomnia	$\alpha2\delta$ ligand
Comorbid insomnia	$\alpha2\delta$ ligand
Pregnancy risk	Avoid both DAs and $\alpha2\delta$ ligands
	Consider the use of iron
Impaired renal function	Select a drug that is not renally excreted or reduce dose of renally excreted drugs
Increased risk of falls	Dopamine-receptor agonist
Painful restless legs	$\alpha2\delta$ ligand
Comorbid pain syndrome	$\alpha2\delta$ ligand
History of impulse control disorder	$\alpha2\delta$ ligand
History of alcohol or substance abuse	Dopamine-receptor agonist or $\alpha2\delta$ ligand
Very severe symptoms of RLS	Dopamine-receptor agonist
Excess weight, metabolic syndrome	Dopamine-receptor agonist
Availability or cost of drug	Dopamine-receptor agonist or $\alpha2\delta$ ligand
Comorbid depression	Dopamine-receptor agonist
Comorbid generalized anxiety disorder	$\alpha2\delta$ ligand
Higher potential for drug interactions	Select drug that is not hepatically metabolized
Symptomatic PLMS	Dopamine-receptor agonist

Garcia-Borreguero D, et al. Sleep Med 2016;21:1–11

Chapter 04

Reference

- 구대림, 김주한. 정상수면의 생리. Hanyang Med Rev 2013;33:190-96.
- 김종원. 수면연구를 위한 액티그라피 정량분석 방법론. Sleep Med Psychophysiol. 2016;23:10-5.
- 김지현 등. 증례로 배우는 수면장애. 2020.
- 대한수면연구학회. 국제수면장애분류 제3판 한글판. 2020.
- 대한임상신경생리학회. 신경생리지침서-수면다원검사. 2013.
- 양창국. 수면다원검사와 다수면잠복기검사. J Kor Neurol Ass. 2001;19:10-26.
- 유럽수면학회(European Sleep Research Society, ESRS) 진료지침. 2017.
- 이호원. 수면질환을 진단할 때 병력과 수면 설문지의 역할. J Kor Sleep Soc. 2009;6.
- 홍승봉, 주은연. 정상수면과 수면장애의 진찰. J Korean Sleep Research Soc. 2004;1.
- Allen RP, et al. Sleep Med 2018;41:27-44.
- Garcia-Borreguero D, et al. Sleep Med 2016;21:1-11.
- Kolla and Auger. Jet lag and shift work sleep disorders: how to help reset the internal clock, Cleve Clin J Med 2011;78:675-84.
- Principles and Practice of Sleep Medicine. 7th edition.

유상원, 류나영, 류동우
김중석, 송인욱

CHAPTER 05 파킨슨병과 이상운동질환

1 파킨슨병

두 번째로 흔한 신경퇴행성 질환으로 운동완만, 경직, 떨림(주로 안정 시 떨림) 그리고 자세불안정을 주증상으로 보이며 흑질의 도파민 신경세 포 소실과 함께 특징적 병리 소견인 레비소체(Lewy body)가 나타나는 질환이다.

표 5-1 원인에 따른 Pakinsonism의 종류

퇴행성 질환	이차성 파킨슨증
Parkinson's disease	Drug-induced Parkinsonism
Progressive supranuclear Palsy	Vascular Parkinsonism
Multiple system atrophy	Normal pressure hydrocephalus
Corticobasal degeneration	Traumatic encephalopathy
Dementia with Lewy bodies	Toxic encephalopathy

J Clin Neurol 2022;18(3):259-270

1 파킨슨병의 진단

확진은 부검을 통해서만 가능하며, 전적으로 임상증상에 의해서 진 단되므로 약물복용력 등을 포함한 병력청취 및 이학적, 신경학적 검사 가 가장 중요하다.

임상진단은 UK Parkinson's disease society brain bank 기준을 따라서 운동완만이 있으면서 경직, 떨림(주로 안정시 떨림) 그리고 자세불안정 3가지 중에 최소 1가지 이상이 존재해야하고, 추가적으로 증상의 계속되는 진행, 비대칭적으로 증상 발현, 레보도파에 5년 이상 좋은 반응을 보이면 파킨슨병의 가능성이 높아진다.

2 임상증상

주로 비대칭적으로 발생하는 떨림(주로 휴지기 떨림), 운동완만, 경직 그리고 자세 불안정이 대표적이다(표 5-2).

표 5-2 파킨슨병의 운동증상

Bradykinesia	Loss of postural reflexes
Rigidity	Flexed posture
Tremor at rest	Freezing (motor blocks)

(1) 운동완만(서동증)

동작의 느려지는 것을 의미하며 파킨슨병의 임상양상 중에서 가장 특징적인 증상이다. 운동을 시작한 다음에는 같은 속도를 유지하지 못하고 점점 더 느려지며, 운동의 폭도 계속 작아지는 특징을 보인다. 운동완만으로 인한 증상들에는 가면얼굴, 발성과소, 삼킴곤란, 작은글씨증(micrographia) 등이 있다.

(2) 떨림

대개 70% 이상에서 임상경과 중 떨림을 경험한다. 동작이나 행동을 할 때 나타나는 경우도 많지만 안정상태에서 나타나는 경우가 흔하다. 비대칭적으로 나타나며 4-6 Hz의 pill-rolling tremor 양상으로 보이는 것이 특징적이며, re-emergent tremor는 안정 시 떨림이 있다가 팔을 들

면 잠시 동안 떨리지 않다가 다시 떨리는 것(본태성 떨림에서는 보이지
않음)을 의미한다.

(3) 경직

진찰하는 사람이 환자의 팔, 다리, 목을 움직여보면 증가한 저항이
느껴지는 것을 말한다. 파킨슨병에서는 팔다리를 수동적으로 움직여보
면 톱니바퀴 돌리는 듯한 경직이 나타나며 이는 떨림과 경직이 함께 느
껴지는 증상이다(cogwheel rigidity).

(4) 자세 불안정과 보행장애

보행장애와 함께 진행된 파킨슨병에서 많이 나타나며, 초기에 심한
자세불안정과 보행장애를 보이면 비정형 파킨슨증후군일 가능성 있다.

- 보행장애 진행양상
  - 걸을 때 한쪽 다리만 간혹 끌리는 증상
  - 보폭이 좁아지면서 종종걸음에 상체가 앞으로 쏠림
  - 걸음을 시작할 때, 돌아설 때, 좁은 공간을 빠져나갈 때 발이 떨
    어지지 않는 동결보행(freezing) 발생
  - 동결보행과 함께 진행된 환자에게는 체위반사소실 및 자세 불안
    정이 심해져 약간의 체위변화에도 쉽게 넘어짐

(5) 비운동성 증상

- 인지저하: 파킨슨병 환자의 40% 정도에서 치매 발병
- 자율신경계이상: 변비, 기립성저혈압, 다한증, 배뇨장애, 성기능장
  애, 안구건조증 등
- 감각증상: 통증, 열감 또는 차가운 느낌, 저린증상, 신경병성통증
- 정신과적 증상: 우울증상, 무감동증, 불안증, 환각 (주로 환시), 섬
  망

- 수면장애: 주간과다수면, 렘수면장애, 하지불안증후군, 수면무호흡증
- 후각기능장애

3 임상증상 평가 척도

(1) Hoehn-Yahr 척도(그림 5-1)

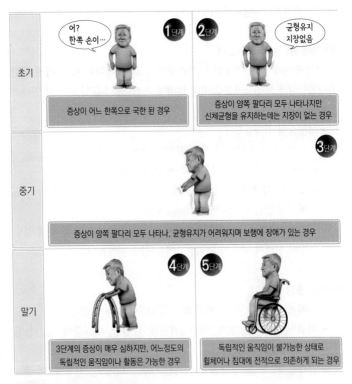

그림 5-1 Hoehn-and-Yahr scale

(2) 통합파킨슨척도(united Parkinson's disease related scale, UPDRS)

① 정신, 행동, 기분
  - Non-motor symptoms with one question on intellect, one on thought disorders, one on depression, and one on motivation
② 일상생활 수행
  - 13 questions, almost all about motor symptoms
  - Two questions on salivation (autonomic function) and sensory complaints
③ 운동증상
  - Motor symptoms
④ 치료 합병증
  - Yes/no questions on anorexia, nausea, vomiting and sleep

→ 총 199점 상한으로 199점은 total disability, 0점은 장애 없음을 의미

4 파킨슨병의 유전적 요인

파킨슨병 환자의 약 15%에서 가족력이 있으며, 조기발병 파킨슨병 환자에서 가족력이 더 흔하다(표 5-3).

5 환경적 요인

- 파킨슨병과 연관성 있는 인자들(확실하게 입증된 것은 없음)
  - 감염, 신경독소(파라콰트, 일산화탄소, 망간, 이황화탄소 등)
  - 흡연, 성격, 두부손상, 섭식 습관

표 5-3 파킨슨병 발병 유전자

Gene	Locus (Chromosomal position)	Age of onset	Inheritance	Clinical phenotype
α-synuclein	PARK1 (4q21-q23)	Young	AD	Similar to IPD, rapid progression
Parkin	PARK2 (6q25.2-q27)	Young	AR	Symptomatic improvement following sleep, mild dystonia, good response to levodopa, slow progression
UCHL1	PARK5 (4p14)	Similar to IPD	AD	Similar to IPD
PINK1	PARK6 (1p35-p36)	Young	AR	Benign course, levodopa-responsive
DJ1	PARK7 (1p36)	Young	AR	Levodopa-responsive
LRRK2	PARK8 (12q12)	Similar to IPD	AD	Similar to IPD (LRRK2 mutations are the commonest cause of either familial or 'sporadic' PD)
PARK9, 10, and 11	(1p36, 1p32, and 2q36-q37, respectively)		AR (PARK9)	PARK9: spasticity, dementia and supranuclear palsy PARK10: similar to IPD

6 신경영상검사

파킨슨병 자체를 진단하는 목적과 함께 혼동될 수 있는 다른 질환이
나 이차성 파킨슨증후군의 원인을 밝히는 목적으로 사용된다(표 5-4).

(1) 뇌자기공명영상

파킨슨증상을 보이는 경우에 유사한 질환을 구분하기 위해 필요하며, 이차성 파킨슨증후군 및 비정형 파킨슨증후군 등과 구분을 위해서 가장 먼저 필요한 검사다. 파킨슨병의 경우는 뇌자기공명영상이 정상인 소견을 보인다.

(2) 도파민운반체 양전자단층촬영(dopamine transporter positron emission tomography) 및 단일광자단층촬영(single photon emission computed tomography)(그림 5-2)

- 도파민성 세포의 손상여부를 알 수 있는 검사
- 선조체(striatum)내 도파민운반체의 섭취감소 패턴을 보임
- 후측 피각(putamen)의 도파민운반체의 섭취감소가 가장 먼저 일어 나며 미상핵(caudate nucleus)이 가장 나중에 섭취저하를 보이게 됨
- 정상인에서 노화에 의한 선조체의 섭취감소는 파킨슨병과는 달리 선조체(striatum) 전반에 걸쳐 균등하게 감소됨

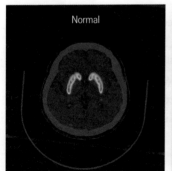
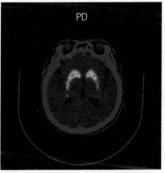

DAT (dopamine transporter)-PET

그림 5-2 Dopaminergic functional imaging

(3) MIBG (123I–metaiodobenzylguanidine) scintigraphy (그림 5-3)

파킨슨병 진단뿐만 아니라 비정형 파킨슨증후군 등과 파킨슨병을 구분하는데 유용하며, MIBG의 심장과 종격동의 섭취를 heart-to-mediastinum ratio (H/M ratio)로 평가한다.

→ 주로 파킨슨병에서는 심장의 MIBG 섭취가 감소를 보인다.

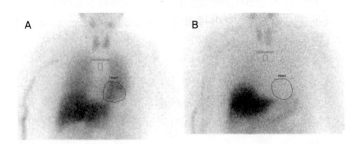

그림 5-3 123I–MIBG myocardial scintigraphy
(A) Normal cardiac 123I–metaiodobenzylguanidine uptake
(B) Decreased cardiac 123I–metaiodobenzylguanidine uptake.

(4) 뇌포도당 양전자단층촬영(fluorodeoxyglucose positron emission tomography)

초기 단계의 파킨슨병과 비정형 파킨슨증후군의 경우, 환자의 증상과 뇌 MRI 소견만으로 구분하기 어려운 경우가 있다. 이러한 경우 기능적 뇌영상이 필요하며, 뇌포도당 양전자단층촬영은 대표적인 기능적 뇌영상 중 하나이다. 초기단계의 파킨슨병은 뇌포도당 양전자단층촬영에서는 정상소견을 보인다.

표 5-4 파킨슨병과 비정형파킨슨증의 영상소견

Most Common Imaging Patterns of Idiopathic Parkinson Disease and APS

	Imaging Modality			
Disease Entity	MR Imaging	FDG PET	Amyloid PET	^{123}I Ioflupane SPECT
Parkinson disease	Often normal, occasional diffuse atrophy	Usually normal, preserved putaminal activity, occasional decreased uptake in the parieto-occipital cortex	Normal	Decreased striatal activity (usually asymmetric)
MSA	Putaminal atrophy and marginally increased T2 signal, "hot cross bun sign"	Decreased putaminal or cerebellar uptake, subtype dependent	Normal	Symmetric or asymmnetric decreased striatal activity
PSP	"Hummingbird sign," "Mickey Mouse sign"	Decreased uptake in the posterior frontal lobes, midbrain, and basal ganglia	Normal	Symmetric or asymmetric decreased striatal acticity
DLB	Diffuse atrophy	Generalized decreased uptake (more prominent in the occipital lobes)	Positive in most cases	Symmetric or asymmetric decreased striatal acticity
CBD	Asymmetric parietal and/or frontal cortical atrophy	Asymmetric decreased uptake in the parietal and/or frontal lobes	Normal	Decreased striatal acticity (usually asymmetric)

APS, atypical parkinsonian; CBD, corticobasal degeneration, DLB, dementia with Lewy bodies, MSA, multiple system atrophy; PSP, progressive supranuclear palsy.

Radiographics 2014;34(5):1273-92

Chapter 05

7 파킨슨병의 약물치료

(1) 레보도파

파킨슨병의 증상 개선 효과가 가장 강력한 약제로, 레보도파는 소장에서 흡수 이후 중추신경계의 혈액뇌장벽 통과를 위해 말초조직에서 도파민으로 대사 시키는 효소를 억제하는 카비도파(carbidopa) 또는 벤서라지드(benserazide) 같은 약제를 함께 투여한다. 공복에 흡수가 잘되고 단백질은 체내 흡수를 저하시키므로 음식 섭취 이전이나 일정한 시간이 경과한 다음에 복용하는 것을 추천한다.

(2) 모노아민산화효소B 억제제(monoamine oxidase B inhibitor, MAO-BI)

셀레질린, 라사질닌과 사미나마이드 등의 약제는 도파민을 대사시키는 효소인 모노아민산화효소B를 선택적으로 억제한다. MAO-BI가 신경세포에 대한 독성작용을 감소시킴으로써 파킨슨병의 진행을 늦출 수 있기를 기대하였으나 명확한 근거는 부족한 상황이다. 단, 초기단계에서 사용 시 레보도파가 필요한 수준의 악화시기를 늦추었다는 연구결과는 있으나 약제의 항파킨슨 효과인지 신경보호 효과인지에 대한 논란은 있다. 진행된 파킨슨병 환자에서 레보도파와 병행투여 시 운동기복을 감소시킬 수 있다.

(3) 항콜린제(anticholinergic drug)

떨림에 효과가 좋고 경직에도 약간 효과가 있으나 서동증에는 효과가 없다. 기억장애, 혼동, 섬망 등 중추신경계 부작용이 있으므로 고령에서는 사용 시 주의가 필요하다.

(4) 아만타딘(amantamdine)

진행된 파킨슨병에서 나타나는 이상운동증 감소에 도움이 된다. 부작용으로는 발목부종, 그물모양울혈반, 목마름, 변비, 의식혼탁, 환시, 불면증 등이 있다.

(5) 도파민 작용제(dopamine agonist)

시냅스 후 도파민 수용체(postsynaptic dopamine receptor)를 직접 자극하는 약제로 레보도파보다 약효는 약하지만 작용시간이 길며, 이상운동(dyskinesia)과 같은 부작용을 최소화할 수 있다는 장점을 가지고 있다.

- 에르고트(ergot)군: 브로모크립틴, 퍼골라이드
- 비에르고트(non-ergot)군: 프라미펙솔(pramipexole), 로피니롤(ropinirole)

(6) 병의 진행상태에 따른 치료제 선택

레보도파제는 가능한 소량 투여부터 시작하여 점진적으로 증량을 고려한다. 초기에는 도파민작용제와 MAO-BI 등을 사용하여 레보도파 사용을 줄여볼 수 있으나 높은 부작용과 레보도파제보다 낮은 효과 등에서 득실을 고려해야 한다. 젊은 환자의 경우 레보도파의 장기투여는 이상운동증이나 운동기복 등이 발생할 확률이 높으므로 레보도파제의 투여를 늦추는 것을 고려해 볼 수 있다.

(7) 후기운동합병증(late motor complication)

파킨슨병의 유병기간이 길고, 레보도파 고용량을 사용할수록, 병의 증상이 심할수록 그리고 젊은 연령일수록 잘 발생한다.

- 운동기복현상
  - Wearing off: 다음 약 복용전에 약효의 소진
  - Delayed or no on: 약효 발현이 지연되거나 아예 나타나지 않는 상태
  - Random on-off: 개시와 종료 시간이 불규칙하게 반복되는 경우
  - Sudden off: 갑작스러운 약효의 소진

- 이상운동증상
  - Peak dose dyskinesia: 약물의 혈중농도가 높을 때 이상운동증 주로 무도증(chorea) 형태로 보이나 dystonia 또는 myoclonus 양상으로도 보일 수 있음
  - Diphasic dyskinesia: 약물복용 후 약효가 시작되거나 사라질 때 각각 2회 발생하는 이상운동증(주로 하지에서 발생)

(8) 약효 소진에 대한 치료

레보도파 1회 복용량 또는 복용 횟수를 증가시키거나 다른 종류의 항파킨슨 약제를 추가한다. 이상운동증이 동반된 경우라면 1회 용량을 줄이는 대신 복용 횟수를 증가시키는 분획화(fractionation) 방법을 시행한다.

(9) 이상운동증의 치료

아직 제한적이나 레보도파를 분획화하는 방법이 도움이 되고 이외의 아만타딘이 이상운동증의 정도와 시간을 감소시킨다고 알려져 있다.

8 수술적 치료

후기 운동합병증의 발생 등 장기적인 약물치료에도 그 효과를 더 이상 기대하기 어려운 경우 시행한다. 뇌조직을 부분적으로 파괴시키는 신경파괴술[시상파괴술(thalamotomy), 창백핵절단술(pallidotomy)]은 서동증에 크게 효과를 보지 못한다. 1990년대에 들어서 조직을 파괴하지 않고 가역적으로 전기자극을 통해 운동회로의 기능을 변화시킬 수 있는 뇌심부자극술(deep brain stimulation)을 시행하고 있으며 표적의 위치는 시상밑핵(subthalamic nucleus), 내측창백핵, 시상 등이 있다.

시상밑핵자극이 가장 널리 시술되고 있고 증상 호전 이외에도 이상운동증이나 운동기복에도 효과가 있다. 수술을 받은 다음에 약물 치료가

필요 없는 상태가 되는 것이 아니라 저용량의 약물을 사용하거나 같은 정도의 약을 사용해도 이전과 같은 부작용이 적은 상태가 되는 것을 의미한다.

9 비정형 파킨슨증(atypical parkinsonism)

파킨슨 증상이 있지만 파킨슨병과 동일하지 않은 유사한 질환을 말한다. 파킨슨병과 비슷한 증상을 보이면서 다른 추가 증상을 보인다는 의미로 파킨슨플러스 증후군이고도 칭한다. 레보도파에 반응을 잘 보이지 않는다. 증상의 악화 속도가 매우 빠르다

(1) 진행성핵상마비(progressive supranuclear palsy)

경직과 운동완만 이외 수직안구운동장애, 체위불안정으로 인한 흔한 넘어짐과 다양한 신경정신병적 증상(neuropsychiatric symptoms)이 동반된다. 보행은 체위불안정으로 인한 실조성보행과 목주위의 근육을 비롯한 축경직(axial rigidity)으로 인해 목을 뒤로 젖히는(retrocollis) 양상이 특징이다. 중뇌위축이 특징적으로 관찰된다(그림 5-4).

(2) 다계통위축증(multiple system atrophy, MSA)

파킨슨병 증상이 있으면서 초기에 자율신경계 증상이나 소뇌증상이 두드러지면 다계통위측증을 고려한다.

- 자율신경계의 증상이 두드러진 경우: MSA-A type
  - 모든 MSA에서 같은 병리소견(glial cytoplasmic inclusion)과 자율신경계증상이 동반되어 MSA-A 용어는 거의 사용하지 않음
- 파킨슨병 증상이 두드러진 경우: MSA-P type (그림 5-5)
  - 파킨슨증상은 보이나 안정시 떨림이 드물고 증상이 비교적 대칭적이며 진행이 빠르고 레보도파에 반응이 좋지 않은 경우

- 소뇌증상이 두드러진 경우: MSA-C type (그림 5-6)
  - 실조성 보행이외에 구음장애, 안구운동장애, 삼킴장애, 배뇨장애 그리고 심부건반사 항진이 동반될 수 있음

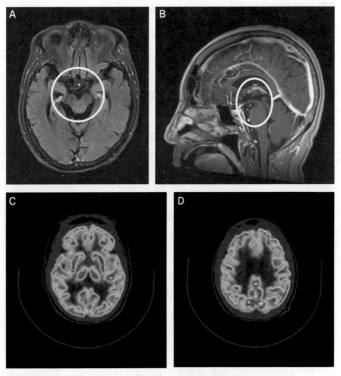

그림 5-4 (A) Mickey Mouse, (B) the hummingbird sign, (C), (D) hypometabolism in the posterior frontal lobes

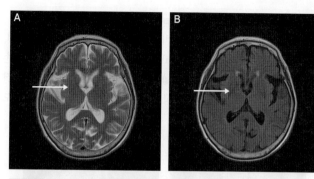

그림 5-5 MSA-P (A) Margianl Hyperdensity, (B) Putaminal hypointensity

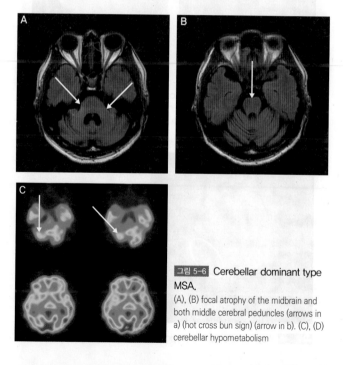

그림 5-6 Cerebellar dominant type MSA.

(A), (B) focal atrophy of the midbrain and both middle cerebral peduncles (arrows in a) (hot cross bun sign) (arrow in b). (C), (D) cerebellar hypometabolism

(3) 피질기저핵변성(corticobasal degeneration, CBD) (그림 5-7, 5-8)

파킨슨병과 더불어 두드러지게 비대칭 임상증상을 보이는 질환이며, 관념운동실행증(ideomotor apraxia), 언어상실증(aphasia), 통제불능손 (alien hand), 근간대경련(myoclonus), 근긴장이상(dystonia) 그리고 피질 성 감각소실등과 같은 대뇌피질증상이 비대칭적으로 발현된다. 레보도 파의 반응은 좋지 않다.

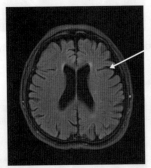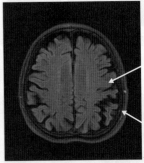

그림 5-7 Corticobasal degeneration; left parietofrontal atrophy

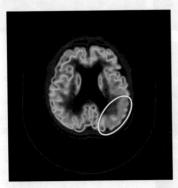

그림 5-8 Asymmetric cortical hypometabolism (oval)

(4) 레비소체치매(dementia with Lewy Bodies) (표 5-5)

치매가 파킨슨병에 선행해서 나타나거나 파킨슨병의 운동증상이 시작된 후 12개월 이내에 나타나며 인지기능의 변화가 특징적으로 보여 하루내에도 몇시간 단위로 변화가 있을 수도 있고 며칠 단위로 있을 수도 있다. 초기에 환시를 비롯한 환각증상과 망상이 관찰되므로 약물에 의한 부작용과 구별이 필요하다.

| 표 5-5 | Revised criteria for the clinical diagnosis of probable and possible dementia with Lewy bodies (DLB) (2017) |

- Central feature: Essential for a diagnosis of DLB
  Dementia. In the early stages, prominent memory impairment may not occur, but deficits of attention, executive function, and visuoperceptual ability may be prominent

- Core clinical features (The first 3 typically occur early and may persist throughout the course)
  - Fluctuating cognition with pronounced variations in attention and alertness
  - Recurrent visual hallucinations that are typically well formed and detailed
  - Rapid eye movement (REM) sleep behavior disorder (RBD), which may precede cognitive decline
  - One or more spontaneous cardinal features of parkinsonism: bradykinesia, resting tremor, or rigidity

- Supportive clinical features
  Severe sensitivity to antipsychotic agents; postural instability; repeated falls; syncope or other transient episodes of unresponsiveness; severe autonomic dysfunction (e.g., constipation, orthostatic hypotension, or urinary incontinence); hypersomnia; hyposmia; hallucinations in other modalities; systematized delusions; and apathy, anxiety, and depression

- Indicative biomarkers
  - Reduced dopamine transporter uptake in basal ganglia demonstrated by SPECT/PET
  - Abnormal (low uptake) ^{123}I-MIBG myocardial scintigraphy
  - Polysomnographic confirmation of REM sleep without atonia

- Supportive biomarkers
  A relative preservation of medial temporal lobe structures on CT/MRI scan; generalized low uptake on SPECT/PET perfusion/metabolism scan with reduced occipital activity ± the cingulate island sign on FDG-PET imaging; prominent posterior slow-wave activity on EEG with periodic fluctuations in the pre-alpha/theta range

- Probable DLB
  a. Two or more core clinical features are present, or
  b. Only one core clinical feature is present, but with one or more indicative biomarkers

- Possible DLB
  a. Only one core clinical feature, or
  b. One or more indicative biomarkers is present, but there are no core clinical features

- DLB is less likely
  a. In the presence of any other physical illness or brain disorder, including cerebrovascular disease, sufficient to account in part or in total for the clinical picture, although these do not exclude a DLB diagnosis and may serve to indicate mixed or multiple pathologies contributing to the clinical presentation, or
  b. If parkinsonian features are the only core clinical feature and appear for the first time at a stage of severe dementia

- DLB and PDD
  DLB should be diagnosed when dementia occurs before or concurrently with parkinsonism. The term PDD should be used to describe dementia that occurs in the context of well-established Parkinson's disease. In a practice setting, the term that is most appropriate to the clinical situation should be used, and generic terms such as Lewy body disease are often helpful. In research studies in which distinction needs to be made between DLB and PDD, the existing 1-year rule between the onset of dementia and parkinsonism continues to be recommended

Neurology 2017;89:88-100

(5) 약물 유발 파킨슨증

도파민 수용체를 차단하거나 저장된 도파민을 고갈시키는 약물(표 5-6)은 기능적 도파민 결핍과 함께 파킨슨병과 유사한 증상을 보일 수 있다. 대표적인 약물인 항정신병약은 약 15-60%에서 파킨슨증상을 발생하는 것으로 알려져 있으며 가장 명확한 위험요인은 약물의 강도와 약물의 용량이다.

표 5-6 Common offending drugs of drug-induced parkinsonism

Drug frequently causing parkinsonism		Drug infrequently causing parkinsonism	
Typical antipsychotics	Phenothiazine: chlorpromazine, prochlorperazine, perphenazine, fluphenazine, promethazine	Atypical antipsychotics	Clozapine, quetiapine
	Butyrophenones: haloperidol Diphenylbutylpiperidine: pimozide Benzamide substitutes: sulpiride		
Atypical antipsychotics	Risperidone, olanzapine, ziprasidone, aripiprazole	Mood stabilizer	Lithium
Dopamine depleters	Reserpine, tetrabenazine	Antidepressant	SSRI: citalopram, fluoxetine, praoxetine, sertraline
Antiemetics	Metoclopramide, levosulpride, clebopride	Antiepileptic drugs	Valproic acid, phenytoin
Calcium-channel blocker	Flunarizine, cinnarizine	Antiemetics	Domperidone, itopride

SSRI, selective serotonin reuptake inhibitor.
J Clin Neurol 2012:8:15-21

(6) 독성물질에 의한 파킨슨증

망간중독에 의한 파킨슨증은 안정 시 떨림이 드물고 근긴장이상이 흔하며 뒷걸음질이 매우 힘들거나 잘 넘어지는 체위불안정이 두드러지는 양상을 보인다. 반면 일산화탄소중독에 의한 파킨슨증은 서동증, 경직, 체위불안정과 동결보행 같은 증상은 보이나 떨림은 대개 없고 레보도파에 반응이 거의 없다.

(7) 혈관성 파킨슨증

뇌의 기저핵이나 피질하백질에 분표하는 작은 혈관들의 혈류장애로 발생하며 주증상은 보행장애이다. 파킨슨병과는 달리 휴지기 떨림이 없고 레보도파에 거의 반응하지 않으며 보행장애 이외에 치매, 배뇨장애가 흔하다. 심부건 반사의 항진, 구음장애 및 corticospinal tract 침범 증상이 나타난다.

(8) 조기발병 파킨슨증(early-onset parkinsonism) (그림 5-9)

Juvenile parkinsonism은 21세 미만에서 파킨슨 증상이 발현되는 경우를 의미하며 많은 경우 Parkin mutations과 연관되어 있다(levodopa responsive JP). 보행 및 체위불안정 중심으로 나타나며 근긴장증과 수면 후 증상 완화등을 보인다. Young-onset parkinsonism은 21세에서 40세 이하에서 발생하는 경우이며 임상적으로나 병리학적으로 late-onset parkinsonism과 구별되지 않는다.

(9) 정상압수두증

가장 두드러진 증상은 보행장애이며 (이외 배뇨장애, 인지장애), wide-based gait, magnetic gait or start hesitation visual clue에 개선되지 않는다. 안정 시 떨림은 거의 없으며 앉거나 누운 상태에서 다리기능은 정상이다.

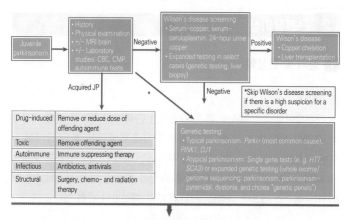

Symptomatic treatment

Symptom/sign	Primary treatment	Secondary treatment	Surgical
Parkinsonism	Levodopa, dopamine agonists	Dopamine agonists	STN or GPI DBS
Dyskinesia	Amantadine	–	STN or GPI DBS
Motor fluctuations	MAOI, COMTI, Levodopa ER	–	STN or GPI DBS
Dystonia	Botulinum toxin	Anticholinergics, benzodiazepines	STN or GPI DBS
Rest or re-emergent tremor	Levodopa, botulinum toxin, anticholinergics	–	STN or VIM DBS
Psychosis, behavioral problems	Quetiapine, clozapine	2nd or 3rd generation antipsychotic, mood stabilizer	–
Depression, anxiety	SSRI, SNRI, tricyclics, benzodiazpeines	–	–

그림 5-9 Juvenile parkinsonism의 진단적 접근과 치료

Parkinsonism and Related Disorders 67 (2019) 74-89

(10) 반파킨슨–반위축증후군

매우 드문 이차성파킨슨증으로 발병 나이가 젊어 20대에서 40대 사이에 주로 시작되고 신체의 한쪽에 국한된 파킨슨 증상과 위축을 보인다. 진행하면서 근긴장이상증이 주로 동반되고, 레보도파에 대한 반응은 거의 없는 경우가 많으며 반응이 있어도 뚜렷하지는 않다.

2 근긴장이상증(Dystonia)

1 정의 및 현상학

(1) 정의

근긴장이상증은 지속적 혹은 간헐적인 근육의 수축으로 인해 비정상적 움직임과 자세 또는 이 두 가지를 동시에 유발하는 운동 장애이다. 일반적으로 반복되는 패턴이 있고, 뒤틀리는 양상 그리고 떨리는 모습으로 나타날 수 있다. 근긴장이상증은 자발적 행동에 의해 시작되거나 악화되는 경우가 많으며 과다(overflow) 근육 활성화와 관련 있다.

(2) 현상학(표 5-7, 5-8, 5-9)

근긴장이상증은 현상학적으로 광범위한 모습을 보인다. 천천히 뒤틀리거나(cervical dystonia), 빠르고 간결한 움직임(dystonic tremor)까지 다양한 현상을 포함하기 때문에 늦게 진단 되기도 한다. 통증은 목근긴장이상증 이외에는 잘 발생하지 않는다.

표 5-7 근긴장이상에 관련된 용어정리

현상학(phenomenology)	설명(description)
자발적 움직임 (voluntary action)	전형적인 근긴장이상은 자발적 움직임 혹은 자세로 인해 유발 혹은 악화됨 (예: task-specific)
근긴장 떨림 (dystonic tremor)	근긴장이상에 의해 발생하는 떨림; 자발적 진동, 규칙적인 정형(patterned) 움직임도 가능; 근긴장 떨림은 null point (fully developed abnormal posture)에서도 완화되지 않을 수 있음
과다 운동(overflow)	근긴장이상증 다른 부위의 비의도적 근육 수축
근긴장 거울현상 (mirror dystonia)	건측 움직임에 의한 병측(affected site)의 근긴장이상증 (same or similar to elicited dystonic features of affected body)
완화 현상(alleviating maneuvers; sensory tricks or geste antagonistes)	자발적 움직임으로 인한 근긴장이상증의 완화

표 5-8	침범범위 용어정의
국소성(focal)	신체의 한 부위만 침범(예: blepharospasm, oromandibular dystonia, cervical dystonia); 어깨와 목이 포함되기도 함
분절성(segment)	연속된(contiguous) 두 곳 이상의 신체 부위 (예: blepharospasm with lower facial involvement, bibrachial dystonia)
다발초점성(multifocal)	비연속적 두 곳 이상의 신체 부위
전신성(generalized)	몸통과 두 곳 이상의 신체 부위; 몸통 침범이 중요(generalized dystonia with or without leg involvement로 세분화함)
반신성(hemidystonia)	신체의 편측에 국한됨

표 5-9	시간적 패턴 용어정리
지속적(persistent)	근긴장이상증이 하루 중 꾸준하게 비슷한 강도로 있는 경우
움직임 특이(action-specific)	특정 활동 및 작업으로 발생하는 경우
주간변동(diurnal fluctuations)	근긴장이상증의 일중 변동(recognizable circadian variations)
발작적(paroxysmal)	갑작스런 자기제한적인 경우

2 역학

근긴장이상증 발생율과 유병율에 대한 정확한 통계는 없다. 운동질환 클리닉에 방문하는 환자 중 약 20%가 근긴장이상증이라고 알려져 있다. 클리닉 기반 집계에 따르면 성인발병 국소 근긴장이상증 유병율은 10만 명당 16명, 인구기반 통계는 10만 명당 732명으로 보고되었다.

3 임상적 분류 및 접근

근긴장이상증에 혼용되는 용어 사용으로 인한 혼동, 그리고 새로운 사실들이 발견되면서, 체계적 기술과 분류법이 정립되었다. 이 체계는

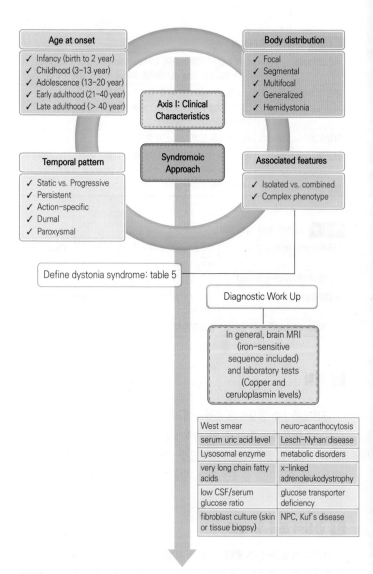

그림 5-10 Dystonia classification

(계속)

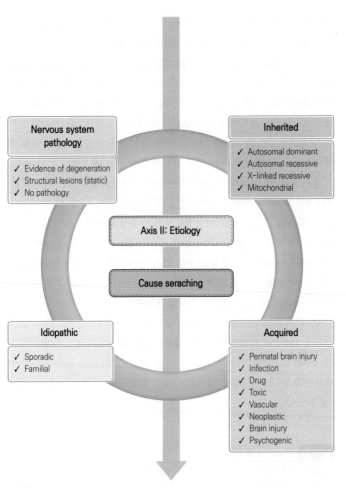

그림 5-10 Dystonia classification

근긴장이상증을 크게 2개의 축(Axis I, II)으로 분류한다. Axis I은 임상적 특징을 구분(syndromic pattern)하고 Axis II는 병인으로 분류(etiology-based classification)한다. Axis I은 임상적 구분(clinically meaningful groups)을 통해 진단, 치료 그리고 임상연구를 돕고, Axis II는 병인에 기초한 치료 그리고 생물학적 이해를 바탕으로 새로운 병태생리 발견과 치료 개발을 촉진하기 위한 분류이다. 두 축은 서로 독립적이기 보다는 상호보완으로 작동한다. Axis I을 통해 임상적 특징을 찾고, 이를 기반으로 Axis II 병인을 찾는 진단 과정이 이어진다(그림 5-10).

앞서 기술한 정의와 현상학 기반으로 근긴장이상증으로 판단되면, Axis I의 네 가지 차원의 임상특징을 구분한다. 발병 나이, 다른 운동증상 유무, 다른 신경 혹은 비신경학적 동반증상(표 5-10), 발병 신체부위 및 시간적 패턴을 살펴본다(문진 및 신체진찰). 다른 운동 증상이 있다면, 우세한(dominant) 운동증상을 먼저 규명한다. 근긴장이상증과 공존하는 기타 운동증상에 따라 combined dystonia에 대한 구분을 한다(표 5-11). Axis I 기반으로 진단적 검사를 진행한다.

40세 이후 성인발병 국소 혹은 분절성 근긴장이상증(예: blepharospasm, cervical dystonia)은 진단검사가 정상인 경우가 일반적이다. 하지만, 단독 국소긴장이상증(isolated dystonia)에서 아래의 경우 주의가 필요하며(표 5-12), 신경영상 검사가 구조적 원인을 찾는 데 필요할 수 있다(예: hemidystonia).

표 5-10	Dystonia 용어정리
Isolated dystonia	근긴장이상증이 단독 운동 증상인 경우(떨림 포함될 수 있음)
Combined dystonia	근긴장이상증이 다른 운동 증상과 나타날 경우(근간대경련, 파킨슨증 등)
Complex dystonia	근긴장이상증이 주 임상표현이지만 비운동질환 증상이 함께 나타나는 경우(occurrence of other neurological and systemic manifestations)

표 5-11	Dystonia syndrome
Dystonia with or without Parkinsonism of infantile or childhood onset
Dystonia with or without parkinsonism of adolescent and young adult onset
Dystonia and parkinsonism in older adults
Dystonia with spasticity (with or without parkinsonism)
Dystonia with cerebellar ataxia
Dystonia with myoclonus
Dystonia as part of paroxysmal dyskinesia
Dystonia with chorea
Dystonia with tics
Dystonia with other neurological involvement (deafness, ophthalmological abnormality, peripheral neuropathy, dementia)
Dystonia with systemic disease (endocrine or hematological abnormality, solid organ involvement)
Syndromes according to brain imaging (NBIA, basal ganglia lesion/calcification, leucoencephalopathy, etc)

표 5-12	Red flags
Cranial dystonia in young adults and children	Adult-onset lower limb dystonia
Truncal dystonia	Adult-onset non task-specific limb dystonia
Hemidystonia	Adult-onset generalized dystonia

그 밖에 다음의 소견도 이차성 근긴장이상증을 시사하는 것으로 유념하는 것이 필요하다.

자발적 움직임이 아닌 안정 시 근긴장이상증이 발생하는 경우(rest dystonia) 혹은 첫 발병 시부터 고정된 근긴장이상증(fixed dystonia) 갑작스런 발병과 증상 소실, 일관되지 않고 비전형적인 움직임/자세, 다양한 신체 증상, 거짓 위약감/감각증상 등 Combined/Complex dystonia syndrome은 병인이 매우 다양하다. 각 증후군을 고려하여 신경영상, 혈액학적 검사 혹은 유전 검사(표 5-13)를 통해서 원인(structural, neurode-generative, genetic cause)을 감별할 필요가 있다.

표 5-13 Gene list of Isolated, combined, and complex hereditary dystonia

Isolated dystonias	Combined dystonias	Complex dystonias
DYT-TOR1A	DYT-PRKRA	DYT/CHOR-HPRT
DYT-THAP1	DYT/PARK-TH	DYT/CHOR-ACAT1
DYT-GNAL	DYT/PARK-ATP1A3	DYT/CHOR-GCDH
	DYT/PARK-TAF1	DYT/CHOR-MUT
	DYT-SGCE	DYT/CHOR-PCCA/PCCB
	CHOR/DYT-ADCY5	NBIA/DYT- DCAF17
		DYT-DDC
		DYT/PARK-SLC30A10
		DYT/PARK-SPR
		DYT/PARK-QDPR
		DYT/PARK-PTS
		DYT/PARK-SLC6A3
		NBIA/DYT-PANK2
		NBIA/DYT/PARK-PLA2G6
		DYT-ATP7B
		DYT-SLC19A3
		DYT-TIMM8A
		DYT-mt-ND6
		DYT/PARK-GLB1
		NBIA/DYT/PARK-CP
		DYT-SUCLA2
		DYT-TUBB4A

(계속)

Grouping by related biological pathways	
Dopamine signaling	GCH1, TH, SPR, PTPS, AADC, VMAT2, PARKIN, PINK1, HPRT, GNAL
Cation transporters	ATP1A3, ANO3, CACNA1A, CACNA1B, HPCA, KCTD17
Heavy metal accumulation	ATP7B, PANK2, PLA2G6, SLC30A10, SLC39A14
Metabolic abnormalities	GLB1, HEXA, HEXB, HPRT1, NPC1, NPC2, SLC19A3
Mitochondrial dysfunction	MT-ATP6, MT-CO3, MT-ND1/MT-ND4, MT-TL1, MT-TK, PLA2G6, POLG, TIMM8A
Gene regulation	APTX, ATM, PNKP, SETX, TAF1, THAP1

4 치료

근긴장이상증을 유발하는 특정 병인(대사성 질환, 구조적 병변, 자가면역 질환 등)이 발견된다면, 질환 특이적 치료를 하는 것이 가장 이상적이다(pathogenesis-targeted therapy)(표 5-14). 하지만, 현재까지는 증상 개선에 초점을 맞춘 치료가 주를 이루고 있다(표 5-15).

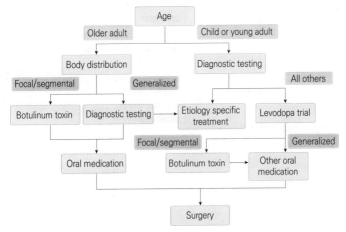

그림 5-11 **근긴장이상증의 침범범위, 원인 질환, 증상 강도에 따른 치료의 알고리즘**

대체적으로, 국소/분절성 근긴장이상증에는 보톡스 치료가, 전신성 근긴장이상증에는 약물치료가 우선된다(표 5-13). 전신성 근긴장이상증에서 증상이 심한 경우 척수강내 바클로펜 혹은 뇌심부자극술 (DBS)가 치료법으로 사용된다.

표 5-14 특수 상황에서의 치료

질병	발병나이	전형적 임상증상	치료
Dopa-responsive dystonia, classic	Early childhood to late adulthood	Dystonia, often with parkinsonism	Levodopa
Wilson diseases	Early childhood to late adulthood	Liver disease, KF ring, progressive dystonia, cognitive and neuropsychiatric symptoms	Zinc, tetrathiomolybdate
Myoclonus-dystonia syndrome	Childhood	Dystonia (neck, upper limbs); myoclonus may predominate (alcohol response)	Clonazepam, levetiracetam, zonisamide
Paroxysmal dyskinesia	Childhood	Often with chorea, tremor, and other movements; triggering factors (sudden action, exercise, stress, caffeine, alcohol)	Carbamazepine, clonazepam

표 5-15 **약물요법**

계열	적응증	용법	흔한 부작용
Anticholinergic			
Trihexyphenidyl	Any dystonia	1-2 mg 시작; 최대 100 mg/d (3-4 divided)	구강건조, 안구건조, 변비, 소변저류, 시야혼탁, 인지저하
Dopaminergic			
Carbidopa/ levodopa	All childhood or early-adult onset dystonia	25/100 mg 반알 시작; 최대 20 mg/kg/d (3-4 divided)	구역, 기립불내증, 수면방해
Tetrabenazine	Tardive dystonia, oromandibular dystonia	12.5 mg 시작, 최대 100 mg/d (3-4 divided)	파킨슨증, 인지저하, 우울증, 졸림증, 좌불안석증
γ-Aminobutyric acid - mediated Clonazepam	Any dystonia	0.5-1 mg 저녁/취침 시작; 최대 6 mg/d (3-4 divided)	인지저하, 졸림증, 피로, 금단현상, 조절장애 (coordination)
Baclofen	Any dystonia	5-10 mg TID 시작; 최대 40 mg TID	인지저하, 졸림증, 위약감, 피로, 금단현상, 조절장애 (coordination)

Pregnancy category C or D

3 무도증(Chorea)

1 정의 및 현상학

(1) 정의

무도증은 비규칙적이고(irregular) 목적없이(purposeless) 물 흐르듯이 신체 한 부분에서 다른 부분으로 움직임이 넘어가는, 춤추는 듯한 양상 의 과운동증상이다. 신체침범 범위, 증상의 강도 그리고 움직임의 속도로 인해서 다른 이상운동 증상(예: 근긴장이상증, 근간대성경련)으로 오인하기도 한다. 하지만, 무도증은 움직임의 무작위성(randomness)과 예측할 수 없는 흐름(unpredictable flowing quality)을 특징으로 한다. 무도증을 일으키는 원인이 광범위 하여, 주 운동증상(main phenomenology)을 어떻게 정의하는가에 따라 진단적 접근이 달라질 수 있어, 이 두 가지 양상을 항상 염두에 두고 유사 운동 증상과 감별이 필요하다.

(2) 현상학(표 5-16)

표 5-16 무도증에서 나타나는 현상학

현상학(phenomenology)	설명(description)
의도적행동(parakinesia)	무도증이 정상움직임에 섞여 있거나 편입되어 나타나는 현상
움직임 지속불능증 (motor impersistence)	운동 혹은 행위를 지속하지 못 하는 현상(inability to perform sustained motor activities); (예: trombone tongue, milkmaid's grip)
도리깨질증(ballism)	무도증의 한 형태로, 사지의 근위부에서 나타나는 큰 진폭의 움직임 현상
느림비틀림운동(athetosis)	사지의 말단부위에서 느리게 꿈틀거리는 양상의 움직임; 근긴장이상증으로 구분 하기도 함

2 진단

무도증을 일으키는 원인 질환은 광범위하다. 감별진단의 범위를 좁히기 위해서는 나이, 성별, 가족력에 대한 정보를 충분히 활용해야 한다. 또한, 함께 나타날 수 있는 신경학적 이상(말초신경병, 근육병, 경련)과 이상운동증(근긴장이상, 근간대성 경련, 틱)의 유무도 면밀히 파악하여 진단적 접근을 해야한다. 무도증의 신체 침범부위, 변화 양상(time course; chronology), 그리고 발병 연령에 따른 감별 진단을 숙지하는 것이 중요하며, 질환의 유병율을 파악하고 있는 것이 도움이 된다.

(1) 신체부위에 따른 접근(그림 5-12)

① 이마부위(forehead region)

헌팅턴병에서 자주 관찰된다. 눈썹의 꿈틀거림 혹은 이마근육(frontalis muscle)의 수축 등이 나타난다. 지연성 이상운동증(tardive dyskinesia)는 보통 이마부위는 침범하지 않아, 헌팅턴병과 주요 감별점이다.

② 구강부위(orobuccolingual involvement)

주로 지연성 증후군(tardive syndrome)과 후천성 간뇌변성

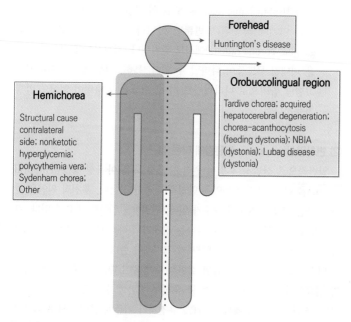

Forehead
Huntington's disease

Hemichorea
Structural cause contralateral side; nonketotic hyperglycemia; polycythemia vera; Sydenham chorea; Other

Orobuccolingual region
Tardive chorea; acquired hepatocerebral degeneration; chorea-acanthocytosis (feeding dystonia); NBIA (dystonia); Lubag disease (dystonia)

그림 5-12 **침범 부위에 따른 감별 질환**

(hepatocerebral degeneration)에서 관찰된다. Neuroacanthocytosis syndrome, neurodegeneration with brain iron accumulation (NBIA), 윌슨병, 그리고 Lesch-Nyhan syndrome 등의 무도증 질환에서, 구강부위의 근긴장이상이 특징적으로 나타나기도 한다. 특히, neuroacanthocytosis syndrome 중 chorea-acanthocytosis는 식사 중에 tongue protrusion dystonia가 발생하기도 한다. Feeding dystonia로 부르기도 하는데, 심한 경우 입술 혀를 깨물어 상처가 나기도 한다(self-mutilation).

③ 편측무도증(hemichorea)
중추신경의 구조적 원인 감별이 필요하다. 고식적으로 건측의 시상하핵(subthalamic nucleus, STN)의 침범으로 발생할 수 있다. 하지만 여기에 국한된 병변뿐만 아니라 다른 영역의 병변(basal ganglia, corona radiata)에서도 관찰된다. 전신질환에서도 편측 혹은 비대칭 무도증이 나타날 수 있다. 특히, 여성 아시아 인종에서 고혈당 합병으로 나타나기도 하며, 당뇨의 기왕력이 없어도 발생 가능하다.

(2) 변화양상(time course), 연령에 따른 접근
일반적으로 산발성/후천성 원인은 급성 혹은 아급성 양상(temporal profile)을 갖고, 유전적 원인은 만성적 경과를 갖는다. 후천적 원인을 갖는 경우는 치료가 가능한 경우가 있어, 면밀하게 진단할 필요가 있다. 자가면역의 경우 아급성으로 나타나는 경우가 있다. 이들은 면역치료에 반응할 수 있어, 감별 진단에 포함시켜 고려해야 한다.

연령과 그에 상응하는 감별 질환의 유병율이 다르기 때문에 이 숙지가 필요하다. 성인발병 무도증 중 유전성 질환에서 헌팅턴병이 가장 흔하다. 최근 유럽 연구에서 C9orf72 유전자가 기존에 알려진 SCA 17보다 더 유병율이 높다고 밝혀졌다. 따라서, 서양의 경우 HD > C9orf72 질

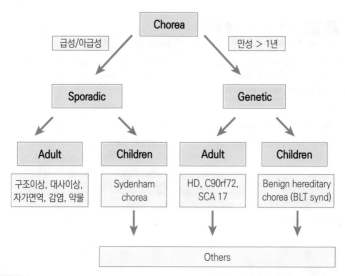

그림 5-13 연령, 변화양상에 따른 접근

환 > SCA 17의 순으로 감별을 한다. 앞서 소개한 염기서열 반복 확장 질환들은 founder effect가 있어 지역별 고려가 필요하다.

그림 5-13에 진행 양상 및 연령에 따른 진단적 접근을 모식화 하였다.

무도증에 대한 가족력은 질환을 진단하는데 많은 도움이 된다. 그러나, 가족력이 없는 유전성 무도증이 있다. 비친자(nonpaternity), 불완전 침투, 새로운 돌연변이(de novo mutation), 질병 초기에 비무도증 증상(우울증, 자살 등의 정신행동 이상)으로 늦은 진단 등 가족력이 없다고 유전성 무도증을 배제해서는 안된다.

표 5-17, 5-18에 연령별, 진행 양상에 따라 감별 질환들을 정리하였다. 또한 표 5-19에 부가적인 임상양상에 따른 감별질환들을 구분하였다.

낮은 반복수를 가지는 HD는 늦은 나이에 발병할 수 있기 때문에, 더 이상 senile chorea 용어는 쓰지 않는 추세다. 늦은 나이 발병이더라도 원인 질환을 찾는 노력이 필요하다.

표 5-17 소아청소년에서 흔한 원인

갑작스런 발병 패턴	서서히 진행 패턴(드묾)
자가면역: Sydenham's chorea, PANDAS, SLE, APS, post infectious, postvaccinal, paraneoplastic disorders	Brain-Lung-Thyroid syndrome (benign hereditary chorea syndrome)
Iatrogenic	Ataxia telangiectasia
Vascular chorea (cerebral palsy)	PKAN
Hypo/hyperglycemia in diabetes	대사성질환: Lesch-Nyhan syndrome, mitochondrial diseases, lysosomal storage disorders, aminoacidopathies, glutaric aciduria
Hyperthyroidism	
Post-pump chorea	

표 5-18 성인, 고령에서 흔한 원인

갑작스런 발병 패턴	서서히 진행 패턴(드묾)
Stroke	Iatrogenic: L-DOPA, Dopamine agonists in PD; Antipsychotics and their derivatives induced stereotypies
자가면역: Vasculitis, SLE, APS, paraneoplastic disorders	신경퇴행성질환: HD and HD phenocopies, SCA2, SCA3, Friedreich's ataxia Iatrogenic
Hypo/hyperglycemia in diabetes	
Hyperthyroidism	
Chorea gravidarum	

표 5-19	무도증 외 임상증상에 따른 감별
추가적 임상 증상/징후	**감별질환**
근긴장이상증, 경직, 운동불능증 (akinesia)	Juvenile HD, Wilson's disease
치매	Huntington disease, HD phenocopies (HDP)*, Wilson's disease
신경정신행동이상	HD, HDP, Sydenham's chorea
말초신경병증(polyneuropathy)	Choreoacanthocytosis, McLeod syndrome
소뇌징후	SCA 2,3,17; Friedreich's ataxia, ataxia telangiectasia
뇌전증	DRPLA

*HDP (Huntington disease phenocopy)는 헌팅턴병이 배제된 질환군으로 임상양상이 헌팅턴과 유사하여 붙여진 명칭이다. 이 질환에는 C9orf72 disease, SCA 17, neuroacanthocytosis syndrome 등의 유전성 무도병들이 포함된다.

3 원인

무도증의 원인 질환은 매우 광범위하다. 크게 이차성(표 5-20), 유전성 원인으로 구분하여 정리하였다. 유전성 원인은 최근 2016년도에 발표된 명명법도 같이 소개하였다. 유전성 무도증에서 무도증 외 특징도 함께 정리하였다.

- 대표적인 유전성 무도증 원인

  유전성 무도증에서 체계적으로 잘 정립된 표기법은 없다. 2016년 유전성 운동질환 명명법에 대한 개정이 이루어져 하기의 표 5-21에 질병명과 같이 표기하였다. 다른 유전 질환과 임상표현형 (phenotypic spectrum)이 겹치는 경우(overlap)가 있어, 향후 지속적 수정 작업이 이루어질 예정이다.

표 5-20 무도증을 일으키는 이차성 원인

분류	원인
Structural lesion	Vascular causes: ischemia, hemorrhage, vascular malformation (ex. Moyamoya syndrome)
	Tumors, Demyelinating lesions
Metabolic/endocrine	Nonketotic hyperglycemia, Hypoglycemia, uremia
	Acquired hepatocerebral degeneration
	Hypocalcemia, Hypo/hypernatremia
	Hyperthyroidism, hypo/hyperparathyroidism
Infectious	Toxoplasmosis, HIV encephalopathy, Prion diseases
Drug-induced	Levodopa, Amphetamine, Anticonvulsants, Lithium, Anticholinergics, Neuroleptic withdrawal
Autoimmune/paraneoplastic	Sydenham's chorea
	Rheumatologic diseases: systemic lupus erythematosus, antiphospholipid antibody syndrome, systemic sclerosis
	Autoimmune neurologic syndromes: anti-CRMP-5, anti-NMDA, anti-Hu (ANNA-1), anti-Yo, anti-LGI1, anti-CASPR2, anti-GAD65, anti-IgLON5
Other	Polycythemia vera, post-pump chorea, psychogenic chorea

| 표 5-21 | 유전 무도증 |

성인발병

질병[표기*]	유전패턴	유전자(발현 단백)	무도증 외 다른 임상증상
Huntington disease [CHOR-HTT]	AD	CAG 반복확산[HTT gene]; 36-39 repeats: reduced penetrance ≥ 40: full penetrance > 60: juvenile HD	움직임 지속불능증 (tongue and milkmaid's grip), 신속보기 지연, 근긴장이상증, 파킨슨증 Juvenile HD: 파킨슨증, 경련
C9orf72 disease[C9orf72]	AD	GGGGCC 반복확산 [C9orf72 gene]	증상이 다양함; 전두측두엽치매, 근위축성측삭경화증
SCA17 (HDL-4)[SCA-TBP]	AD	TBP	실조증, 근긴장이상증, 인지저하, 정신증상
Huntington disease-like 2 (HDL-2)[CHOR-JPH3]	AD	CTG/CAG 반복확산 [JPH3]	아프리카 가계; 파킨슨증; 정신증상; 10%에서 acanthocyte
Chorea-acanthocytosis [CHOR-VPS13A]	AR	VPS13A	"Feeding" dystonia(tongue protrusion);입술/혀 깨묾 (self-mutilation); 근육병/말초신경병; 뇌전증; 정신증상; head drop; rubber man gait;
McLeod syndrome [CHOR-XK]	X-linked	XK (Kx antigen)	심근병(2/3); 경련, 말초신경병, 근육병; feeding dystonia는 드묾
Dentatorubro-pallidoluysian atrophy [SCA-ATN1]	AD	ATN1	Choreoathetosis (> 20 yr); 성인: 실조증, 근긴장이상증, 파킨슨증, 치매 소아: 뇌전증, 간대성 근경련
Neuroferritinopathy [NBIA/CHOREA-FTL]	AD	FTL (ferritin light chain)	Oromandibular dyskinesia, Low serum ferritin, MRI - cystic degeneration in caudate and putamen, "pencil sign" - cortical lining of iron
Aceruloplasminemia [NBIA/DYT/PARK-CP]	AR	CP (ceruloplasmin)	근긴장이상증, 실조증, 당뇨, 망막변성, 빈혈, absent serum ceruloplasmin, 철침착(선조체, 시상, 치아핵)

(계속)

소아발병			
질병[표기*]	유전패턴	유전자(발현 단백)	무도증 외 다른 임상증상
Brain-Lung-Thyroid Syndrome[CHOR-NKX2-1]; classic benign hereditary chorea	AD	NKX2-1 (formerly known as TITF-1) gene	Isolated benign hereditary chorea (13%); 갑상선기능저하, 호흡기질환이 공존 보통 비진행성이지만, 비양성인 경우 존재
ADCY5-related dyskinesia [CHOR/DYT-ADCY5]	AD	ADCY5 (adenylate cyclase 5)	증상 다양함; 얼굴 이상운동증(facial dyskinesia); 무도증, 근긴장이상증, 간대성 근경련 발생; 발작성 양상 가능
Lesch-Nyhan syndrome/ [DYT/CHOR-HPRT]	X-linked	DYT/CHOR-HPRT	근긴장이상증(얼굴 하부 부위), self-mutilation, 고요산혈증
Wilson disease [DYT-ATP7B]	AR	ATP7B	다양한 임상증상(떨림, 근긴장이상, 파킨슨증, 실조증); KF ring (slit lamp examination); 낮은 ceruloplasmin/copper 수치, 높은 24시간 소변 구리 수치
Friedreich ataxia[Not yet]	AR	FXN due to GAA 반복 확산/돌연변이 (frataxin)	실조증, 근긴장이상증, 반사저하, 당뇨, 심근병증, 측정과대 신속보기
Ataxia with oculomotor apraxia type 1 (AOA1) [Not yet]	AR	APTX (aprataxin)	눈돌림실행증, 말초신경병, 낮은 혈청 알부민, 고지질혈증
Ataxia with oculomotor apraxia type 2 (AOA2) [Not yet]	AR	SETX (senataxin)	눈돌림실행증, 말초신경병, 높은 AFP (alpha fetoprotein)

*2016년 국제 이상운동질환 학회[MDS]에서는 유전성의 무도증에 대한 체계적 명명법을 발간하였고 이를 같이 소개하였다. 이 분류는 향후 지속적으로 개선될 예정이다.

4 치료

교정 가능한 원인이 있는 경우, 이에 대한 치료를 우선하는 것이 중요하다. 고혈당으로 인해 발병한 무도증이라면, 혈당 조절이 필요하고, 중추신경감염에 의한 경우 항균 치료가 필요하겠다. 자가면역질환의 경우

면역억제치료가 필요하다. 무도증이 있다고 다 치료(symptomatic treatment)를 할 필요는 없다. 하지만, 원인 교정 치료 중, 지속되는 무도증이 일상생활에 영향을 준다면 치료가 필요하겠다. 환자 본인은 무도증을 자각하지 못 하는 경우도 있어, 환자 및 보호자와 치료 계획을 수립하는 것이 중요하다.

중추성 도파민 억제 약물들은 증상 조절에 효과가 알려져 있다. 하기의 모식도는 전반적인 치료에 대해 정리한 그림이다(그림 5-14)

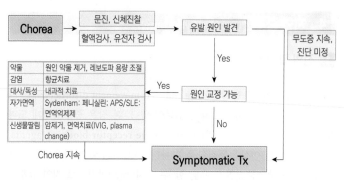

원인	1st line	2nd line	Adjunctive	Surgical
Huntington's disease	Deutetrabenazine, tetrabenazine, olanzapine	Antipsychotic (olanzapine, quetiapine, other)	Amantadine, clonazepam, levetiracetam	GPi DBS
Tardive dyskinesia	Valbenazine, deutetrabenazine	Tetrabenazine, anticonvulsant	Botulinum toxin, clonazepam	GPi or STN DBS
Levodopa induced dyskinesia	Amantadine	antipsychotic	clonazepam	GPi or STN DBS
Paroxysmal kinesigenic dyskinesia	Cabamazepine, phenytoin	Other anticonvulsant	Tetrabenazine, levodopa	–
Sydenham's chorea	Valproic acid, cavamazepin, steroids	Antipsychotic, immunotherapy (IVIG, plasma change)	clonazepam	–
Unsepcified	Dopamine depleter	antipsychotic	several	Consider DBS, rTMS

그림 5-14 **무도증 치료 모식도**

최근 향정신병약(haloperidol, olanzapine, quetiapine 등) 그리고 tetrabenazine 외 valbenzine, deutetrabenazine과 같은 신약이 무도증 조절에 효과적으로 보고되고 있다. 헌팅턴병 혹은 지연성 이상운동증에서 주로 연구가 되었지만, 그 외의 경우에도 효과가 있다고 보고되었다. 무도증의 병태생리(hyperdopaminergic state) 고려 시, 약물의 효과가 기대되는 바 이에 대한 새로운 약물은 숙지할 필요가 있어 그림 5-14에 소개하였다.

4 지연 증후군(Tardive Syndrome)

1 정의 및 분류

약물 기인 이상운동질환(drug induced movement disorders)에는 다양한 약제 및 발생 시기에 따른 구분이 있다. 본 장은 중추신경계 도파민 수용체에 영향을 주는 약물(dopamine receptor blocking agents, DRBA)로 인한 이상운동질환을 다룬다. DRBA의 짧은 사용도 조기에 지속되는 이상운동질환을 유발 할 수 있지만, 일반적으로 지연 증후군은 수개 월 이상 DRBA를 사용 후 발생하는 지연성 운동질환(delayed onset and persistent)을 가리킨다.

지연 이상운동증(tardive dyskinesia)와 지연 증후군(tardive syndrome)이 혼용돼서 사용되었다. 지연 증후군은 좀 더 포괄적인 용어로 하기의 표에 세부 질환에 대한 용어 및 특징을 정리하였다(표 5-22).

지연 파킨슨증에 대한 부분은 논란이 있다. 약물 유발 파킨슨증(drug induced parkinsonism)은 신경퇴행 파킨슨병(idiopathic Parkinson's disease)과 약물 악화 파킨슨병(drug exacerbated Parkinson's disease)과의 임상적 구분이 어렵고, 일부 약물 유발 파킨슨증에서 파킨슨병의 도파민 영상 및 부검소견이 발견되었기 때문이다. 이 경우, 단순 약

표 5-22 지연 증후군 분류

Tardive Syndrome	Clinical features
Tardive dyskinesia	모든 신체 부위에 영향을 미칠 수 있지만 가장 일반적으로 구강, 협측, 설측 부위에 발생하는 무도정위운동(choreoathetoid)
Tardive dystonia	국소, 분절 또는 전신 근긴장이상으로 발생; 젊은 남성에 더 흔함; 전형적으로 안검연축, OMD, retrocollis, 몸통 과신전(opisthotonus), arm extension and pronation with wrist flexion
Tardive akathisia	제자리에서 행진하기, 서두르기, 앉은 상태에서 제자리에서 흔들기, 손 문지르기 등의 움직임을 유발하는 안절부절 못함의 불편한 느낌
Tardive stereotypy	흔들기, 다리 꼬기, 불안하지 않을 때 손 문지르기와 같은 반복적이고 목적 없는 움직임
Tardive myoclonus	자세, 자발적 또는 자극에 민감한 jerk-like 움직임
Tardive tourettism or tics	일반적으로 운동성
Tardive pain	구강 또는 생식기 부위의 만성, 종종 작열감, 통증 또는 불쾌한 감각
Tardive tremor and tardive parkinsonism*	본태성 떨림 혹은 특발성 파킨슨병이 내재된 경우도 보고되기 때문에 논란이 있다.

물이 아닌, 약물로 인해 잠재된 파킨슨병(preclinical Parkinson's disease)이 조기에 발병하거나 약물복용 중 파킨슨병이 새롭게 발병된 경우로 나누어 생각해 볼 수 있다(표 5-23).

  지연증후군에 포함되지는 않지만, 약물 기인 운동질환 중 급격히 발병하고 전신 증상이 동반되는 응급 질환인 신경이완제악성증후군이 있다. 주로 DRBA를 시작 혹은 용량 증량 시 발생한다고 알려져 있다. 이 증후군과 감별이 필요한 세로토닌 증후군, 파킨슨병 고열 증후군을 하기의 표에 정리하였다(표 5-24).

표 5-23 약물 관련 파킨슨증, 파킨슨병의 임상적 특징

DRBA-induced parkinsonism (DIP)	Tardive parkinsonism	Idiopathic Parkinson's disease
Develops subacutely over days to months		
Symptoms present after DRBA exposure and improve after discontinuation up to one year	Symptoms present after DRBA exposure and persist after discontinuation greater than one year	Persistent symptom in the absence of DRBA
No hyposmia; no dysautonomia	No hyposmia; no dysautonomia	Hyposmia +/–; dysautonomia +/–
Normal dopamine functional neuroimaging	Dopamine functional neuroimaging not reported	Abnormal dopamine imaging
No pathologic reports	Reduction of SN pigmentation, Lewy body staining	Reduction of SN pigmentation, Lewy body staining

표 5-24 신경이완제악성증후군과 감별질환

	Neuroleptic malignant syndrome	Serotonin syndrome	Parkinsonism hyperpyrexia disorder
원인	Dopamine receptor blocking agents, dopamine depleting drugs	Overdose or administration of serotonergic agents (antidepressants, some opioids, triptans)	Withdrawal of dopaminergic therapy, loss of deep brain stimulation
주요 증상	Hyperthermia; rigidity, tremor; autonomic dysfunction; mental status change	Hyperthermia; myoclonus, rigidity autonomic dysfunction; mental status change; gastrointestinal symptoms	Hyperthermia; rigidity, tremor; autonomic dysfunction; mental status change
빈도	1st gen: 0.2%; 2nd gen: 0.006%	0.07–0.09%	0.3–3.6%
사망률	1st gen: 10–20%; 2nd gen: 5.5%	5%	15%
위험인자	Higher dose or multiple antipsychotics, male, young adult, previous experience	High doses of one or multiple serotonergic drugs	Advanced PD, higher levodopa doses, dehydration, previous experience
치료	Supportive care; cessation of trigger; dopaminergic drugs; benzodiazepine, dantrolene	Cessation of trigger; supportive care; serotonergic antagonist; benzodiazepine, dantrole	Rapid reintroduction of dopaminergic treatment; re-implantation of DBS

2 역학

(1) 유병율, 발생율

약제의 발달로 typical DRBA의 문제점 특히 1세대 antipsychotics 의 high affinity for D2 receptor를 극복하려는 약들이 개발되었다. 하지만, 지연 증후군 발생 위험이 없는 DRBA는 없다. 2세대 항정신약물의 개발로 1세대 약물 보다는 TS의 발생률이 감소하였지만, 그 사용빈도가 증가하고 있어 절대적 발생은 계속 증가하고 있다.

문헌 마다 차이는 있지만, TS 발생율은 첫 5년간 매년 5% 증가하여 plateau를 이룬 후 10년 후 49%, 25년 후 68%로 추정하고 있다. 1세대 항정신약물은 TS 유병율이 32.4%, 2세대 약물은 13.1%로, 후속 약물일수록 유병율이 더 낮게 추정된다. 하지만, 차이가 없다는 문헌도 있어 아직 까지 2세대 약물이 더 안전하다는 확정적 근거는 없다.

(2) 위험인자

여성, 항정신약 사용기간 및 용량, 치매, 뇌손상, 당뇨, 알코올 혹은 약 남용, 이전 DRBA 부작용 등 여러 위험인자가 소개되었다. 하지만 고령 나이가 가장 신뢰할 만한 위험인자다.

(3) 원인약물

도파민 수용체를 차단하는 약제, 특히 antipsychotics가 대표적이다. 하기의 표 5-25와 5-26에 원인 약물을 정리하였다.

다양한 약제가 지연 증후군 혹은 약물유발 이상운동증상과 연관되어 있다. 문헌에 따라 포함되는 약도 있고 포함되지 않는 약도 있다. 약물로 유발된 이상운동현상은 복합적인 현상이다. 단순 약물 자체의 영향, 다른 공존 질환, 약제의 용량, 병용 약물 등 여러가지 고려가 필요하다. 특히 기존 약 용량의 변경이 없고, 부작용이 없던 약이더라도 환자의 나이, 상황에 따라 지연 증후군이 발병할 수 있다. 따라서, 장기간 약제 투여가 예측되고, 고령 환자일 수록 세심한 주의가 필요하겠다.

표 5-25 DRBA 계열의 대표적 약물

Antipsychotics		Non-antipsychotics
Typical	Atypical	
Haloperidol[a]	Quetiapine[c]	Metoclopromide[b]
Chlorpromazine[a]	Olanzapine[c]	Prochlorperazine[b]
Fluphenazine[a]	Risperidone[c]	Cinnarizine
Thioridazine[a]	Paliperidone[c]	Fluarizine
Sulpiride[a]	Lurasidone[b]	
Zuclopenthixol[a]	Ziprasidone[b]	
Molindone[b]	Amisulpride[c]	
Perphenazine[b]	Clozapine*	
	Aripiprazole*	

a: high risk, b: moderate risk, c: low risk, *: very low risk.

표 5-26 DRBA는 아니지만 약물유발 이상운동증상을 일으키는 대표적 약물

Syndrome	Causative drugs	Syndrome	Causative drugs
Parkinsonism	Valproic acid, lithium	Akathisia	SSRIs, Tricyclics
Tremor	Valproic acid, lithium, SSRIs, tetracyclic, tricyclics, mirtazapine	Restless leg syndrome	Bupropion
Ataxia	Benzodiazepine, lithium, valproic acid, lamotrigine, topiramate	REM sleep behavior disorder	Tricyclics, tetracyclic, SSRIs, SNRIs, mirtazapine, acetylcholinesterase inhibitor)
Myoclonus	Antidepressant of all types, gabapentin, topiramate, lamotrigine		

3 진단

지연 증후군(TS)의 진단은 DRBA의 노출 이력과 현상학의 임상적 관찰을 기반으로 이루어진다. TS 진단에 특이적 바이오마커는 없다. 일반적으로 TS의 증상은 1-2년간의 지속적 DRBA 노출 후에 나타난다 (almost never before three months of exposure). 서서히 발생해서 수일 혹은 수주 후에 완전한 증후군으로 발현된다. 만성 상태에서는 안정화되지만, 증상의 변동이 관찰될 수 있다(waxing and waning course).

TS로 간주하려면 비정상적인 움직임이 DRBA 중단 후 최소 1개월 동안 지속되어야 한다. 급성/아급성 DRBA 유발 증후군은 중단 후 1개월 이내 소멸되는 것이 일반적이다.

지연 증후군은 매우 다양한 현상학을 가진다. 따라서, 철저한 문진과 진찰을 통해 실제로 다른 기저질환에 기인한 것이 아닌지 감별이 필요하다. 특히, 40세 미만의 이상운동질환으로 내원한 환자는 윌슨병에 대한 감별을 항상 고려해야 한다. 무도증과 같은 hyperkinetic 움직임에서는 헌팅턴에 대한 감별도 고려대상이다. 지연 증후군의 경우 lower facial and axial (retrocollis and opisthotonus) movements가 더 특징적이기 때문에 사지 무도증이 있다면 헌팅턴에 대한 고려가 필요하다.

본태성 떨림, 파킨슨병과 감별이 필요할 경우 도파민 기능영상이 도움이 될 수 있다.

4 치료

많은 의료인들이 2세대 항정신병 약물의 특성(pharmacological profile)에 기인해 사용 빈도를 늘리고 있다. 하지만, 2세대(atypical)가 1세대 (typical antipsychotics)보다 지연 증후군에 덜 위험하다는 확증적 증거는 없다. 지연 증후군이 있는 환자에 있어서 기존의 약물을 끊고, 2세대 약물 혹은 다른 같은 세대의 약제로 변경하는 것이 지연 운동질환을 완화시킨다는 근거 역시 빈약하다(Level U). 최대한 off-label 사용을 줄여 발생빈도를 낮추는 것이 최선책이다. 명확한 적응증을 가지고 사용 중인 경우, 약물을 완전히 못 끊는 경우가 많다. 이럴 경우, 최소한의 적정 용

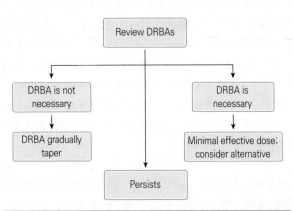

Treatment option	Level of evidence
VMAT2 inhibitors	
Deutetrabenazine	A
Valbenazine	A
Tetrabenazine	C
Clonazepam	B
Ginkgo biloba	B
Amantadine	C
Bilateral GPi DBS (refractory)	C
Botulinum toxin	U
1st and 2nd gen. antipsychotics	U
acetazolamide, baclofen, levetiracetam, vit B6/E, zonisamide, zolpidem, ECT	U

그림 5-15 치료 모식도

DRBA (dopamine receptor blocking agent)는 천천히 줄여나간다. 갑작스런 변경은 지연 증후군을 악화 혹은 촉진할 수 있다.

량을 유지하는 것이 좋다.

지연 증후군의 각 세부 증후군에 따른 높은 근거 수준의 치료법은 없다. 최근, FDA에 승인 받은 VAMT2 inhibitor 약제 2개가 RCT 연구를 통해 그 유효성이 입증되었다. 하지만 각 세부 증후군 별로 효과를 입증한 것은 아니다. 국내에 보편적으로 사용되지는 않고 있지만, 향후 도입시 치료에 많은 도움이 될 것으로 기대되어 하기의 표(그림 5-15)에 같이 소개하였다. 흥미로운 점은 tetrabenazine은 최근에 승인받은 약제와 비슷한 기전으로 작동하나 level C 근거 수준이다.

(1) 지연성 증후군의 약물치료

표 5-27은 지연 증후군의 전반적 치료적 접근을 설명하였다. 지연 증후군의 치료는 임상현장에서 고려해야 할 부분이 많다(표 5-28). 기저 질환(특히 정신질환)에 따라 원인 약제를 못 끊는 경우가 발생하기 때문이다. 약제 조절(dose reduction or discontinuation) 혹은 약 추가를 하면 일부 증상은 호전이 되지만, 약물로 인해 억눌려(mask)있던 지연성 운동 증상이 나타나기도 한다. 따라서, 이에 대한 이해와 사전 설명을 통해 치료의 순응도를 높이고, 의사-환자 관계의 신뢰도를 높일 수 있다.

(2) DBS (deep brain stimulation)

약물치료에 불응하는 심한 지연 증후군(특히, tardive dyskinesia)의 경우 침습적인 수술까지 고려할 수 있다(Level C).

(3) Botulinum toxin injection

약물, 수술적 치료에 비해서 근거가 빈약하다. 하지만, 약물에 불응하는 하는 국소 증상(focal tardive dystonia; blepharospasm, oromandibular and cervical dystonia)에 치료를 시도해 볼 수 있다.

표 5-27 **지연증후군의 치료약물**

치료 방법	용량	임상 증후군	주의
Amantadine	100–300 mg/d	Classic tardive dyskinesia, tardive dystonia, tardive akathisia, tardive tremor	Hallucination, cognitive impairment in higher doses, especially in the elderly
Trihexyphenidyl*	1–40 mg/d	Tardive dystonia	May worsen cognition and psychosis; may worsen oro–buccal–lingual dyskinesia
Baclofen	10–80 mg/d	Tardive dystonia	Maybe used in conjunction with anticholinergics
Clonazepam	0.25–6 mg/d	Tardive dyskinesia, tardive dystonia, tardive myoclonus	Drowsiness
Ginkgo biloba	80–240 mg/d	Tardive dyskinesia, tardive dystonia	
Propranolol	20–160 mg/d	Classical tardive dyskinesia, tardive akathisia	Blood pressure, heart rate
Tetrabenazine	12.5–200 mg/d	Tardive dyskinesia, tardive dystonia, tardive tourettism, tardive tremor	Drowsiness, parkinsonism, depression, akathisia
Deutetrabenazine	6–48 mg/d	Studies did not distinguish the subtypes but more effective for dyskinesia, stereotypies, and akathisia	Sedation, insomnia
Valbenazine	40–80 mg/d		Sedation, headache, fatigue

*in general, worsens choreic movements(약물치료 별 반응 참조)

표 5-28 약물치료 별 반응

약제 사용법	Tardive dyskinesia	Tardive dystonia	Tardive akathisia	비고
DRBA 용량 증량	May initially 'mask' symptoms	May initially 'mask' symptoms	May initially 'mask' symptoms	지연성 운동질환 회복의 가능성을 낮출 수 있음.
DRBA 감량 혹은 중단	Generally no effect	Generally no effect	Generally no effect	일부 환자에서 호전을 보일 수 있지만, tardive dyskinesia의 경우 약제로 인해 가려졌던 증상이 촉발되거나 악화 가능
VMAT2 inhibitor 추가	Improves	May improve	Insufficient data	
항콜린성 약제 추가	May worson	May improve	Insufficient data	
항콜린성 약제 중단	May improve	May worsen	Insufficient data	

DRBA, dopamine receptor blocking agent

5 Myoclonus(근간대경련)

1 개요 및 분류

Myoclonus(근간대경련)는 갑작스럽고 번개 같이 짧은 근수축을 보이는 이상운동이다. 근수축 활성의 증가를 보이면 양성, 억제를 보이면 음성 근간대경련(positive/negative myoclonus)이라 부르기도 한다. 다양한 후천적 또는 유전적 원인이 있어 이에 대한 감별과 치료법을 아는 것이 중요하겠다.

2 원인 및 진단

근간대경련의 기원에 따라 표 5-29와 같이 유형을 나눌 수 있고, 임상 신경생리학적 검사를 통해 판단에 도움을 받을 수 있다. 특히 가역적 원인인 경우 원인을 찾아 교정하면 증상 호전을 기대할 수 있어 중요하다. 또한 음성 근간대경련의 경우 대사적인 원인과 약물에 의한 발생이 가장 흔해 표 5-30에 서술한 유발 약물을 숙지하는 것이 필요하며 그림 5-16의 진단 알고리즘을 이해하는 것이 중요하다.

표 5-29 근간대경련의 해부학적 하위 유형별 특징

근간대경련 유형	임상적 특징	임상신경생리학적 특징
피질	• (여러)국소화/전신적 얼굴, 말단 사지도 침범, 자발적 동작 또는 자극에 유발됨 • 음성 근간대경련	*근전도 검사 100 ms 미만의 돌발파(burst duration < 100 ms) • 체성감각유발전위: 피질파형 크게 보임 • 반사반응: 안정시 +/- C-반사
피질하		
뇌간(brainstem)	• 전신적, 동기화된 (synchronous) 축방향 (axial) • 근위 사지에 영향 • 자발적이거나 자극에 민감히 반응	• 근전도 검사 100 ms 넘는 돌발파 (burst duration > 100 ms) • 체성감각유발전위에 피질파 크게 보이거나 정상
근간대경련-근긴장이상(myoclonus-dystonia)	• (여러) 국소적 부위 축방향 (axial) • 근위부 사지 침범 • 자발적 또는 동작에 유발됨	• 근전도 검사 100 ms 넘는 돌발파 (burst duration > 100 ms)
척수		
분절성(segmental)	• 국소적이거나 분절성, 자발적(때로는 동작에 유발됨)	• 침범된 분절에 국한되어 발생 • 근전도 검사 100 ms 넘는 돌발파 (burst duration > 100 ms)
고유성(propriospinal)	• 고정된 패턴 • 축(axial) 방향 근육에 영향 • 자발적이거나 자극에 민감함(눕는 것이 유발요인이 될 수 있음)	• 근전도 검사 100 ms 넘는 돌발파 (burst duration > 100 ms) • 흉추 중간 분절에서 시작되어 전파 • 전파 속도는 느리다(5-10 m/s)
말초성	• 국소적 • 원위부 사지에 영향 • 자발적 또는 동작에 유발 • 근약이나 위축을 동반할 수 있음	• 근전도 검사 50 ms 미만의 돌발파 (burst duration < 50 ms) • 큰 운동단위활동전위 • 근연축(fasciculation)/근파동(myokimia)

표 5-30 근간대경련을 일으킬 수 있는 약제/독성물질

유발 약제

항경련제	Phenytoin, carbamazepine, sodium valproate, gabapentin, pregabalin, lamotrigine, phenobarbital, vigabatrin, oxcarbazepine, levetiracetam
항정신병제	Haloperidol, chlorpromazine, sulpiride, clozapine, olanzapine, metoclopramide
항우울제	Lithium, selective serotonin reuptake inhibitors, monoamine oxidase inhibitors, tricyclic antidepressants, fluoxetine, imipramine
항불안제	Buspirone, lorazepam, midazolam, zolpidem, zopiclone, carisoprodol, benzodiazepine withdrawal
고혈압 약제	Verapamil, caverdilol, furosemide
심혈관 약제	Propafenone, flecainide, diltiazem, nifedipine, buflomedil, veratramine, amiodarone
항파킨슨제	Levodopa, bromocriptine, amantadine, entacopone, selegiline
인지기능약제	Cholinesterase inhibitors
항생제	Quinolones, penicillin, cefepime, ceftazidime, moxalactam, ciprofloxacin, imipenem, carbenicillin, ticarcillin, piperacillin, cefuroxime, β-lactam antibiotics, gentamicin
기타 항염증 약제	Piperazine, isoniazid, acyclovir
항암제	Chlorambucil, prednimustine, busulphan plus cyclophosphamide, ifosfamide
아편제	Morphine, tramadol, fentanyl, methadone, pethidine, norpethidine, hydrocodone
수면마취제	Enflurane, etomidate, propofol, choralose
기타	Bismuth salts, contrast media, domperidone, omeprazole, antihistamines, prednisolone, ketoprofene, physostigmine, tryptophan, diclofenac, cobalamine supplementation, cimetidine, salicylates, tetanus toxin, dextromethorphan, tacrolimus

독성물질

정신활성물질	Alcohol, cannabis, amphetamine, cocaine, ecstasy, toluene, intoxicating inhalants (for example, gasoline), heroin
중금속	Aluminium, manganese, bismuth, mercury, tetra-ethyl lead
살충제	Methyl bromide, dichlorodiphenyltrichloroethane
기타	Baking soda, carbon monoxide, chloralose, colloidal silver

Chapter 05

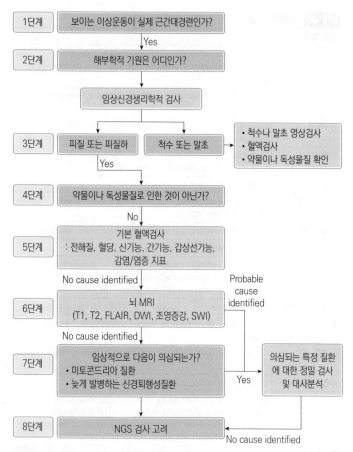

그림 5-16 8단계로 이루어진 근간대경련 진단 알고리즘
분홍색칸은 임상신경생리학/영상/혈액검사 등을 뜻한다.
* NGS, Next-generation sequencing (차세대염기서열분석)

3 근간대경련 유형에 따른 치료

(1) 피질성 근간대경련

레베티라세탐(levetiracetam)을 하루 총 1,000–3,000 mg을 2–3회 분할 투여하는 것이 1차 치료제이다. 레베티라세탐을 쓸 수 없는 경우 클로나제팜(clonazepam)을 하루 총 1–3 mg을 2–3회 분할 투여 또는 발프로산(valproic acid)을 하루 총 500–2,000 mg을 2–3회 분할 투여를 하거나 추가 약제로 사용해볼 수 있다.

(2) 피질–피질하 근간대경련

청소년 근간대경련(juvenile myoclonic epilepsy)이나 소발작(absence syndromes)의 경우 보통 발프로산을 하루 총 500–2,000 mg을 2–3회 분할 투여한다. 발프로산이 성공적이지 않거나 쓸 수 없을 때 라모트리진(lamotrigine)이나 레베티라세탐(levetiracetam)을 고려할 수 있다. 드물지만 라모트리진은 근간대경련 증상을 악화시킬 수 있으니 유의관찰 하에 사용한다. 이외에 reticular reflex myoclonus, myoclonus–dystonia, opsoclonus–myoclonus 및 propriospinal myoclonus 등에서도 클로나제팜(clonazepam)은 1차 약제로 써볼 수 있다. 조니사마이드(zonisamide)를 하루 총 300–500 mg 하루 1–2회 분할 투여하거나, 항콜린성 약제(anticholinergics)를 사용해볼 수도 있다.

(3) 분절성 근간대경련

해당 근간대경련은 약물에 대한 반응성이 떨어진다. 클로나제팜(clonazepam)이나 다른 항경련제가 가장 많이 시도된다. 특히 구개 근간대경련(palatal myoclonus)이나 척수 분절성 근간대경련(spinal segmental myoclonus)의 경우는 작용 부위에 보툴리누스 독소 주사요법 적용 시 효과를 보였다는 몇몇 보고가 있다.

(4) 말초성 근간대경련

반측안면경련(hemifacial spasm)이 대표적인 말초성 근간대경련의 예이다. 보툴리누스 독소 주사요법으로 증상 완화를 할 수 있고, 해당 치료제가 나오기 전에는 보통 카바마제핀(carbamazepine) 등의 약물요법을 사용하였다.

6 Ataxia

1 Ataxia의 접근

실조(ataxia)의 영문명은 '통제가 안되는, 무질서' 란 뜻을 갖는다. 신체를 움직일 때 필요한 상호작용(coordination)이 안되면서 자세조절이나 보행에 문제를 보이는 상태를 말한다. 산발성(sporadic) 및 유전성(genetic)으로 분류하며, 산발성 실조(sporadic ataxia)를 일으키는 대표적인 원인 질환은 표 5-31과 같다.

2 유전성 실조(genetic ataxia)의 분류

유전양상에 따라 보통염색체우성 소뇌실조(autosomal dominant cerebellar ataxia), 보통염색체열성 소뇌실조(autosomal recessive cerebellar ataxia), 사립체실조(mitochondrial ataxia), 그리고 성염색체관련실조(X-linked ataxia)로 구분된다. 표 5-32를 참고 바란다.

3 Ataxia의 진단과정 및 감별진단

실조(ataxia)는 소뇌와 소뇌연결경로, 전정계 및 고유감각경로 중 하나에 문제가 생겨도 발생한다. 실조를 보이는 환자가 있으면, 우선 감각

표 5-31	산발성 실조(sporadic ataxia) 원인 분류
신경퇴행성질환	• 다계통위축증(multiple system atrophy) • 진행성핵상안근마비(progressive supranuclear palsy) • 정상압수두증(normal hydrocephalus)
뇌졸중	• 소뇌나 소뇌경로에 허혈성/출혈성 뇌졸중이 온 경우
뇌종양	• 수모세포종(medulloblastoma) • 성상세포종(astrocytoma) • 상의세포종(ependymoma) • 혈관모세포종(hemangioblastoma) • 소뇌-뇌교 신경초종(cerebellopontine angle schwannoma) • 전이성 뇌종양(metastatic tumor) • 뇌수막종(meningioma)
독성/대사물질	• 알코올, 수은, 탈륨, 톨루엔 • 당뇨, 베르니케 뇌병증, 비타민 E, B12 결핍 • 갑상선/부갑상선 기능저하, 윌슨병
염증성/자가면역성/ 감염성 질환	• 다발성 경화증(multiple sclerosis) • 베체트병(Behcet's disease) • 사르코이드증(sarcoidosis) • HIV • 길랭바레증후군(Guillain-Barre Syndrome) • 밀러-피셔 증후군(Miller-Fisher syndrome) • 라임병(Lyme disease) • 항-GAD항체 자가면역성 실조증(autoimmune ataxia with anti-GAD antibodies) • 크로이츠펠트-야곱병(Creutzfeldt-Jakob disease)
기타	• 부종양증후군 • 외상 • 심인성

표 5-32 유전성 실조증의 원인 분류

보통염색체우성 소뇌실조(autosomal dominant cerebellar ataxia)

질병명	유전 변이	임상적 특징
SCA1	CAG repeats in ATXN1	구음장애, 연하곤란, 추체로 증상 (pyramidal signs)
SCA2	CAG repeats in ATXN2	느린 홱보기(slow saccades), 몸통 흔들림(truncal sway), 저반사 (hyporeflexia), 자세 및 안정시 떨림 (postural and rest tremor), 파킨슨증
SCA3	CAG repeats in ATXN3	원활추종눈운동 이상(abnormal smooth pursuit), 우울증, 하지불안증후 군(restless legs syndrome), 근긴장이 상(dystonia)
SCA6	CAG repeats in CACNA1A	순수한 소뇌 실조증(pure cerebellar ataxia)
SCA7	CAG repeats in ATXN7	시력 손실/색소 망막 변성(pigmentary retinal degeneration)
SCA8	CTG repeats in ATXN8 and ATXN8OS	반사항진(hyperreflexia)
SCA10	ATTCT repeats in ATXN10	뇌전증(epilepsy)
SCA17	CAG repeats in TBP	치매, 무도병(chorea), 근긴장이상증 (dystonia)

보통염색체열성 소뇌실조(autosomal recessive cerebellar ataxia)

감각신경장애가 두드러진 소뇌 실조증

프리드리히 실조증 (Friedreich ataxia)	Repeat expansions in intron 1 of FXN gene	어린이-30대 미만의 젊은 나이에서 발병. 요족(pes cavus), 척추측만(scoliosis), 사각파 눈동자움직임(square-wave jerks), 반사저하(hyporeflexia), 경직 (spasticity)
SANDO (Sensory Ataxic Neuropathy, Dysarthria, and Ophthalmoparesis)	POLG mutations	20-60 발병. 안근마비 (ophthalmoplegia), 안검하수(ptosis), 구음장애(dysarthria), 근간대경련 (myoclonus), 뇌전증(epilepsy)

(계속)

감각운동성 축삭신경장애가 있는 소뇌 실조증		
질병명	**유전 변이**	**임상적 특징**
모세혈관확장성 실조증 (ataxia telangiectasia)	ATM mutations	5세 미만 발병. 모세혈관확장증 (telangiectasia), 무도증, 근긴장이상증, 감염 및 종양에 취약, 알파-태아단백(α-fetoprotein)의 증가
안구운동실조증(ataxia with oculomotor apraxia) 1형	APTX mutations	안구운동 실행증(apraxia), 무도증, 근긴장이상증
안구운동실조증(ataxia with oculomotor apraxia) 2형	SETX mutations	안구운동 실행증(apraxia), 무도증, 근긴장이상증, 알파-태아단백(α-fetoprotein)의 증가
뇌건황색종증 (cerebrotendinous xanthomatosis)	CYP27 mutations	경직(spasticity), 정신지체, 건황색종, 만성 설사, 조기 백내장
각 신경 장애가 없는 소뇌 실조증		
보통염색체열성 소뇌실조 (autosomal recessive cerebellar ataxia) 1형	SYNE1 mutations	10대-40대 발병. 하위운동신경원 증상 (lower motor neuron signs), 경직(spasticity)
보통염색체열성 소뇌실조 (autosomal recessive cerebellar ataxia) 2형	ADCK3 mutations	정신지체, 근간대경련, 뇌전증, 운동불내성(exercise intolerance)
니만-픽병(Niemann-Pick disease) C형	NPC1 and NPC2 mutations	30대 미만 발병. 수직 핵상눈근 육마비(vertical supranuclear ophthalmoplegia), 비장종대, 근간대경련, 인지저하
성염색체관련실조(X-linked ataxia)		
취약X 떨림-실조 증후군 (fragile X tremor-ataxia syndrome)	CGG repeat expansions within the FMR1 gene	정신지체, 조기 폐경, 파킨슨증, 자율신경계 이상
사립체실조(mitochondrial ataxia)		

컨스-세이어 증후군(Kearns-Sayre syndrome)
MERRF (myoclonic epilepsy with ragged red fibers)
MELAS (mitochondrial encephalopathy, lactic acidosis, and stroke-like episodes)

SCA: 척수소뇌실조증(spinocerebellar ataxia)

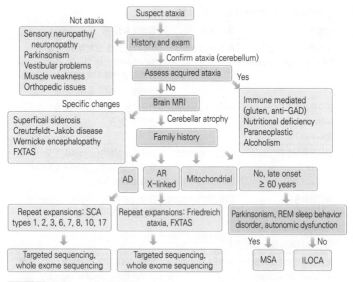

그림 5-17 실조(ataxia) 진단과정
AD, 상염색체 우성(autosomal dominant); AR, 상염색체 열성(autosomal recessive); FXTAS, 취약X 떨림-실조 증후군(fragile X tremor-ataxia syndrome); GAD, glutamic acid decarboxylase; ILOCA, 특발성 만기발병 소뇌성 운동실조증(idiopathic late-onset cerebellar ataxia); MSA, 다계통위축증(multiple system atrophy); REM, 급속안구운동(rapid eye movement); SCA, 척수소뇌실조증(spinocerebellar ataxia).

신경병증 등 다른 원인질환을 감별하고, 이후 몇 살 때 발병되었는지, 가족력은 없는지, 증상이 급성/아급성/만성으로 진행하는지 등에 대한 문진을 하는 것이 좋으며, 진단 과정은 그림 5-17을 참고한다.

4 Ataxia의 영상학적 소견

표 5-33과 같이, 실조 환자의 뇌MRI 소견은 특정 질환의 진단에 도움을 준다.

표 5-33 뇌 MRI 소견에 따른 관련 병인과 질환

뇌MRI 소견	관련 소견과 병리	관련된 질환
소뇌 위축이 없음	소뇌 피질 퇴행성 변화를 시사하는 구조적 이상이 없음	• 프리드리히 실조증 (Friedreich ataxia) • 비타민E 결핍 연관 실조증 • 면역매개 실조증(immune-mediated ataxia)
Hot cross bun sign	교뇌(pontine) 위축	• 다계통위축증(multiple system atrophy) 척수소뇌실조증(spinocerebellar ataxia) 2형
경추 척수 위축	경추 척수 위축	• 프리드리히 실조증 (Friedreich ataxia
중간 소뇌다리(middle cerebellar peduncles) T2 고강도(hyperintensity)	중간 소뇌다리의 탈수초증 또는 퇴행성 변화	• 다계통위축증(multiple system atrophy) • 취약X 떨림-실조 증후군 (fragile X tremor-ataxia syndrome)
유두체(mammillary body), 수도관주위회색질 (periaqueductal gray), 뇌실주변 시상 (paraventricular thalamus) T2 고강도	해당 부위에 점상 출혈 가능성	• 베르니케 뇌병증(Wernicke encephalopathy)
양측 아래올리브핵(bilateral inferior olivary nuclei) T2 고강도	아래올리브핵에 비후성 신경세포 퇴행성 변화	• POLG 실조증 • 성인-발병 알렉산더병 (adult-onset Alexander disease) • 글루텐 감수성(gluten sensitivity) 실조증
치상핵(dentate nucleus) 석회화 (뇌CT상)	치상핵 석회화	• 척수소뇌실조증 (spinocerebellar ataxia) 20형
백질에 T2 고강도	뇌백질 병증 (Leukoencephalopathy)	• 뇌건황색종증 (cerebrotendinous xanthomatosis) • 성인-발병 알렉산더병 (adult-onset Alexander disease)

(계속)

뇌MRI 소견	관련 소견과 병리	관련된 질환
연수(medulla) 위축	연수 위축	• 성인-발병 알렉산더병 (adult-onset Alexander disease)
소뇌(cerebellum)와 뇌줄기 (brainstem) 주변에 선형 T2 GRE 저강도(hypointensity)	뇌 실질 조직에 철 침착	• 표면적 철침착증 (superficial siderosis)
대뇌 피질, 기저핵(basal ganglia), 시상(thalamus) 에 확산강조영상(diffusion weighted imaging) 고강도	해면상 변성(spongiform degeneration)	• 크로이츠펠트-야곱병 (Creutzfeldt-Jakob disease)

5 Ataxia의 치료

실조(ataxia)의 치료는 크게 질병조절(disease-modifying) 치료와 증상(symptomatic) 치료법으로 나눌 수 있다.

(1) 질병조절(disease-modifying) 치료

질병 조절 치료는 후천적 실조의 경우 일으키는 원인을 치료하는 것을 말한다. 예를 들어 베르니케 뇌병증의 경우 티아민, 글루텐 감수성과 관련된 실조증에는 글루텐 프리 다이어트, 항-GAD 항체 실조증 및 부종양증후군으로 인한 실조증 때는 면역 글로불린(IVIg) 및 혈장 교환술(plasma exchange)을 사용하여 치료할 수 있다. 유전성 실조에 대한 치료법으로는 비타민 E 결핍 유전성 실조에는 비타민E 보충, 니만픽병 C형에는 miglustat 경구제, 포도당 운반체 1형 결핍에 대한 케토제닉 식이요법을 적용하는 것이 있다.

(2) 증상(symptomatic) 치료

증상에 대한 치료는 가능한 최근의 논문들을 조사해보고 최신 지견을 알아보는 것이 좋다. 현재로는 리루졸(riluzole) 50mg을 하루 2회는 구음장애 및 보행실조 증상을 개선시키는 것으로 나타나 실조증 환자에서도 간기능을 모니터링 하면서 써볼 수 있겠다. SCA 3형 환자에서는 바레니클린(varenicline) 1mg을 하루에 2번 우울증에 대하여 주의하면서 사용하면 도움이 될 수 있다고 알려져 있다. 아만타딘(amantadine), 바클로펜(baclofen), 클로로옥사존(chloroxazone)과 같은 약들도 실조를 치료하는데 사용될 수 있다. 실조 이외의 증상(떨림, 우울증)은 이에 대한 기존 치료약제를 적절히 쓰도록 한다.

운동은 SCA1 쥐 모델실험에서 수명을 획기적으로 향상시키는 것으로 나타났기 때문에 실조 환자에게 유익할 수 있다. 협응능력, 코어근력, 균형에 대한 운동이 도움이 된다고 알려져 있다.

마지막으로, 조효소 Q10 (coenzyme Q10)의 보충은 척수소뇌실조증 (SCA) 및 다계통위축증(MSA)에게 유용할 수 있다는 몇몇 보고가 있으며, SCA 2형 환자에게는 아연(zinc) 보충이 도움될 수도 있다고 알려져 있다.

Chapter 05

7 보행장애

1 보행의 개요

보행(gait)은 율동적이고 주기적인 운동으로, 중추신경계, 말초신경계, 근골격계의 복잡한 상호작용에 의해 일어나며 인간의 활동에 필수적인 요소이다. 보행장애는 특히 고령의 뇌신경계 질환 환자에게 잘 일어나 낙상을 유발하고 이로 인한 뇌외상, 골절, 근감소증을 유발하여 치명적인 손상을 줄 수 있어 정확한 평가와 개선하기 위한 노력이 필요하다.

2 보행의 지표

보행주기는 한쪽 신전된 다리의 발뒤꿈치가 지면을 닿는 시점부터 반대쪽 다리로 지면을 딛고 다시 처음 시작된 다리가 지면에 닿는 것 까지를 한 주기로 본다(그림 5-18). 주기의 60-65%의 기간은 한쪽 발의 바닥이 땅에 붙어 있는 디딤기(stance phase)이고, 나머지 기간은 반대쪽 발이 바닥에 닿아 있고 해당 발은 떨어져 움직이는 흔듦기(swing phase)로 구성된다. 전체 보행주기의 20-25%의 기간은 두 발이 모두 바닥에 닿아 지지하는 양다리지지기(double limb support phase)이다.

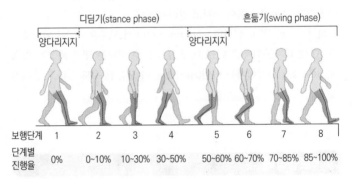

그림 5-18 정상인의 보행 주기(gait cycle)

3 보행의 분석

보행을 평가할 때 중요한 요소는 보폭(step length), 너비(step width), 보행박자(cadence), 보행속도(walking speed), 보행변동성(variability) 등이 있다(그림 5-19).

자세 및 보행 평가는 넓은 공간에서 7–10 m 정도를 편안한 속도로 걷게 하고, 회전 동작이 포함되게 하여 회전(turning) 시의 보폭 수나 자세 불균형이 일어나지 않는지 본다. TUG (time up & go)나 Tinnetti scale 등의 검사법이 있고, 보다 객관적이고 양적 보행분석을 위해 몸과 지면

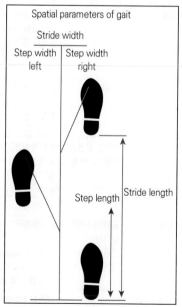

그림 5-19 보행분석 지표
stride length: 걸음 길이, step length: 보폭, step width: 너비

에 센서를 달아 여러 각도에서 보행을 동작카메라로 촬영하여 분석하는 삼차원 보행분석 검사(3D gait analysis)를 실시하기도 한다.

4 보행장애의 유형과 원인 질환

표 5-34 보행장애의 분류

	주요 병변 위치	주요 질환	보행 양상
상위 보행장애	피질, 피질하 부위	정상압수두증, 혈관성파킨슨증	조심보행(cautious gait) Gait initiation failure, freezing gait: 발걸음 떼는데 머뭇거리고 어려움을 보임
중위 보행장애	기저핵, 소뇌, 추체외로	파킨슨병	Short stepped, shuffling gait, festination, decreased arm swing or hand tremor at rest: 보폭이 좁고 앞으로 쏠리며, 손의 동작이 감소하고 안정시 손떨림이 관찰됨
		소뇌위축증	Ataxic gait with cerebellar signs: 소뇌 실조에 의한 보행으로 휘청거림
하위 보행장애	척수, 말초신경, 근육질환	다발경화증, 척수증, 유전강직 하반신마비 등	경직보행(spastic gait): 근수축과 이완의 상호운동에 이상, 하지 건반사 항진, 다리 휘저음과 신발 안쪽 닿는 현상 보임
	말초신경병증		발처짐보행(steppage gait), 감각실조보행(sensory ataxia gait)
	근육질환	골반이나 엉덩근 위약시 근위부 위약시 원위부 위약시	트렌델렌버그 보행(trendelenburg gait) 오리걸음(waddling gait) foot drop/steppage gait: 발을 위로 들 힘이 없어 터벅터벅 걸음
	근골격계 통증		진통성 보행(antalgic gait): 통증에 의해 관절운동이 제한받아 보폭이 감소하고 절룩거림
	정신성 보행(psychogenic gait)		

5 Treatments

보행은 환자의 건강과 일상생활 수행능력 등 삶의 질에 영향을 주므로 보행장애의 원인을 교정해주는 것이 중요하다. 정상압수두증의 경우 뇌척수액 배액술을 통해 보행 개선을 평가하고, 효과가 있다면 뇌실−복강이나 뇌실−척추/요추−복막강 단락술(shunt operation)을 고려할 수 있다. 파킨슨증이나 관절, 말초신경병증으로 인한 보행장애 시 원인에 대한 약물치료를 하면 보행 개선에 도움이 될 수 있다.

8 윌슨병(Wilson disease)

윌슨병은 ATP7B 유전자 이상으로 인한 Autosomal recessive disease로 담도의 구리배설 기능 저하로 인한 구리 침착과 이로 인한 조직 손상을 특징으로 하는 병이다. 초반 간에 침착되어 진행하면 뇌와 안구 등 다른 기관에 침착하게 된다.

1 임상증상

표 5-35 윌슨병의 임상증상의 발현

Liver disease (40%)
• 95% present under the age of 20 years (usually 7−15)
• Acute hepatitis
• Fulminant hepatitis
• Chronic active hepatitis
• Cirrhosis

(계속)

Neurologic (40%)

- 30% present over the age of 20 years
- Isolated tremor, dysarthria, drooling, clumsiness or gait disturbance (rarely, seizures)
- A parkinsonian syndrome
- A generalized dystonic syndrome
- A "pseudosclerotic" syndrome (postural and intention tremor)

Psychiatric (15%)

- Conduct disorder
- Cognitive impairment
- Dementia
- Psychosis

Others (5%)

- Ocular: Kayser - Fleischer ring, sunflower cataract
- Renal: Aminoaciduria, renal tubular acidosis, calculi
- Skeletal: Osteomalacia and rickets (blue nails)
- Hematologic: Hemolytic anemia

Principles and Practice of Movement Disorders 3rd p.41

2 진단

표 5-36 **윌슨병의 진단을 위한 검사소견**

검사	이상 소견
Slit-lamp examination	Kayser–Fleischer ring may be present
Ceruloplasmin	Reduced (< 20 mg/dL)
24-hour urine copper	Elevated (> 100 ug)
Liver biopsy	Increased copper (> 250 ug/g dry weight)
Genetic testing	a ATP7B mutation
Magnetic resonance imaging	T2 Basal ganglia hyperintensity

Principles and Practice of Movement Disorders 3rd

3 치료

표 5-37 윌슨병의 치료제

1. D-Penicillamine

- Low and slow: 1 g/day (0.5-2.0) before food
- Pyridoxine 25-50 mg/day
- Avoid copper-rich foods
- Monitor blood count and liver function tests, serum and urinary copper, Kayser-Fleischer ring
- Early side effects: Allergy (20%)—fever, rash, glands; marrow depression; neurologic deterioration (20-40%)
- Late problems: Nephrotoxicity (proteinuria, nephrotic syndrome), systemic lupus erythematosus, thrombocytopenia, Goodpasture syndrome, dermatopathy, myasthenia

2. Trientine

- 1-2 g/day (250-500 mg four times per day)
- Iron deficiency

3. Zinc (sulfate or acetate)

50-200 mg/day in divided doses

4. Liver transplant

Principles and Practice of Movement Disorders 3rd p.41

4 치료 모니터링

표 5-38 구리 킬레이트치료의 모니터링

Initial therapy (1-2주 간격)

- Compliance with Zinc therapy
  - 24-hr urinary zinc and cooper level
  - Less than 2 mg-inadequate compliance
- Compliance with trientine or penicillamine therapy
  - 24-hr urinary copper level
  - Gradually decreasing-inadequate compliance

Chronic therapy

- 24 urinary cooper level
  - 200-500 mcg/d-adequate
  - < 200 mcg/d-noncompliance or overtreatment
- Serum free cooper lever
  - > 15 mcg/dL-inadequate comliance

9 발작성 이상운동증(Paroxysmal dyskinesia)

불일정한 간격으로 갑자기 발생하여 일정시간이 지나면 사라지는 이상운동증을 발작성 이상운동증이라고 명칭한다. 특징적인 과거력과 가족력등 병력청취를 통해 의심환자를 찾아내는 것이 중요하며 secondary cause에 의한 증상이나 뇌전증에 대한 감별도 고려하여야 한다.

1 Paroxysmal dyskinesia

표 5-39 발작적 이상운동증의 구분

	Paroxysmal kinesigenic dyskinesia	Paroxysmal nonkinesigenic dyskinesia	Paroxysmal exertion-induced dyskinesia
연령	< 1-40	< 1-30	2-30
남녀비	4:1	1.4:1	1:1
유발요인	Sudden movement, Startle, Hyperventilation	Coffee, Tea, Stress, fatigue, alcohol	Prolonged exertion, fasting, stress
증상 지속	< 5 minutes	2 minutes-4 hours	5 minutes-2 hours
빈도	100 day-1 month	3 day-2 year	1 day-2 month
주요 관련 유전자	PRRT2 gene	MR1 gene	SLC2A1 gene
유전형	AD	AD	AD
치료	Anticonvulsants	Clonazepam, BDZ, acetazolamide, antimuscarinics	Acetazolamide, antimuscarinics, BDZ

Principles and Practice of Movement Disorders 3rd p.41

2 Episodic ataxia

표 5-40 Episodic ataxia의 종류

Episodic ataxia 1

- 증상: Aura of weightless or weak then ataxia, dysarthria, tremor, facial twitching
- 유전자: KCNA1 gene
- 발병연령: 2-15
- 지속시간: 2-10분
- 빈도: 15일 이하

Episodic Ataxia 2

- 증상: Ataxia, vertigo, nystagmus, dysarthria, Headache, Ptosis, ocular palsy, vermis atrophy
- 유전자: CACNA1A4
- 발병연령: 0-40세(5-15세)
- 지속시간: 5분-주(1시간)
- 빈도: 1/일-1/2달

10 Tics & Tourette syndrome

1 Tic

틱은 상대적으로 간단한 일시적인 운동이나 소리로 갑자기 빠르게 일시적으로 반복되고 혼합되어 나타나는 운동을 말한다. 다양한 운동증상이 나타나며 뚜렛증후군 진단의 필수 요소이다. 일반적으로 suppressibility, suggestibility를 보이며 수면 중에 사라진다.

표 5-41 틱장애의 원인 분류

Primary

- Sporadic
  - Transient motor or phonic tics (< 1 year)
  - Chronic motor or phonic tics (> 1 year)
  - Adult-onset (recurrent) tics
  - Tourette syndrome
- Inherited
  - Tourette syndrome

Secondary

- Inherited
- Infections
- Drugs
- Toxins
- Developmental
- Chromosomal disorders
- Other

Related manifestations and disorders

- Stereotypies/habits/mannerisms/rituals
- Self-injurious behaviors
- Motor restlessness
- Akathisia
- Compulsions
- Excessive startle
- Jumping Frenchman

Principles and Practice of Movement Disorders 3rd p.41

2 Tourette syndrome

표 5-42 뚜렛 증후군의 진단기준

Definite TS 진단기준(DSM-V)

1. 다중 운동 틱과 한 개 이상의 음성 틱 증상
2. 첫 증상 이후로 일 년 이상 지속되며 fluctuation 하는 틱증상
3. 18세 이전에 발생
4. 물질의 생리적 효과나 전신 질환에 의한 증상으로의 발현이 아님

3 Treatment of tics

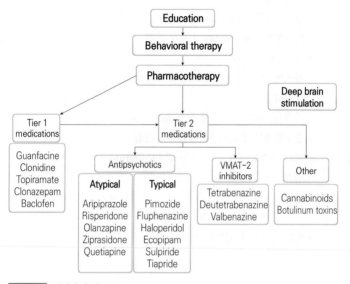

그림 5-20 틱장애의 치료

Continuum (Minneap Minn). 2019 Aug;25(4):936-958.

11 Functional movement disorders

과거에는 'psychogenic movement disorder'라고 불렸던 질환으로 organic cause 없이 나타나는 원인을 설명하기 힘든 비전형적이고 변동이 많은 운동질환이다. 아래에 기술된 특징을 보일 때 의심할 수 있으며 아직까지 정립된 치료는 없으나 환자에게 지지와 병에 대한 이해를 통해 개선을 시도할 수 있으며 정신과적인 치료, 재활, 인지행동치료가 도움이 될 수 있다.

- Functional movement disorders를 의심하는 단서들
  - 갑작스러운 발생
  - 일관성 없는(inconsistent) 운동
  - 비전형적인(incongruous) 운동과 자세
  - 피로 현상(fatigue)
  - 자극에 대한 지연된 때로는 과도한 반응
  - 자발적인 호전
  - 주의 산만에 의한 증상 감소(distraction)
  - 중요한 물건을 다룰 때 떨림이 사라짐
  - 빠른 연속동작에 의해 운동 감소(entrainment)
  - 위약 효과
  - 발작적 증상
  - 고정된 형태로 시작되는 근긴장증
  - 입은 한쪽으로 뒤트는 얼굴 움직임

12 하지불안증후군(Restless legs syndrome)

하지불안증후군은 주로 가만히 쉬거나 자려고 누워있는 동안 나타나는 다리의 불편감 및 이상감각을 특징으로 한다. 특히 밤에 심하게 나타나며 다리를 움직이고 싶은 충동이 동반되고 움직임을 통해 불편감이 완화된다. 대부분의 환자에서 periodic limb movement가 동반되며 dopaminergic medication에 특징적으로 증상 개선효과를 느낀다.

1 하지불안증후군의 진단기준

표 5-43 하지불안증후군의 진단기준

Essential diagnostic criteria (all must be met)

1. 다리를 움직이고 싶은 충동은 자주 있지만 항상 동반하지는 않으며, 다리에 불편하고 불쾌한 느낌이 들거나 그로 인해 발생하는 것으로 느껴집니다.
2. 다리를 움직이고 싶은 충동과 그에 따른 불쾌한 느낌은 쉬거나 움직임이 없는 동안 시작되거나 악화된다.
3. 다리를 움직이고 싶은 충동과 그에 수반되는 불쾌한 느낌은 적어도 활동이 계속되는 한 걷기나 스트레칭과 같은 움직임에 의해 부분적으로 또는 완전히 완화된다.
4. 다리를 움직이고 싶은 충동과 휴식이나 활동하지 않는 동안 수반되는 불쾌한 느낌은 오직 낮보다 저녁이나 밤에 발생하거나 더 심하다.
5. 위의 특징의 발생은 다른 의학적 또는 행동 조건(예: 근육통, 정맥 정지, 다리 부종, 관절염, 다리 경련, 위치 불편, 습관적인 발 두드림)에 대한 일차적인 증상으로만 설명되지 않는다.

Supportive clinical features of RLS

1. Periodic limb movements (PLM): presence of periodic leg movements in sleep (PLMS) 또는 resting wake (PLMW) 가 의학적 상태나 연령에 비해 심하게 나타난다.
2. 도파민 치료 반응: 적어도 초기에 도파민 치료를 통해 증상 감소
3. 하지불안증후군의 가족력(among first-degrees relatives)
4. 심한 주간 졸림증이 적다.

IRLSSG consensus diagnostic criteria for RLS (Sleep Med. 2014.)

2 하지불안증후군의 치료

표 5-44 하지불안증후군의 치료

비약물적 치료

Iron replacement if serum ferritin low

Discontinue caffeine

Consider changing medications that may exacerbate RLS

- Serotonergic antidepressants
- Antihistamines
- Dopamine receptor-blocking agents

Good sleep hygiene

Pneumatic compression

Vibrating pads

(계속)

약물적 치료

Intermittent RLS
- Carbidopa levodopa
- Low-potency opioids (codeine, tramadol)
- Benzodiazepines

Initial treatment chronic RLS
- Alpha2delta ligands: Reduced risk for augmentation
  - Gabapentin, Gabapentin encarbil, Pregabalin
- Nonergot dopamine agonists at lowest effective dose
  - Rotigotine patch, Ropinirole, Pramipexole

Treatment of refractory RLS, augmentation
- Combination therapy of alpha2delta ligands and dopamine agonists
- High-potency opioids at low doses
- Oxycodone/naltrexone
- Methadone

---

13 Neurodegeneration with Brain Iron Accumulation

Neurodegeneration with Brain Iron Accumulation (NBIA)는 기적핵의 비정상적인 철의 침착에 의해 신경손상이 진행되는 유전성 질환군이다. 전통적으로 hallervoden-Spaz syndrome으로 불렸던 pantothenate kinase associated neurodegeneration (PKAN)이 가장 흔하지만 그 외의 다양한 유전자 이상에 의한 질환들을 점차 밝혀지고 있으며 이외에도 Parkinson disease 및 Wilson disease에서도 철의 침착이 동반된다.

표 5-45 Neurodegeneration with brain iron accumulation의 종류

Condition	Gene	유전양상	Percentage of NBIA
pantothenate kinase-associated neurodegeneration (PKAN)	PANK2	AR	35-50
PLA2G6-associated neurodegeneration (PLAN)	PLA2G6	AR	20
Mitochondrial protein-associated neurodegeneration (MPAN)	C19orf12	AR	6-10
COASY-associated neurodegeneration (CoPAN)	COASY	AR	Rare
Fatty acid hydroxylase-associated neurodegeneration (FAHN)	FA2H	AR	Rare
Kufor Rakeb disease	ATP13A2	AR	Rare
Beta-propeller-associated neurodegeneration (BPAN)	WDR45	XD	1-2
Aceruloplasminemia	CP	AR	Rare
Neuroferritinopathy	FTL	AD	Rare
Woodhouse-sekati syndrome	DCAF17	AR	Rare

1 PKAN

- 전통적인 NBIA (NBIA type 1)
- PANK2 gene mutation
- Globus pallidus internus, substantia nigra에 철의 침착
- MRI: Eye of tiger sign
- HARP syndrome (Hypoprebetalipoproteinemia, acanthosytosis, retinitis pigmentosa, and pallidal degeneration)
- 발현 양상: Dysarthria, psychiatric Sx. dystonia

2 PLAN

PLA2G6 gene mutation

- Childhood onset
    - 발현 양상 axial hypotonia, spasticity, bulbar dysfunction, ataxia, dystonia, choreoathetosis
    - MRI: iron deposition in GP, SN
    - Infantile neuroaxonal dystrophy (previously)
- Adult onset
    - 발현 양상: Levodopa-responsive dystonia-parkinsonism
    - Without iron deposition on brain MR

3 Neuroferritinopathy

- FTL1 mutation
- 평균 발병 연령: 39.4 ± 13.3 yrs
- 발현 양상
    - Chorea, focal lower limb dystonia, parkinsonism at beginning
    - Aphonia, dysphagia, asymmetric motor disability, dementia
- 혈액검사: Serum ferritin level can be low
- MRI: T2 hypointensity in SN, GP, red nuclei

4 Aceruloplasminemia

- CP gene mutation
- 성인 발생
- Microcytic anemia, diabetes, retinal disease 동반
- 발현 양상: Facial dystonia, chorea, tremor, parkinsonism ataxia, dementia

- 혈액 검사: Low or absent serum ceruloplasmin, elevated ferritin, low iron, and low serum copper (normal urinary copper)

5 NBIA의 치료

- Iron chelation (deferiprone)

14 정상압수두증(Normal pressure hydrocephalus, NPH)

정상압수두증은 진행하는 보행장애, 소변장애, 인지저하를 특징으로 하는 신경퇴행성 질환군으로 뇌척수액의 배액이 증상 개선에 도움을 줄 수 있다고 알려져 있다. 정상압수두증에 관해서는 현재까지 많은 논란이 있으며 뇌척수액 배액으로 인한 증상 개선 가능성과 위험성을 신중히 평가할 필요가 있다. 또한 다른 보행장애를 유발할 수 있는 질환들에 대한 감별이 필요하다.

1 진단 검사

표 5-46 정상압수두증의 진단 검사

- Lumbar puncture response test with high volume CSF removal (more than 30 mL)
- External CSF drainage
- Shunt surgery response

- Ventriculomegaly on Brain MR
  - Evans index = the largest width of the frontal horns/ the widest measure of the inner table of the skull at same level (> 0.3)
  - Disproportionately enlarged subarachnoid space hydrocephalus (DESH) - Tightness at the high convexity

- Cisternography
- CSF flow study
- monitoring CSF pressure (B wave)

2 뇌척수액 배액의 좋은 예후 예측 인자

- CSF Ro 증가
- SPECT 검사에서 Acetazolamide에 대한 뇌혈류 반응성 소실
- lumbar drainage에 좋은 반응
- 연령의 증가는 나쁜 예후인자가 아님

15 말초 이상운동 질환(Peripheral movement disorders)

1 반측안면연축(Hemi-facial spasm)

- 편측 안면 근육의 clonic jerk, tonic spasm발생
- Old age, asian people, female 호발
- 얼굴 움직임에 의해 유발, unpredictable
- 안면신경 손상 후 회복에 의해 발생하는 secondary HFS 감별 필요
- 주원인: facial nerve compression at entry zone to CSF space by blood vessel
- 치료: Microvascular decompression, Botulinum toxin injection

2 Painful legs and moving toe syndrome

- 말초신경 혹은 nerve root의 손상에 의해 발생
- 호발 연령: 30–80세
- 통증을 동반한 발과 다리의 특징적이 Writhing movement (1–2 Hz)
- Difficult to treat

3 Complex regional pain syndrome (CRPS) dystonia

- CRPS-외상 후 발생하는 무해자극통증, 광각과민, 부종, 자율신경 이상을 동반하는 통증 증후군
- CRPS I - reflex sympathetic dystrophy
- CRPS II - Causalgia
- CRPS dystonia-CRPS에 동반되는 dystonic spasm
- Trauma induced peripheral nerve injury 후 발생
- Functional dystonia와 감별 필요
- Difficult to treat (Physical rehabilitation, desensitization, graded motor imagery, and functional restoration, Botulinum toxin injection, intrathecal baclofen, DBS)

표 5-47 CRPS 진단기준

CRPS 진단 기준(The Budapest Criteria)

1. Continuing pain, which is disproportionate to any inciting event
2. Must report at least one symptom in all four of the following categories
3. Must display at least one sign at time of evaluation in two or more of the following categories
4. There is no other diagnosis that better explains the signs and symptoms

Categories

- sensory - hyperesthesia and/or allodynia
- vasomotor - temperature asymmetry and/or skin color changes and/or skin color asymmetry
- sudomotor/oedema - oedema and/or sweating changes and/or sweating asymmetry
- motor/trophic - decreased range of motion and/or motor dysfunction (weakness, tremor, dystonia) and/or trophic changes (hair, nail, skin).

Chapter 05

16 보툴리눔 톡신 주사(Botulinum toxin injection)

1 Botulinum toxin

보툴리눔 톡신은 clostriudium botulinum에 의해 생성되는 독소로 신경근 전달을 차단하여 근육을 마비시킨다. 보툴리눔 톡신은 여러가지 subtype이 존재하는데 그 중 주로 A, B type이 치료용으로 이용된다. 보툴리눔 톡신은 제재에 따라 equivalent dose가 다르며, 작용 근육에 22-24 게이지 주사를 이용해 근주한다. 근육을 마비시켜 spasm을 줄여준다.

2-3일 이후부터 효과를 보이며 최대 효과에 다다르는데 2주가량 소요되며 2-4개월 후에 효과가 없어진다. 주사부위에 따라 마비, 삼킴장애등이 발생할 수 있으며 bruising이 발생할 수 있다. 항체가 형성되면 내성이 발생할 수 있어 가급적 적은 용량, 최소 3개월 간격으로 사용하도록 권장된다.

표 5-48 증상에 따른 보툴리눔 톡신 주사 근육

Problems	증상	Target muscles
Antecollis	Head flexion forwards	Bilateral SCM, and scalene m
Torticollis	Head turning	Ipsilateral splenius capitis and trapeziums, contralateral SCM m
Laterocollis	Head tilting	Ipsilateral SCM and scalene m
Retrocollis	Head tipping backwards	Bilateral semispinalis and splenius capitis m
Blepharospasm	Eye closing	Bilateral orbicularis oculi m
HFS	Facial twitching	Ipsilateral orbicularis oculi and facial muscles

REFERENCE

- 대한신경과학회. 신경학. 제3판. 범문에듀케이션; 2017.

- Albanese A, Bhatia K, Bressman SB, et al. Phenomenology and classification of dystonia: a consensus update. Mov Disord 2013;28:863-73.

- Aquino CCH, Lang AE. Tardive dyskinesia syndromes: current concepts. Parkinsonism Relat Disord 2014;20 Suppl 1:S113-S7.

- Balint B, Mencacci NE, Valente EM, et al. Dystonia. Nat Rev Dis Primers 2018;4:25.

- Bashir HH, Jankovic J. Treatment of tardive dyskinesia. Neurol Clin 2020;38:379-96.

- Bhidayasiri R, Jitkritsadakul O, Friedman JH, et al. Updating the recommendations for treatment of tardive syndromes: a systematic review of new evidence and practical treatment algorithm. J Neurol Sci 2018;389:67-75.

- Bytyi I, Henein MY. Stride length predicts adverse clinical events in older adults: a systematic review and meta-analysis. J Clin Med 2021;10:2670.

- Factor SA, Burkhard PR, Caroff S, et al. Recent developments in drug-induced movement disorders: a mixed picture. Lancet Neurology 2019;18:880-90.

- Fahn S, Janovik J, Hallett M. Principles and practice of movement disorders. 2nd ed. Elsevier; 2011.

- Friedman JH. Movement disorders induced by psychiatric drugs that do not block dopamine receptors. Parkinsonism Relat Disord 2020;79:60-4.

- Friedman JH. Tardive syndromes. Continuum (Minneap Minn) 2019;25:1081-98.

- Fung VS, Jinnah HA, Bhatia K, et al. Assessment of patients with isolated or combined dystonia: an update on dystonia syndromes. Mov Disord 2013;28:889 -98.

- Hauser RA, Meyer JM, Factor SA, et al. Differentiating tardive dyskinesia: a video-based review of antipsychotic-induced movement disorders in clinical practice. CNS Spectr 2022;27:208-17.

- Jankovic J, Hallett M, Okun MS, et al. Principles and practice of movement disorders. Elsevier; 2021.

- Jinnah HA, Albanese A. The new classification system for the dystonias: why was it needed and how was it developed? Mov Disord Clin Pract 2014;1:280-4.

- Jinnah HA. Medical and surgical treatments for dystonia. Neurol Clin 2020;38:325-48.

Chapter 05

- Jinnah HA. The dystonias. Continuum (Minneap Minn) 2019;25:976-1000.

- Marras C, Lang A, van de Warrenburg BP, et al. Nomenclature of genetic movement disorders: recommendations of the international Parkinson and movement disorder society task force. Mov Disord 2016;31:436-57.

- Marras C, Lang A, van de Warrenburg BP, et al. Nomenclature of genetic movement disorders: recommendations of the international Parkinson and movement disorder society task force. Mov Disord 2016;31:436-57.

- Mulroy E, Balint B, Bhatia KP. Tardive syndromes. Pract Neurol 2020;20:368-76.

- Park JH, Characteristics of gait in the elderly: normal vs. abnormal. J Korean Neurol Assoc 2017;35(4 suppl):1-4.

- Park KW. Gait disturbances in elderly life. J Korean Neurol Assoc 2017;35(4 suppl)10-5.

- Savitt D, Jankovic J. Tardive syndromes. J Neurol Sci 2018;389:35-42.

- Termsarasab P, Thammongkolchai T, Frucht SJ. Medical treatment of dystonia. J Clin Mov Disord 2016;3:19.

- Termsarasab P. Chorea. Continuum (Minneap Minn) 2019;25:1001-35.

- Truong DD, Frei K. Setting the record straight: the nosology of tardive syndromes. Parkinsonism Relat Disord 2019;59:146-50.

- Wolters E, Baumann C. Parkinson disease and other movement disorders: motor behavioral disorders and behavioral motor disorders. Vu University Press; 2014.

- Zutt R, van Egmond ME, Elting JW, et al. A novel diagnostic approach to patients with myoclonus. Nat Rev Neurol 2015;11:687-97.

CHAPTER **6-1** # 말초신경질환

이택준, 김영도

1 길랭–바레증후군

1 질환 요약

감염을 앓은 뒤 급성으로 발병하는 사지마비, 구음장애, 호흡곤란 등이 발생하는 말초신경의 자가면역질환이다. 연간 인구 10만 명당 1.1명의 빈도로 발병하고, 나이가 들수록 더 호발하며, 남자에서 여자보다 1.5–2배 많이 발생하는 것으로 알려져 있다.

설사, 감기 및 호흡기질환과 같은 선행하는 감염성 질환이 대개 수일 혹은 1–2주 후에 시작하여 빠르게 진행하는 사지마비, 뇌신경마비, 심부건반사소실을 특징으로 하는 양상이 보인다.

적절한 치료 후에도 20%의 환자는 마비 등의 후유증이 남으며, 5% 정도의 환자는 사망에 이른다.

2 증상

전형적인 임상양상은 상하지에 진행하는 사지의 마비이다.증상은 시작하게 되면 4주 이내 가장 심하게 진행하지만, 최대 8주까지 진행하게 된다. 이후에는 호전을 보이거나 그 상태로 멈추게 된다. 대체로 가장 심하게 될 때까지 2주가 넘지 않는다.

주된증상은 근력 저하이지만, 1/3의 환자에서 저림과 같은 감각이상, 근육통, 관절통, 방사통을 동반한다. 통증은 전체 길랭-바레증후군 환자에서 2/3에서 발생한다.

근력 저하 및 감각이상 외에도 뇌신경이상, 자율신경부전증이 동반된다. 양쪽얼굴신경마비가 가장 흔하고 연수마비가 동반하기도 하여 기계환기가 필요한 호흡마비로까지 발전하기도 한다. 자율신경부전증은 미주신경이 가장 흔하게 영향을 받으며 변동이 심하고 조절되지 않는 빈맥, 고혈압, 저혈압, 빈맥, 무긴장방광 등이 나타난다.

3 진단

(1) 임상적 진단

급성으로 발병한 사지마비에서 다른 질환들(중증근무력증, 급성근육염, 보툴리누스중독, 저칼륨혈증, 급성척수염 등)이 적절히 배제되었고 심부건반사가 저하 혹은 소실(때로는 저하되지 않거나 항진될 수도 있음)된다면 길랭-바레증후군의 가능성을 의심한다.

- 길랭-바레증후군 진단의 필수증상: 양측 상하지를 침범하는 진행하는 마비, 심부건반사의 저하 혹은 소실
- 길랭-바레증후군을 강하게 시사하는 소견: 며칠 혹은 4주에 걸쳐 진행하는증상 발현, 비교적 대칭적증상의 발현, 경미한 감각신경 증상 혹은 증후, 뇌신경마비증상(특히 양측얼굴신경마비), 2-4주에 걸쳐증상의 진행이 멈추고 회복이 진행, 자율신경부전증상, 발현 당시 발열이 없음
- 길랭-바레증후군 진단에 잘 맞지 않는 소견: 피부분절에 따른 감각이상, 현저하고 지속되는 비대칭적증상 및 증후, 심하고 지속되는 방광과 위장관기능 저하

(2) 뇌척수액검사

단백질세포해리현상, 발병 1주일 이내에는 50%에서만 발견되고, 3주가 되어서도 75%에서만 보인다(< 10 cell/mm³). 예외적으로 HIV 연관성 길랭-바레증후군에서는 뇌척수액에서 백혈구가 상승한다.

(3) 항강글리오시드항체

길랭-바레증후군의 각 아형의 진단에 도움이 된다.

- GM1 항체: 급성운동축삭신경병(acute motor axonal neuropathy), 순수운동길랭바레증후군(pure motor Guillain-Barre syndrome)
- GQ1b 항체: 밀러-피셔증후군(Miller-Fisher syndrome)
- GD1b 항체: 순수감각길랭바레증후군(pure sensory Guillain-Barre syndrome)
- GT1a (GQ1b, GD1a) 항체: 인두-경부-위팔 변이체(pharyngeal-cervical-brachial variant)
- GD1b (GD3, GQ1b) 항체: 안근마비(ophthalmoplegia)가 있는/없는 실조증

(4) 전기생리학적 검사(4개의 기준 중 세 가지 이상 만족해야 함.)

① Reduction in conduction velocity of two or more motor nerves < 80% LLN if amplitude > 80% of LLN; < 70% of LLN if amplitude < 80% of LLN.

② Prolonged distal latencies in two or more motor nerves > 125% of ULN if amplitude > 80% of LLN; > 150% of ULN if amplitude < 80%.

③ Absent or prolonged minimum F-waves in two or more motor nerves, > 120% of ULN if amplitude > 80% of LLN; > 150% of ULN if amplitude is < 80% of LLN.

④ Conduction block or abnormal temporal dispersion (> 20% drop in amplitude or > 15% change in duration between proximal and distal sites) in one or more motor nerves.

4 치료

병력과 신경학적 검진에서 길랭−바레증후군이 강하게 의심되면 전기생리학적 검진이나 뇌척수액검사이상이 나오기 전에 적극적인 치료를 시행한다. 왜냐하면 발병 1주일까지는 근전도검사나 뇌척수액에서 단백질세포해리(albuminocytologic dissociation) 현상이 관찰되지 않을 수 있기 때문이다.

(1) 고용량의 면역글로불린정맥주사 및 혈장분리교환술

두 치료법은 효과 면에서는 차이가 없다. 두 치료법을 병행하는 것이 단독치료보다 효과적이라고 알려져 있지 않으며, 혈장분리교환술을 시행하고도증상이 악화되는 경우 면역글로불린정맥주사를 하는 경우는 있다. 반대로 면역글로불린정맥주사 후증상이 악화될 때 혈장분리교환술은 권장하지 않으며 이 경우 면역글로불린정맥주사를 추가 투여할 수 있으나 근거는 부족하다. 면역글로불린정맥주사는 일반적으로 하루 0.4 g/kg 용량을 5일 동안 정맥주사한다. 부작용은 두통이 가장 흔하며, 일시적 발열, 무균성 뇌수막염, 간수치이상, 백혈구 상승, 급성요세관괴사, 응고항진상태, 혈청병이 발생할 수 있다.

(2) 길랭−바레증후군의 기계적 환기기준

- 12−15 mL/Kg 미만의 폐활량(vital capacity)
- 15−19 mL/Kg 미만의 폐활량이면서 연수마비
- 48 mmHg를 초과하는 고이산화탄소혈증
- 56 mmHg 미만의 저산소증

2 만성염증탈수초다발신경병증(CIDP)

1 질환요약

만성 경과를 보이는, 후천적, 염증성 면역매개신경병으로 주로 신경뿌리를 포함하여 침범하기 때문에 다발신경뿌리병증이라고 불린다. 길랭-바레증후군과는 만성 또는 재발성 경과를 보인다는 점에서 차이가 있다. 급성으로 발병할 때는 길랭-바레증후군과 감별이 어렵다. 유병률은 0.8-7.7명/10만 명이며, 40-60대에서 빈도가 높다.

2 증상

- 최소 2개월 이상의 시간에 걸쳐 만성적으로 점차 진행하는 신경학적증상
- 일부에서는 완화와 재발을 반복한다. 드물지만 초기에 급성 발병하여 길랭-바레증후군과의 구분이 필요하다.
- 운동신경과 감각신경이상증상이 같이 나타나는 경우가 많다. 통증은 그보다는 드물어서 20% 미만에서 발생한다.
- 대칭적인 운동신경 및 감각신경이상
- 뇌신경장애 및 자율신경이상은 동반될 수 있으나 드물다. 이 점은 길랭-바레증후군과 차이점이라고 할 수 있다.
- 심부건반사의 소실
- 선행감염은 30% 빈도로 길랭-바레증후군에 비해 드물지만 감염, 수술, 외상 등에 의해 재발이 촉진된다.

3 진단

(1) Clinical inclusion criteria for typical CIDP require both of the following:

① Chronically progressive, stepwise, or recurrent symmetric proximal and distal weakness and sensory dysfunction of a least two limbs, developing over two months or longer; cranial nerves may be affected.

② Absent or reduced tendon reflexes in all extremities.

(2) Clinical inclusion criteria for CIDP variants require one of the following, but otherwise as in typical CIDP. However, tendon reflexes may be normal in unaffected limbs:

① Predominantly distal (Distal acquired demyelinating symmetric neuropathy: DADS); or,

② Asymmetric (multifocal acquired demyelinating sensory and motor neuropathy: MADSAM), Lewis−Sumner syndrome); or,

③ Focal (eg, involvement of the brachial or lumbosacral plexus or of one or more peripheral nerves in one upper or lower limbs); or,

④ Pure motor; or,

⑤ Pure sensory

(3) Clinical exclusion criteria:

   ① Neuropathy probably caused by B. burgdorferi infection (Lyme disease), diphtheria, drug or toxin exposure.

   ② Hereditary demyelinating neuropathy.

   ③ Prominent sphincter disturbance.

   ④ Diagnosis of multifocal motor neuropathy (MMN).

   ⑤ IgM monoclonal gammopathy with high titer antibodies to myelin-associated glycoprotein (MAG).

   ⑥ Other causes for a demyelinating neuropathy including POEMS syndrome, osteosclerotic myeloma, and diabetic and nondiabetic lumbosacral radiculoplexus neuropathy; peripheral nervous system lymphoma and amyloidosis may occasionally have demyelinating features.

(4) Electrodiagnostic criteria for CIDP include parameters to identify motor and sensory conduction abnormalities that suggest demyelination

(5) Supportive criteria:

   ① Elevated CSF protein with leukocyte count < 10/mm³

   ② MRI showing gadolinium enhancement and/or hypertrophy of the cauda equine, lumbosacral or cervical nerve roots, or the brachial or lumbosacral plexuses.

   ③ Abnormal sensory electrophysiology in a least one nerve:
     − Normal sural with abnormal median (Excluding median neuropathy at wrist from carpal tunnel syndrome) or radial Senso-

ry Nerve Action Potential (SNAP) amplitudes; or,
- Conduction velocity < 80 % of LLN (< 70 % IF SNAP amplitude < 80 % of LLN); or,
- Delayed Somatosensory Evoked Potential (SSEPs) without CNS disease.
- Objective clinical improvement following immunomodulatory treatment.
- Nerve biopsy showing unequivocal evidence of demyelination and/or remyelination by electron microscopy or teased fiber analysis.

4 치료

말초신경의 말이집에 대한 면역매개반응을 억제하여 이차적인 축삭의 손상을 최소화하는 것이다.

(1) 면역글로불린정맥주사

대부분의 환자는 초기에 정맥내 면역글로불린(Intravenous Immuno-globulin, IVIG) 투여를 2 g/kg 용량으로 2-5일간 투여한다. 많은 CIDP 환자들은 임상경과에 따라, 대개 2-6주마다 반복적인 IVIG 투여가 필요하다. 대부분의 경우는, 초기 투여 후, IVIG (1 g/kg)를 2-3개월 동안 3주 간격으로 투여한다.

(2) 혈장분리교환술

IVIG의 효과적인 대체치료제이다. 심한 장애가 있는 CIDP 환자에서, 8-10일 동안의 4-6회의 혈장분리교환술(Plasma Exchange, PE)를 시행한다. 임상적인 치료에 반응에 따라, 3-4주마다 한 번까지 PE 횟수를 나갈 수 있다.

(3) 글루코코르티코이드

글루코코르티코이드(Glucocorticoid, Pednisone, Pd)를 1.5 mg/kg (up to 100 mg)/day를 2–4주 동안 투여한다. 이후 EOD로 전환하여, 임상적 호전이 있을 때까지 보통 6개월 유지한다. 이후 2–3주마다 5 mg씩 20 mg/day가 될 때까지 감량한다. 20 mg/day되는 시점에서 2–3주마다 2.5 mg 이상으로 감량하지 않는 속도로 감량한다.

3 당뇨병신경병(Diabetic neuropathy)

1 질환 요약

당뇨병신경병은 당뇨병의 가장 흔하고 대표적인 합병증이며 당뇨 환자의 삶의 질을 저하시키는 대표적 원인이며, 당뇨 환자의 비외상성 사지 절단의 가장 대표적 원인이다. 전체 당뇨 환자의 20–34%에서 동반된다. 만성감각운동다발신경병(chronic sensorimotor polyneuropathy), 자율신경병(autonomic neuropathy), 고혈당신경병(hyperglycemic neuropathy), 급성통증감각신경병(acute painful sensory neuropathy), 치료연관신경병(treatment related neuropathy), 뇌신경병(cranial neuropathy), 몸통신경병(truncal neuropathy), 당뇨병근위축증(diabetic amyotrophy), 국소사지단일신경병(focal limb mononeuropathy) 등이 있다.

2 증상

신경병성 통증이 당뇨병신경병의 가장 흔한 증상으로, 야간에 더 심해지는 타는 듯한 통증, 바늘로 찌르거나 전기가 통하는 듯한 느낌, 모래 위를 걷는 느낌 등이 있으며, 그 외에 감각 저하증상이 있다.

(1) 만성감각운동다발신경병

당뇨병신경병의 가장 흔한 형태로 혈당조절이 잘 안되거나, 당뇨의 유병기간이 길수록 빈도가 증가한다. 초기 당뇨병 환자의 약 7.5%, 당뇨 유병기간이 25년 이상이며 50%에서 발견된다. 주된증상은 발과 하지에 지속적으로 저리고, 무딘 감각이다. 감각증상은 하지의 원위부에서 시작하여 두드러짐, 심한 경우 손에도증상 나타나고 하복부 전체로 퍼진다. 감각소실, 영양성 변화, 반복 손상에 의한 심부궤양, 샤르코관절이 동반된다. 발목반사소실, 무릎반사도 일부에서 소실된다. 근쇠약은 경미하게 보이며, 먼쪽근위축이 관찰된다.

(2) 급성당뇨병단일신경병증

손목굴증후군(carpal tunnel syndrome), 팔꿈치의 노신경손상(ulnar nerve injury), 종아리뼈머리의 종아리신경손상(peroneal nerve injury)이 생긴다. 당뇨병 환자의 말초신경은 외부압력이나 포착에 쉽게 손상되어 발생한다. 그 외, 눈돌림신경병, 외전신경병이 발생한다. 통증과 함께 발생하고 대개 6개월 이내 호전되는 경과를 보인다.

(3) 당뇨병근위축증

비인슐린의존당뇨병 환자의 1%, 인슐린의존당뇨병 환자의 0.3%에서 나타나고 40대 이후의 남자에서 많이 발생한다. 당뇨병의 초기나 인슐린 치료를 막 시작하였을 때 주로 잘 발생한다. 통증비대칭다발신경병의 일종으로 대퇴의 통증과 함께 시작되어 근쇠약으로 발전되며, 칼로 도려내는 듯한 통증이 주로 밤에 온다. 근쇠약과 근위축은 주로 몸쪽 근육에서 발생하고, 골반 및 넓적다리부위의 넓적다리네갈래근, 볼기근, 엉덩허리근, 넓적다리뒤근육, 모음근에서 관찰된다. 상지는 거의 침범하지 않는다. 무릎반사가 사라진다. 글루코코르티코이드치료가 통증 등의증상을 완화시켜 줄 수 있다. 완전 회복까지는 수개월 혹은 수년이 걸리지만 대부분은 회복된다. 반대쪽 하지에도 동일한증상이 발생할 수 있다.

(4) 당뇨병신경뿌리병

보통 몸통신경병 형태로 발병하며, 가슴과 배의 통증과 이상감각 호소, 주로 가슴과 배의 한 개 혹은 여러 피부분절에 분포하여 발생한다. 한쪽 혹은 양쪽으로 나타나고 침범된 부위에 얕은 감각소실이 나타난다. 복벽근의 위약을 동반하며, 장기적인 예후는 좋은 편이다.

(5) 당뇨병자율신경병

오랜 기간 당뇨병을 앓은 환자에게서 자율신경부전증상이 나타난다. 동공이상, 땀분비기능이상, 혈관반사이상, 위장관장애, 방광이완증, 기립성 저혈압이 나타날 수 있으며, 가장 흔한증상은 기립성 저혈압이다. 만성감각운동다발신경병과 함께 비가역적인 질환에 해당된다. 당뇨병의 전단계인 당불내성 상태에도 높은 빈도로 발생한다. 급사의 중요한 원인이다.

3 진단

신경학적 검진이 진단에 가장 중요한 소견이다. 10 g 모노필라멘트검사, 발목반사, 진동감각검사, 핀찌르기검사, 온도감각검사를 시행한다. 족부궤양 및 절단의 위험을 평가하기 위해 10 g 모노필라멘트검사를 매년 시행한다. 정량적 감각검사를 시행하여 감각의 역치를 평가한다. 신경전도검사를 시행하면, 전체 25-85%의 환자에서 다양한 정도의 이상이 나타난다. 유발전위검사도 고려해 볼 수 있다.

4 치료

치료의 주요 목적은 통증 및증상의 완화 및 환자의 삶의 질 개선이다. 신경의 퇴축을 막아 재생을 돕고, 사지손상과 같은 심각한 합병증을 막는 것이다. 신경병증의 원인에 대한 병인론에 근거한 치료와 통증을 치료하는 대증치료로 나눈다.

(1) 병인론에 근거한 치료

혈당조절과 위험요소 관리하는 치료와 병리 기전에 대한 치료를 시행한다. 고혈당과 당뇨병성 말초신경병증의 중증도는 밀접한 상관관계가 있으므로 적극적인 혈당조절이 필요하다. 이것은 주로 인슐린의존형 당뇨병 환자에서 중요하다. 위험요소 관리는 인슐린비의존형 당뇨병 환자에서 더욱 중요하다. 흡연, 심혈관질환의 과거력, 고혈압, 이상지혈증 등과 같은 심혈관위험인자가 당뇨병성 말초신경병증에 중요하게 관여하므로 이러한 위험요소를 관리한다. 병인론적 치료제로는 알도스환원효소억제제(예: epalrestat), 알파리포산이 있다.

(2) 통증을 치료하는 대증치료

당뇨신경병증에 의한 통증은 환자에게 수면장애, 우울증, 불안 등을 야기하여 삶의 질을 저하시키므로 적극적인 통증조절이 필요하다. 미국당뇨병학회에서 공통적으로 1차 치료제로 제시하는 약제는 둘록세틴(duloxetine)과 프리가발린(pregabalin)이다. 그 외에 삼환계항우울제, 항경련제, 선택적 세로토닌재흡수억제제가 있다.

4 혈관염신경병(Vasculitic neuropathy)

1 질환요약

혈관염신경병은 신경에 분포하는 혈관의 염증으로 야기되는 질환군으로 원발전신형(primary systemic), 이차전신형(secondary systemic), 비전신형(nonsystemic) 형태로 분류한다.

(1) 원발전신형 혈관염신경병은 침범하는 혈관의 크기로 구분한다.
 ① 작은 혈관을 침범하는 혈관염신경병: 현미경다발혈관염, 다발혈관
   염을 동반한 호산구육아종증, 다발혈관염을 동반한 육아종증
 ② 중간 크기의 혈관을 침범하는 혈관염신경병: 결절다발동맥염
 ③ 큰 혈관을 침범하는 혈관염신경병: 거대세포동맥염

(2) 이차전신형 혈관염신경병을 일으킬 수 있는 병으로는 류마티스관절
   염, 전신홍반루푸스, 쇼그렌증후군, 피부근염, 감염(B형 간염, C형
   간염, HIV, cytomegalovirus, Lyme disease, HLV-I, parvovirus
   B19), 약물(amphetamines, sympathomimetics, cocaine 등), 암, 백신
   등이 있다.

2 증상

　가장 특징적인증상은 운동신경과 감각신경증상이 같이 나타나는 단
일신경병이 여러 군데에서 동시다발적으로 발생한다. 이를 다발성단일신
경병(mononeuropathy multiplex, multiple mononeuropathy)이라고 한
다. 초기에는 비대칭 형태를 보이다가 진행하면서 대칭적인 다발신경병
으로 발전한다. 허혈성 손상이므로 먼쪽신경에서 먼저 손상이 일어나
고, 몸쪽에 비해 먼쪽 부위의 운동 및 감각이상이 더 두드러진다. 질병
초기에 허혈성 손상으로 인해 갑작스러운 사지의 먼쪽저림이나 심한 통
증을 동반한다. 전신증상으로 발열, 권태감, 기력저하, 체중감소, 식욕
부진이 동반된다.

3 진단

(1) 혈청검사

　혈관염신경병이 전신형으로 판단되는 경우, 혈청학적 진단을 통해 류

마티스 혹은 감염성 질환 여부를 감별해야 한다.

- Antinuclear Antibody (ANA) assay
- Antineutrophil Cytoplasmic Autoantibodies (ANCA)
- Antibodies to Double-stranded DNA (dsDNA)
- Antibodies to extractable nuclear antigens [anti-Sm and Anti-ribonucleoprotein (RNP)]
- Anti-Ro/SSA, anti-La/SSB
- Antiphospholipid antibodies [Lupus Anticoagulant (LA), Immunoglobulin (IgG), and IgM Anticardiolipin (aCL) antibodies; and IgG and IgM anti-β2-glycoprotein (GP) I]
- Complement components (C3 and C4)
- Rheumatoid Factor (RF)
- Serum cryoglobulins
- Serum and urine protein electrophoresis with immune electrophoresis
- Tests for hepatitis B virus, hepatitis C virus, and HIV infections
- Lyme disease assays
- Serum Creatine Kinase (CK)

ANA는 비특이적인 혈청학적 지표이지만, 전신성 홍반성 루푸스, 류마티스관절염, 쇼그렌증후군에서 관찰된다. 또한 한랭글로불린혈증과 ANCA 연관성 혈관염에서 양성으로 보인다. DsDNA와 Sm antigen 혹은 RNP가 있다면 전신성 홍반성 루푸스의 가능성이 있다. Ro/SSA 혹은 Ro/SSB에 대한 항체양성은 쇼그렌증후군 혹은 전신성 홍반성 루푸스에서 나타난다. ANCA 검사에서 양성은 현미경다발혈관염, 다발혈관염을 동반한 호산구육아종증, 다발혈관염을 동반한 육아종증에서 나타난다.

(2) 전기생리검사

축삭손상의 형태로 이상이 나타나면서, 다발성의 개별적 신경손상, 비대칭형태로 나타난다. 탈수초성 형태의 근전도검사이상은 혈관염신경병에 합당한 소견이 아니다.

4 치료(표 6-1-1)

표 6-1-1 혈관염신경병의 치료약물

성분명	경로	용량	부작용	추적검사
Methotrexate	경구	7.5-20.0 mg/wk	Hepatotoxicity, leukopenia, alopecia, stomatitis, neoplasia, pneumonitis	전체혈구계산 (CBC), 간기능검사(LFT)
	정맥	25-50 mg/wk		
Cyclophosphamide	경구	1.5-2.5 mg/Kg/day	Leukopenia, cystitis, pneumonitis, alopecia, infections, neoplasia	CBC, 소변검사 (UA)
	정맥	350-1,000 mg/m² every 1-4 wks		
Cyclosporine	경구	3-5 mg/kg/day	renal toxicity, hypertension, hepatotoxicity, hirsutism, infection, gum hyperplasia, neoplasia	혈압, LFT, 혈액요소질소(BUN), 크레아티닌(Cr), 약농도
Intravenous immunoglobulin	정맥	2.0 g/kg in 2-4 days	Fevers, chills, aseptic meningitis, renal failure, headache, hypotension, leukopenia, hemolytic anemia, thromboembolism	혈압, 맥박, BUN, Cr, CBC
Azathioprine	경구	2-3 mg/Kg/day	Leukopenia, hepatotoxicity, drug fever, infection, neoplasia, pancreatitis	CBC, LFT
Mycophenolate	경구	2-3 g/day	Leukopenia, diarrhea, nausea, abdominal pain, infection, gastrointestinal hemorrhage	CBC

Chapter 06

5 다초점운동신경병

1 질환 요약

근쇠약과 근위축이 수년에 걸쳐 서서히 진행되고, 같은 신경줄기에서 국소적인 운동신경전도차단을 보인다. 감각신경섬유는 보존된다. 상지보다 하지에서 더 흔히 침범된다. 이러한 소견은 운동신경원병과 유사한 임상증상으로, 운동신경원병과의 감별을 요한다. 전체 환자의 75% 이상이 남자이다.

2 증상

아급성으로 발병하는 비대칭형의 위약이 특징이다. 양측 팔에 발생하는 아래운동신경세포손상징후가 나타나서, 팔과 손에 감각신경증상이 없는 마비가 나타난다. 마비는 팔의 먼쪽 부위부터 국소단일신경병으로 시작된다(손목 쳐짐, 손의 마비). 드물지만, 다리에서도 증상이 발생할 수 있다. 팔에서 증상이 시작되면 반대쪽 팔로 퍼져나가고, 다리로 퍼지는 양상으로 보인다. 근섬유다발수축, 근육경련도 관찰되며, 근위축은 질환의 말기에 관찰된다. 뇌신경마비, 연수마비, 호흡근침범은 잘 일어나지 않는다.

3 진단(표 6-1-2)

표 6-1-2 **다초점운동신경병의 진단기준**

The two core criteria for MMN (both must be present) are:

Slowly progressive or stepwise progressive, focal, asymmetric limb weakness; that is, motor involvement in the motor nerve distribution of at least two nerves, for more than one month. If symptoms and signs are present only in the distribution of one nerve, only a possible diagnosis can be made.

No objective sensory abnormalities except for minor vibration sense abnormalities in the lower limbs.

Supportive clinical criteria are as follows:

Predominant upper limb involvement.

Decreased or absent tendon reflexes in the affected limb.

Absence of cranial nerve involvement.

Cramps and fasciculations in the affected limb.

Response in terms of disability or muscle strength to immunomodulatory treatment.

Exclusion criteria are the following:

Upper motor neuron signs.

Marked bulbar involvement.

Sensory impairment more marked than minor vibration loss in the lower limbs.

Diffuse symmetric weakness during the initial weeks.

4 치료

IVIg 2 g/kg를 2-5일 동안 투여한다. 시클로포스파미드(cyclophosphamide)는 IVIg가 효과 없거나 IVIg를 투여하기 어려운 환자에게 투약할 수 있다. 주로 정맥내 주사로 8일 동안 3/m² 투여하고, 2 mg/kg 용량으로 매일 복용한다. 일반적으로 다초점운동신경병은 글루코코르티코이드와 혈장분리교환술치료에 반응하지 않으며, 이러한 치료는 임상적 악화와 연관이 있다.

6 파라단백혈증신경병

1 질환 요약

파라단백혈증(paraproteinemia)은 단클론(monoclonal) 형질세포 (plasma cell)에서 단클론단백(monoclonal gammaglobulin, M-protein) 이 과도하게 생성되어 혈중 농도가 증가된 상태를 말한다. M-protein은 일반 인구의 약 1%에서 관찰되는데 두 개의 중쇄(IgG, IgA, IgM, IgD, IgE)와 두 개의 경쇄(kappa, lamda)로 구성된 면역글로불린이다. 다양한 임상증후군으로 나뉜다.

(1) 불분명의미단세포군감마글로불린병(monoclonal gammopathy of undetermined significance, MGUS)

(2) 다발골수종(multiple myeloma, MM)

(3) 발덴스트룀고분자글로불린혈증(waldenström macroblobulinemia, WM)

(4) 포엠스(POEMS; polyneuropathy, organomegaly, endocrinopathy, M protein and skin changes)증후군

(5) 아밀로이드증(amyloidosis, AL)

특발성 말초신경병 환자의 약 10%에서 혈중단클론감마글로불린병을 동반하는 것으로 알려져 있다. 특히 IgM 파라단백혈증과 연관된 말초신 경병 환자의 50%에서 anti-myelin-associated glycoprotein (MAG)항체 가 말초신경병을 일으키는 주된 원인으로 되어 있다.

2 증상 및 진단

(1) 불분명의미단세포군감마글로불린(MGUS)연관성 말초신경병

파라단백혈증의 50-60%는 MGUS이다. 임상적으로 무증상성, 암이전

상태의 클론성 형질세포 혹은 림프형질세포성 증식성 질환이다. 혈청단
클론단백이 3 g/dL 미만이며, 단클론형질세포가 골수에서 10% 미만, 말
단기관손상(골흡수병변, 빈혈, 고칼슘혈증, 신부전, 과다점도)이 없는 것
으로 정의된다. 50세 이상의 인구에서 3% 정도 MGUS가 발견된다. 이러
한 환자에서 B-세포 질환으로 전환되는 비율이 매년 1-2%씩 증가하므
로 매년 혈중면역글로불린 농도를 측정하는 것이 중요하다. MGUS의
8-37%에서 말초신경병이 동반되어 있는 것으로 알려져 있다. 고령(60-70
대) 및 남자(남:여=2:1)에 호발한다. MGUS에서 가장 흔한 파라단백질은
IgG이나, 말초신경병과 연관성이 높은 파라단백질은 IgM이다. MGUS 연
관성 말초신경병의 약 50%는 IgM, IgG는 30-40%, IgA는 10-20%이다.
재발과 악화의 반복 없이 대개 서서히 진행하는 양상을 보인다.

- IgM MGUS 연관성 신경병증: IgM MGUS와 연관된 말초신경병 환
  자의 50%에서 anti-MAG 항체가 검출된다. 60-90대의 고령에서
  발생하고, 만성적으로 사지원위부에서 대칭적으로증상이 발현하
  며, 주로 감각증상이 발생한다. 근전도에서는 양측성 말초신경에서
  전반적인 SNAP이 발현되지 않거나 심하게 감소 및 근위부전도속
  도에 비해 말단잠복기가 현저히 감소된 소견이 나타남.

(2) 다발골수종(multiple myeloma, MM) 연관성 신경병증

주로 70대에 호발한다. 용해성 골병변에 의한 골절, 형질세포종에 의
한 척수와 신경근압박으로 인한 신경뿌리병성 통증 및 뼈통증이 주된
증상이다. 체중감소, 전신위약, 잦은 감염, 피로감 등 전신증상이 동반
한다. 골수내 형질세포의 증가(> 10%), 혈청 혹은 소변단클론단백, 말단
기관손상(골흡수병변, 빈혈, 고칼슘혈증, 신부전, 과다점도)의 소견을 모
두 만족할 때 진단할 수 있다. 손과 발의 이상감각과 감각 저하, 저림이
대칭적으로 원위부에서 서서히 진행하는 임상적 증상을 보인다. 전기생
리학적 검사에서 축삭손상 소견이 보인다.

(3) 포엠스증후군(polyneuropathy, organomegaly, endocrinopathy, M protein and skin changes)

다발신경병, 장기비대, 내분비질환, 단클론단백, 피부병변을 특징으로 한다. 다발골수종의 골경화성 변이로 전체 골수종의 5% 미만, IgA 혹은 IgG 면역글로불린의 lambda chain이 약간 상승된 소견(< 2 g/dL)을 보인다. 다발신경병은 100%, 단클론성 형질세포질환 100%, 뇌척수액 단백질 상승(> 50 mg/dL) 100%, 골경화성 골병변 97%, 피부병변 68%, 내분비병증은 67%, 장기비대(간비대, 비장비대, 림파선비대)는 50%, 체중감소는 37%, 피로감은 31%, 유두부종은 29%, 부종/복수/흉막삼출은 29%, Castleman병은 15% 등의 빈도로 보고된다. 40-60대 사이에 주로 발병한다.

다발골수종과 달리 신경병이 주된 증상으로 시작하여, 환자의 절반에서 다른 전신증상보다 신경병이 먼저 발현한다. 양측 사지의 원위부가 저리거나 시린 감각신경병으로 시작하여 근위부까지 침범한다. 때로는 위약감으로 보행장애 등의 중증장애를 일으키기도 한다. 근전도검사에서 탈수초성 변화와 함께 이차적 변화로 축삭손실이 나타나는 특징이 있으며, 탈수초화가 국소적으로 나타나는 CIDP와는 달리 좀 더 광범위하게 탈수초화가 진행되어 전도차단이 잘 관찰되지 않는다.

(4) 발덴스트룀고분자글로불린혈증(Waldenström macroblobulinemia, WM) 연관성 신경병증

(5) 혈청단클론 IgM 분획이 증가하는 B-cell 림프형질세포성 림프구증식성 질환이다. 혈청 IgM 파라단백질이 존재하면서 클론성 림프형질세포성 세포가 골소주사이 패턴으로 골수에서 10%보다 많게 있게 된다. 말초신경병은 5-20%에서 동반된다. 전신증상으로 과다점도증후군, 위약감, 피로감이 나타나며, 그 외 간비대종대, 림프절비대가 관찰된다. 말초신경병은 IgM MGUS와 비슷하게 먼쪽에서부터 주된

감각증상이 대칭적으로 발생하고 이어서 위약, 근위축이 발생, 종종 뇌신경마비가 동반된다. Anti-MAG 항체가 50%에서 발견된다. 근전도에서는 탈수초 변화와 드물게 축삭손상 소견을 보인다.

7 약물관련 다발신경병

1 약물관련 다발신경병의 임상양상

감각운동	감각우세	운동우세
Allopurinol	Acetazolamide	Chloroquine
Amiodarone	Almitrine	Cimetidine
Amitriptyline	Chlorambucil	Dapsone
Atorvastatin	Chloramphenicol	Imipramine
Captopril	Cisplatinum	Methimazole
Chloroquine	Clioquinol	Zimeldine
Colchicine	Colistin	
Cyclosporine	Cytarabine (Ara-C)	
Disulfiram	Dideoxycytidine	
Docetaxel	Didanosine (ddl)	
Ethambutol	Ethionamide	
FK506 (tacrolimus)	Etretinate	
Gold	Flecainide	
Hexamethylmelamine	Glutethimide	
Indomethacin	Hydralazine	
Interferon alpha	Mercury	
Isoniazid	Methimazole	
Lithium	Metronidazole	
Lovastatin	Niacin	
Methaqualone	Nitrous oxide	
Nitrofurantoin	Paclitaxel	
Paclitaxel	Procarbazine	
Perhexiline	Propylthiouracil	
Phenytoin	Pyridoxine	
Podophyllin	Stavudine	
Pravastatin	Streptomycin	
Sodium cyanate	Thalidomide	
Suramin		
Thalidomide		
Vincristine		

2 약물유발다발신경병의 병태생리

축삭손상	신경절 혹은 신경세포손상	탈수초손상
Allopurinol	Cisplatinum	Amiodarone
Almitrine	Paclitaxel	Cytarabine
Amiodarone	Pyridoxine	Chloroquine
Chloroquine	Simvastatin	FK506 (tacrolimus)
Cisplatinum	Thalidomide	Gold
Clioquinol		Misonidazole
Colchicine		Perhexiline
Cytarabine		Suramin
Dapsone		
Dideoxycytidine (ddC)		
Disulfiram		
Docetaxel		
Ethambutol		
Ethionamide		
Etretinate		
Flecainide		
Glutethimide		
Gold		
HMG CoA inhibitors		
Hydralazine		
Isoniazid		
Lithium		
L-Tryptophan		
Metronidazole		
Misonidazole		
Nitrofurantoin		
Nitrous oxide		
Paclitaxel		

(계속)

축삭손상	신경절 혹은 신경세포손상	탈수초손상
Perazine		
Perhexiline		
Phenytoin		
Podophyllin		
Pyridoxine		
Sodium cyanate		
Suramin		
Thalidomide		
Vincristine		

REFERENCE

- Joint Task Force of the EFNS and the PNS. European Federation of Neurological Societies/Peripheral Nerve Society guideline on management of multifocal motor neuropathy. Report of a joint task force of the European Federation of Neurological Societies and the Peripheral Nerve Society--first revision. J Peripher Nerv Syst 2010;15:295-301.

- Van den Bergh PYK, van Doorn PA, Hadden RDM, et al. European Academy of Neurology/Peripheral Nerve Society guideline on diagnosis and treatment of chronic inflammatory demyelinating polyradiculoneuropathy: Report of a joint Task Force-Second revision. J Peripher Nerv Syst 2021;26:242-68.

CHAPTER **6-2** 신경근접합부질환

이명아

1 중증근무력증(Myasthenia Gravis, MG)

1 질환 요약

중증근무력증은 신경근육전달에 장애를 일으키는 자가면역질환으로, 신경근접합부질환 중에서 가장 흔한 질환이다. 아세틸콜린수용체(acetylcholine receptor, AChR) 또는 근육특이티로신키나아제(muscle-specific tyrosine kinase, MuSK) 등의 시냅스후근육막단백질에 대한 자가항체를 매개로 한 자가면역반응으로 인해 발생한다.

2 증상

중증근무력증 발병 초기에 가장 흔한 증상은 눈꺼풀처짐과 복시 등의 안구증상이다. 구음장애, 삼킴곤란, 저작곤란, 사지근위약도 드물지 않게 나타나며 심한 경우에는 호흡마비가 발생한다. 사지근위약은 원위부보다 근위부에서 심하게 나타난다.

중증근무력증에서 나타나는 근력 약화는 변동성을 보이는 것이 특징이다. 아침에는 증상이 경미하다가 오후가 될수록 악화되는 일중변동(diurnal variation)과 반복적으로 근육을 사용하면 해당 근육의 근력이 약해졌다가 쉬면 회복되는 피로현상(fatigue phenomenon)을 관찰할 수 있다.

반면, 중증근무력증에서 민무늬근, 심장근, 동공근육은 침범되지 않으며 심부건반사는 대부분의 환자에서 정상이다. 거의 모든 환자에서 안구증상이 나타나기 때문에 이환 기간 중 단 한 번도 안구증상을 호소하

Class	Clinical symptoms
표 6-2-1	The Myasthenia Gravis Foundation of America clinical classification
I	• Any ocular muscle weakness. All other muscle strength is normal.
II	• Mild weakness affecting other than ocular muscles. May also have ocular muscle weakness of any severity.
IIa	• Predominantly affecting limb, axial muscles, or both. • May also have lesser involvement of oropharyngeal muscles.
IIb	• Predominantly affecting oropharyngeal, respiratory muscles, or both. • May also have lesser or equal involvement of limb, axial muscles, or both.
III	• Moderate weakness affecting other than ocular muscles. • May also have ocular muscle weakness of any severity.
IIIa	• Predominantly affecting limb, axial muscles, or both. • May also have lesser involvement of oropharyngeal muscles.
IIIb	• Predominantly affecting oropharyngeal, respiratory muscles, or both. • May also have lesser or equal involvement of limb, axial muscles, or both.
IV	• Severe weakness affecting other than ocular muscles. • May also have ocular muscle weakness of any severity.
IVa	• Predominantly affecting limb and/or axial muscles. • May also have lesser involvement of oropharyngeal muscles.
IVb	• Predominantly affecting oropharyngeal, respiratory muscles, or both. • May also have lesser or equal involvement of limb, axial muscles, or both.
V	• Defined by intubation, with or without mechanical ventilation, except when employed during routine postoperative management. The use of a feeding tube without intubation places the patient in class IVb.

지 않는 환자에서는 중증근무력증 진단을 다시 고려해야 한다.

중증근무력증에서 이환되는 근육, 근력약화 정도를 기준으로 하여 중증근무력증을 다섯 개의 등급으로 구분한 MGFA 임상분류(Myasthenia Gravis Foundation of America clinical classification)을 통해 질병의 중증도가 비슷한 중증근무력증 환자들을 구분할 수 있다(표 6-2-1).

3 진단

변동을 보이는 안구증상 혹은 위약을 호소하는 경우 반드시 중증근무력증을 의심해야 한다. 중증근무력증은 특징적인 임상양상, 신경학적 진찰 소견, 전기진단검사, 항콜린에스터라제검사, 자가항체검사를 종합하여 진단한다.

(1) 항체검사

항아세틸콜린수용체항체(acetylcholine receptor antibody)는 전신형 중증근무력증의 85%, 안구형 중증근무력증의 5%에서 검출된다. 위양성은 극히 드물지만 길랭바레증후군, 근위축성 측색경화증(amyotrophic lateral sclerosis), 중증근무력증의 임상증상을 보이지 않는 흉선종 환자에서 검출되는 경우가 있다. 항아세틸콜린수용체항체의 역가와 질환의 중증도의 상관관계는 적은 것으로 보고되어 있다.

항아세틸콜린수용체항체가 음성인 경우 근육특이티로신키나아제(Muscle-specific Kinase, MuSK)항체를 검사한다. 근육특이티로신키나아제항체는 혈청음성전신형 중증근무력증 환자의 30-70%에서 검출되며, 여성에서 검출되는 빈도가 더 높다.

항아세틸콜린수용체항체, 근육특이티로신키나아제항체가 모두 검출되지 않는 경우를 이중혈청반응음성(double seronegative) 중증근무력증이라고 하며, 이 경우 20%에서 Low-density Lipoprotein Receptor-related Protein 4 (LRP4)항체가 검출된다.

(2) 전기진단검사

반복신경자극검사(Repetitive Nerve Stimulation Test, RNST)는 운동신경을 최대초과전기자극으로 반복 자극하여 해당 신경이 지배하는 근육에서 복합근활동전위(Compound Muscle Action Potential, CMAP)의 진폭변화를 관찰하는 검사로, 눈둘레근(orbicularis oculi), 새끼손가락벌림근(abductor digiti minimi), 등세모근(trapezius), 자쪽손목굽힘근(flexor carpi ulnaris) 등에서 시행한다. 2–3Hz의 저빈도자극에서 10% 이상 진폭이 감소하면 양성으로 판정하며, 이를 감소반응(decremental response)이라고 한다(그림 6-2-1). 검사의 특이도는 매우 높으나(0.95–0.97) 민감도는 상대적으로 낮다(0.33–0.89).

단일섬유근전도검사(single fiber EMG)는 한 개의 운동단위에 속하는 두 개 이상의 근섬유에서 나타나는 근섬유활동전위(Muscle Fiber Action Potential, MFAP) 사이의 시간적 간격의 변동성, 즉 지터(jitter)를 확인하는 검사이다. 신경근접합부질환에서는 불안정한 신경근접합부로 인해 지터가 증가한다. 중증근무력증을 진단하는 검사 중에서 가장 민감도가 높은 검사이다.

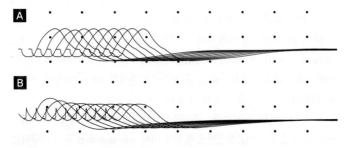

그림 6-2-1 반복신경자극검사

저빈도의 반복자극 후 복합근활동전위를 측정한다. (A) 정상인에서는 복합근활동전위의 변화가 없으나 (B) 중증근무력증 환자에서는 진폭의 뚜렷한 감소반응이 관찰된다.

(3) 항콜린에스터라제검사

네오스티그민(neostigmine)은 가역적인 아세틸콜린에스터분해효소저해제(acetylcholinesterase inhibitor)로 신경근접합부에서 아세틸콜린의 작용을 증가시켜 중증근무력증 증상을 일시적으로 완화시킨다.

검사에서는 안구증상, 위약을 포함한 임상증상을 측정한 후 네오스티그민을 투여하고 증상의 호전 여부를 관찰한다. 기관지경련, 혈압 저하, 서맥 등의 무스카린성 수용체 활성부작용을 예방하기 위해서 아트로핀(atropine) 0.4-0.8mg을 근육주사하며, 수분 후 네오스티그민 1.0-1.5 mg을 근육주사한다. 임상증상은 중증근무력증에 특화된 13개 항목으로 이루어진 임상 척도인 Quantitative Myasthenia Gravis Score (QMG)로 평가하며(표 6-2-2) 네오스티그민 주사 후 15분 간격으로 1시간 동안 측정하여 증상의 호전 여부를 관찰한다. 일반적으로 근력의 호전은 10-15분 후부터 나타나서 20분 전후에 최고에 달하며, 1-2시간 동안 지속된다.

(4) 얼음찜질검사(ice pack test)

얼음찜질검사에서는 얼음을 눈꺼풀처짐, 복시가 있는 쪽의 눈꺼풀에 2-5분 동안 대고 난 후 증상의 호전을 관찰한다. 눈꺼풀틈새(palpebral fissure)가 2 mm 이상 커지는 것을 양성의 기준으로 한다. 특별한 장비 없이 간단하게 시행할 수 있다는 장점이 있으며, 민감도와 특이도 모두 높다. 다만 눈꺼풀처짐이 없는 경우 진단에 도움이 되지 않는다.

(5) 기타

모든 중증근무력증 환자에서는 중증근무력증에 흔히 동반되는 질환에 대한 검사가 필요하다. 갑상선질환은 중증근무력증 환자의 5-10%에서 동반되며, 근위약을 악화시킬 수 있으므로 갑상선기능검사를 시행해야 한다. 또한 중증근무력증 환자의 50-85%에서 흉선과다형성, 10-15%에서 흉선종이 동반되므로 흉부단층촬영(Chest CT)를 시행해야

표 6-2-2 Quantitative Myasthenia Gravis Score (QMG)

Test Items Weakness (Score)	None (0)	Mild (1)	Moderate (2)	Severe (3)	Item Score (0, 1, 2, 3)	
1. Double vision on lateral gaze right or left (circle one); seconds	61	11~60	1~10	Spontaneous		
2. Ptosis (upgaze), seconds	61	11~60	1~10	Spontaneous		
3. Facial muscles	Normal lid closure	Complete, weak, some resistance	Complete, without resistance	Incomplete		
4. Swallowing 4 Oz/120 mL water	Normal	Minimal coughing or thoat cleaning	Severe coughing / choking or nasal regurgitation	Cannot swallow (Test not attempted)		
5. Speech following counting aloud from 1~50 (onset of dysarthria)	None at #50	Dysarthria (#30~49)	Dysarthria at #10~29	Dysarthria at #9		SubTotal (Ite,ms 1~5) S1=
6. Right arm outstretched (900 sitting), seconds	240	90~239	10~89	0~9		
7. Left arm outstretched (900 sitting), seconds	240	90~239	10~89	0~9		
8. Vital Capacity (% predicted)	> 80%	65~79%	50~64	< 50%		
9. Right hand grip (kg) Male Female	 > 45 > 30	 15~44 10~29	 5~14 5~9	 0~4 0~4		
10. left hand grip (kg) Male Female	 > 35 > 25	 15~34 10~24	 5~14 5~9	 0~4 0~4		SubTotal (Ite,ms 6~10) S2=
11. Head, lifted (450 supine), seconds	120	30~119	1~29	0		

(계속)

Test Items Weakness (Score)	None (0)	Mild (1)	Moderate (2)	Severe (3)	Item Score (0, 1, 2, 3)	
12. Right leg outstretched (450 supine), seconds	100	31~99	1~30	0		
13. Left leg outstretched (450 supine), seconds	100	31~99	1~30	0	SubTotal (Ite,ms 11~13) S3=	
				Score Total (Items 1~13) =	S1+S2+S3 =	

한다. 류마티스관절염, 전신성 홍반성 낭창(systemic lupus erythematosus, SLE)을 포함한 자가면역질환이 동반될 수 있으므로 이와 관련된 혈액검사의 진행을 권고한다.

그리고 타 질환과의 감별은 표 6-2-3을 참조한다.

표 6-2-3 중증근무력증과 감별이 필요한 질환

신경근접합부질환
- 램버트-이튼근무력증후군
- 보툴리누스중독
- 선천근무력증후군

근위축측삭경화증(Amyotrophic lateral sclerosis)

근육병증
눈인두근육디스트로피(Oculopharyngeal muscular dystrophy)
염증성 근육병증(Inflammatory myopathy)
대사성 근육병증(Metabolic myopathy)

길랭-바레증후군(Guillain-Barré syndrome)

만성진행성 외안근마비(Chronic progressive external ophthalmoplegia)

뇌간경색

그레이브스병(Graves' disease)

4 치료

중증근무력증에서의 치료 목표는 최소 증상 상태(Minimal Manifestation Status, MMS)나 완화(remission)에 도달하는 것이다. 최소 증상 상태란 중증근무력증으로 인한 기능적인 장애가 없는 상태를 말한다. 이때 진료 중 일부 근육에 대해서는 일정 수준의 위약이 확인될 수 있다. 중증근무력증에서의 완화란 환자가 중증근무력증의 증상이나 징후를 보이지 않는 것이다. 증상 조절을 위해 매일 항콜린에스테라아제제 복용이 필요한 경우는 여기에 해당하지 않는다.

증상이 경미한 경우, 면역억제제 없이 증상 조절제만으로 최소 증상 상태를 유도하고 유지하는 것이 가능하지만 그렇지 않은 경우 면역억제제를 증상조절제와 동시에 혹은 단독으로 사용해야 한다. 중증근무력증에서 사용하는 대표적인 약제들은 다음과 같다(표 6-2-4).

표 6-2-4 중증근무력증 약제의 사용방법과 부작용

Agent	Initial dose	Maintenance dose	Onset of action	Major adverse events
Pyridostigmine	30-60 mg tid	60-120 mg tid to 5 times/day, typically not to exceed 480 mg/day	15-30 minutes	Stomach cramps, nausea, vomiting, diarrhea, muscle twitching and cramps, sweating, salivation, blurred vision
Prednisone	1. 10-20 mg/day, increasing daily dose by 5 mg daily every week until treatment goal achieved. 2. 50-80 mg/day ; may require inpatient hospitalization	Slow alternate day taper after treatment goal achieved for several days ; taper by 5 mg/day per months. Taper more slowly once < 10 mg/day. Continuing a low dose long-term	2-4 weeks	Hypertension, diabetes, weight gain, bone loss, cataracts, GI ulcers, glaucoma, neuropsychiatric symptoms, hypothalamic-pituitary axis suppression

(계속)

Agent	Initial dose	Maintenance dose	Onset of action	Major adverse events
Azathioprine	50 mg/day	Increased by 50 mg increments every 1-2 weeks to target of 2.5-3 mg/kg/day	2-10 months for initial response. Up to 24 months for maximum benefit.	Fever, abdominal pain, nausea, vomiting, anorexia, leukopenia, hepatotoxicity, skin rash
Tacrolimus	3.5 mg/day or 0.1 mg/kg/day	Drug level 확인해 가며 조절	1-3 months	Hyperglycemia, hypertension, headache, hyperkalemia, nephrotoxicity, diarrhea, nausea, vomiting, PRES
Mycophenolate mofetil	500 mg bid	1,000-1,500 mg bid	2-12 months	Diarrhea, vomiting, leukopenia, teratogenicity
Cyclosporine	100mg bid	3-6 mg/kg/day	1-3 months	Hirsuitism, tremor, gum hyperplasia, hypertension, hepatotoxicity, nephrotoxicity, PRES
Cyclophosphamide	1. Oral: 50 mg/day 2. IV: 500 mg/m^2 monthly	1. Oral: increased by 50 mg/week to maintenance dose of 2-3 mg/kg/day	2-6 months	Alopecia, leukopenia, nausea and vomiting, skin discoloration, anorexia hemorrhagic cystitis, malignancy
Methotrexate	10 mg weekly for 2 weeks	Increased by 5 mg every 2 weeks to a maximum dose of 15-25 mg weekly	2-6 months	Leukopenia, mouth ulceration, nausea, diarrhea, headaches, hair loss, hepatotoxicity, pulmonary fibrosis, rare nephrotoxicity, teratogenicity

Chapter 06

중증근무력증 치료 효과의 측정에는 Quantitative Myasthenia Gravis Score (QMG)를 사용하도록 권고하며, 보완을 위해서 Myasthenia Gravis Activities of Daily Living (MG-ADL)를 이용한다(표 6-2-5).

(1) 증상조절제

항콜린에스테라아제(cholinesterase inhibitor)는 신경근접합부에서 아세틸콜린의 가수분해를 저해시켜 증상을 조절하는 약제로, 중증근무력증 환자의 초기 치료에 포함되어야 한다. 피리도스티그민(pyridostigmine)을 30-60 mg 하루 3회부터 시작하여 증상에 따라 용량을 조절하며, 최대 용량은 하루 480 mg를 넘지 않도록 한다. 복용 간격은 3-6시간으로 하며, 증상에 따라 조절한다. 복용 30-60분 이후부터 효과가 나타나기 시작하여 3-4시간 지속된다. 부작용으로는 복통, 오심, 설사와 같은 위장관계증상이 가장 흔하며, 그 외에 침분비 증가, 근다발수축, 근경련 등이 발생할 수 있다. 근육특이티로신키나아제항체양성 중증근무력증에서는 항콜린에스테라아제에 대한 반응성이 떨어진다.

(2) 면역억제제

코르티코스테로이드(corticosteroid) 혹은 그 외 면역억제제는 적절한 용량의 피리도스티그민을 복용한 후에도 증상 조절이 되지 않을 때 반드시 시작해야 한다. 처음 사용하도록 권고하는 면역억제제는 코르티코스테로이드이다. 다만 코르티코스테로이드의 부작용이 발생하거나, 코르티코스테로이드 단독으로 사용하면서 환자의 증상이 충분히 조절되지 않거나, 증상의 재발 때문에 코르티코스테로이드의 용량을 감량할 수 없다면 다른 면역억제제를 사용한다. 여기에는 아자티오프린(azathioprine), 타크로리무스(tacrolimus), 시클로스포린(cyclosporine), 마이코페놀레이트모페틸(mycophenolate mofetil), 메토트렉세이트(methotrexate)가 있다. 난치성 중증근무력증(refractory myasthenia gravis)은 코르티코스테로이드와 최소 두 가지의 다른 면역억제제를 적절한 용법으로 적

표 6-2-5 중증근무력증 일상생활척도

심한 정도	0	1	2	3	Item Score (0, 1, 2, 3)	
1. 말하기	정상	가끔 말이 분명하지 않거나 콧소리가 나타남.	계속 말이 분명하지 않고 콧소리를 하지만 알아들을 수 있을 정도	무슨 말을 하는지가 확실하지 않음.		
2. 씹기	정상	딱딱한 음식을 씹기 어려움.	죽이나 미음을 먹을 정도	위장삽관이 필요함.		
3. 삼키기	정상	가끔 사레가 듦.	자주 사레가 들어서 음식을 바꿀 정도.	위장삽관이 필요함.		
4. 얼굴근육, 눈꽉감기	정상	세수할 때 가끔 비눗물이 눈에 들어감.	자주 눈에 비눗물이 들어감.	눈을 꽉 감더라도 흰자위가 보임.		
5. 숨쉬기	정상	운동할 때 숨이 참.	가만히 있을 때도 숨이 참	인공호흡이 필요함.	Subtotal for Itme 1-5 S1=	
6. 목근육	정상	가끔 고개 들어올리기가 약하다고 느낌.	누워서 목을 30초 이상 들어올리지 못함.	앉아있을 때나 식사할 때도 목을 가누기 어려움.		
7. 칫솔질과 머리빗기 장애	없음	힘이 들지만 계속할 수 있을 정도	힘이 들어서 쉬었다가 다시 할 정도	두 가지 모두 전혀 할 수 없을 정도		
8. 의자에서 일어나기, 버스타기, 계단오르기 등 다리 힘	정상	경도: 가끔 팔을 이용해야 할 정도	중등도: 항상 팔을 이용해야 할 정도	중증도: 혼자서는 일어나지 못하고 옆에서 도와주어야 할 정도		
9. 복시(겹보임)	없음	가끔 나타나지만 매일 있는 것은 아님.	매일 나타나지만 지속되지는 않음.	항상 있음		
10. 안검하수 (눈 처짐)	없음	가끔 나타나지만 매일 있는 것은 아님.	매일 나타나지만 지속되지는 않음.	항상 있음	Subtotal for Itme 6-10 S2=	
				Score Total (Itme 1-10) =	S1 + S2 =	
11. 일상생활	완전히 정상생활	일상생활은 정상이지만 아주 피곤하면 약간 증상이 나타남.	정상생활은 가능하지만 쉽게 피곤하고 증상이 자주 나타남.	증상이 계속 있어서 일상생활에 현저한 장애가 있음.		

절한 기간 동안 사용하였음에도 불구하고 증상조절이 되지 않거나 기능상 문제를 일으키는 부작용을 나타내는 경우를 말하며, 이때에는 상기 면역억제제에 더하여 주기적인 면역글로불린 또는 혈장교환술, 리툭시맙, 시클로포스파미드(cyclophosphamide)을 추가한다.

① 코르티코스테로이드

대표적인 약물로 프레드니손(prednisone)과 프레드니솔론(prednisolone)이 있다. 코르티코스테로이드를 사용하는 방법에는 크게 두 가지가 있다. 첫 번째는 고용량의 코르티코스테로이드를 사용하여 점차 감량하는 방법으로, 프레드니손 또는 프레드니솔론을 1 mg/kg/day 투여하기 시작한다. 빠른 완화를 유도할 수 있다는 장점이 있으나, 약제를 시작한 후 1-2주 이내에 증상이 악화될 수 있어 입원치료가 필요하다. 두 번째는 저용량의 코르티코스테로이드를 사용하여 일정 기간 동안 점차 증량하는 방법으로, 10-20 mg를 복용하기 시작하여 일주일마다 5 mg씩 증량한다. 최고 용량에 도달한 후에는 증상의 완전 완화가 유도될 때까지 유지한 후 감량을 시작한다. 빠른 감량은 증상 악화를 유발할 수 있으므로 주의를 기울이며 서서히 감량해야 하며, 매달 5 mg/day씩 감량하도록 권고되고 있다. 용량을 줄이는 과정에서 증상이 악화된다면 감량을 중단하며, 감량을 중단한 후에도 악화가 지속된다면 완화 유도를 위해서 다시 증량하거나 다른 면역억제제의 추가를 고려한다. 최소 농도까지 감량한 이후에는 치료 목표에 도달한 상태를 유지하기 위해서 최소 농도의 코르티코스테로이드를 장기간 유지한다.

② 아자티오프린(azathioprine)

코르티코스테로이드를 제외한 면역억제제 중에서 가장 먼저 사용하도록 권고된다. 코르티코스테로이드와 병용 투여하거나 단독 투

여한다. 용량은 하루 50 mg로 시작하여 2.5-3 mg/kg/day까지 도
달할 때까지 1-2주마다 50 mg씩 증량한다. 효과는 2-10개월 후
나타날 수 있다. 대표적인 부작용으로 투여 2-3주 이내에 독감유
사증상이 나타날 수 있으며, 그 외에도 피부발진, 오심, 구토, 백
혈구감소증, 간독성이 나타날 수 있다. 약제 투여를 시작하고 처음
한 달 동안에는 전혈구검사(Cmplete Blood Count, CBC), 간기능
검사(Liver Function Test, LFT)를 1-4회 시행하고 이후 1-3달에
한 번씩 시행한다. 티오퓨린-메틸전환효소(thiopurine
methyltransferase, TPMT)가 결핍된 환자에서는 급격한 골수억제
효과가 나타날 수 있으므로 약제 투여 전에 효소검사를 시행하도
록 권고한다.

③ 타크로리무스(tacrolimus)
코르티코스테로이드와 병용 투여하거나 단독 투여한다. 용량은
3-5 mg/day 또는 0.1 mg/kg/day로 시작하여 최저농도(trough
level) 8-9 ng/mL를 유지할 수 있는 용량까지 증량한다. 부작용으
로 고혈당, 고혈압, 두통, 신독성, 가역적 후뇌병증(posterior
reversible encephalopathy syndrome, PRES), 남성형 다모증
(hirtuisim)과 잇몸증식증(gingival hyperplasia)이 발생할 수 있으
나 시클로스포린보다 해당 부작용이 발생할 위험률이 낮다. 약제
투여를 시작한 후에는 수주에 한 번씩 신기능검사, 공복혈당검사,
약제의 최저농도검사를 시행한다.

④ 시클로스포린(cyclosporin)
다른 약제로 호전이 없는 전신형 중증근무력증에서 투여한다. 용
량은 100 mg 2회 복용으로 시작하여 3-6 mg/kg/day까지 증량할
수 있다. 부작용으로 남성형 다모증, 잇몸증식증, 진전, 고혈압, 간
독성, 신독성, 가역적 후뇌병증이 발생할 수 있으며, 약제의 효과

에도 불구하고 부작용의 발생위험과 다른 약제와의 상호작용 때문에 약제사용에 제한이 있다. 약제를 투여할 경우 매달 3회 이상 전혈구검사, 간기능검사, 신기능검사, 약물의 최저농도를 측정하도록 권고한다.

⑤ 메토트렉세이트(methotrexate)

다른 약제로 호전이 없는 전신형 중증근무력증에서 투여하며, 코르티코스테로이드와 병용한다. 용량은 첫 2주 동안은 매주 1회 10 mg을 투여하기 시작하여 최대 15–25 mg가 될 때까지 2주마다 5 mg씩 증량한다. 백혈구감소증, 오심, 구토에 유의한다.

⑥ 면역글로불린(intravenous immunoglobulin, IVIg)

면역글로불린은 호흡마비, 삼킴곤란이 발생하는 중증근무력증위기(myasthenia gravis crisis)일 때, 중증근무력증의 증상을 단기간에 호전시켜야 할 때, 고농도코르티코스테로이드 투여 혹은 수술로 인한 증상악화가 예상될 때, 다른 면역억제제 투여에도 불구하고 중증근무력증 증상 조절에 실패했을 때 투여한다. 용량은 2 g/kg/day를 5일간 투여한다. 이후에도 면역글로불린을 장기간 유지하는 경우, 4주마다 0.4–1 mg/kg을 투여한다. 면역글로불린은 투여한 후 1–2주일 이내에 효과가 나타나기 시작하여 수주에서 수개월간 지속된다. 대표적인 부작용으로 두통, 오한, 발열, 무균수막염, 심근경색, 급성신손상이 있다. 면역글로불린 A (IgA)결핍 환자에서는 면역글로불린 투여 시 아나필락시스가 발생할 수 있어 금기에 해당하므로, 투약 전 혈청면역글로불린 A 수치를 확인해야한다. 장기간 면역글로불린을 투여하는 경우 매달 신기능검사를 시행하도록 권고한다.

⑦ 리툭시맙(rituximab)

리툭시맙은 CD20과 결합하는 단일클론항체(monoclonal antibody)로 보체의존적 세포용해 혹은 항체의존적 세포독성작용을 함으로써 B 세포를 고갈시키는 작용을 한다. 근육특이티로신키나아제항체양성 중증근무력증에서 초기 면역치료에 반응을 보이지 않는 경우 조기 투여를 고려해야 한다. 항아세틸콜린수용체항체양성 중증근무력증에서는 효과가 명확하지 않은 것으로 보고되었으나, 다른 면역억제제에 반응하지 않거나 부작용으로 인해 약제사용이 어려울 경우에는 리툭시맙 투여를 고려한다. 용량은 체표면적(Body Surface Area, BSA)당 375 mg/m^2를 매주 정맥투여하며, 4주간 유지한다. 이후 유지방법은 기관마다 차이가 있으나, 일반적으로 6개월에 한 번씩 동일한 용량을 투여한다. 부작용으로는 발열, 호중구감소증, 폐렴, 빈혈 등이 보고되었다.

⑧ 에쿨리주맙(eculizumab)

에쿨리주맙은 C5에 결합하는 단일클론항체로 막공격복합체(membrane attack complex, MAC)를 통한 보체활성화과정을 억제한다. 항아세틸콜린수용체항체양성인 중등도난치성 중증근무력증의 치료로 고려해야 한다. 에쿨리주맙은 900 mg를 매주 정맥투여하며, 4주간 유지한 후 5주째에는 1,200 mg, 이후로는 2주마다 1,200 mg를 유지한다. 부작용으로 뇌수막염, 세균성 감염가능성이 보고되어 약제 투여 전 백신접종 및 항생제 투여가 동반되어야 한다.

(3) 혈장교환술(plasma exchange)

혈장교환술은 면역글로불린과 마찬가지로 호흡마비, 삼킴곤란이 발생하는 중증근무력증위기(myasthenia gravis crisis)일 때, 중증근무력증의 증상을 단기간에 호전시켜야 할 때, 고농도 코르티코스테로이드 투여 혹은 수술로 인한 증상 악화가 예상될 때, 다른 면역억제제 투여에도 불구하고 중증근무력증 증상 조절에 실패했을 때 투여한다. 전신형 중증근무력증에서 혈장교환술과 면역글로불린의 효과는 동일하지만 안구형 중증근무력증과 근육특이티로신키나아제항체양성 중증근무력증에서는 혈장교환술의 효과가 더 큰 것으로 보고되었다. 2주에 걸쳐 격일로 시행하며, 5-6회 시행한다. 부작용으로는 혈전증, 혈관염, 폐색전증, 심내막염 등이 있으며 패혈증 환자에서 혈장교환술을 시행하는 것은 금기이다.

(4) 흉선절제술(thymectomy)

흉선종이 있는 항아세틸콜린수용체항체양성 전신형 중증근무력증 환자들은 모두 흉선절제술을 받아야 한다. 흉선절제술 시행 후 Quantitative Myasthenia Gravis Score와 같은 임상척도, 코르티코스테로이드 또는 다른 면역억제제의 복용량, 재원기간에서 모두 호전을 기대해 볼 수 있다. 또한 흉선종을 동반하지 않은 항아세틸콜린수용체항체양성 전신형 중증근무력증 환자에서도 임상적 호전을 위해서 흉선절제술을 고려해야 하며, 특히 초기 치료에 충분한 반응이 없거나 부작용을 보이는 경우는 더욱 그러하다. 항아세틸콜린수용체음성 중증근무력증에서도 흉선절제술의 시행을 고려해볼 수 있다. 고전적인 방법으로 시행하는 흉선절제술과, 비디오흉강경 또는 로봇을 이용하는 덜 침습적인 흉선절제술의 효과는 유의미한 차이가 없는 것으로 보고되었다.

(5) 근무력증위기와 콜린작동성 위기의 치료

① 근무력증위기(myasthenic crisis)

중증근무력증 환자의 증상 악화로 호흡부전이 나타나는 경우를 근무력증위기라고 한다. 근무력증위기의 유발 요인으로 감염, 수술, 면역억제치료의 중단 등이 있다. 근무력증위기가 발생하면 반드시 입원치료가 필요하다. 호흡부전 및 삼킴곤란에 대해 주의 깊은 관찰이 필요하며 필요시 중환자실로 이실하고 기계환기를 한다. 증상의 호전을 위해서는 면역글로불린 또는 혈장교환술을 시행한다. 면역글로불린과 혈장교환술은 동등한 효과를 보인다고 보고되었으나, 혈장교환술이 보다 빠르게 작용하고 효과적이라는 주상이 제기되기도 했다. 치료는 각 기관의 환경, 흰지의 기저질환을 고려하여 선택한다. 면역글로불린 혹은 혈장교환술에 대한 반응을 오래 유지하기 위해서 해당 치료와 동시에 코르티코스테로이드 혹은 다른 면역억제제를 투여할 수 있다.

② 콜린작동성위기(cholinergic crisis)

중증근무력증에서 항콜린에스테라아제의 과도한 복용으로 호흡부전이 나타나는 경우를 콜린작동성 위기라고 한다. 근무력증위기보다 드물게 발생하지만, 임상적 악화의 원인으로 콜린작동성 위기를 반드시 고려해야 한다. 환자에서 무스카린성 수용체에 의한 증상인 축동, 침분비 증가, 복통 및 설사, 빈뇨 등이 나타나는지 관찰한다. 근무력증위기와의 감별진단을 위해서 항콜린에스테라제검사를 고려해 볼 수 있다.

(6) 중증근무력증에서 주의해야 하는 약물(표 6-2-6)

표 6-2-6 중증근무력증에서 주의해야 하는 약물	
Antibiotics	• Aminoglycoside antibiotics (e.g., gentamycin, neomycin, and tobramycin) • Fluoroquinolone antibiotics (e.g., ciprofloxacin, evofloxacin, moxifloxacin, and ofloxacin) Macrolide antibiotics (e.g., erythromycin, azithromycin, and clarithromycin)
Chloroquine and hydroxychloroquine	

(계속)

Antiarrhythmic agents	• Beta-blockers • Procainamide
Live-attenuated vaccines	• measles, mumps, rubella, varicella zoster, intranasal influenza, oral polio, adenovirus type 4 and 7, Zostavax (herpes zoster), rotavirus, oral typhoid, smallpox, and yellow fever
Immune checkpoint inhibitors	• e.g., ipilimumab, pembrolizumab, atezolizumab, and nivolumab
Statins	
Magnesium	
Botulinum toxin	
D-Penicillamine	
Desferrioxamine (deferoxamine)	
Iodinated radiologic contrast agents	
Quinine	

2 램버트-이튼근무력증후군
(Lambert-Eaton Myasthenic Syndrome, LEMS)

1 질환 요약

램버트-이튼근무력증후군은 시냅스전(presynaptic) 질환이다. 전압작동칼슘통로(voltage-gated calcium channel, VGCC)에 결합하는 항체에 의해 신경말단으로의 칼슘 유입이 감소하여 시냅스틈(synaptic cleft)으로 방출되는 아세틸콜린의 수가 감소하며, 결과적으로 신경-근전달이상으로 근위약이 발생한다. 동일한 과정이 자율신경계에서 일어나면 자율신경기능이상이 발생한다.

램버트-이튼근무력증후군의 호발 연령은 50-60대이며, 남성에서 보다 빈발한다. 전체 환자의 50-60%는 암을 진단받은 병력을 가지고 있다. 소세포폐암이 가장 흔하며, 그 외에도 림프종, 유방암, 전립선암, 위암 등이 드물게 발견된다.

2 증상

램버트-이튼근무력증후군의 세 가지 핵심증상은 하지 위약, 심부건반사 저하, 자율신경기능이상이다. 모든 환자에서 세 가지 증상이 모두 나타나는 것은 아니다. 근위약은 원위부보다 근위부에서 더 심하게 나타나며 짧은 운동 직후에 회복되었다가 운동을 지속하면 다시 악화되는 특징적인 양상을 보인다. 근위약이 생명을 위협하는 정도로 발생하거나 호흡마비가 동반되는 경우는 드물다. 중증근무력증에서와 달리 안구증상, 구음장애, 삼킴곤란은 없거나 있더라도 경하게 나타난다. 자율신경기능이상은 입마름, 눈마름, 기립저혈압, 변비, 배뇨장애, 발기불능으로 나타날 수 있으며, 근위약 없이 자율신경기능이상만 독립적으로 나타나는 경우는 매우 드물다. 심부건반사 저하는 10초 동안의 짧은 운동 또는 반복적인 두드림 후 증가하는 반사강화(reflex augmentation)를 보인다.

3 진단

특징적인 증상, 병력, 전기진단검사를 종합하여 진단한다.

(1) 전기진단검사

램버트-이튼근무력증후군의심 환자에서는 신경전도검사, 저빈도반복신경자극검사, 고빈도반복신경자극검사, 침근전도검사를 시행해야 한다. 신경전도검사에서 운동신경의 복합근활동전위진폭이 감소되어 있으며, 2-3 Hz의 저빈도자극에서 진폭이 추가로 감소하는 감소반응을 보인다. 특징적으로 20-50 Hz의 고빈도반복신경자극에서 복합근활동전위의 크

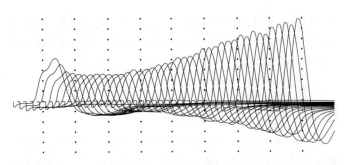

30 Hz의 고빈도자극에서 복합근활동전위의 진폭이 증가하는 증가반응

기가 증가하는 증가반응(incremental response)를 관찰할 수 있다(그림 6-2-2). 양성의 기준은 처음 진폭 크기의 두 배이다. 10초 동안의 수의적 인 근육수축 후에 복합근활동전위의 진폭이 증가하는 것 역시 관찰할 수 있다.

(2) 항체검사

램버트−이튼근무력증후군 환자의 전체에서 85%, 부종양성램버트−이 튼근무력증후군 환자의 100%에서 P/Q−type Voltage−gated calcium channel antibody가 검출된다. 다만 정상군의 1.7%에서도 동일한 항체가 검출될 수 있으므로 검사 결과의 해석에 유의해야 한다.

4 치료

종양이 발견되지 않은 경우에는 잠재되어 있을 수 있는 종양에 대한 검사를 시행해야 하며, 종양이 발견된 경우에는 암에 대한 치료를 시행 해야 한다. 동시에 증상 조절을 위해서 약제를 투여한다.

(1) 증상 조절제

① 디아미노피리딘(3,4-diaminopyridine, 3,4-DAP)

디아미노피리딘은 시냅스전포타슘통로를 막아서 전압작동칼슘통로의 개방을 길게 함으로써 아세틸콜린 방출량이 증가하도록 한다. 용량은 하루 15-30 mg로 시작하여 최대 80-100 m/day까지 도달할 때까지 3-14일마다 5 mg/day씩 증량한다. 85%의 환자에서 하지위약과 자율신경기능이상이 호전되며, 전기진단검사에서 복합근활동전위진폭의 증가를 확인할 수 있다. 부작용으로는 손가락 또는 입 주변 이상감각, 경련, 심계항진, QT 간격 연장, 설사 등이 나타날 수 있으며 하루 100 mg 이상의 용량에서 부작용 발생 위험이 높다.

② 피리도스티그민(pyridostigmine)

피리도스티그민을 단독으로 사용하면 유의미한 증상호전을 유발할 수 없으나, 디아미노피리딘과 함께 사용하면 디아미노피리딘의 효과를 촉진하고 길게 유지되도록 한다. 용량은 30-60 mg을 하루 3-4회 투여한다.

③ 플루드로코티손(fludrocortisone)

심한 자율신경기능이상을 추가적으로 조절한다. 기립저혈압은 플루드로코티손, 미도드린(midodrine)을 통해 조절해 볼 수 있다.

(2) 항암치료

암을 치료하는 것만으로도 램버트-이튼근무력증후군의 증상이 호전될 수 있다. 따라서 악성종양에 대한 검사 및 치료를 우선적으로 시행해야 한다. 종양이 발견되지 않는다면 검사를 반복적으로 시행한다.

(3) 면역조절제

암치료와 증상조절제로 환자의 증상이 조절되지 않는다면 면역글로 불린, 혈장교환술, 코르티코스테로 사용을 고려할 수 있다. 면역조절제를 사용하기 전에 암치료가 반드시 선행되어야 하는 이유는 암을 치료하는 것만으로도 증상 호전을 기대할 수 있고, 또한 면역조절제는 악성 종양의 면역학적 조절에 영향을 줄 수 있기 때문이다.

3 보툴리누스중독(Botulism)

1 질환 요약

보툴리누스중독은 클로스트리듐보툴리눔(clostridium botulinum, C.botulinum)의 독소에 의해 발생하는 질환이다. 질환은 보툴리눔독소의 소분류에 따라 분류할 수 있으며, 인간보툴리누스중독은 독소 A, B, E, F형에 의해 발생한다. 부적절하게 보관된 음식, 통조림, 꿀을 섭취하여 발생하는 경우가 많으며, 약물중독자의 피하주사 혹은 상처에 의해서도 드물게 발생한다. 음식을 섭취한 후 발생하는 보툴리누스중독은 섭취 12-36시간 후에 발생한다. 보툴리눔신경독소(botulinum neurotoxin, BoNT)는 시냅스전아세틸콜린소포융합과 관련된 단백질을 저해하여 신경전달물질 분비를 억제한다.

2 증상

시력 저하, 복시, 안면마비, 구음장애, 삼킴곤란, 심한 경우 호흡마비가 나타난다. 증상은 하행하는 경향이 있어 이어서 목, 체간, 사지 위약이 나타나며, 사지 위약은 근위부에서 원위부로 진행한다. 동공반사 소실, 입마름, 오심, 변비, 설사, 심박수 및 혈압의 변화 등의 자율신경기능

이상이 나타난다. 동공 확장과 심부건반사 저하는 전체 환자의 50% 이하에서 나타나며, 의식상태는 정상이다.

3 진단

특징적인 증상, 병력, 보툴리눔신경독소, 전기진단검사를 종합하여 진단한다. 길랭-바레증후군, 중증근무력증, 뇌간경색, 진드기독마비(tick paralysis) 등과 감별해야 한다.

(1) 독소 검출

혈청, 변 또는 원인으로 의심되는 음식, 상처에서 보툴리눔신경독소를 검출한다. 검사는 효소결합면역흡착검사(enzyme-linked immunosorbent assay, ELISA) 또는 중합효소연쇄반응(polymerase chain reaction, PCR)으로 한다.

(2) 전기진단검사

보툴리누스중독은 시냅스전결손에 의해 발생하는 질환이므로, 램버트-이튼근무력증후군과 동일한 전기진단검사 결과를 보인다. 신경전도검사에서 운동신경의 복합근활동전위진폭이 감소되어 있으며, 고빈도반복신경자극 혹은 짧은 운동 직후 복합근활동전위의 크기가 증가한다. 다만 수의적인 근육수축 직후 복합근활동전위 크기가 증가하는 정도가 30-100%로 램버트-이튼근무력증후군에 비해 적다.

4 치료

보툴리누스중독이 의심되면 반드시 입원하여 호흡마비, 자율신경계 기능이상에 대해서 주의 깊게 관찰하고, 필요하다면 조기에 기관지 삽관을 고려한다. 항독소(antitoxin)를 주사하여 치료하며, 입원 3일 이내에 조기 투여할 경우 재원기간을 줄일 수 있다. 부작용에는 발열, 오한, 오심, 피부 발진, 부종 등이 있다.

5 선천근무력증후군(Congenital myasthenic syndrome)

선천근무력증후군은 매우 드문 유전성 신경근접합부질환으로, 신경근접합부에 발현되는 여러 단백질의 유전 결손에 의해 발생한다. 가장 흔한 원인 유전자는 아세틸콜린수용체 아단위(subunit)를 발현하는 유전자들인 CHRNE, CHRNA1, CHRNB1, CHRND와 종판(endplate)의 발달과 기능에 필요한 유전자들인 DOK7, RAPSN, AGRN, LRP4, MUSK이다.

선천근무력증후군은 우성 또는 열성으로 유전되며, 증상은 출생 시 혹은 영유아기에 발현한다. 안구증상, 삼킴곤란, 사지 위약, 호흡마비가 나타나며 민무늬근, 심장근은 침범하지 않는다. 반복적인 무호흡 에피소드가 있거나, 영아돌연사(sudden infant death)의 가족력이 있다면 의심해 볼 수 있다.

진단은 전형적인 임상양상을 바탕으로 한다. 혈청항체검사는 음성이며 반복신경자극검사에서는 저빈도자극 후 복합운동신경전위진폭의 감소가 나타날 수 있다. 유전자검사를 통해 확진한다. 항콜린에스테라아로 치료하며, 면역억제제에는 반응을 보이지 않는다.

REFERENCE

- Narayanaswami P, Sanders DB, Wolfe G, et al. international consensus guidance for management of myasthenia gravis: 2020 update. Neurology 2021;96:114-22.
- Sanders DB, Wolfe GI, Benatar M, et al. International consensus guidance for management of myasthenia gravis: executive summary. Neurology 2016;87:419-25.

CHAPTER 6-3

운동신경세포질환과 근육질환

이정환

　이번 단원에서는 근위약을 보이는 환자들에게서 의심할 수 있는 질환들에 대해서 다뤄보고자 한다.

　환자가 감각소실이나 저림 등이 없이 팔다리에 힘이 빠지는 증상으로 내원했을 때 중추신경계질환을 배제하면 운동신경과 근육의 문제를 의심한다. 증상의 변동이 있으면 신경근접합부질환(중증근무력증, 램버트-이튼근무력증후군), 대사근병증(metabolic myopathy), 주기마비(periodic paralysis)의 감별이 필요하다. 지속적인 위약이 확인되면, 후천적 혹은 선천적 원인에 대한 구분이 필요하다. 후천적 원인으로는 근위축측삭경화증, 염증근육병, 다초점운동신경병 등이 있다. 선천적 원인은 주로 위약이 있는 부위에 따라 패턴으로 구분하게 된다(표 6-3-1).

　이번 단원에서는 이러한 여러 가지 원인 중에서 다른 단원에서 다룬 다초점운동신경병과 신경근접합부질환을 제외하고 비교적 접할 기회가 높은 질환들을 위주로 다뤄보고자 한다.

　운동신경세포질환은 신경퇴행성 질환의 하나로 보고가 되었으며, 대표적으로 근위축측삭경화증 등을 들 수 있으며, 유전문제로 생기는 척수근위축증(spinal muscular atrophy, SMA), 척수연수근위축증(Kennedy disease; spinobulbar muscular atrophy, SBMA)도 운동신경세포의 문제로 환자의 위약이 유발되는 병으로 여기에서 같이 다루고자 한다.

표 6-3-1	**근위약의 말초원인 감별진단**	
구분		**질환**
변동성 위약	신경근접합부질환	• 중증근무력증 램버트-이튼근무력증후군 • 선천근무력증후군
	근육질환	• 대사근병증 • 주기마비
지속적 위약	후천적 원인	• 운동신경손상: 근위축측삭경화증, 다초점운동신경병 근육손상: 염증근육병, 약물 혹은 독소유발근육병, 내분비계이상 관련 근육병
	선천적 원인	• 몸쪽위약: 뒤셴느근디스트로피, 베커근디스트로피, 사지대근디스트로피, 척수근위축증, 척수연수근위축증 • 먼쪽위약: 먼쪽근육병(노나카, 미요시 외), 근긴장디 스트로피 1형, 가족근위축측삭경화증, 양성국소근위 축증 • 얼굴위약: 얼굴어깨위팔근디스트로피, 근긴장디스트 로피 1형 • 눈증상(안검하수, 복시): 선천근육병, 사립체근육병, 안구인두근디스트로피

그리고 염증근육병(inflammatory myopathy)의 최신 분류, 치료원칙 등을 검토하고 유전근육병의 임상분류와 비교적 많이 발견되는 뒤셴느근디스트로피(Duchenne Muscular Dystrophy, DMD), 얼굴어깨위팔근디스트로피(Facioscapulohumeral Muscular Dystrophy, FSHD), 근긴장디스트로피(Myotonic Dystrophy, MD)와 우리나라에서 적지 않게 발견되는 먼쪽근육병(distal myopathy)에서 노나카(Nonaka myopathy, GNE myopathy), 미요시병(Miyoshi disease, dysferlinopathy)과 현재 치료약 적용이 가능한 폼페병(Pompe disease, glycogen storage disease II, acid maltase deficiency)이 포함된 대사근육병(metabolic myopathy)에 대해 간단히 다뤄보고자 한다.

각론에 앞서서 근위약을 보이는 환자 중 말초신경근육질환이 의심될 때 확인해야 할 임상양상과 검사소견들에 대해 간략히 알아보도록 하자.

1 근위약과 관련한 임상양상

1 근위약

신경이나 근육병이 있을 경우 근위약이 우선 판단해야 하는 증상이다.

근위약을 판단할 경우 패턴에 따라 고려해야 할 병이 달라지기 때문에, 기본적으로 전반적인 양상을 보는 것이 중요하다. 우선 증상을 물어볼 때 다음과 같은 부분을 확인하고 그에 따른 힘의 정도를 평가하는 것이 중요하다.

- 얼굴위약: 휘파람불기 힘듦, 미소짓기 힘듦.
- 목 혹은 중심근육위약: 누워서 일어날 때 머리 들기가 힘들어요. 윗몸일으키기를 못해요. 어릴 때부터 침대에서 바로 일어난 적이 없어요.
- 팔 몸쪽위약: 머리보다 위쪽에 무언가를 올려놓기 힘들어요.
- 팔 먼쪽위약: 손톱을 깎거나 젓가락질이 힘들어요. 단추를 끼기가 힘들어요.
- 다리 몸쪽위약: 경사길을 오르내리기 힘들어요. 계단을 오르내리기가 힘들어요.
- 다리 먼쪽위약: 걷다 보면 발이 계속 돌 같이 튀어나온 것이 걸려요.

위와 같은 증상을 호소한다면 그에 상응하는 근육의 힘을 신경학적 검사로 확인하고 기능적 문제가 있는지 확인이 필요하다.

2 근육통, 근육경련, 구축, 근긴장증

근육통은 운동신경이나 근육의 이상 외에도 흔하게 호소할 수 있는 증상이다. 따라서 내원한 환자가 근육통을 호소할 때 위약과 동반이 되어 있는지, 어떠한 상황에서 근육통을 유발하는지 등에 대한 세심한 병력청취가 필요하다.

근육경련은 우리나라에서 흔히 '쥐가 난다'라는 말로 표현하고, 통증을 동반한 일시적인 불수의적인 수축이 갑자기 근육의 일부 특정 부위에 국한되어 나타나는 증상이다. 대부분 정상인에서 과한 운동 이후, 탈수, 전해질불균형상태 등에서 관찰되나, 근육통과 마찬가지로 위약과 동반 시엔 주의가 필요하다.

구축은 해당작용이상으로 인해 근이완에 필요한 에너지가 결핍되어 이완이 되지 않는 상태를 말한다. 일반적인 구축과 다른 고정구축(fixed contracture)는 근육의 섬유화로 인해 근육이 늘어나지 못하는 상태로 콜라겐연관근육병(collagen IV related disorder)등에서 관찰된다.

근긴장증은 근육수축을 일정시간 지속한 이후 근육의 이완이 지연되는 상태를 말하며, 대표적으로 근긴장근디스트로피(myotonic muscular dystrophy), 선천근긴장증(congenital myotonia) 등의 환자에게서 관찰된다.

2 근위약과 관련한 검사소견

1 혈청검사

크레아틴키나아제(creatine kinase, CK)는 근육의 손상 정도를 비교적 객관적으로 확인하기에 유용한 근육효소이다. CK는 MM, MB, BB형이 있으며, 골격근에는 MM형이 대부분을 차지하고 있다. 이 효소의 수치가 올라간다는 것은 현재 근육이 활발하게 손상되고 있음을 뜻한다. 따라서 천천히 진행하는 근육질환이거나 이미 많이 파괴된 상태에서는 근육효소 수치는 정상일 수 있다.

2 전기진단검사

근위약을 유발하는 말초신경근육질환의 감별은 신경, 신경근접합부, 근육의 구분이 중요하다. 일반적으로 근전도검사상 신경병의 경우 큰(high amplitude long duration) 운동단위활동전위(motor unit actioin potential, MUAP)를 보이면서 동원(recruitment) 감소가 특징이며, 근육병의 경우 작은(small amplitude short duration) MUAP가 특징이다. 신경근접합부 질환의 경우 앞 단원에서 논의된 반복신경자극검사로 감별한다.

3 유전자검사

차세대 염기서열분석(next generation sequencing, NGS)가 가격이 저렴해짐에 따라 신경병, 근육병에서 유전자검사의 비중은 매우 높아지고 있다. 물론 DMD, 베커디스트로피(Becker Muscular Dystrophy, BMD)의 유전자 DMD, 척수근위축증의 SMN1 유전자 등은 Multiplex Ligation Dependent Probe Amplification (MLPA)방법이 필요하며, FSHD에서는 DUX4의 D4Z4 반복수 확인, 그 외 삼염기 반복과 관련된 질환인 SBMA나 근긴장디스트로피 등은 삼염기 반복수 확인이 우선되어야 한다. 그 외의 질환들의 경우 질환의 유병률이 낮고, 임상유형이 비슷하여 여러 가지 유전자의 동시 확인이 필요하였고, 앞에 언급한 NGS의 가격이 낮아지면서 전체엑솜염기서열분석(whole exome sequencing)이나 표적유전자패널염기서열분석(targeted gene panel sequencing)의 접근이 쉬워졌다. 여러 변이들이 새로이 발견되기 쉬운 환경에서 임상에서 유전자검사를 해석하는 작업이 더 어려워졌으며, 따라서 환자의 임상정보, 유전정보들을 파악하여 적절한 진단을 하는 것이 중요하다.

4 근생검

근생검은 다양한 유전자검사의 쉬워진 접근에도 여전히 신경근육병 환자의 진단에 중요하다. 신경병 환자의 근생검 소견의 특징은 근섬유형의 집단화와 그에 연관된 위축이다. 근육병의 경우 다양한 크기로 근섬유가 관찰되면서 핵이 내부화되고, 괴사나 포식작용 등이 관찰되고, 염색 소견에 따라 다양한 병들을 시사한다.

3 근위축측삭경화증(Amyotrophic lateral sclerosis)

1 질환 요약

근위축측삭경화증은 뇌와 척수에 있는 운동신경의 변성으로 인해 근위약, 근위축, 근섬유다발수축, 경직 등이 주 증상인 진행성 질환이다. 발병률은 10만 명당 1년에 1–2명이며, 50대 후반부터 발병이 증가하며, 남성이 여성보다 더 많이 발병한다.

첫 증상이 나타나는 구간과 환자의 증상에 따라 아래의 운동신경세포질환의 아형과의 구분을 아래와 같이 고려하였으나, 최근엔 환자의 증상 진행양상과 병리 소견 등이 겹치는 경우나 유전자이상 등 추가적인 사항들이 발견되고 있다(표 6-3-2). 그리고 위운동신경세포(upper motor neuron, UMN)징후나 아래운동신경세포(lower motor neuron, LMN)징후가 마지막까지 발견이 되지는 않으나 ALS 이후 확인이 되는 경우도 적지 않은 양상들이 관찰되고 있다.

표 6-3-2 운동신경세포질환 아형

운동신경세포질환 구분	침범부위	특성	감별 ALS 형태와 감별해야 할 질환
근위축측삭경화증 (Amyotrophic lateral sclerosis)	위운동신경세포(Upper Motor Neuron, UMN)+ 아래운동신경세포(Lower Motor Neuron, LMN)		
원발측삭경화증 (Primary lateral sclerosis)	UMN	하지부터 천천히 진행하는 강직성 마비 형태의 위약	상위운동신경세포시작(Upper motor neuron onset) ALS, 유전 강직하반신마비
진행근위축증 (Progressive muscular atrophy)	LMN	국소적인 비대칭적 위약으로 시작하여 양성 진행을 보임.	아래운동신경세포시작(Lower motor neuron onset) ALS, 척수근위축증
진행연수마비 (Progressive bulbar palsy)	연수분절의 UMN+LMN	뇌줄기분절에 한정되어 나타나는 운동신경세포질환	연수시작(Bulbar onset) ALS
동요팔증후군 [Flail arm syndrome, 위팔근육축양쪽마비 (brachial amyotrophic diplegia)]	상지분절의 LMN (하지분절의 UMN 동반 가능)	상지분절에 한정되어 나타나는 운동신경세포질환	상지 발병 ALS, 경추신경뿌리병 등
동요다리증후군 (Flail leg syndrome)	하지분절의 LMN	하지분절에 한정되어 나타나는 운동신경세포질환	하지 발병 ALS, 하지우세척수근위축증(spinal muscular atrophy with lower extremity predominance)
양성국소근위축증 (Benign focal amyotrophy)	국소(Focal) LMN	10-20대 증상 시작, 일반적으로 한쪽 상지에 국한.	

Chapter 06

ALS의 병인은 아직 잘 모른다. 유전, 흥분독성, 산화독성, 단백응집, 면역, 감염 등이 논의되고 있으며, 복합적으로 상호작용하여 유발되는 것으로 설명한다. 전체 ALS 환자 중 5-10%의 환자가 가족근위축측삭경화증(familial ALS)로 알려져 있으며, 원인유전자로는 C9orf72, TDP43, FUS, SOD1 등이 알려져 있다.

2 임상양상

위운동신경세포와 아래운동신경세포가 손상되면서 피질연수로(corticobulbar tract)와 피질척수로(corticospinal tract), 척수의 각 분절에서 위운동신경과 연접한 아래운동신경세포가 같이 침범되면서 뇌줄기, 경부, 흉부, 요천추분절의 위약과 위축, 경직 등이 같이 혹은 차례로 나타나게 된다. 증상 및 징후는 각 분절별로, 위 혹은 아래운동신경세포의 손상에 따라 구분된다. 아래운동신경세포가 손상되면 근위약, 근섬유다발수축, 근위축, 저하된 혹은 사라진 깊은힘줄반사가 나타난다. 그리고 위운동신경세포가 손상되면 사지의 근육통이 증가되면서 경직이 생기고 깊은힘줄반사가 항진되며, 병적반사인 바빈스키징후 혹은 호프만징후 등이 보일 수 있다. 거짓연수마비(pseudobulbar palsy)의 증상으로 부적절한 웃음, 울음 등이 관찰될 수 있다. 혀의 근위축으로 인한 근섬유다발수축의 경우 환자에게서 관찰 시 혀를 내밀기보다 혀를 입의 바닥으로 안정시킨 상태에서 관찰하는 것을 추천한다. 호흡곤란의 경우 초기에는 누워 있을 때의 이산화탄소 축적만 나타날 수 있어 자고 일어난 뒤의 두통 여부를 증상으로 물어볼 수 있다.

3 진단

ALS 진단은 임상소견에 기초한 진단기준을 사용한다. 환자의 증상, 신경학적 검사를 통한 다양한 징후, 근전도검사 등을 종합하여 판단하며, 다른 질환으로 설명되지 않아야 한다. 2000년 진단기준인 El Escorial ALS 진단기준이 임상실험을 위해 고안되었다. 임상확정, 임상추정, 임상가능의 세 단계로 나누고 뇌줄기, 경부, 흉복부, 요천추의 네 가지 분절에서 표 6-3-3과 같이 조건을 만족시키는 경우 임상확정(clinically definite), 임상추정(clinically possible), 임상가능(clinically probable)의 세 단계로 진단할 수 있다. 그리고 2008년 제안된 Awaji 진단기준의 경우 임상추정 ALS−검사지지(clinically possible ALS: laboratory−supported)를 없애고, 아래운동신경세포손상을 근전도만 나올 경우도 포함시켰다. 그러나 문제는 여전히 이러한 단계들이 일정하게 모든 환자들에서 지나가는 단계들이 아니며, 다른 질환으로 설명하기 힘든 운동신경질환 환자들이 진단이 되지 않는 문제들이 있었다. 2019년 Gold Coast 진단기준은 최소 한 분절에서의 위운동신경세포와 아래운동신경세포손상이 관찰되거나, 두 분절 이상에서 아래운동신경세포손상의 증거가 관찰될 때로 정했다. 물론 모든 기준에서 환자에게서 나타나는 증상을 설명할 수 있는 다른 질환들이 배제되어야 한다. 새로운 진단기준의 경우 민감도는 올라가고 진단의 편의성은 확보하였으나, UMN 이상만 있는 경우에 대한 문제, 다양한 유전질환의 배제 등이 앞으로의 문제가 될 수 있다.

전기생리검사는 근전도검사를 통해 확인한다. 활동탈신경소견인 섬유자발전위, 양성예파 외에 운동단위활동전위의 진폭, 기간, 위상의 증가, 운동단위 동원의 감소가 합당한 소견이며 근섬유다발수축전위도 섬유자발전위등과 같은 의미로 해석이 가능하다. 뇌줄기, 경부, 흉부, 요천추네 분절 각각 검사해야 하며, 뇌줄기는 한 근육 이상, 다른 분절에서는 신경, 신경뿌리가 겹치지 않도록 두 근육 이상에서 검사하여 이상이 관찰되어야 한다.

임상소견, 전기생리검사로 ALS를 의심할 수 있는 경우 타 질환의 감별을 위하여 다양한 원인에 대한 추가검사[전체혈구계산, 적혈구침강속도, 소변검사, 전해질, 혈당, 신장 및 간기능검사, 갑상선기능검사, 크레

표 6-3-3 ALS 진단기준의 비교

	수정 El Escorial 기준 (2000)	Awaji 기준 (2008)	Gold Coast 기준 (2019)
ALS 진단	해당 없음	해당 없음	1. 획득된 진행운동기 능상실이 병력이나 반복된 임상평가로 확인되고, 2. a) 최소 1분절에서 UMN+LMN 징후 혹은 b) 최소 2분절에서 LMN 징후
임상확정 ALS	3분절의 UMN+LMN, 혹은 뇌줄기+2분절의 UMN+LMN	3분절의 UMN+LMN, 혹은 뇌줄기+2분절의 UMN+LMN	삭제
임상추정 ALS	최소 2분절의 UMN+LMN 징후(UMN 징후는 LMN 징후의 상위분절에서 관찰)	최소 2분절의 UMN+LMN 징후(UMN 징후는 LMN 징후의 상위분절에서 관찰)	삭제
임상추정 ALS-검사지지	1분절의 UMN+LMN 징후 혹은 1분절에서 UMN 징후와 최소 2분절 이상에서의 근전도이상소견	삭제	삭제
임상가능 ALS	1분절의 UMN+LMN 징후 혹은 2분절 이상의 UMN 징후 혹은 2분절에서 UMN+LMN 징후 관찰되지만 LMN 징후가 UMN 징후보다 상위분절에서 관찰되고 검사를 통하여 임상추정 ALS-검사지지를 증명불가능한 경우	1분절의 UMN+LMN 징후 혹은 2분절 이상의 UMN 징후 혹은 2분절의 UMN+LMN 징후가 관찰되지만 LMN 징후가 UMN 징후보다 상위분절에서 관찰됨.	삭제

ALS: 근위축측삭경화증(Amyotrophic Lateral Sclerosis), LMN: 아래운동신경세포(Lower Motor Neuron), UMN: 위운동신경세포(Upper Motor Neuron).

1. Awaji 진단기준에서의 LMN 징후: 임상증상, 징후, 전기생리검사(근섬유다발수축전위 포함), 병리검사 소견으로 정의됨.

2. Gold Coast 진단기준에서의 LMN 징후: 임상증상이나 징후, 혹은 전기생리학적 검사로 정의됨.

3. 모든 진단기준에서 다른 질환이 배제되어야 한다는 조건이 포함되어 있다.

아틴키나아제(creatine kinase, CK), 결합조직병검사, 대변잠혈반응, 혈청단백전기영동, 면역전기영동, 항GM1항체검사, 비타민 B12, 매독혈청검사, 흉부X선촬영, 유전자검사(척수근위축증, 척수연수근위축증), 헥소스아미니데이스효소활성도검사, 항아세틸콜린수용체항체검사 등]를 진행하는 것이 좋다.

4 치료 및 관리

(1) 보존치료

ALS 환자의 보존치료는 다양한 전문의, 물리치료사, 호흡기관련 의료인들이 모여 환자의 생존율, 입원기간, 삶의 질 등을 향상시키기 위해 진행된다.

① 호흡관리

ALS가 진단된 이후 3개월에 한 번은 환자의 호흡관련 임상증상을 확인하고 관련 검사를 진행하는 것이 안전하다. 호흡곤란(dypsnea)이나 앉아숨쉬기(orthopnea), 아침 두통을 호소할 수 있다. 호흡이상의 스크닝검사로는 동맥혈검사, 경피이산화탄소모니터링, 폐활량측정 등을 통하여 호흡기 도움이 필요한 사람들에게 빠른 도움을 주는 것이 중요하다.

기도삽관이나 기관절개를 통하여 호흡기를 적용하기 전 마스크를 통한 양압환기가 초기 호흡기능저하 환자에게 도움이 크다. 양압환기는 환자가 앉아숨쉬기 증상 등의 호흡곤란을 호소하거나 폐활량의 감소(80% 이하), 낮 이산화탄소 45 mmHg 이상, 수면혹은 누워있는 자세에서의 산소분압감소를 보이거나 이산화탄소증가 혹은 호흡곤란증상을 호소할 경우 고려할 수 있다. 호흡기를 시작하면서 기침을 쉽게 유도할 수 있도록 기계를 사용하거나 재활치료를 하면 도움이 된다.

② 영양관리

몸무게와 체질량지수를 3개월마다 확인하고 흡인의 위험이 있다고 판단되거나 5-10% 이상 체중의 감소가 관찰되거나 체질량지수의 1 이상의 감소 등이 확인되면 코위관삽입 등의 적극적인 개입이 필요하다. 삼킴기능의 저하가 계속되면 결국 피부경유내시경위창냄술(percutaneous endoscopic gastrostomy, PEG)를 고려해야 한다.

(2) 치료제 현황

현재 임상효과를 검증받고 미국 식약처에서 허가를 받은 약제는 항글루탐산약물인 릴루졸(riluzole), 정맥주사로 투여하는 항산화효과가 주된 기전인 에다라본(edaravone), 최근 에다라본의 경구용 약제가 추가로 허가되었다(경구약물은 아직 국내 허가는 진행되지 않음). 릴루졸은 생존기간을 증가시켜 주는 효과가 검증되어 승인을 받았고, 에다라본의 경우 2년 이내, 강제폐활량 80% 이상, 모든 ALS 기능척도 2점 초과, 최근 3개월간 비교적 안정적인 척도감소가 보인 환자에게서 쓰지 않은 사람에 비해 악화속도의 감소가 통계적으로 확인되었다. 그리고 국내에서 자가골수유래성 성체줄기세포치료제가 희귀 의약품으로 승인받았다. 그 외다양한 치료제들이 임상연구 중이다.

4 척수근위축증(Spinal muscular atrophy)

1 질환 요약

척수근위축증은 상염색체열성유전질환으로 가장 많은 타입은 염색체 5q11.12-13.3에 있는 SMN1 유전자의 이상과 관련이 있는 질환으로 알려져 있으며, 11,000명의 신생아 중 1명의 발생률을 보인다. 전형적인 임

상양상을 보이는 환자 중 90% 이상에서 엑손 7과 8의 동형접합결손이
발견되고, 임상양상의 중증도에 따라 임상유형을 나누게 되며 심한 경우
엔 태어날 때부터 심한 근위약으로 인하여 1년 이내에 사망하는 예도 있
으며, 증상이 약하고 매우 느리게 진행되는 경우엔 성인에도 걸을 수 있
는 환자도 있다. 단일유전자질환으로 의심할 경우 진단이 어렵지 않고,
치료약이 나온 질환으로 질환에 대한 이해가 필요하다.

2 증상

척수근위축증의 증상은 전통적으로 증상의 발병연령에 따라 구분하
며, 이후 이러한 임상양상의 시작의 차이, 진행의 차이가 SMN2 복제수
에 따라 결정되는 것을 알게 되었다. 임상유형에 따른 임상양상과
SMN2 복제수를 보면 아래와 같다(표 6-3-4).

표 6-3-4 척수근위축증의 임상양상과 SMN2 복제수

임상유형	증상발생나이	기능적 상태	기대여명	예상 SMN2 복제수
0	출생 전	앉을 수 없음. 태어나자마자 호흡기 필요.	< 6개월	1
1, 영아형	< 6개월	앉을 수 없음.	< 2세	2
2, 중간형	6-18개월	앉을 수 있음.	10-40세	3
3, 만성 혹은 청소년형	> 18개월	설 수 있으며, 도움을 받아 걸을 수 있음.	성인	3-4
4, 만기발병형	> 5세	걸을 수 있음.	성인	> 4

영아척수근위축증: Infantile Spinal Muscular Atrophy (SMA), Werdnig-Hoffmann disease.
중간형 척수근위축증: Interemediate SMA, Dubowitz disease. 만성 혹은 청소년형 척수근위축증:
Chronic SMA. juvenile form Kugelberg-Welander disease. 만기발병형 척수근위축증: Late onset
SMA.

3 진단

임상적으로(전기생리학적검사 혹은 근생검 포함) 척수근위축증이 의심될 경우 우선 가장 많은 형태의 병적 병이인 SMN1의 7, 8 엑손결실 확인을 먼저 시행한다. 결실이 동형접합으로 확인되면 바로 진단이 되지만, 한 개가 나오면 SMN1유전자전체시퀀싱을 통하여 추가 변이를 찾아내어 진단하거나 추가 변이를 찾지 못할 경우 두 개가 나오는 환자들과 같이 다른 유전자이상에 따른 유전운동신경질환 혹은 근육질환의 감별이 필요하다. 5q 염색체이상으로 확인이 되면 SMN2 복제수를 확인하는 것이 환자 임상유형을 예측하고 치료의 시점을 결정하는 데 도움이 된다.

4 치료

SMA 치료를 위해 개발되어 처음 승인된 치료제는 nusinersen(상품명: Spinraza)이다. 이 약은 SMN2가 원래 exon 7의 부분 변이로 잘라이음(splicing)되어 SMN 단백질을 잘 만들어내지 못하는 생리를 이용하였다. 반의미가닥올리고뉴클레오타이드(antisense oligonucleotide)를 이용하여 잘라이음되지 않도록 하여 SMN 단백질이 만들어지도록 하는 것이 약의 기전이다. 이 약을 통해서 영아부터 9세 증상 시작까지 넓은 범위에 증상의 호전을 확인하였다. 이후 나온 약(onasemnogene abeparvovec-xioi, 상품명: Zolgensma)은 SMN1 유전자를 AAV9 벡터를 이용하여 세포 안으로 넣어주는 방식으로 가격은 매우 비싸지만, 한 번으로 끝나는 방식으로 2세 미만 환자들에게 효과가 증명되었고, 승인되었다. 최근 승인된 risdiplam(상품명: Evrysdi)는 경구약제로 투여방법이 쉬워지면서 2개월 이상의 환자들에게 투여가 승인된 약품이다. 빠른 진단과 적절한 시점에서의 치료가 필요하며, 아직까지는 SMN2 복제수가 4 이상인 경우엔 증상을 기다려보는 것이 권장된다.

치료제 외에 영양관리, 재활치료, 호흡관리 등은 일반적은 환자 기능 상태를 고려하여 진행하도록 한다.

5 척수연수근위축증
(Spinobulbar muscular atrophy, Kennedy's disease)

1 질환 요약

척수연수근위축증(spinobulbar muscular atrophy, SBMA, Kennedy's disease)은 성인 발병되는 X염색체열성유전운동신경병이다. X염색체에 위치한 안드로겐수용체유전자의 CAG 반복수의 증가에 따라 서서히 진행하는 팔다리 몸쪽근육, 얼굴근육의 위약, 근다발수축 등의 신경근육 증상 외에 안드로겐수용체기능과 관련한 여성유방, 불임, 고환위축 등의 증상을 동반한다. 희귀질환으로 남자 10만 명당 2.58명 정도의 유병률이 보고되었다.

2 증상

발병 나이는 4세에서 78세까지 매우 다양한 나이에서 보고가 있으나, 보통 30대 중반으로 알려져 있다. 첫 증상은 근육경련, 근다발위축, 떨림, 조음장애, 삼킴곤란, 여성유방이다. 위운동신경세포증상은 나타나지 않으며, 얼굴근육 중 특히 입 근처, 혀의 근육위축과 얼굴근육의 단일수축이 특징적인 증상이다. 보통 몸쪽근위약이 일반적이나 초기에 먼쪽근위약의 보고가 있으므로 몸쪽근위약이 보이지 않는다고 배제할 수 없다. 신경근육 외 증상으로 앞에서 서술한 여성유방, 불임 등 증상 외에 일부 환자에서 당뇨, 고지혈증, 부정맥, 골다공증 등이 발견되어 추적이 필요하다. 근전도검사상 탈신경과 신경재분포의 소견이 관찰되고,

감각증상이 없으나, 감각신경전위의 감소가 70% 이상에서 관찰된다. 유전자이상인 CAG 반복수와 증상발병나이 사이의 역상관관계가 있음이 밝혀졌다.

3 진단

임상양상과 근전도검사상 신경병으로 확인되고, 증상발병나이, 성별을 고려하여 SBMA가 의심된다면 AR 유전자의 CAG 반복확장을 확인하고 진단한다. 임상양상에서 ALS가 초기에 UMN 증상이 뚜렷하지 않으면, 임상양상이 겹칠 수 있으나, SBMA는 주로 30대에 증상이 시작하고, 대칭적이며 몸쪽위약이 주로 나타나고, 인지기능장애가 명확하지 않으며, 감각신경전위의 감소가 나타날 수 있다는 점, 그리고 여성형 유방 등의 내분비계장애가 나타난다는 점에서 ALS와 차이가 있다. 그리고 아세틸콜린에스터분해효소(acetylcholinesterase)길항제에 대한 증상호전, 반복신경자극검사상 이상소견이 보일 수 있으므로 중증근무력증과의 감별에 주의가 필요하다.

4 치료

Leuprorelin 등의 호르몬 료 등이 시도되었으나, 아직까지 무작위대조시험에서 검증된 치료법은 없다. 따라서 증상에 대한 대증치료를 고려한다. 위약에 대한 재활치료 등은 다른 신경근질환과 비슷하다. SBMA에 특이한 증상에 대한 관리방식을 소개한다. SBMA 환자들은 근육경련이 심한 경우 통증으로 불편할 수 있어 멕실레틴을 고려할 수 있으며, 피로나 우울증 등 기분장애에 대해 약물적 중재가 필요한지 전문가 진료가 필요하다. 여성형 유방이 심할 경우 외과적 상담은 환자가 원할 경우 고려할 수 있으며, 당뇨와 이상지질혈증에 대한 주기적인 모니터링이 필요하다. 삼킴곤란이 나타나는 경우 ALS와 비슷하게 영양결핍이 의심되거나 삼킴곤란이 심하여 폐렴 등 가능성이 높다면 비위관이나 PEG를 고려해야 한다.

6 유전근육병

유전근육병은 근위약이 주증상이며, 주로 증상이 시작하고, 이후 증상이 진행되면서 심한 근위약 부위에 따라 임상양상의 차이를 보이며, 그런 패턴에 따라 가능성이 큰 질환을 의심하고 진단할 수 있는 해당 유전자검사를 시행한다. 앞에서 서술한 바와 같이 일부 유전자검사를 제외하고는 최근에 여러 유전자를 동시에 시행할 수 있는 차세대염기서열 분석방법을 이용하여 근육병 혹은 신경근육병과 관련한 유전자검사를 한 번에 진행할 수 있다. 증상에 따른 구분은 표 6-3-1에 정리해 놓았다.

유전근육병은 관련 질환이 매우 많은 관계로 그 내용을 본 매뉴얼에 모두 기술하기에는 힘들다. 따라서 그중 비교적 우리나라에서 많이 볼 수 있는 질환들을 선택하여 정리하였다.

1 뒤셴느근디스트로피(Duchenne Muscular Dystrophy, DMD)와 베커근디스트로피(Becker Muscular Dystrophy, BMD)

(1) 질환 요약

유전근육병 중 근디스트로피는 유전자의 문제로 진행성 근위약이 나타나는 질환으로 근육병중 근세포막에 존재하는 여러 종류의 단백질과 관련한 유전자이상으로 밝혀지고 있는 질환이다. 예전에는 근디스트로피의 하나로 분류되었다가 유전자이상이 확인되면서 최근 재분류가 이루어지고 있다. 근디스트로피는 뒤셴느근디스트로피와 베커근디스트로피, 선천근디스트로피, 얼굴어깨위팔근디스트로피, 팔다리이음근디스트로피, 근긴장디스트로피, 눈인두근디스트로피, 에머리-드라이푸스근디스트로피로 크게 구분할 수 있다. 뒤셴느 혹은 베커근디스트로피는 세 포막과 관련한 단백질 중 X-염색체에 위치한 DMD유전자의 이상으로 인한 디스트로핀의 손상으로 생기는 유전병이다.

(2) 증상

디스트로핀의 유전적 이상은 약 70%가 엑손결실 혹은 중복으로, 그 중 결실이 많다. 그에 따라 전체 mRNA의 번역해독틀(translational reading frame)을 이동시키면서 전사(transcription)가 조기에 종식되는 경우(out-of-frame)에는 디스트로핀이 막의 단백질복합체와 근육 내 단 백질 연결이 되지 않아 증상이 심한 DMD가 발현되고, 번역해독틀이 보 존되는 경우(in-frame)에는 분자량이 작거나 일부 구조가 비정상적인 단백질이 생성되면서 BMD임상양상이 발현된다. 최근까지의 임상유형 은 아래와 같다.

① DMD: 디스트로핀 단백질의 완전소실로 인한 가장 심한 임상유 형이다. 일반적으로 5세 전 발병하며, 대칭성 몸쪽근위약이 하지 부터 시작하여 상지로 진행한다. 13세 이후에는 혼자 걸을 수 없 다. 장딴지가성비대와 심근병을 동반한다. 혈중 CK 수치는 10배 이상 증가한다.

② BMD: 디스트로핀 단백질의 부분적 소실 혹은 변형으로 생기며, DMD에 비해 발현시기가 느리고 진행도 느려 16세까지도 보행이 가능하다. 장딴지가성비대와 심근병도 동반된다. 증상이 심하지 않은 경우 근육경련이 나타나는 경우도 많다. 혈중 CK는 5배 이상 증가한다.

③ 중간표현형(intermediate type): DMD와 BMD의 중간형.

④ X연관확장심근병: 골격근의 위약 등의 증상이 없이 심근만 침범하 는 경우.

⑤ 여성증상발현보인자(female symptomatic carrier): X염색체열성질

환에서 여성은 증상이 일반적으로 없으나, 드물게 X염색체억제기
전 등으로 CK만 증가하거나 근위약 등의 증상이 나타나는 경우가
있으므로 여성인 경우에도 DMD에 대한 유전자 검사를 배제할
수는 없다.

(3) 진단

디스트로핀 유전자는 79개의 엑손으로 구성되는 큰 단백질이다. 조직
학적으로 근육조직검사 시 디스트로핀항체를 이용한 면역조직화학염색
법으로 근세포막에서의 디스트로핀단백발현 여부를 확인할 수 있다. 근
육조직검사는 침습적이므로, 남성에게서 CK가 5배 이상 매우 증가된 근
육병의 경우 DMD 유전자의 엑손결실 혹은 중복을 확인하는 multiplex
ligation-dependent probe amplification (MLPA)검사를 먼저 시행한다.
MLPA상 엑손결실이나 중복이 나타나지 않으면 DMD유전자전체염기서
열분석이 추천된다. 최근 차세대염기서열분석이 근육병대상유전자패널
검사가 가능할 경우 그렇게 진행하는 것이 오히려 시행가격이 저렴하므
로 추천된다. 근육조직검사는 유전자검사 이후에도 발견되지 않을 경우
시행하는 것을 추천한다.

(4) 치료

① 유전자 치료

현재 미국 혹은 유럽 식약처의 승인을 통과한 약물로는 엑손을 건
너뛰는 방식의 exon skipping 치료와 종결코돈을 넘어가게 해주는
read through 방법이 있다. Exon skipping 치료로는 반의미가닥올
리고뉴클레오타이드(antisense oligonucleotide)를 이용하여 exon 53
을 대상으로 하는 golodirsen, vitolarsen이 있으며, 51을 대상으로
하는 eteplirsen이 있다. 가장 최근에 승인받은 약제인 Casimersen
은 45를 대상으로 한다. Exon skipping은 out-of-frame으로 단백

소실된 변이를 in-frame으로 바꾸어 주어 DMD 표현형을 BMD로 바꿔주는 방식이다. Read through 방법도 종결코돈으로 소실될 수 있는 변이를 바꿔주어 임상유형을 BMD처럼 증상을 약하게 바꿔준다. 현재 유럽 식약처에서 승인받은 Ataluren이라는 약물이 있으며, FDA 승인을 위하여 3상 최종연구를 다시 진행 중이다.

그 외 유전자전달치료나 유전자조작치료 등이 다양한 임상시험 중이다.

② 스테로이드 치료

근력이 감소되기 전 프레드니손(prednisone) 0.75 mg/kg 또는 데플라자코르트(deflazacort) 0.9 mg/kg를 매일 투여하는 것이 추천된다. 부작용이 처치가 힘들거나 견디기 힘들 경우 25–33% 용량을 줄이고, 다시 평가하도록 권장된다. 이후 환자가 나빠져 걷기 힘든 경우 용량을 줄여 부작용이 적도록 한다.

③ 증상관리

근위약이 진행되고, 위축이 진행되더라도 규칙적인 유산소운동과 저항성 운동을 지속해 주는 것이 도움이 된다. 넘어지거나 다치는 것을 조심하면서 진행하도록 한다. 그리고 구축을 막기 위하여 보조기를 사용하는 것을 추천한다. 스테로이드를 일반적으로 사용하고, 소아가 대부분이므로 6개월마다 키, 몸무게, 2차성징 관련 변화를 확인하고, 이상이 확인되면 내분비전문의의 진료를 추천한다. 삼킴장애, 변비, 위식도역류, 위마비에 대한 검사를 6개월마다 시행하고, 비타민D, 칼슘농도를 확인하여 이상이 확인되면 그에 대한 처치를 시행한다.

호흡 관련 검사는 걸을 수 있으면 1년에 1회, 걷기 힘든 시기부터 1년에 2회 시행하여 이상이 발견되면 야간비침습적 양압호흡기부터 고려한다. 그리고 폐구균백신과 매년 비활성화독감백신접종을 권장한다.

매년 심장과 관련한 증상확인, 심전도, 초음파검사의 시행을 권장한다. 심부전양상이 관찰되면 안지오텐신전환효소억제제 사용이 추천된다. 최근에는 증상이 없어도 10세 무렵부터 사용할 경우 장기간 심장경과가 좋을 수 있는 것이 발표되었다.

운동의 부족, 근위약, 스테로이드 사용 등으로 골다공증이 잘 생길 수 있으므로 혈청칼슘, 비타민D, 골밀도검사를 매년 진행하여 치료가 늦지 않도록 한다. 그리고 척추측만증이 심할 경우 수술을 하는 것이 도움이 된다.

2 얼굴어깨위팔근디스트로피
(Facioscapulohumeral Muscular Dystrophy, FSHD)

(1) 질환 요약

FSHD는 주로 얼굴, 어깨, 위팔근육의 위약이 서서히 진행하는 보통염색체우성유전근육병으로 4번 염색체 장완의 DUX4 유전자와 관련한 이상으로 생기는 질환이다. 최근까지 밝혀진 유전자기전으로는 D4Z4 반복부위의 DUX4 유전자의 후성유전학적(epigenetic) 불활성화기전의 문제가 원인으로 밝혀져 있으며 반복수가 10 이하로 감소될 경우를 FSHD1형, 반복수는 비교적 정상이나 메틸화와 관련한 유전자인 SMCHD1, DNMT3B, LRIF1 등의 유전자의 병적 병이로 인한 메틸화감소로 인하여 생길 경우를 FSHD2형으로 구분한다.

(2) 증상

유전학적 기전에 의하여 FSHD1형과 FSHD2형을 구분하고 일부 연구에서 구음장애 등의 차이를 언급하긴 하지만, 뚜렷한 임상증상의 차이는 관찰되지 않는다.

FSHD의 주요증상은 병의 명칭에서 확인되듯이 얼굴, 어깨, 위팔근육의 위축과 위약이다. 중증도는 환자에 따라 다양하며, 경과도 다양하다. 일반적으로 20세 전후로 증상이 시작한다. 얼굴과 어깨근육의 위약이 첫 증상이며, 이후 위팔, 몸통, 다리로 진행하는 양상을 보이고, 종아리 앞쪽근육이 주로 침범되고 이후 허벅지, 골반, 엉덩이근위약이 관찰된다. 대부분의 유전근육병이 대칭적인 위약을 보이는 반면, FSHD는 비대칭적인 위약을 보여 다른 근육병과 구별된다. 얼굴근육의 위약이 뚜렷하나, 눈꺼풀처짐이나 삼킴곤란은 흔하지 않으며, 어깨주위근육의 약화로 날개어깨뼈(winged scapula)가 나타나며, 위팔근육의 위약으로 뽀빠이팔모양(Popeye arm appearance)가 관찰된다. 복부근육의 일부, 특히 하복부근육의 위축이 상복부보다 심한 상황에서 머리를 위로 들 때 비버징후(Beevor sign)이 관찰된다.

근육외증상으로 망막의 혈관변화와 청력저하 등이 관찰된다.

(3) 진단

임상적으로는 ① 얼굴근육 혹은 어깨근육의 위약으로 시작하는 근육병 환자, ② 가족력, ③ 비대칭적인 근위약, ④ 복부근육위약, ⑤ 망막혈관의 변화나 청력저하를 동반하는 양상이 보일 경우 FSHD를 의심하는 것이 좋다.

임상적으로 FSHD가 의심된다면, 유전학적 기전을 고려하여 D4Z4 반복수를 확인하고 질병허용적인 4qA 홑배수체(haplotype)을 확인하여 FSHD1형을 진단한다. D4Z4 반복수가 정상인데, 4qA 홑배수체이면서 임상유형이 맞다면 D4Z4 반복부위의 메틸화정도를 확인하고 메틸화와 관련한 유전자의 병적 변이를 확인한다.

(4) 치료

현재 FSHD의 병인과 관련하여 최근 Losmapimod 등 DUX4의 활성을 억제하는 시도들이 시도되고 있으나, 아직 검증된 약물은 없다. 따라서 환자의 증상에 따른 관리가 주가 된다.

전문적인 재활치료를 받으며 일상생활이 가능한 유지되고 구축이 생기지 않도록 유지한다. 필요하면 보조기를 통해 도움을 받도록 한다. 일반적으로 통증이나 피로를 호소하므로, 진통제나 항우울제를 적절히 사용하면 도움이 된다. 호흡기능이상은 소수에서 생기는 문제이긴 하나, 기능이 떨어져도 증상이 심하지 않은 등 감취질 수 있으므로 수술 전에는 꼭 호흡기능 검사가 추천되며, 주기적인 모니터링이 중요하다.

3 근긴장디스트로피(Myotonic muscular dystrophy)

(1) 질환 요약

근긴장디스트로피(myotonic muscular dystrophy, DM)은 골격근, 심장, 뇌, 수정체 등 여러 장기에서 증상이 다발적으로 나타나는 보통염색체우성유전질환이다. 성인에서 가장 흔한 근육병으로 알려져 있다. DM을 임상양상과 유전기전에 따라 1형근긴장디스트로피(myotonic dystrophy 1, DM1), 2형근긴장디스트로피(myotonic dystrophy 2, DM2)로 나눈다. DM1은 DMPK 유전자의 CTG 반복확장이 원인이며, 삼염기반복확장의 다른 질환과 같이 대물림악화(anticipation)을 보인다. DM2는 ZNF9 유전자의 CCTG 반복확장이 원인이다.

(2) 증상

① 1형근긴장디스트로피(myotonic dystrophy 1, DM1)

태어날 때부터 증상이 심한 선천 DM1과 나이가 들어서 생기는 일반 DM1이 있다. CTG 반복확장이 35-49인 경우 증상이 나타나지 않는다. 50 이상이 되면 백내장과 약한 근긴장증을 보인다. 근긴장증은 타진근긴장증, 눈감기근긴장증 등 임상적인 근긴장증을 확인할 필요가 있다.

반복수 100-1,000 정도를 일반 DM1으로 분류하며, 위약, 근긴장증, 백내장, 조숙한 앞머리탈모, 전도장애 등이 관찰된다. 근위약과 위축은 주로 먼쪽근육인 손가락굽힘근, 종아리근육, 목굽힘근, 얼굴근육에서 시작, 이후 몸쪽근육으로 진행한다. 특히 눈꺼풀처짐, 측두근, 저작근의 위축이 있으면서 손도끼(Hatchet)모양의 얼굴모양이 이 질환의 특징적인 모습이다. 그 외에 발음장애, 삼킴곤란도 동반된다. 손에서는 타진근긴장증(percussion myotonia)를 확인할 수 있으며, 혀의 근긴장증으로 인하여 냅킨고리징후를 볼 수 있다. 근육이상 외에 인지기능 중 특히 전두두정엽기능이 관찰되며, 뇌자기공명영상검사상 경미한 피질위축과 백질변화 중 특히 전측두부위의 변화가 뚜렷하다. 과수면, 수면무호흡증, 불안, 우울증도 많이 관찰된다. 백내장이 거의 대부분의 환자에서 관찰되며, 당뇨, 고인슐린증, 칼슘조절장애, 갑상선기능장애, 고환위축 및 성장호르몬분비이상 등 매우 다양한 전신장애가 관찰된다. 진행은 전반적으로 천천히 진행되며, 주사망원인은 폐렴, 호흡곤란, 심혈관질환, 돌연사 등이다.

선천 DM1는 CTG 반복수가 1,000을 넘는 경우로 영아근긴장저하(infantile hypotonia)가 보이고, 태어난 이후 삼킴곤란, 호흡장애가 심하여 발육부전이 생기면서 25% 정도는 사망하게 되나, 신생아기를 지나서 살아남은 영아는 운동기능이 오히려 개선되면서 걸을 수 있게 되었다가 근육손상이 점차 진행되고, 지적장애 등의 DM1 증상이 점차 나타나게 된다. 선천 DM1의 경우 근긴장증이 나타나지 않아 진단이 쉽지 않아 영아가 근긴장저하를 보일 경우 부모가 증상이 심하진 않은 근긴장증이 있을 수 있으니, 부모의 확인이 중요하다.

② 2형근긴장디스트로피(myotonic dystrophy 2, DM2)

DM2는 DM1과 같이 보통염색체우성유전방식의 유전질환이며, DM1과 다르게 몸쪽위약이 주 증상이며, 근육외증상은 대부분 비숫하다. 혈중 CK 수치가 정상이거나 경미하게 증가하는 양상을 보인다.

(3) 진단

혈중 CK 증가, 근전도상 근긴장방전을 포함한 근육병소견, 근생검상 1형근섬유위축과 2형근섬유비대, 중심핵증가, 고리섬유와 근육세포질덩어리 등이 관찰된다. 유전자검사가 확진검사로 DM1은 DMPK 유전자의 CTG 반복확장을 확인하여 37 미만이면 정상이며 50이 넘어가면 진단할수 있다. DM2는 ZNF9 유전자의 CCTG 반복확장을 확인한다.

(4) 치료

아직 근본적인 치료방법은 없다. 증상치료와 주기적인 관리가 기본이다. 근긴장증은 근육경직, 통증 등을 유발하고 심하면, 구음장애, 삼킴곤란도 유발할 수 있다. 근긴장증 증상조절을 위해서는 멕실레틴(mexiletine)이나 페니토인 등을 고려할 수 있다. 단, 멕실레틴은 전도장애가 발견된 DM1 환자에게는 금기이니, 심장이상에 대해서 주기적인 모니터링이 필요하다. 심장의 전도장애도 주 사망원인중 하나이므로 주기적인 검사를 하면서 심박동조율기가 필요하면 시술을 하도록 한다. 백내장 등을 확인하기 위해 매년 안과검진을 권장하며 백내장이 일상생활에 영향을 주면 수술을 고려한다. 과도한 주간졸림에 대해서 야행성 주간저환기가 의심되는 경우 비침습적 양압환기를 고려하는 것이 도움이 되며, 중추신경계 변화가 같이 있는 것으로 판단되면 모다피닐(modafinil)을 고려한다. 매년 혈당, 당화혈색소를 확인하고 당뇨가 확인되면 바로 조절을 하고, 그 외 성호르몬, 갑상선호르몬 등을 최소 3년마다 확인이 필요하며, 고지질혈증에 대한 모니터링도 최소 3년에 한 번은 확인할 것을 권장한다.

4 팔다리이음근디스트로피
(Limb girdle muscular dystrophy, LGMD)

LGMD는 위팔어깨와 하지이음부위의 위약이 진행하는 유전학적 이상으로 인한 근섬유의 장애를 가진 상태를 통칭하는 용어이다. 다양한 유전자의 이상이 이 분류에 포함되며, 보통염색체우성, 열성으로 나뉘어져 있으며, 예전 우성은 1형, 열성은 2형으로 나눈 분류가 있었으나, NGS가 쉽게 진행되고, 새로운 유전자와 표현형의 발견이 많아지면서 2017년 네덜란드에서 시행된 워크숍에서 새로운 정의에 합의가 되었고, 우성은 D형(dominant), R형(recessive)으로 나누고 뒤에 번호를 매겨서 새로운 분류가 쉽게 포함되도록 하였다. 새로운 정의는 다음과 같다.

'LGMD는 주로 골격근에 영향을 미치는 유전질환으로 근섬유손실이 진행되면 주로 몸쪽근위약이 나타난다. LGMD의 유형으로 분류되기 위해서는 최소 서로 간의 관련 없는 두 가족 이상에서 상태가 확인되고, 혈중 CK가 상승해야 하며, 질병경과에 따라 근육영상에서 퇴행성 변화를 보여야 한다. 그리고 근생검에서 디스트로피에 따른 변화를 보이며, 가장 영향을 받은 근육에서 근육병의 마지막 조직변화가 관찰된다.'

기존 LGMD로 분류되었지만, 현재 밝혀진 표현형이나 유전적 이상으로 고려하였을 때 앞의 정의에 맞지 않아 다른 분류가 적합한 병은 LGMD 하위분류에서 제외되었다. 최근 제안된 분류를 기준으로 유전자들을 나열하고, 이전 LGMD로 분류되었다가 제외된 병들의 제외된 사유를 표 6-3-5에 표시하였다.

표 6-3-5 팔다리이음근디스트로피의 새로운 명명법

새로운 분류	유전자	예전 분류	특성, 제외된 이유
LGMD D1 DNAJB6-related	DNAJB6	LGMD 1D	
LGMD D2 TNPO3-related	TNPO3	LGMD 1F	
LGMD D3 HNRNPDL-related	HNRNPDL	LGMD 1G	
LGMD D4 calpain3-related	CAPN	LGMD 1I	
LGMD D5 collagen 6-related	COL6A1, COL6A2, COL6A3	Bethlem myopathy dominant	
LGMD R1 calpain3-related	CAPN	LGMD 2A	
LGMD R2 dysferline-related	DYSF	LGMD 2B	
LGMD R3 α-sarcoglycan-related	SGCA	LGMD 2D	
LGMD R4 β-sarcoglycan-related	SGCB	LGMD 2E	
LGMD R5 γ-sarcoglycan-related	SGCD	LGMD 2F	
LGMD R6 δ-sarcoglycan-related	SGCG	LGMD 2C	
LGMD R7 telethonin-related	TCAP	LGMD 2G	
LGMD R8 TRIM 32-related	TRIM32	LGMD 2H	
LGMD R9 FKRP-related	FKRP	LGMD 2I	
LGMD R10 titin-related	TTN	LGMD 2J	
LGMD R11 POMT1-related	POMT1	LGMD 2K	
LGMD R12 anoctamin5-related	ANO5	LGMD 2L	
LGMD R13 Fukutin-related	FKTN	LGMD 2M	
LGMD R14 POMT2-related	POMT2	LGMD 2N	
LGMD R15 POMGnT1-related	POMGnT1	LGMD 2O	
LGMD R16 α-dystroglycan-related	DAG1	LGMD 2P	
LGMD R17 plectin-related	PLEC	LGMD 2Q	
LGMD R18 TRAPPC11-related	TRAPPC11	LGMD 2S	
LGMD R19 GMPPB-related	GMPPB	LGMD 2T	

(계속)

Chapter 06

새로운 분류	유전자	예전 분류	특성, 제외된 이유
LGMD R20 ISPD-related	ISPD	LGMD 2U	
LGMD R21 POGLUT1-related	POGLUT1	LGMD 2Z	
LGMD R22 collagen 6-related	COL6A1, COL6A2, COL6A3	Bethlem myopathy recessive	
LGMD R23 laminin α2-related	LAMA2	Laminin α 2-related muscular dystrophy	
LGMD R24 POMGNT2-related	POMGNT2	POMGNT2-related muscular dystrophy	
Myofibrillar myopathy	MYOT	LGMD 1A	먼쪽위약 우세
	DES	LGMD 1E	잘못된 연관. 먼쪽위약과 심장손상
	DES	LGMD 2R	먼쪽위약 우세
Emery-Dreifuss muscular dystrophy (EDMD)	LMNA	LGMD 1B	부정맥 위험성 높음: EDMD의 특성
Rippling muscle disease	CAV3	LGMD 1C	위약보다는 근육잔물결과 근육통이 주 증상임.
Not confirmed	?	LGMD 1H	잘못된 연관
Pompe disease	GAA	LGMD 2V	대사근육병, 다른 조직학적 소견
PINCH-2 related myopathy	PINCH2	LGMD 2W	한 가족에서만 보고
BVES related myopathy	BVES	LGMD 2X	한 가족에서만 보고
TOR1AIP1 related myopathy	TOR1AIP1	LGMD 2Y	한 가족에서만 보고

5 먼쪽근육병(Distal myopathy)

먼쪽근육병은 몸통에서 먼쪽에서부터 근육의 위축 및 위약이 일어나는 진행성 희귀 근육질환을 통칭하는 진단명이다. 먼쪽근육은 몸통에서 떨어져 있는 근육으로 대개 무릎아래와 발, 아래팔과 손의 근육을 말한다. 디스펄린근육병(미요시근육병), GNE 근육병, 랭근육병(Laing myopathy), 벨란더원위근육병(Welander distal myopathy), 우드근육병(Udd myopathy) 등이 있다. 관련 유전자는 표 6-3-6에 나열하였다.

표 6-3-6 먼쪽근육병의 종류와 유전양식

유전자	표현형(유전양식)	유전자위치	단백질
DYSF	Miyoshi muscular dystrophy 1 (AR)	2p12-14	Dysferlin
TTN	Udd myopathy (AD)	2q31	Titin
GNE	Nonaka Myopathy (GNE myopathy, AR)	9p13.3	UDP-GLcNAc 2-epimerase/ManNAc kinase
MYH7	Distal myopathy (Laing myopathy, AD)	14q12	Myosin, heavy polypeptide 7, cardiac muscle, beta
MATR3	Vocal cord and pharyngeal distal myopathy (VCPDM) reclassified as ALS21 (AD)	5q31	matrin 3
TIA1	Welander distal myopathy (AD)	2p13	Cytotoxic granule associated RNA binding protein
SQSTM1	Distal myopathy with rimmed vacuoles (AD)	5q35.3	Sequestosome 1
MYOT	Distal myopathy with myotilin defect (AD)	5q31	Myotilin
NEB	Distal myopathy with nebulin defect (AD, AR)	2q22	Nebulin

(계속)

유전자	표현형(유전양식)	유전자위치	단백질
CAV3	Distal myopathy with caveolin defect	3p25.3	Caveolin 3
LDB3	Late onset distal myopathy (Markesbery-Griggs disease, AD)	10q22	LIM domain binding 3
ANO5	Miyoshi muscular distrophy 3 (AR)	11p14-12	Anoctamin 5
DNM2	Distal myopathy related to DNM2 (AD)	19p13.2	Dynamin 2
KLHL9	Early onset distal myopathy with KLHL9 mutations (AD)	9p21.2-p22.3	Kelch-like homologue 9
FLNC	Distal myopathy 4 (AD)	7q32	Filamin C, gamma (actin-binding protein - 280)
VCP	Inclusion body myopathy with early-onset Paget disease with or without frontotemporal dementia 1 (AD)	9p13-p12	Valosin-containing protein
ADSSL1	Distal myopathy 5 (AR)	14q32-33	Adenylosuccinate synthase-like
DNAJB6	Distal myopathy with rimmed vacuoles (AD) Distal myopathy (AD)	7q36	HSP-40 homologue, subfamily B, number 6
HSPB8	Rimmed vacuole myopathy (AD) Distal myopathy and motor neuropathy (AD)	12q24.23	Heat shock 27 kDa protein 8
ACTN2	Distal myoapthy 6, Adult-onset (AR)	1q42-q43	Actinin alpha 2
SMPX	X-linked adult-onset distal myopathy 7 (XLR)	Xp22.12	Small Muscle Protein, X-linked
PLIN4	Distal myopathy (AD)	19p13.3	Perlipin 4

(AD: 보통염색체우성유전, AR: 보통염색체열성유전, XR: 성염색체연관열성유전)

위의 질환 중 우리나라에서 보고되었던 노나카근육병과 미요시근육
병에 대해서 간단히 서술해본다. 두 가지 근육병 모두 10-20대에 증상
이 시작하는데, 노나카근육병은 앞정강근에서 시작하여 근위약과 위축
이 진행되어 주로 발처짐이 특징이며, 증상이 진행되어도 허벅지앞근육
은 비교적 손상이 되지 않아 무릎펌 동작은 비교적 보존된다. 미요시근
육병은 장딴지근에서 가장 먼저 나타나 달리기가 힘들다. 두 근육병 모
두 보통염색체열성유전하며 노나카근육병은 GNE 유전자, 미요시근육
병은 DYSF 유전자의 병적 변이에 의해 발생한다. 근생검상 노나카근육
병은 가장자리공포(rimmed vacuoles)가 발견되어 DMRV (distal myopa-
thy with rimmed vacuoles)라고 불리기도 한다. 미요시근육병은 유전자
이상으로 생기는 디스펄린(dysferlin)단백의 소실이 면역조직화학염색에
서 확인된다. 노나카근육병은 혈중 CK가 정상인 경우도 있으나, 미요시
근육병의 경우 10배 이상 매우 많이 올라가는 양상이 보인다. 염증세포
가 보일 경우 염증근육병으로 오진되는 경우도 있으니 주의가 필요하다.

6 대사근육병(Metabolic myopathy) − 폼페병(Pompe disease)

(1) 질환 요약

대사근육병은 유전자이상으로 세포내에너지대사와 관련한 특정한 효
소 혹은 단백질의 기능저하로 인하여 생기는 병을 말한다. 대사근육병
은 주로 손상되는 효소가 관련하는 대사양식에 따라 당원축적병(glyco-
gen storage disease, GSD), 지질축적병(lipid storage disease, LSD), 사립
체근육병(mitochondrial myopathy), 근육아데닐산탈아미노효소결핍
(myoadenylate deaminase deficiency) 등으로 구분한다. 대사근육병의
주 증상은 운동불내성, 횡문근융해증, 콜라색소변, 근육경련 혹은 경직,
지속되는 근위약이다. 운동 초기부터 증상이 생기는 경우는 초기에 주
로 쓰이는 당원대사의 문제로 생기는 당원축적병, 운동을 지속할 경우
증상이 유발되는 경우는 지방산대사의 문제로 생기는 지질축적병일 가

능성이 높다. 그 외 특징적인 증상으로 McArdle병(McArdle's disease, myophosphorylase 결핍, PYGM 유전자변이)에서 나타나는 second wind phenomenon이다. 격렬한 운동 초기에 증상이 유발되다가 운동을 지속하면서 지방산대사로 바뀌면서 증상이 호전되는 양상을 말한다. 운동불내성 외에 다른 이상인 지속적은 근위약이 생기는 대사근육병으로는 제2형과 제3형이 있으며, 그중 2형은 산성말타아제결핍(acid maltase deficiency), 다른 이름으로 폼페병(Pompe disease)이다. 이 병의 경우 현재 치료약제가 있는 질환으로 그 병에 대해서 기술하도록 하겠다.

폼페병은 용해소체(lysosome) 내에서 당원을 분해하는 효소인 산성말타아제(acid maltase, alpha-1,4-glucosidase)의 결핍으로 여러 근육, 간 등의 장기손상으로 생기는 질환이다. GAA 유전자의 병적 변이에 의해 발생하며 잔존효소활성도의 정도에 따라 표현형이 정해지고, 유아형, 청소년기 발생형, 성인기 발생형으로 나눈다.

(2) 증상

폼페병은 보통염색체열성유전되는 질환으로 GAA 유전자의 병적 변이의 종류에 따라 효소활성도의 차이가 있으며, 그에 따라 임상유형이 다르다. 무의미상관(nonsense)돌연변이나 틀이동(frameshift)돌연변이의 경우 종결코돈의 위치가 달라지면서 효소의 활성도가 거의 없는 정도로 관찰되며, 과오돌연변이(missense mutation)나 잘라이음돌연변이의 경우 효소활성도가 일부 관찰되면서 증상의 차이가 보인다. 효소의 활성도가 없을 정도로 전혀 관찰되지 않는 경우가 보통 유아형의 임상형을 띠면서 생후 2-6개월에 발병하며 간비대, 심비대가 근육병과 같이 생기며, 특히 심장비대(cardiomegaly)가 심하고 비대심근병증(hypertrophic cardiomyopathy)가 뚜렷하며, 근력이 떨어지면서 삼킴과 빨기곤란이 모두 생기고 호흡장애가 발생하면서 2년 이내의 사망하는 경과를 보인다.

청소년기와 성인기에 발생하는 형태의 경우 효소활성도가 일부 있는 변이일 가능성이 높으며, 몸쪽근육과 체간근육의 근위약이 점차 심해지

면서 호흡장애가 같이 생긴다. 특히 성인기 발생 폼페병의 경우 호흡문
제가 초기부터 생기는 경우도 있어 타 질환과의 감별이 필요하다. 몸쪽
근위약이 주 증상으로 팔다리이음근디스트로피와의 감별이 주로 필요하
다. 혈중 CK가 심하게 증가되어 있고, 근전도검사상에서 근육병소견과
함께 근긴장방전이 관찰된다.

(3) 진단

유아형의 경우 아이가 태어난 이후 점차 몸에 힘이 빠지고, 먹지 않으
려는 양상이 동반되며 폐렴이 자주 걸려 시행한 가슴 x-ray상 심장비대
여부를 확인되면 혈중 CK 수치와 GAA 효소활성도검사를 바로 확인해
볼 필요가 있다. 청소년 혹은 성인에서 원인 모르는 몸쪽위약이 우세한
근육병이 의심될 경우 혈중 CK가 많이 올라가 있고, 몸쪽 혹은 체간근
위약이 뚜렷하며, 호흡문제가 초기부터 있으며, 혀의 위약이 같이 있으
면 성인발병형 폼페병을 의심할 수 있다. GAA 효소활성도를 확인하는
방법은 여러 가지가 있으나 가장 간편한 방법으로 Dried Blood Spot
(DBS)를 이용하여 혈구세포에서 검사를 할 수 있다. 효소활성도가 떨어
져 있으면 GAA유전자검사를 시행한다. 근생검은 유전자검사가 애매하
거나 병적 변이가 하나만 관찰되는 등 추가임상정보가 필요할 경우 고려
한다. 근생검에서 근섬유에 PAS염색양성공포가 많이 관찰될 수 있다.
아시아인에서는 위양성을 보일 수 있는 변이(G576S와 E689K)가 있으므
로 효소활성도가 높더라도 유전자검사가 꼭 필요하다.

유아형 폼페병은 심근병증, 근긴장저하, 근육병을 나타내는 다수의
희귀유전질환에 대한 고려가 필요하며, 성인형 폼페병은 팔다리이음근
디스트로피, 뒤셴느근디스트로피, 얼굴어깨위팔근디스트로피 등을 감
별해야 한다.

(4) 치료

재조합된 GAA를 유아형 폼페병 환자들에게 처방하여 심근병증과 심장기능의 향상과 사망률의 호전과 호흡기위험도를 줄이는 효과를 보였다. 성인형 폼페병 환자에게서는 6분 걷기 거리의 호전과 호흡기능안정의 효과를 보였다. 최근 세포 내로의 흡수가 더 잘 되는 약의 개발, 유전자치료 등으로 이후 더 좋은 효과가 기대되는 치료가 나올 것으로 기대된다.

병의 진행을 보이는 약물 외에 폼페병의 환자관리는 앞에서 기술한 다양한 병에서 추천되는 관리와 큰 차이는 없으나, 성인형에서 호흡이상이 초기부터 나타날 수 있으므로 그에 대한 주기적인 모니터링이 중요하다.

7 염증근육병(Inflammatory myopathy)

1 질환 요약

염증근육병은 피부근염(dermatomyositis, DM), 다발근염(polymyositis, PM), 중첩근염(overlap myositis, OM), 괴사자가면역근육병(necrotizing autoimmune myopathy, NAM), 포함체근염(inclusion body myositis, IBM)으로 구성되어 있는 질환그룹이다. 다발근염은 예전까지 염증근육병에서 중요한 위치였으나, 관련 항체의 다양한 발견과 전신의 다른 결합조직질환과의 연관성이 많이 밝혀지면서 중첩근염이 분류되고, 예전에 잘 진단되지 않던 NAM이 진단되면서 다른 병이 진단이 잘 되지 않는 경우 진단하는 위치로 바뀌었다.

DM, OM, NAM, PM은 모두 비슷하게 존재하는 것으로 알려져 있으며, 몸쪽위약 및 혈중 CK의 증가가 관찰되는 염증근육병이다. 그와 다르게, IBM은 손가락굽힘근과 넙다리네갈래근의 비대칭위약이 뚜렷하고

혈청 CK는 정상이거나 약간 올라가는 양상을 보인다. 항체가 확인되는 경우 정맥내 면역글로불린 투여나 리툭시맙과 같은 항체 관련 치료를 통하여 그동안 치료가 힘들었던 환자들의 호전을 볼 수 있었다.

2 증상

DM, NAM, OM, PM, IBM으로 임상적으로 나눌 수 있다(표 6-3-7). 예전 PM으로 분류되었던 염증근육병 환자들의 대다수는 NAM, OM으로 분류되었으며, 최근의 보고로는 PM은 5% 미만 혹은 없다고도 얘기하는 경우도 있다. IBM을 제외하고는 면역치료가 효과가 있으므로 IBM인 사람과 그렇지 않은 사람으로 구분하기도 한다. 증상의 특징은 표 6-3-7에서 기술하였고, 그 외 항체에 따른 특징은 표 6-3-8에서 기술하였다.

표 6-3-7 염증성 근염의 분류와 특징

	DM	NAM	OM (ASS 포함)	PM	IBM
발병과 병의 진행양상	급성/아급성 발병; 단발성, 양성 혹은 중증, 만성진행	급성/아급성 발병; 만성, 서서히 진행	급성, 아급성 발병; 보통 만성진행	급성/아급성 발병; 다양한 진행	서서히 진행하면서 발병; 항상 만성진행
주된 발병나이	40-50대	스타틴 관련: 55세 그 외: 40대	40-50대	40-50대	60대 (45-80세)
신체검사 및 신경학적 검사 소견	대칭몸쪽위약 피부변화: 연보라발진 (heliotrope rash), 고트론 구진(gottron papule).	대칭 몸쪽위약 근위축이 뚜렷함	대칭몸쪽위약 관절염 피부변화: 기계공손(mechanic's hands), 피부경화증 (scleroderma), 모세혈관확장증 (telangiectasia)	대칭몸쪽위약	손가락굽힘근, 무릎폄근위약 보통 비대칭 전반적인 위약으로 진행

(계속)

	DM	NAM	OM (ASS 포함)	PM	IBM
혈청 CK	정상 혹은 10-50배 이상 증가	10-50배 증가	10-50배 증가	10-50배 증가	정상-15배 증가
관련항체	Mi-2, MDA5 (ILD 동반), SAE, NXP2, TIF-1gamma	SRP, HMGCR	ASS: Jo1, PL7, PL12, HA, EJ, KS, Zo, OJ Other: Ku, Ro/ SS-A, La/SS- B, PM/Scl, U-snRNP	Unspecific	cN1A
관련 질환					
악성종양	9-42% TIF-1gamma, NXP2 항체: 고령, 삼킴곤 란, 빠른 악화, ESR 증가 다빈도암: 자궁 경부암, 폐암, 난소암, 방광암, 이자암, 위암	HMGCR 항체 양성: 종양동반 가능성 높음. SRP 항체: 관 련성없음.	관련성 없음	관련성 없음	악성종양, 특히 혈액종양과의 관련가능성.
간질성 폐질환	20%에서 관찰 MDA5 항체: 중증도의 ILD 45세 이상, 열, 관절염, ESR/ CRP 증가 시 위험성 높음.	4%에서 관찰	20-80%에서 관 찰. ASS의 주 증상		관련성 없음
조직학적 소견	다발주변위축 혈관주변, 근속 유주변 염증소 견 다발주변섬유 에 MHC1 발현	괴사섬유와 재 생섬유 확인 염증세포 보이 지 않음.	근다발주변괴사, MHC1, 2 발현 염증세포, 혈관이나 근다발 주변의 염증소견 CD8 T 세포침윤	CD8 T 세포침 윤	CD8 T 세포침 윤, 테두리공포 (rimmed vacuole), 불균일적색근 섬유(ragged red fiber)

DM: Dermatomyositis, 피부근염. NAM: Necrotizing Autoimmune Myopathy, 괴사자가면역근육병. OM: Overlap Myositis, 중첩근염. ASS: Anti-synthetase Syndrome, 항합성효소증후군. PM: Polymyositis, 다발근염. IBM: Inclusion Body Myositis, 포함체근염. CK: Creatine Kinase. ILD: Interstitial Lung Disease, 간질성 폐질환.

표 6-3-8 염증성 근염의 항체와 항체에 따른 임상양상의 특징

질환구분	항체	특징적인 임상양상
ASS, OM	항tRNA, Jo-1, PL7, PL-12, etc.	• ILD 많이 발견 • Jo-1보다 PL-7/PL-12에서 ILD가 더 많이 발견되고 사망률이 높음.
OM	항-SS-A/Ro52/Ro60, SS-B/La	• 쇼그렌증후군, 전신홍반성루푸스, 전신경화증과의 관련이 높음. • Ro52가 Ro60보다 더 많이 발견됨. • Ro52와 Jo-1이 같이 발견되면 악성종양 동반 가능성 높고, 예후 좋지 않음.
OM	U-snRNP	• 결체조직질환 관련성 높음.
OM	PM/Scl	• 전신경화증 관련성 높음.
OM	Ku	• 전신경화증 관련성 높음. ILD 높은 연관성. 스테로이드 반응좋지 않음.
DM	Mi-2	• 전형적 DM
DM	MDA5	• 근육병이 없는 DM, ILD가 자주 나타남.
DM	TIF-1γ	• 악성종양동반가능성 매우 높음(70% 이상).
DM	NXP-2	• 악성종양동반 자주 보고됨(30%).
DM	SAE	• ILD 자주 나타남.
NAM	SRP	• ILD, 삼킴곤란, 중증도의 근위약
NAM	HMGCR	• 악성종양동반 자주 보고
IBM	cN1A	• IBM에서 항체 확인될 경우 좀 더 심한 경과를 보이고, 삼킴곤란과 사망률이 높음.

DM: Dermatomyositis, 피부근염. NAM: Necrotizing Autoimmune Myopathy, 괴사자가면역근육병. OM: Overlap Myositis, 중첩근염. ASS: Anti-synthetase Syndrome, 항합성효소증후군. PM: Polymyositis, 다발근염. IBM: Inclusion Body Myositis, 포함체근염. CK: Creatine Kinase. ILD: Interstitial Lung Disease, 간질성 폐질환.

3 진단

신경학적검사, 근생검, 항체검사를 하여 진단할 수 있다. 예전 진단기준들이 존재하나, 최근에는 항체가 병의 진단에 주는 영향이 커졌다. 따라서 염증근육병이 의심되는 몸쪽위약 환자가 내원할 경우 만성발병, 천

천히 진행하는 양성이며, 손가락굽힘근, 넙다리네갈래근의 위약이 크며, CK가 정상-15배 이상 미만이라면 IBM 가능성이 높다. 그럴 경우 우선 근전도로 근육병을 확인한 이후 CN1A 항체를 확인하는 것을 고려하거나 근생검을 하여 진단을 확인한다.

아급성 발병, 비교적 빠른 진행과 10-50배 이상의 매우 높은 혈청 CK 수치를 보인다면, non-IBM계통의 염증근육병의 감별이 중요하다. 근전도를 하여 근육병임을 확인하고, 항체검사를 의뢰하고, MRI 등의 근육영상검사를 시행하여 근생검대상근육을 선정하여 근생검을 시행한다. 근생검소견과 항체소견을 종합하여 진단한다.

4 치료

IBM은 아직 검증된 치료법이 없다. 그 외의 염증근육병의 경우 치료가 거의 동일하다.

1차 치료로는 글루코코르티코이드 정맥주사(0.5-1 g/day, 3-5일) 이후 경구약으로 1 mg/kg로 바꾼 이후 1-2주 간격으로 10 mg씩 감량하고, 하루 20 mg 용량부터는 1-2주 간격으로 2.5-5 mg 감량하다가 5 mg으로 유지하는 것을 추천한다. 이와 같이 메토트렉세이트를 1주에 10-20 mg 1회 투여 혹은 아자티오프린 50 mg 하루 2-3회 혹은 마이코페놀레이트 모페틸 0.5-1 g을 하루 2회 투여를 같이 하는 것을 추천한다.

1차 치료로 효과가 없을 경우 정맥내 면역글로불린을 3-6주마다 반복하거나 사이클로스포린도 고려할 수 있다. 면역글로불린에도 반응이 없을 경우 환자증례에 따라 효과가 있을 경우로 생각된다면, 리툭시맙 혹은 사이클로포스파마이드를 고려해 볼 수 있다.

REFERENCE

- 대한신경과학회. 신경학. 제3판. 범문에듀케이션; 2017.

- Ashizawa T, Gagnon C, Groh WJ, et al. Consensus-based care recommendations for adults with myotonic dystrophy type 1. Neurol Clin Pract 2018;8:507-20.

- Ashton C, Paramalingam S, Stevenson B, et al. Idiopathic inflammatory myopathies: a review. Intern Med J 2021;51:845-52.

- Birnkrant DJ, Bushby K, Bann CM, et al. Diagnosis and management of Duchenne muscular dystrophy, part 1: diagnosis, and neuromuscular, rehabilitation, endocrine, and gastrointestinal and nutritional management. Lancet Neurol 2018;17:251-67.

- Birnkrant DJ, Bushby K, Bann CM, et al. Diagnosis and management of Duchenne muscular dystrophy, part 2: respiratory, cardiac, bone health, and orthopaedic management. Lancet Neurol 2018;17:347-61.

- GeneTable of Neuromuscular disorders. GeneTable. Available from: https://www.musclegenetable.fr/4DACTION/Blob_groupe4

- Hashizume A, Fischbeck KH, Pennuto M, et al. Disease mechanism, biomarker and therapeutics for spinal and bulbar muscular atrophy (SBMA). J Neurol Neurosurg Psychiatry 2020;91:1085-91.

- Jankovic J, Mazziotta JC, Pomeroy SL, et al. Bradley and Daroff's neurology in clinical practice. 8th ed. Elsevier; 2021.

- Kohler L, Puertollano R, Raben N. Pompe disease: from basic science to therapy. Neurotherapeutics 2018;15:928-42.

- Meola G. Myotonic dystrophy type 2: the 2020 update. Acta Myol 2020;39:222-34.

- Mercuri E, Finkel RS, Muntoni F, et al. Diagnosis and management of spinal muscular atrophy: part 1: recommendations for diagnosis, rehabilitation, orthopedic and nutritional care. Neuromuscul Disord 2018;28:103-15.

- Pinto W, Debona R, Nunes PP, et al. Atypical motor neuron disease variants: still a diagnostic challenge in neurology. Rev Neurol (Paris) 2019;175:221-32.

- Pradat PF, Bernard E, Corcia P, et al. The French national protocol for Kennedy's disease (SBMA): consensus diagnostic and management recommendations. Orphanet J Rare Dis 2020;15:90.

- Schmidt J. Current classification and management of inflammatory myopathies. J Neuromuscul Dis 2018;5:109-29.

- Shoesmith C, Abrahao A, Benstead T, et al. Canadian best practice recommendations for the management of amyotrophic lateral sclerosis. CMAJ 2020;192:E1453-68.

- Straub V, Murphy A, Udd B. 229th ENMC international workshop: Limb girdle muscular dystrophies - Nomenclature and reformed classification Naarden, the Netherlands, 17-19 March 2017. Neuromuscul Disord 2018;28:702-10.

- Tawil R, Kissel JT, Heatwole C, et al. Evidence-based guideline summary: Evaluation, diagnosis, and management of facioscapulohumeral muscular dystrophy: Report of the Guideline Development, Dissemination, and Implementation Subcommittee of the American Academy of Neurology and the Practice Issues Review Panel of the American Association of Neuromuscular & Electrodiagnostic Medicine. Neurology 2015;85:357-64.

- Vucic S, Ferguson TA, Cummings C, et al. Gold Coast diagnostic criteria: Implications for ALS diagnosis and clinical trial enrollment. Muscle Nerve 2021;64:532-7.

CHAPTER

07 중추신경계 감염
(CNS infection)

임은예

1 중추신경계 감염

중추신경계 감염은 바이러스, 세균, 곰팡이, 기생충과 같은 모든 범주의 미생물에 의해 발생하며, 신경축의 모든 수준에 영향을 줄 수 있다. 중추신경계 감염은 높은 이환율과 사망률을 가지므로 환자의 생존을 위해 신속한 인식과 치료가 중요하다.

- 수막염(meningitis): 수막(meninges)과 지주막하 공간(subarachnoid space)의 염증
- 뇌염(encephalitis): 뇌 실질의 염증
- 뇌농양(brain abscess): 뇌 실질의 국소 감염

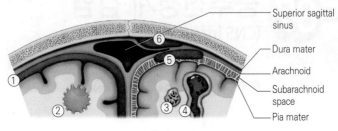

Brain:

1 = Meningitis
2 = Encephalitis

Brain abscess { 3 = Cerebritis (= early stage)
4 = Abscess (= late stage)

5 = Subdural empyema
6 = Epidural abscess

그림 7-1 Sites and nomenclature of intracranial infections

1 Clinical manifestation

(1) 두통

(2) 열(고령 및 면역 저하에서는 동반되지 않을 수 있음)

(3) 두개강내 압력 상승에 따른 구역 및 구토

(4) Meningismus: 목을 앞으로 굽힐 때 저항이 느껴짐

(5) 양성 수막징후

Kerning sign
고관절을 90도 굴곡시킨 후,
무릎을 신전시킬 시 목 통증이 유발된다.

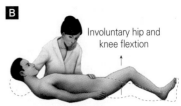

Involuntary hip and
knee flexion

Brudzinski sign
목 굴곡 시 엉덩이와 무릎이 굴곡된다.

(6) Phtophobia/Phonophobia – 빛 또는 소리에 의해 통증 유발

(7) 뇌실질 내 감염의 경우, 의식 장애, 성격 변화, 간질 발작, 국소 신경학적 결손 등이 동반될 수 있음

2 History taking

(1) 환자의 여행력, 직업, 주거지나 근무지에 대한 정보[예: 군인, 기숙사 생활: 수막알균감염(meningococacal infection)]

(2) 발병한 계절(예: 쯔쯔가무시병, 인플루엔자)

(3) 근래에 발생한 호흡기나 위장관계 증상, 감염성 질환의 과거력

(4) HVI 감염, 장기 이식 후 면역치료, 당뇨병이나 알코올중독과 같은 면역력 저하를 유발할 수 있는 질환 유무 확인

(5) 수술력, 뇌실복강션트 보유 여부, 이전 외상력 확인

3 Physical Examination

(1) Meningismus(목의 수동적 움직임에 대한 비정상적인 반응)

(2) 신경학적 검사

(3) 시진: 피부(수막구균 패혈증의 경우 점상출혈), 구강 및 인후(인두염, 편도선염, 치아 및 잇몸)

(4) 촉진: 림프절, 삼차신경 출구(중추신경계 감염의 원인인 부비동염 확인)

(5) 심장과 폐의 청진

4 Diagnostic Labs

(1) 뇌척수액 검사(Cerebrospinal fluid: CSF study)

중추신경계 감염증의 진단 및 원인 감별을 위해서는 뇌척수액검사가

표 7-1 **중추신경계 감염의 종류에 따른 뇌척수액 소견**

	백혈구 (개/mm³)	단백질 (mg/dL)	포도당 (mg/dL)	기타
정상 성인	< 5-10 림프구	15-45	50-100	외상천자(traumatic tap)에서는 700개의 RBC 당 WBC 1개를 뺌
세균	100-500 중성구	100-1,000	감소 < 40	혈당이 높은 환자에서는 뇌척수액의 포도당 농도가 혈액의 < 50%면 비정상으로 간주함
바이러스	10-300 림프구	50-10	정상 혹은 감소	
결핵	100-200 림프구	100-200	감소 < 50	

필수적이다. 정상의 상태는 무색 투명하며, 감염 시 뇌척수액 내 세포 또는 단백질 증가로 인해 혼탁해진다. 정상 뇌척수액 개방 압력(opening pressure)은 100-180 mmH$_2$O이며, 200 mmH$_2$O 이상일 경우 뇌압 상승으로 판단한다. 염증세포수 및 세포 종류, 단백질 수치와 포도당 수치를 확인할 수 있다(표 7-1). 원인이 되는 감염체를 확인하기 위해서는 염색검사, 배양검사, 항원검사, 중합효소연쇄반응(PCR)을 이용한 DNA 또는 RNA 증폭, 항체 검사 등을 진행할 수 있다.

(2) 영상 진단

급성기 환자의 경우 생명에 지장을 초래할 수 있는 병변 유무를 빠르게 확인하기 위해 non-enhanced CT를 실시하여, 수두증, 뇌부종, 종괴병변, 뇌출혈 등을 확인한다. 요추 천자 시 뇌 탈출(herniation) 가능성을 파악해야한다. 환자 상태가 안정적이고 시간적 여유가 있다면 enhanced MRI 촬영을 권장하기도 한다.

요추 천자 전에 CT 또는 영상촬영이 필요한 환자

- 면역저하 환자: HIV 감염, 면역억제제 사용, 이식 수혜자
- 최근 경련 발생 (1주일 이내)
- 유두부종
- 비정상적인 의식 수준
- 국소 신경학적 결손: 마비 및 하반신 마비, 운동 능력 감소, 응시 마비, 확장된 비반응성 동공, 안구(또는 외안) 운동의 이상, 비정상적인 시야
- 신경계 장애의 병력: 종양, 뇌졸중, 뇌농양
- 경험적 치료 시작 후 72시간 이상 지속되는 발열
- 요추 천자 부위의 국소 감염 징후: 연조직 감염, 농양

---

2 수막염(Meningitis)

1 급성 세균성 수막염(Acute bacterial meningitis)

(1) 진단

- 세균성 뇌수막염의 전형적인 CSF 소견: 탁한 CSF, neutrophil dominant pleocytosis, high protein, low glucose concentration (CSF/Serum glucose ratio < 0.5), high lactate concentration (> 3.5mval/L)
- 혈청 C-reactive protein (CRP), Procalcitonin (PCT)의 상승
- 뇌척수액 및 혈액 배양은 세균의 확인과 항균제 감수성 검사를 위해 반드시 시행함
- 뇌척수액 그람 염색은 가장 신속하게 균을 확인할 수 있으며 일부에서는 균종 추정까지 가능하므로 반드시 검사를 시행해야 함
- 뇌척수액 직접 항원 검사 및 polymerase chain reaction (PCR)은 고려할 수 있고, 특히 항균제를 투여 받은 환자에서는 원인균 감별에 유용할 수 있음

(2) 치료(표 7-2)

세균성 수막염은 응급질환으로, 임상적으로 의심되면 바로 약을 투여해야 한다. 아직 균이 정확히 동정되기 전이므로, 환자의 나이, 면역 상태, 수술력, 외상력 등의 상황을 종합적으로 고려해 경험적 항생제를 선택해야 한다.

① 18-50세의 건강한 성인에서는 뇌척수액, 혈액 배양의 결과가 확인될 때까지 vancomycin (15-20 mg/kg을 매 12시간 간격으로 정맥투여) + 3세대 cephalosporin (ceftriaxone 2 g을 매 12-24 시간 간격으로, 또는 cefotaxime 2 g을 매 4-6시간 간격으로 정맥투여)을 병용 투여할 것을 권장한다.

② Penicillin이나 3세대 cephalosporin에 내성인 S. pneumoniae에 의

표 7-2 연령 및 조건에 따른 감염 가능 원인균

신생아(<30 days)	E. coli, Group B streptococci, Listeria monocytogenes	Cefotaxime + ampicillin
소아(1-23 months)	H. influenzae, S. pneumococci, N. meningitides	3세대 cephalosporin + ampicillin
성인(2-50세)	S. pneumoniae, N. meningitides	3세대 cephalosporin + vancomycin (+- ampicillin)
성인(50세 이상)	S. pneumoniae, N. meningitides, Anerobic gram	3세대 cephalosporin + vancomycin + ampicillin
Alcoholism, debilitating diseases, and cellular immune dysfunction	S. pneumoniae, Streptococcus, H. influenza	Vancomycin + ampicillin + ceftazidime
Post-neurosurgery, post-head trauma, or ventriculoperitoneal shunt	S. aureus, Pseudomonas aeruginosa	Vancomycin + ceftazidime (or cefepime or meropenem)

한 수막염이 의심될 경우에는 vancomycin과 3세대 cephalosporin 병용요법에 Rifampin 600 mg(성인) or 10 mg/kg(소아) q 12hr 추가를 고려할 수 있다.

③ 50세 이상, 알코올 중독, 만성 쇠약성 질환, AIDS, 면역억제제 투여, 장기 이식 등의 세포성 면역이 저하된 환자에서는 L. monocytogenes를 표적으로 ampicillin (2 g IV q 4 h)을 추가할 것을 권장한다.

④ 최근 두경부 외상(두개저 골절, 관통상)이 있었거나, 신경외과 수술 후, 뇌실복강 션트를 가진 환자라면, 경험적 항균제로 vancomycin과 항녹농균 효과를 가진 cephalosporin (ceftazidime 2 g 또는 cefepime 2 g IV q 8 hr마다 정맥투여)의 병용 투여를 권장한다.

⑤ Dexamethasone 정맥주사는 폐렴사슬알구균 수막염(streptococcal meningitis)에서 성인의 사망률을 감소시키므로, 폐렴사슬알균 수막염이 의심되거나 진단된 성인 환자에서 항균제의 첫 투여 직전 혹은 투여 시에 dexamethasone 10 mg을 정맥주사하고 4일간 6시간 간격으로 투여하는 것을 고려한다.

⑥ S. pneumoniae나 H. influenzae가 아닌 다른 세균에 의한 급성 세균성 수막염의 경우, dexamethasone 고용량 치료를 사용하는 것은 현재로선 고려하지 않는다.

⑦ 각 항생제의 권장 사용기간은 다음과 같다(표 7-3).

표 7-3	Duration of Antimicrobial Therapy based on the Isolated Pathogen
	Duration of therapy, days
Streptococcus pneumoniae	7-10
Neisseria meningitidis	7
Haemophilus influenzae	7
Listeria monocytogenes	21
Aerobic gram-negative bacilli	21-8

2 급성 바이러스성 수막염
(Acute viral meningitis: aseptic or lymphocytic meningitis)

(1) 진단
- 바이러스성 뇌수막염의 전형적인 CSF 소견: Lympho-dominant pleocytosis, normal glucose and protein concentration

(2) 치료
- 흔한 원인 병원체: 엔테로바이러스(소아마비 및 콕사키 바이러스), 아르보바이러스
- 일반적으로 수일에 걸쳐 서서히 악화되다가 대부분 자연적으로 호전되는 경과를 보이므로 대증적 치료(고열 및 통증 조절)
- 원인 바이러스에 대한 효과적인 치료법이 존재하는 바이러스인 경우, 항바이러스 치료를 할 수 있음. 단순 포진 바이러스 또는 수두 대상포진 바이러스에 대한 acyclovir 10 mg/kg IV q 8hrs, 14-21일

3 결핵성 수막염(Tuberculous meningitis)

일반적으로 증상 발현 기간이 5-7일 정도로 세균성 수막염에 비해서 긴 경우가 많다. 증상이 비특이적인 경우가 많고, 뇌자기공명영상과 같은 영상의학적 소견도 비특이적인 경우가 많으며, 진단에 가장 중요한 뇌척수액에서 결핵균의 양이 적기 때문에 여러 가지 미생물 검사의 민감도가 높지 않다. 하지만, 진단이 늦어질 경우 치명적인 예후를 가지는 질환이다. 따라서, 임상적으로 의심하고 빠른 진단적 검사와 적절한 결핵치료가 예후에 중요하다.

(1) 진단
- 결핵성 뇌수막염의 전형적인 CSF 소견: Pleocytosis (neutrophil

dominant → lymphocyte dominant), high protein (150−500 mg/ dL), low CSF/Serum glucose ratio (< 0.5), high lactate concentration

- 빠른 진단을 위해, 의심되는 환자에서 CSF M. tuberculosis PCR(민감도 56%, 특이도 98%) 권고한다. 그러나 낮은 민감도로 인하여 결핵성 수막염을 임상적으로 배제하는 것에 활용하는 것은 권고하지 않는다.
- CSF Adenosine deaminase (ADA)는 5−10 IU/L를 결정점으로 했을 때 민감도가 44−100%, 특이도가 75−100%로, 다른 세균성/바이러스성 수막염에서도 약간 상승하는 경우가 있어 위양성에 주의가 필요하다.
- 결핵성 수막염 환자의 뇌척수액에서는 결핵균의 양이 적기 때문에 일반적으로 다른 장기의 결핵에 비해서 항산균 도말 및 배양 양성률이 낮다. 따라서, 결핵성 수막염이 의심되는 경우 최소 6 mL 이상의 뇌척수액을 채취하여 항산균 도말 및 배양 검사를 시행하는 것이 권고된다.
- 확진은 배양검사로 할 수 있으나, 양성률이 높지 않고 결과를 얻기까지 수주 이상이 걸린다. 따라서, 결핵성 수막염이 의심될 때는 결과를 기다리지 말고 치료에 들어가야 한다.

(2) 치료

① 기본적인 치료 처방은 결핵약제에 감수성이라면 폐결핵과 동일하다.

② 첫 2개월 동안은 4제 요법 isoniazid 300 mg/d (with pyridoxine 50 mg/d), rifampin 600 mg/d, pyrazinamide 15−30 mg/kg/d, ethambutol (15−20 mg/kg/d)을 준다.

③ 이후, 약제 감수성결핵으로 확인된 환자에서는 isoniazid 및 rifampin 두 가지 약제를 7−10개월 동안 유지 하는 것을 추천한다.

④ 모든 단계의 결핵성 수막염 환자에서 스테로이드 사용을 권장한
다. 특히 의식변화, 정신착란, 국소적 신경장애, 하반신 마비증세
등이 있거나 CT에서 뇌부종의 증거가 있을 경우에는 적극적인 스
테로이드 사용이 추천된다.

⑤ 용량은 성인에게는 dexamethasone 12 mg/day or 0.4 mg/kg/day
용량으로 첫 3주 동안 투여하고, 그 후 3주 동안에 증상의 호전을
보아가면서 서서히 감량해 나가다가 중지한다.

4 진균수막염(Fungal meningitis)

곰팡이 감염은 건강한 사람에게도 발병하지만, 대부분 만성질환이 있
거나 건강한 사람에게도 발병하지만, 대부분 만성질환이 있거나 면역손
상 환자에서 발생하는 기회감염이다

(1) 진단

- 전형적인 CSF 소견: Lympho-dominant pleocytosis, high protein
  concentration, low CSF/Serum glucose ratio
- CSF india ink preparation, latex agglutination test

(2) 치료

- 흔한 원인균: cryptococcus neoformans, candida albicans, asper-
  gilus, etc.
- 암포테리신(amphotericin B) 0.5-1.5 mg/kg/d
  - 혈전정맥염, 구역, 구토, 저칼륨혈증, 신독성 주의
  - 플루시토신(flucytosine) 병용 투여 시, 재발율을 줄이고 암포테
    리신 용량을 줄여 신독성을 예방할 수 있다는 장점이 있으나,
    AIDS 환자에서는 플루시토신의 효과가 떨어지므로, fluco-
    nazole 또는 itraconazole을 사용함

3 뇌염

뇌염의 1차 감별진단은 감염성 질환과 면역매개 질환(예: 급성 파종성 뇌척수염, 항체매개 자가면역 뇌염)이다. 감염성 뇌염에는 감염원을 치료할 수 있는 항생제나 항바이러스제를 조기에 투여하는 것이 중요하며, 자가면역 뇌염이 의심되는 경우에는 면역치료 시행 여부를 빨리 결정하는 것이 환자의 예후에 도움이 된다. 본 장에서는 감염성 뇌염에 대해서 살펴보고자 한다.

표 7-4 **뇌염 의심환자 진료 시 중요한 3가지(3E)**

- **환자가 응급상황인지 판단(emergency issue)**
  - 기도 확보 여부, 호흡, 순환 확인
  - 외부종으로 인한 mass effect가 확인되는 경우, 과호흡 및 mannitol, hypertonic sline을 이용한 삼투압요법 고려
  - 발열은 뇌압 상승을 악화시키고 신경 손상을 가속할 수 있으므로 치료 해야함
- **뇌전증 발작(epileptic seizure)을 감지하고 치료**
  - 뇌염환자의 약 15%에서 뇌전증지속상태가 나타남
  - 응급 뇌파 시행으로 빠른 진단을 하는 것이 중요하며, 뇌전증 지속상태 환자에서는 24시간 뇌파검사가 권장됨
- **병인(etiology)을 찾아냄**
  - 바이러스 뇌염이나 세균 뇌염을 강력하게 시사하는 병력이나 징후가 보인다면 가능한 조기에 경험적 항바이러스제와 항생제를 시작해야함
  - 원인 감별을 위한 뇌척수액 검사, 항체 및 중합효소연쇄반응(PCR)검사 및 영상 검사, 배양검사 시행

1 바이러스성 뇌염(Viral encephalitis)

(1) 단순 포진 뇌염(herpes simplex encephalitis)

단순 헤르페스 뇌염은 대개 급성(드물게 아급성) 경과를 보이며, 뇌염 및 수막염의 대표적인 증상인 두통과 발열 이외에도, 침범하는 뇌 부위에 따라 다양한 임상 증상이 나타날 수 있다. 흔히 측두엽 및 전두엽을 침범하므로, 단순 헤르페스 뇌염환자가 병원을 찾게 되는 주된 증상으로

는 경련, 이상행동, 의식소실, 혼돈 및 지남력 상실 등이 흔하다.

① 진단
• 뇌척수액 검사 소견
  – 백혈구 상승, 림프구 우세, 정상 포도당, 단백질 상승
  – HSV1, 2 확진 방법으로 PCR 검사 시행
  – 질병의 초기나 면역력 저하 환자에서는 뇌척수액 세포증가증이 없거나 위음성 PCR 결과를 보일 수 있으므로, 임상적으로 가능성이 높다고 생각된다면, 치료를 지속하면서 HSV PCR 검사는 3일에서 7일 안에 반복할 것을 권함

• 자기공명영상(brain MRI)
  – Brain MRI는 단순헤르페스 뇌염 진단에 큰 도움이 됨(그림 7-2)
  – 내측두엽에 출혈, 괴사, 부종을 일으키고, 뇌섬(insula) 띠다발(cingulate) 등을 포함한 변연계(limbic system) 및 아래옆전두엽(inferolateral frontal lobe) 주변에 영향을 미쳐, 상기 부위에 T2 강조 및 FLAIR 영에서 고신호 강도를 보임
  – 질환 초기에는 대개 편측 병변을 보이나 진행하는 경우 반대측까지 침범 하기도 함

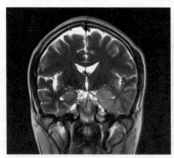
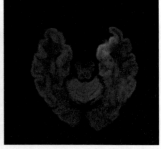

그림 7-2 Herpes simplex encephalitis affecting left temporal lobes.

- 뇌파(EEG)
  - 약 80% 이상의 환자에서 뇌파의 이상 소견이 보임
  - 편측 측두엽 부위에 간헐적 큰 예파와 동반된 서파복합체가 2-3초 간격으로 나타나거나 편측주기방전(lateralized periodic discharge)이 보임
  - 난치성 뇌전증 지속상태가 나타날 수 있으며 불량한 예후를 보임

② 치료
- Acyclovir를 가급적 빨리 정맥 내 투여하는 것이 중요함
- 성인에서 추천되는 용량은 14일에서 21일 동안 10 mg/kg을 매 8시간마다 정맥 투여
- 면역 저하 환자나 12세 미만의 아동일 경우 적어도 21일간 유지할 것을 권고함
- Acyclovir는 신독성을 피하기 위해서 수분 보충을 충분히 하여야 하고, 크레아티닌 청소율이 50 mL/min 미만의 경우는 용량 조절이 필요함
- 단순 헤르페스 뇌염에서 스테로이드제 사용에 대해서는 현재 표준적인 권고 사항은 없음

2 스피로헤타 뇌염(Spirochete encephalitis)

(1) 매독(syphilis)

매독균(treponema pallidum) 감염에 의해 발생하며, 주로 성적인 접촉을 통해 감염된다. 매독이 중추신경계에 침범하는 것은 대개 일차 감염 2년 이내에 나타나나 수년에서 수개월 후에도 나타날 수 있다.

Chapter 07

① 증상
가. 초기 매독
- 무증상 감염
  - 감염 후 수주 혹은 수개월 안에 발생
  - 뇌척수액 검사 결과 약간의 백혈구 및 단백질 증가 소견
- 증상성 수막 뇌염
  - 감염 1년 이내에 주로 발생, 수년 후 발생할 수도 있음
  - 두통, 오심, 구토와 함께 혼돈 상태 동반
  - 시신경염, 포도막염, 유리체염, 망막염 등이 동반되고, 안면신경과 청신경 등의 뇌신경 마비 증상이 동반될 수 있음
- 수막혈관 신경매독
  - 지주막하 혈관의 염증을 일으키고, 뇌와 척수의 혈전증 및 경색 유발하여 뇌졸중으로 발현됨

나. 만기 매독
발생 가능 시기는 매우 다양해서 1차 감염 후 1년부터 30년 후에 발생할 수 있음
- 진행 마비(dementia paralytica)
  - 대개 감염 10-25년 후 발생
  - 망각이나 성격변화, 기억력 및 판단장애
  - 구음장애, 안면과 사지 근육의 근긴장 저하, 안면근육, 혀와 손의 떨림증
- 척수 매독(tabes dorsalis)
  - 뒤기둥(posterior column) 및 후신경근(dorsal root ganglion)을 침범하는 질환
  - 초기 감염 이후 평균 20년의 잠복기를 가짐
  - 전형적인 증상은 감각실조(sensory ataxia)와 칼로 베는 통증임
  - Agryll-Robertson pupil(작고, 불규칙적이면서 accommodation

에 반응하지만 빛에는 반응하지 않는 현상, 3번 뇌신경의 부분
손상에 의해 발생)

② 진단
- 비트레포네마(non-treponemal): VDRL (venereal disease research
  laboratory), RP (rapid plasma regain test)
- 트레포네마(treponemal): FTA-ABS
- 만기 매독환자는 비트레포네마 검사법에서 음성이 나올 수 있으므
  로, 임상적으로 의심되는 경우 트레포네마 검사법을 통해 확인해
  야 한다.

> ※ **뇌척수액 검사가 필요한 경우**
> – 신경학적 혹은 안과적 증상이 있는 경우
> – 다른 신체 부위에 활동성 3차 매독 감염이 있는 경우
> – 매독의 단계에 관계없이 치료에 실패하는 경우

- 뇌척수액검사의 경우 VDRL을 PRP보다 우선하며, FTA-ABS가
  더 민감하지만 특이도는 떨어진다.
③ 치료
- Aqueous crystalline penicillin G 3 to 4 million U IV q 4hrs for
  10-14 days
- 대체치료: procaine penicillin G IM + probenecid PO

3 프라이온병(Encephalitis in Prion Diseases)

프라이온병은 비정상 프리온 축척에 의해 뇌가 광범위하게 파괴되며
병리학적으로 스폰지처럼 구멍이 뚫리는 신경질환을 일컫는다. 인간에
서 발생하는 프리온병은 다양한 형태가 있으며, 그 중 가장 대표적인 질
환이 CJD (Creutzfeldt-jakob disease)이다. CJD의 기본 병태생리는 정

상 프리온단백이 비정상 프리온단백으로 변성 후 전파 및 축적되어 신경 퇴행을 유발하는 것이다.

- 산발성 CJD (sporadic CJD): 단백의 변성이 자발적으로 발생함
- 의인성 CJD (iatrogenic CJD): 비정상 프리온단백이 감염된 조직을 통해 전달되어 병이 유발되는 경우로, 각막 이식이나 뇌에서 추출된 호르몬의 주입 등에 의해 발생함
- 변종 CJD (variant CJD): 변형 프리온의 경구 섭취를 통해 발생하며, 병리학적으로 해면양뇌병증을 보이지만, 임상적, 역학적 특징이 산발 CJD와 다름

(1) 산발 크로이츠펠트-야콥병(Sporadic Creutzfeldt-Jakob disease, sCJD)
① 임상 양상
- 서서히 시작되어 수주 내지 수개월에 걸쳐 점차 진행
- 인지기능장애가 가장 흔함(기억력 저하, 실어증, 전두엽/실행기능 장애, 순동)
- 행동 이상(초조/과민, 우울증, 분노/공격성)
- 소뇌 실조, 추체외로증상, 근간대경련(myocloncus)

② 진단(표 7-5)
가. 뇌파
- 주기예파복합체(periodic sharp-wave complexes)(그림 7-3)
- 환자의 약 2/3에서 관찰됨, 빠르면 증상 발생 약 3주째부터 나타날 수 있으나 증상 발생 후 평균 2-3개월에 나타남

표 7-5	진단기준(2018년 Centers for Disease Control and Prevention)	
구분	진단기준	
확실(definite)	조직 생검 혹은 부검에서 PrPsc에 대한 병리, 면역화학염색, 웨스턴 블롯을 통한 검출 혹은 screapie-associated fibril의 확인	
유력(probable)	신경학적 또는 정신과적 증상이 있고 뇌척수액 또는 다른 조직에서 RT-QuIC 검사 양성 혹은 급속진행치매로 발현하고 다음을 모두 만족	
	3) 네 가지 임상 양상 중 두가지 이상 양성 4) 검사 소견 중 한 가지 이상 양성 5) 다른 진단이 배제됨	
	임상 양상	검사 소견
	6) 근간대경련 7) 시간 혹은 소뇌 증상 8) 추체로/추체외로징후 9) 무동함구증(akinetic mutism)	10) 전형적 뇌파소견(주기예파복합체) 11) 병의 경과가 2년 이하이고 뇌척수액 14-3-3 단백 양성 12) 뇌 MRI 확산 강조 영상 혹은 FLAIR 에서 꼬리핵/조가비핵 혹은 뇌피질(측두엽, 두정엽, 후두엽 중 2군데 이상)에서 고신호 강도
가능(possible)	급속진행치매로 발현하고 다음을 모두 만족	
	13) 네 가지 임상 양상 기준 중 두 가지 이상 양성 14) 검사 소견 기준을 모두 만족하지 못함 15) 병의 지속 기간이 2년 이하 16) 다른 진단이 배제됨	

Chapter 07

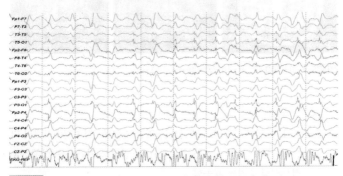

그림 7-3 Electroencephalography of the CJD patient: periodic sharp wave complexes

나. 뇌자기공명 검사(brain MRI)(그림 7-4)
- 확산강조영상(DWI)에서 피질과 심부회색질(deep gray matter)을 침범하는 확산제한 병변
  - 피질병변은 뇌이랑(gyurs)을 따라 신호강도이상을 보임(cortical ribboning)
  - 심부회색질 병변은 대개 꼬리핵(caudate) 조가비핵(putamen) 및 시상(thalamus)에서 발생함

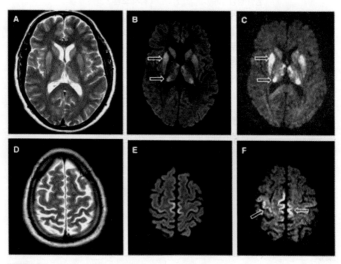

그림 7-4 Imaging of Creutzfeldt-Jakob Disease

다. 뇌척수액 검사
- sCJD 진단에서 뇌척수액검사는 염증 질환 등 신속진행치매의 다른 원인을 감별하고, 동시에 sCJD의 임상적 진단을 뒷받침하는 검사실의 증거를 제공함
- 백혈구 증가는 대부분 없지만, 단백질 수치의 경미한 상승(100

mg/dal 이하)은 1/3에서 나타남
- 14-3-3 단백의 증가
  - 프리온에 특이적인 단백이 아니라 신경세포손상을 반영하는 마커로, 진행성 신경손상을 유발하는 질환들에서 위양성이 가능함

4 뇌농양(Intracranial abscesses)

뇌 농양은 뇌실질 내에 생기는 국한성, 화농성 감염질환으로 외상, 수술 또는 인접 부위의 화농성 병변에서 감염원이 직접 뇌조직 속으로 침투하거나, 원발 병소의 감염이 혈행성으로 전파되어 생길 수 있다. 인접 부위의 화농성 병변으로 부비동염, 중이염, 유양돌기염 등이 주된 선행요인으로 알려져 있으며, 혈행성으로 전파되는 뇌농양의 선행요인으로는 심내막염, 만성폐렴, 골수염, 치주 혹은 편도농양 등이 있다.

1 진단

전형적인 임상 소견과 과거 병력(예: 외상성 뇌 손상, 폐 또는 심장 질환, 면역억제 또는 면역계 질환)을 기반으로 의심할 수 있으며, CT 및 MRI가 가장 중요한 진단 방법이다. CT에서 피막은 고리 모양으로 조영 증강되며, 뇌농양의 중심과 피막 주변의 부종은 저음영으로 보인다. MRI에서는 뇌농양 중심과 부종은 T에서 고강도, T1에서 저강도로 보인다. 다른 질환과의 감별을 위해서는 정위생검(stereotactic biopsy)이 필요한 경우도 있으며, 척추 천자는 일반적으로 뇌탈출의 위험이 있으므로 권장하지 않는다.

2 치료

대개 항생제와 수술적 치료의 병행이 필요하지만, 직경 3 cm 미만의 국소 뇌염 또는 초기 뇌농양은 항생제만으로도 치료가 가능하다. 항생제 치료는 대개 4-8주가량 지속해야 하며, 임상적으로 유의한 뇌부종이 있는 경우는 덱사메타손을 사용할 수 있다(표 7-6).

표 7-6 뇌농양의 경험적 항생제 치료	
원발병터	경험항생제
구강	Metronidazole + Penicillin G
부비동, 귀	Metronidazole + Ceftriaxone (or Cefotaxime)
신경외과시술	Vancomycin + Ceftazidime (or Cefepim)
관통창	Vancomycin + Ceftriaxone
전이혈행확산 또는 원인불명	Vancomycin + Metronidazole + Ceftriaxone (or Cefotaxime)

- Metronidazole: 15 mg/kg IV loading 후, 7.5 mg/kg q 6hr IV
- Penicillin G: 20 x 106 ~ 24 x106 단위를 6회에 나누어 IV
- Ceftriaxone: 2 g q 12hr IV, Cefotaxime: 2 g q 4hr IV, Ceftazidime : 2 g q 8hr IV, Cefepime: 2 g q 8hr IV, Vancomycin : 1 g IV q 8hrs

REFERENCE

- 대한뇌염/뇌염증학회. 뇌염. 군자출판사; 2021.
- 백경란, 정두련, 기현균 외. 국내 성인 세균성 수막염의 임상진료지침 권고안. 대한감염학회 2012;44:140-63.
- 서울대학교 의과대학 신경과학교실. 전공의들이 쓴 의과대학생 전공의를 위한 신경과 매뉴얼(Manual of Neurology). 고려의학; 2013.
- CONTINUUM, American Academy of Neurology: Neuroinfectious Diseases, August 2021, Volume 27, Issue 4.
- Mattle H, Mumenthaler M. Fundamentals of neurology: an illustrated guide. 2nd ed. Thieme; 2016.

CHAPTER 08 척수병증 및 탈수초질환

이명아, 김우준

1 척수병증

1 대사척수질환

(1) 아급성연합변성(subacute combined degeneration, SCD)

① 질환요약

아급성연합변성은 비타민B12 결핍에 의해 발생하는 척수병증이며, 척수후기둥(posterior column)과 외측기둥(lateral column)의 손상이 특징적이다. 비타민 B12 결핍은 부족한 섭취 혹은 흡수, 비정상적인 대사과정으로 인해 발생한다. 채식, 위 또는 소장 수술, 악성빈혈(pernicious anemia)로 인해 아급성연합변성이 발생할 수 있다. 그 외에도 드물게 Helicobacter pylori 에 의한 위염, 크론병, 메트포민(metformin), 프로톤펌프억제제(proton pump inhibitor), H2 수용체 길항제(histamine-2 receptor antagonist) 등에 의해서 발생하기도 한다.

② 증상

아급성연합변성에서 특징적으로 나타나는 증상은 서서히 발생하는 감각이상과 균형감각 저하, 보행장애이다. 근위약, 특히 양하지의 위약이 함께 나타날 수 있다. 신경학적 검사에서는 진동감각, 위치감각의 저하와 롬버그검사(Romberg test) 양성, 근력약화에 동반되는 상위운동세포징후(upper motor neuron sign)를 확인할 수 있다.

③ 진단

아급성연합변성은 임상 증상, 혈청검사, 영상검사를 종합하여 진단한다.

아급성연합변성 의심환자에서는 혈청 비타민 B12 농도를 반드시 측정해야 한다. 혈청 비타민 B12 농도는 감소한 것이 특징이지만, 경계수치이거나 정상수치일 수도 있다. 혈청 비타민 B12 농도가 정상인 경우에는 호모시스테인(homocysteine) 또는 메틸말론산(methylmalonic acid) 혈청 농도 증가를 확인하는 것이 진단에 유용한 보조 근거가 된다. 혈청 비타민 B12 농도가 200 ng/L 이하일 때 진단의 민감도는 97%이며, 여러 문헌에서 절단값(cut-off value)은 135–473 ng/L로 다양하게 보고되고 있다. 혈청 호모시스테인 농도의 절단값은 10–21.6 μmol/L이며 혈청 메틸말론산의 절단값은 210–470 nmol/L이다. 전혈구검사에서는 거대적혈모구빈혈(megaloblastic anemia)이 관찰되며, 악성빈혈의 원인이 되는 내인자 항체(anti-intrinsic factor antibody)가 관찰될 수도 있다.

자기공명영상(magnetic resonance imaging, MRI)에서 척수의 후기둥과 외측기둥의 T2 고신호강도(hyperintensity) 병변을 관찰할 수 있다. 경추 또는 상부 흉추 범위의 척수에서 주로 나타나며, 조영 증강(contrast enhancement)이 동반되는 경우는 드물다. 횡단면에서 관찰되는 특징적인 소견을 inverted V sign 또는 inverted rabbit ear라고 한다.

④ 치료

치료는 비타민 B12 보충이다. 히드록소코발라민(hydroxo-cobalamin) 1,000 mcg를 2일에 한 번씩, 3주 동안 근육주사하며 이후부터는 1,000 mcg를 두 달마다 한 번씩 투여한다. 또는 시아노코발라민(cyanocobalamin) 1,000 mcg를 5일 동안 매일 근육주사 혹은 피하주사로 투여하며, 이후부터는 1,000 mcg를 한 달에 한 번씩 투여한다. 근육주사와 경구 투여가 혈청 비타민 B12 농도에 미치는 영향은 유사하므로, 유지용량은 경구로 하는 것이 적절하다.

(2) 구리결핍척수병(copper deficiency myelopathy)

① 질환요약

구리결핍척수병은 구리 결핍으로 인해 신경변성이 나타나는 질환으로, 주로 척수후기둥의 손상이 발생하여 아급성연합변성과 매우 유사한 임상양상을 보인다.

구리는 조개, 내장, 견과류, 콩에 풍부하며 위, 근위부 십이지장에서 흡수된다. 구리결핍척수병은 구리의 섭취가 부족하거나 비만수술(bariatric surgery), 셀리악병(celiac disease), 과도한 아연 섭취로 구리의 흡수가 저하된 경우 나타날 수 있다.

② 증상

구리결핍척수병의 특징적인 증상은 균형감각 저하, 보행장애이며 신경학적 검사에서는 진동감각과 위치감각의 저하, 감각실조, 강직(spasticity)이 관찰된다. 아급성연합변성과 유사한 임상양상을 보인다.

③ 진단

증상, 병력, 혈청 구리 농도 측정을 통해 진단한다. 혈청 구리 농도

저하는 세룰로플라스민(ceruloplasmin) 저하와 동반될 수 있다. 그 외에도 혈청 아연 농도 측정과 셀리악병에 대한 평가를 보조적으로 참고한다.

45%의 환자에서 혈청 구리 농도는 0.1 μg/mL 이하로 감소해 있으며, 세룰로플라스민 농도의 참고치는 21.5-48.1 mg/dL이다. 혈청 아연 농도는 0.66-1.10 μg/mL를 기준으로 한다.

척수 자기공명영상에서 경추 또는 흉추 범위의 척수에서 척수후기둥의 T2 고신호강도가 나타나며, 조영증강은 동반되지 않는다. 전혈구검사에서는 빈혈 또는 백혈구감소증을 관찰할 수 있다.

④ 치료

구리결핍척수병의 치료는 구리를 공급하는 것이며, 경구 또는 정맥투여를 통해 2-4 mg/day를 공급한다. 아연의 과도한 섭취로 발생한 구리결핍의 경우에는 구리 공급보다 아연의 섭취를 줄이는 것이 더 중요하다.

(3) 비타민 E 결핍성 척수병증

① 질환요약

비타민 E의 결핍으로 발생하는 척수병증으로, 척수후기둥의 손상과 뒤뿌리신경절(dorsal root ganglion)의 지방갈색소(lipofuscin) 축적에 의해 증상이 발생한다.

비타민 E는 녹색 채소와 견과류에 풍부하며, 소장에서 흡수되어 초저밀도지질단백(very low density lipoprotein, VLDL) 입자, 저밀도지질단백(low density lipoprotein, LDL) 입자 형태로 이동한다. 비타민 E 결핍은 섭취 부족, 흡수 저하, 대사 장애로 발생한다. 흡수 저하는 담즙정체성 간질환(cholestatic liver disease), 낭포성 섬유증(cystic fibrosis), 광범위한 장절제술 등에 의해 발생할 수 있으며, 대사 장애는 비타민E 결핍을 동반한 운동실조(ataxia with vitamin E deficiency, AVED) 또는 무배타지단백혈증(abetali-poproteinemia)과 같은 유전질환에 의해 발생할 수 있다.

② 증상

비타민 E 결핍성 척수병증에서는 균형감각 저하, 보행장애가 나타나며 신경학적 검사에서 위치감각 저하, 감각실조, 심부건반사 저하가 관찰된다.

③ 진단

혈장 내 알파 토코페롤(α-tocopherol) 수치를 측정하여 진단한다. 지단백검사를 통해 저밀도지질단백 수치의 감소를 확인하는 경우 무배타지단백혈증 진단의 보조적인 근거가 될 수 있다.

척수 자기공명영상에서는 특징적인 이상이 관찰되지 않으며, 뇌 자기공명영상에서 경도의 소뇌 위축을 관찰할 수 있다.

④ 치료

치료는 비타민 E를 공급하는 것으로, 300-2,400 mg/day를 경구 제제로 투여한다. 예방적인 목적으로 투여하는 경우에는 100 mg/day를 복용하도록 한다.

2 독성 척수병증(Toxic myelopathy)

(1) 화학요법(chemotherapy)

① 메트트렉세이트(methotrexate), 시타라빈(cytarabine arabinoside, Ara-C)

경막 내 화학요법(intrathecal chemotherapy)은 중추 신경계로 전이되는 종양의 예방과 치료에 효과적이지만, 척수강 내로 고용량의 항암제를 투여한 후 심각한 신경계 부작용이 발생할 수 있다.

메토트렉세이트, 시타라빈, 히드로코르티손을 척수강 내로 투여한 환자에서 드물게 척수병증이 발생하며, 아급성연합변성과 유사한 임상양상을 보인다. 환자는 서서히 발생하는 감각이상과 균형감각 저하, 보행장애, 하지 위약을 보이며 척수 자기공명영상에서 척수후기둥과 외측기둥의 T2 고신호강도 병변을 관찰할 수 있다. 치료는 경막 내 화학요법을 중단하는 것이며, 보조적으로 엽산(folate)을 공급한다. 예후는 불량하여, 영구적인 신경 손상이 남는 경우가 대부분이다.

② 종양괴사인자억제제(tumor necrosis factor inhibitor), 면역관문억제제(immune checkpoint inhibitor)

종양괴사인자억제제와 면역관문억제제에 의한 척수병증은 횡단성척수염의 양상으로 나타난다. 종양괴사인자억제제에는 adalimumab, etanercept, infliximab이 있고 면역관문억제제에는 nivolumab, ipilimumab이 있다. 치료는 원인이 되는 약제를 중단하는 동시에 고용량 스테로이드를 투여하는 것이다. 메칠프레드니솔론(methylprednisolone) 1,000 mg/day를 5일간 정맥 내 투여하며, 효과가 없을 경우 혈장교환술을 고려해볼 수 있다.

(2) 아산화질소(nitrous oxide)

① 질환요약

아산화질소는 의료용 마취제, 휘핑크림, 환각제에 포함되어 있는 가스로, 남용되는 경우 척수병증을 유발할 수 있다. 아산화질소는 비타민 B12를 비가역적으로 산화시켜 비활성화시키기 때문에 아산화질소 남용에 의한 척수병증에서는 아급성연합변성과 유사한 임상양상이 나타난다.

② 증상

아산화질소에 의한 척수병증에서는 아급성연합변성과 유사한 증상, 징후, 영상 소견이 나타난다. 환자는 보행장애, 근위약을 호소하며, 척수 자기공명영상에서는 척수후기둥의 T2 고신호강도 병변이 경추와 흉추 범위의 척수에 발생한다. 아급성연합변성과 마찬가지로 inverted V sign 또는 inverted rabbit ear가 관찰되기도 한다.

③ 진단

환자의 증상, 병력, 혈청 검사, 자기공명영상을 종합하여 진단한다. 혈청 비타민 B12 농도의 감소, 호모시스테인(homocysteine) 또는 메틸말론산(methylmalonic acid) 농도의 증가를 확인할 수 있다.

④ 치료

아급성연합변성에서와 동일한 용법으로 히드록소코발라민 또는 시아노코발라민을 근육주사한다.

(3) 방사선손상(Radiation injury)

방사선손상에 의한 척수병증은 전체 환자의 1% 이하에서 발생하는 드문 질환으로, 일과성척수병 혹은 지연진행형척수병으로 나타난다. 일과성척수병은 방사선치료 후 3-6개월 후 사지의 감각이상이 나타났다가 수개월 후 호전된다. 지연진행형방사선척수병은 방사선치료 6-24개월 후 나타나며, 점차 진행하는 감각이상과 근위약이 관찰된다. 브라운-세카르증후군(Brown-Séquard syndrome)의 형태를 보일 수도 있다. 척수 자기공명영상에서는 국소적인 T2 고신호강도 병변이 나타나며, 조영증강이 동반되는 경우가 많다. 방사선손상에 의한 척수병증은 노출되는 방사선의 누적 용량이 위험 인자가 되므로, 총 누적량이 45-50 Gy 를 넘지 않도록 주의해야 한다. 보존적 치료를 시행하며, 단기간 스테로이드 투여 혹은 bevacizumab 투여가 효과가 있다는 보고가 있다. Bevaci-zumab 을 투여할 경우 5 mg/kg을 2주에 한번씩 총 4회 투여한다.

3 감염성 척수병증

(1) 바이러스척수염

① 사람면역결핍바이러스(human immunodeficiency virus, HIV)

후천면역결핍증후군 환자에서 질환의 말기에 공포척수염(vacuolar myelopathy)이 발생할 수 있다. 척수병증은 척수후기둥과 외측기둥에서 뚜렷하게 나타나며, 증상으로는 진동감각과 위치감각의 저하, 보행장애, 근력약화, 요실금, 대변실금 등이 나타난다. 드물게 감염 초기에 급성 척수염 형태로 발생하기도 한다. 치료는 항레트로바이러스 약제의 용법을 변경하여 중추신경계 침투율을 높이는 것이다.

② 수두대상포진바이러스(varicella zoster virus, VZV)

수두대상포진바이러스는 일차감염 이후 뒤뿌리신경절(dorsal root ganglion)에 잠복해 있다가 재활성화되면 감각신경을 따라 이동하는데, 반대로 원심성 이동(retrograde travel)을 하는 경우 척수염이 발생할 수 있다. 면역저하자에서 발생 위험이 높다. 척수병증은 피부 발진과 같은 분절에 국한되어 발생할 수도 있고, 보다 광범위한 범위로 발생할 수 있다. 환자는 수일에서 수주에 걸쳐 점차 진행하는 감각이상, 근위약을 호소하며 척수 자기공명영상에서는 조영증강을 동반하는 3분절 이상의 횡단척수염 소견이 관찰되고, 뇌척수액 검사에서 림프구 세포증가증(lymphocytic pleocytosis)이 보인다. 뇌척수액 내 수두대상포진바이러스에 대한 중합효소연쇄반응 양성 결과는 진단적 가치가 있다. 뇌척수액 검사 결과 이상이 없더라도, 특징적인 피부 병변이 나타난 이후 척수병증이 발생하는 경우 추정진단이 가능하다. 치료는 아시클로버(acyclovir)의 정맥 내 투여이며, 코르티코스테로이드를 함께 투여하기도 한다.

③ 2형단순헤르페스바이러스(herpes simplex virus type 2, HSV-2)

2형단순헤르페스바이러스가 뒤뿌리신경절에 잠복해 있다가 재활성화되어 원심성 이동을 하는 경우 척수뿌리병증(myeloradiculopathy)이 발생할 수 있다. 외음부 피부 병변에 이은 통증, 감각이상, 근위약, 소변 저류 등이 생기는 경우 의심해볼 수 있다. 뇌척수액 검사에서 림프구 세포증가증이 보이며, 자기공명영상검사에서 요천추 범위의 척수의 T2 고신호강도와 팽윤(enlargement), 신경근 조영증강이 나타난다. 뇌척수액 내 2형단순헤르페스바이러스에 대한 중합효소연쇄반응 양성을 확인할 수 있다. 면역저하자의 경우 아시클로버를 10-14일간 정맥 내 투여하며, 정상군에서는 경구로 투여한다. 코르티코스테로이드를 함께 투여하기도 한다.

④ 사람T세포림프친화바이러스(human T-cell lymphotropic virus type, HTLV)

1형사람T세포림프친화바이러스는 모유 수유, 성관계, 수혈, 주사기 공유 등을 통해 감염되며, 감염 이후 짧게는 4개월, 길게는 30년 후 척수병증이 발생할 수 있다. 이를 1형사람T세포림프친화바이러스 연관 척수병증(HTLV-1 associated myelopathy, HAM) 또는 열대경직하반신불완전마비(tropical spastic paraparesis, TSP)라고 한다. 증상은 천천히 진행하는 강직성 근 위약이며, 경직방광과 등 통증이 흔히 동반된다. 척수 자기공명영상에서는 외측기둥의 T2 고강도신호가 관찰되며, 후기에서는 척수 위축이 관찰된다. 뇌척수액 검사는 정상이거나 경한 세포증가증을 보인다. 진단을 위해서는 1형사람T세포림프친화바이러스 항체 확인이 필요하다. 보존적 치료를 하며, 코르테코스테로이드와 mogamulizumab 의 효과에 대한 근거는 아직 부족하다. 유사한 척수병증이 2형사람T 세포림프친화바이러스에 의해서 매우 드물게 발생할 수 있다.

(2) 결핵척수병

아급성의 신경근척수병증(radiculomyelopathy)으로 나타나는 경우가 가장 흔하며 대표적인 증상은 점차 진행하는 사지위약, 통증, 감각이상, 배뇨장애이다. 척수 자기공명영상에서는 척수 내 T2 고강도신호, 신경근의 비후, 결절성 조영증강(nodular enhancement)이 관찰되며 뇌척수액 검사 결과 림프구 세포증가증, 뇌척수액 내 단백질 농도 증가가 관찰된다. 그 외에도 척추 골절 또는 육아조직에 의한 척수압박이 나타날 수 있다.

치료는 Isoniazid, Rifampin, Pyrazinamide, Ethambutol를 2개월 동안 복용하고, 이후 7-10개월 동안 Isoniazid, Rifampin을 복용하는 것이다.

(3) 척수매독(tabes dorsalis)

매독균(treponema pallidum) 감염 환자에서 신경매독(neurosyphilis)이 발생할 수 있으며, 척수매독은 감염 10-25년 후 발생하는 후기신경매독에 속한다. 대표적인 증상은 감각실조, 배뇨장애이며 신경학적 검사에서는 진동감각과 위치감각의 저하, 롬버그검사 양성, 심부건반사 소실, 동공빛반사 소실 등이 관찰된다. 척수 자기공명영상에서는 아급성연합변성과 유사하게 척수후기둥의 침범이 관찰되며, 뒤뿌리에도 병변이 관찰된다. 뇌척수액 검사에서는 세포증가증, 단백질 농도 증가, CSF VDRL 양성, CSF FTA-ABS 양성 등을 확인할 수 있다.

치료는 방수결정페니실린(aqueous crystalline penicillin G)을 10-14일 동안 투여하거나 세프트리악손(ceftriaxone) 2 g을 10-14일 동안 정맥주사한다. 치료 후에는 3개월 간격으로 매독혈청검사를 시행하며, 뇌척수액검사는 6개월 간격으로 시행한다.

4 혈관성 척수병증

(1) 척수경색(spinal cord infarction)

척수경색은 흉복부대동맥류 수술 후 발생하는 경우가 가장 흔하며, 그 외 대동맥수술, 심장수술, 척추감압술, 경막외 차단술 후에도 발생할 수 있다. 외상 없이 갑자기 발생하는 경우 무거운 물건을 들거나, 목이나 등을 과하게 신전시키는 등의 선행 병력을 확인한다. 후척수동맥(poste-rior spinal artery)보다 전척수동맥(anterior spinal artery)에서 흔히 발생하며, 흉부 척수에서 가장 흔히 발생한다. 수술 직후 증상이 발견되는 경우가 대부분이나, 수시간에서 수일 경과 후에 발생하는 경우도 있다. 증상은 급성으로 나타나는 심한 통증과 이완하반신마비가 특징적이며 병변의 위치에 따라서 호흡마비, 기립저혈압, 대소변장애가 동반되기도 한다. 증상은 갑자기 발생하여 12시간 이내에 nadir에 이른다. 척수 자기 공명영상에서는 확산강조영상(diffusion-weighted imaging, DWI)과 T2 모두에서 고강도신호가 관찰되며, 횡단면에서 전척수동맥 또는 후척수동맥 영역의 T2 고강도신호가 쐐기형(wedge shape) 혹은 삼각형으로 보인다.

치료의 목표는 척수 관류압을 높이는 것으로, 뇌척수액 배액을 통해 척추관 내의 압력을 낮추거나, 평균동맥압을 높여 달성한다. 목표로 하는 뇌척수압은 8-12 mmHg 이며, 평균동맥압은 90 mmHg 이상 혹은 원래의 평균동맥압보다 10-20 mmHg 상승하는 것을 목표로 한다. 대부분의 환자들은 항혈소판제 복용을 시작하지만, 효과에 대한 보고는 아직 없다. 이차 예방을 위해서 위험 인자를 줄이고, 재활과 생활습관을 교정한다.

(2) 경막내동정맥루(intradural arteriovenous malformation)

경막내동정맥루는 척수혈관기형의 70%를 차지하며, 수술 혹은 외상 이후에 발생할 수 있다. 서서히 진행하는 하지 위약, 감각이상, 배뇨장애, 통증이 대표적인 증상이며 운동, 발살바수기에 의해 증상이 뚜렷하게 악화되는 특징이 있다. 척수 자기공명영상에서 3분절 이상의 척수 내 T2 고강도신호와 광범위한 부종, 조영증강이 관찰되며, 흐름공백(flow void)이 있는 것이 특징이다. 디지털감산혈관조영술(digital subtraction angiography, DSA)가 확진을 위해 필요하지만, 척수 자기공명영상을 통해서도 동정맥루의 위치를 확인할 수 있다. 치료는 디지털감산혈관조영술을 통한 동정맥루의 색전술 또는 션트수술이다.

2 탈수초질환

1 다발경화증(Multiple sclerosis)

(1) 개요

다발경화증은 중추신경계의 만성염증성질환으로 백질의 수초 및 회소돌기아교세포(oligodendrocyte)를 표적으로 하는 면역반응이 주된 병리이다. 다발경화증은 서구에서 젊은 성인에서 장애를 초래하는 가장 흔한 질환이나, 아시아에서는 상대적으로 드물다. 모든 연령에서 생길 수 있으나, 주로 20–40세 사이에 가장 흔히 발병하고 10세 이전이나 60세 이후에 생기는 경우는 드물다.

(2) 병리 및 병태생리

- 호발 병터: 뇌실주위백질, 시신경, 척수, 뇌줄기, 소뇌다리(cerebellar peduncle), 뇌량(corpus callosum) 등
- 병리 소견: 세정맥주위(perivenular)의 국소염증, 탈수초, 교증(gli-

osis)

- 병리 기전: 중추신경계 밖에서 자가반응T세포(autoreactive T cell)가 활성화됨 → 혈액뇌장벽(blood-brain barrier)을 통과하여 중추신경계로 유입 → 미세아교세포(microglia)에 의해 발현된 수많은 항원을 만나 재활성화 → 면역연쇄반응(immune cascade reaction) 유발 → 수초 파괴

※ 축삭 손상도 병의 초기부터 진행됨

(3) 증상

중추신경계의 염증이 공간적 파종(dissemination in space)과 시간적 파종(dissemination in time) 양상으로 나타난다.

① 흔한 증상

가. 시신경염(optic neuritis): 시력 저하, 색각 이상, 안구통증

나. 척수염(myelitis): 운동 증상(반신마비, 하반신마비 및 사지마비 등 병터 위치에 따라 다양), 감각 증상(감각저하, 이상감각), 배뇨/배변 장애, 성기능 장애 등

다. 뇌줄기 및 소뇌 증상: 복시, 얼굴감각장애, 얼굴 마비, 운동실조, 평형장애 등

라. 대뇌증상: 병터가 가장 잘 생기는 부위로, 초기에는 대부분 대뇌 증상은 뚜렷하지 않으나, 진행되면 인지기능저하 등의 증상이 나타날 수 있다.

마. 과도한 피로

② 용어

가. 발병(attack): 객관적인 신경계증상이 24시간 이상 지속되는 것을 말한다. 신경학적 진찰에서 국소병터를 뜻하는 신경계징후를 확인할 경우 임상적인 병터의 증거(clinical evidence of a lesion)로 간주한다.

나. 재발(relapse): 이전 발병과 1개월 이상의 간격을 두고 증상이 발생하는 것을 말한다.

다. 완화(remission): 24시간 이상 지속되는 증상 또는 징후가 명백하게 호전되거나 1개월 이상 변화 없는 상태로 유지되는 경우

※ 임상적단독증후군(clinically isolated syndrome, CIS): 다발경화증을 시사하는 소견의 첫 임상 삽화로, 발병 당시 중추신경계의 하나 또는 여러 개의 탈수초병터를 시사하는 증상을 보인다. 이러한 임상적단독증후군에서 맥도날드 진단기준을 이용하여 다발경화증을 조기진단하고 이를 치료하는 것이 중요하다.

③ 경과와 유형

가. 재발-완화형 다발경화증(relapsing-remitting MS, RRMS): 가장 흔한 유형으로, 재발과 완화를 반복하면서 장애가 점점 축적됨

나. 이차진행형다발경화증(secondary progressive MS, SPMS): 처음에 재발-완화형으로 시작했던 환자들이 일정 기간 재발과 완화를 반복하면서 신경계의 손상이 축적되어, 이후에는 재발 사이의 기간에도 혹은 뚜렷한 재발이 없는데도 불구하고 장애가 꾸준하게 진행한다. 일반적으로 재발-완화형 환자 중 10년 이내에 약 50%에서, 25년 이상 지나면 90%에서 이차진행형으로 전환된다.

다. 일차진행형다발경화증(primary progressive MS, PPMS): 뚜렷한 재발 없이 처음부터 점진적으로 진행하는 유형으로, 재발-완화형에 비해 발병연령이 전반적으로 높을 뿐 아니라 남녀 비율이 거의 같고 치료에 대한 반응도 달라, 과연 일차진행형다발경화증을 재발-완화형다발경화증과 같은 질환이라고 해야 할지에 대한 논란이 있다.

라. 진행-재발형다발경화증(relapsing-progressive MS, RPMS): 발병 초기부터 재발과 진행이 함께 보이는 양상

(4) 진단

질병특유의(pathognomonic) 진찰 소견이나 확진 검사가 없으므로, 다발경화증의 진단은 가능한 다른 질환을 배제한 후 합당한 임상소견, MRI와 뇌척수액검사 같은 검사소견으로 판단하는 일종의 제외진단 (diagnosis of exclusion) 과정이라 할 수 있다. 정확한 진단을 위해서는 발병 양상, 진행속도, 증상의 호전과 악화, 완화기간 등에 대한 문진이 가장 중요하며, 몇 가지 검사들로 도움을 받을 수 있다(표 8-1).

① MRI

크기 3 mm 이상으로, 비교적 경계가 분명한 원형 또는 난원형

가. 뇌실주위백질(periventricular white matter)에서 가장 흔하다. 뇌량의 주축에 수직인 방향으로 위치하여 "Dawson손가락"이라 불리는 전형적인 다발경화증 병터를 보인다.

나. 피질바로아래병변(juxtacortical lesion)

다. 천막하병변(infratentorial lesion)

라. 척수 1-2분절 이내의 척수병변

마. 가돌리늄조영증강(gadolinium enhancement): 반지모양(ring-shape) 또는 결절모양(nodular) 조영증강 병변이 관찰될 수 있다.

② 뇌척수액검사

단백질과 림프구의 경미한 증가, 알부민과 면역글로불린G의 비율 변화로 인한 면역글로불린G지수(IgG index)의 증가, 올리고클론띠 (oligoclonal bands) 양성 소견을 보일 수 있다. 하지만 이러한 뇌척수액 소견은 다발경화증에서만 관찰되는 특이 소견은 아니며, 때로는 뇌척수액검사가 정상일 수도 있다.

표 8-1 처음 발병한 환자에 대한 2017년 McDonald 다발경화증 진단기준

임상 발병 횟수	객관적 임상 증거가 있는 병변의 수	다발경화증 진단에 필요한 추가 자료들
≥ 2	≥ 2	없음*
≥ 2	1(별개의 해부학적 위치의 병변을 포함하는 이전 발병에 대한 뚜렷한 병력이 동반됨†)	없음*
≥ 2	1	중추신경계 다른 부위의 추가적인 임상 증상 발병이나 MRI로 공간적 파종이 증명됨‡
1	≥ 2	추가적인 임상 발병이나 MRI로§, 또는 뇌척수액 특이 올리고클론띠로 시간적 파종이 증명됨¶
1	1	중추신경계 다른 부위의 추가적인 임상 증상 발병이나 MRI로 공간적 파종이 증명됨‡ 그리고 추가적인 임상 발병이나 MRI로§, 또는 뇌척수액 특이 올리고클론띠로 시간적 파종이 증명됨¶

2017년 맥도날드 진단기준에 부합하고 임상양상에 대한 더 좋은 설명이 없다면, 다발경화증으로 진단한다. 만일 임상단독증후군이 발생하여 다발경화증이 의심되지만 2017년 맥도날드 진단기준에 완전히 부합되지 않는다면 "가능다발경화증(possible MS)"으로 진단한다. 만약 평가기간 중 다른 진단으로 전반적인 임상양상에 대한 더 좋은 설명이 가능하다면 다발경화증으로 진단하지 않는다. *공간적 파종 및 시간적 파종을 뒷받침하기 위한 추가 검사는 필요하지 않음. 그러나 MRI가 불가능한 경우가 아니라면 다발경화증의 진단이 고려되는 모든 환자에서 뇌 MRI를 시행해야 한다. 다발경화증을 뒷받침하는 임상적 증거 및 MRI상 증거가 충분하지 않은 환자, 전형적인 CIS의 증상 이외의 증상을 보이거나, 비전형적인 양상을 보이는 환자에서는 척수 MRI 또는 뇌척수액 검사를 고려해야 한다. 영상검사 또는 다른 검사(예: 뇌척수액검사) 결과가 음성이라면 다발경화증 진단을 내리기 전에 주의하고, 다른 진단을 고려해야 한다. †두 번의 발병에 대한 객관적 임상 소견에 기초한 임상적 진단이 가장 확실하다. 문서화된 객관적인 신경학적 소견이 없는 경우에는 과거 발병에 대한 타당한 병력은 이전의 염증성 탈수초성 발병에 특징적인 증상 및 경과를 포함할 수 있으며, 적어도 한 번의 발병은 객관적인 소견에 의해 뒷받침되어야 한다. 객관적인 증거가 없는 경우에는 주의가 필요하다. ‡공간적 파종에 대한 MRI 기준은 표 8-2에 언급되어 있다. §시간적 파종에 대한 MRI 기준은 표 8-2에 언급되어 있다. ¶뇌척수액에 특이적인 올리고클론띠는 그 자체로 시간적 파종을 증명하는 것은 아니나 그 필요조건을 대신할 수 있다.

표 8-2	임상적단독증후군에서 공간적 파종 및 시간적 파종에 대한 2017년 맥도날드 기준

- 공간적 파종은 다발경화증에 특징적인 다음 중추신경계 영역 4곳 중 적어도 2곳 이상에서 1개 이상의 T2 고강도 병변이 존재할 경우 증명될 수 있다: 뇌실주위, 피질 또는 피질곁, 천막하 뇌병변, 그리고 척수 병변
- 시간적 파종은 어느 시점이든 가돌리늄 조영증강되는 병변과 조영증강되지 않는 병변이 동시에 존재하거나, 기준 MRI 검사 시기와 관계없이 그와 비교하여 추적 MRI에서 새로운 T2 병터나 새로운 가돌리늄 조영증강 병터가 존재할 경우 증명될 수 있다.

③ 유발전위검사

특히 시신경의 경미한 병터 또는 과거에 앓고 지나갔던 병터를 객관적으로 증명하는 데 도움을 준다.

(5) 치료

① 급성기 치료

가. 고용량스테로이드

1 g/day를 3–5일간 정맥주사한다. 급성기에 증상을 완화하고 회복기간을 줄여주나, 장기적으로 투여할 경우 심각한 부작용을 초래할 수 있어 장기치료로는 쓰지 않는다.

나. 혈장분리교환술(plasmapheresis)

고용량 스테로이드 치료에 반응하지 않을 경우 고려한다. 혈장분리교환술의 구체적인 시행 횟수 및 방법 등에 대한 정확한 가이드라인은 제시되어 있지 않지만, 일반적으로는 매번 혈장 부피의 1–1.5배 정도를 교체하며, 격일로 총 5–7번 시행할 것이 권고된다. 부작용은 비교적 드물지만, 중심정맥관에 관련된 출혈이나 감염, 시트르산에 의한 저칼슘혈증이나 대사성산증 등이 있다. 타인 혈장으로 교체할 경우에는 아나필락시스, 수혈과 관련된 급성 폐손상, 감염 등의 부작용이 발생할 수 있으며, 혈

장 아닌 알부민 등으로 교체할 경우 응고인자가 결핍될 수 있으므로 모니터해야 한다. 조기에 혈장분리교환술을 시행할수록 치료 반응이 높을 것으로 추정하고 있다.

② 질병조절치료(disease modifying therapy)

재발 빈도를 줄이고, 장애의 진행을 막고 MRI에서 관찰되는 새로운 병변을 줄이는 것을 목표로 한다. 특히, 다발경화증은 뚜렷한 임상적 재발이 없이도 MRI에서 질환의 활성도가 지속적으로 관찰될 수 있고, 이러한 질환의 활성도가 조절되지 않으면 결국 장애의 진행으로 이어질 수 있기 때문에, 재발이 없더라도 정기적인 MRI 검사를 통한 치료 효과 평가가 반드시 필요하다.

※ 다발경화증의 질병조절치료제로 승인된 약제

① 인터페론-β [interferon(IFN)-β]

다발경화증의 일차선택약물로 현재 사용중인 IFN-β에는 IFN-β1a (Avonex®, Rebif®), IFN-β1b (Betaferon®)이 있다. Avonex® 는 매주 근육 투여, Rebif® 는1주일에 3번 피하 투여, Betaferon®은 격일로 피하 투여한다. 페그인터페론-β1a (Plegridy®)은 IFN-β1a에 폴리에틸렌글리콜(polyethylene glycol) 분자를 결합시킨 형태로, 반감기가 길어서 주 1회 근육 주사로 투여할 수 있다. IFN-β 투여 후 발생할 수 있는 부작용으로 흔하게는 주사 부위의 홍반, 통증, 부종 등 주사부위반응(injection site reactions), 그리고 근육통, 오한 등 인플루엔자유사증상(influenza-like symptom)이 있으며, 드물게는 혈구 감소증, 자가면역질환 등이 있다. IFN-β에 대한 중화항체(neutralizing antibody)가 생성될 경우 IFN-β의 효과가 저하되기도 한다.

② 글라티라머아세테이트(glatiramer acetate)

다발경화증의 일차선택약물로서 20 mg을 매일 피하주사하거나 40 mg을 1주 1회 피하주사한다. 주사부위의 지방위축증(lipoatrophy) 및 피부 괴사가 발생할 수 있다.

③ 핀골리모드(fingolimod)

스핑고신-1-인산염(sphingosine-1-phosphate) 수용체에 작용하여 T세포를 림프절에 묶어두는 작용을 한다. 0.5 mg을 1일 1회 경구투여한다. 스핑고신-1-인산염수용체는 림프구뿐만 아니라, 혈관내피세포, 심방근육세포에도 존재하여 핀고리모드 사용 시 부작용으로 서맥성부정맥(bradyarrhythmia)이 드물게 발생할 수 있으므로 심장질환이 있는 환자에게는 금기이다. 처음 투여 후 6시간 동안 서맥성부정맥 발생 유무에 대하여 모니터링이 필요하다. 그 외 황반부종(macular edema)이 발생할 수 있으며, 림프구

감소증을 유발하여 이로 인한 기회감염(수두대상포진바이러스감염 및 드물게 진행다초점백질뇌병증)의 위험성이 있다.

④ 디메틸푸마레이트(dimethyl fumarate)

구체적인 작용기전이 아직 불명확하지만 면역조절능력과 항산화작용이 있는 것으로 생각된다. 유지용량으로 240 mg을 하루 2번 경구투여한다. 가벼운 부작용으로는 안면홍조, 소화기 증상이 있고, 심한 부작용으로는 림프구감소증을 유발하여 기회감염의 위험이 있다.

⑤ 테리플루노미드(teriflunomide)

피리미딘(pyrimidine) 합성을 억제하여 B세포와 T세포 분열을 막는 작용을 하며, 재발-완화형 다발경화증에서 일차약제로 사용된다. 14 mg을 하루 1번 경구투여한다. 간기능이상과 탈모가 발생할 수 있으며, 임신 시 기형아 출산의 위험성이 있어 주의가 필요하다.

⑥ 나탈리주맙(natalizumab)

면역세포의 뇌혈관부착분자인 VLA-4 (very late antigen-4)에 대한 항체로서 중추신경계내로 들어가는 VLA-4 의존 림프구를 막는다. JC바이러스에 대한 항체 양성이고, 나탈리주맙 치료 이전에 면역억제치료 기왕력이 있는 환자에서 나탈리주맙을 2년 이상 사용하면 JC바이러스항체 음성인 환자에 비해 진행다초점백질뇌병증(progressive multifocal leukoencephalopathy, PML) 발생 위험성이 약 80배 이상 상승한다. 따라서 나탈리주맙 치료 시작 및 치료 기간 동안 JC바이러스항체 모니터링이 필요하며, 나탈리주맙을 2년 이상 사용할 경우에는 매달 MRI 추적을 통해 진행다초점백질뇌병증 발생 유무를 확인하도록 권고된다.

⑦ 알렘투주맙(alemtuzumab)

성숙림프구표면항원인 CD52에 대한 인간화항체(humanized antibody)로서 CD52를 발현하는 B세포, T세포 및 단핵구를 소실시킨다. 하지만, 이러한 백혈구의 갑작스런 세포 용해로 과민반응 또는 아나필락시스반응이 나타날 수 있고, 백혈구의 소실 후 회복되는 과정에서 면역세포 간의 불균형으로 다른 자가면역질환(갑상선염, 혈소판감소성자반증, 사구체신염 등)의 발생 위험이 있으며, 기회감염의 위험성도 고려해야 한다.

⑧ 오크렐리주맙(ocrelizumab)

B세포의 CD20에 대한 단클론성 인간화항체로, 재발완화형 다발경화증과 일차진행형 다발경화증에 대해 승인을 받았다. 백혈구감소증과 저감마블로불린혈증의 위험성이 있다.

⑨ 미톡산트론(mitoxantrone)

이차진행형다발경화증에 효과가 입증된 유일한 약제이다. 원래 항암제로 쓰이던 약으로 1-3개월에 한 번 정맥주사로 투여한다. 누적 투여 용량이 각각 60, 100 mg/m² 이상이 될 경우 각각 백혈병, 심부전 등 심각한 부작용의 위험성이 증가하므로, 대상 환자의 신중한 선택과 총 투여량의 제한이 필요하다.

③ 대증치료(symptomatic therapy)

간과되기 쉽지만 다발경화증에서는 피로, 우울감, 인지장애, 경직, 보행장애, 배뇨장애, 성기능장애와 같은 증상들이 잘 동반되며, 이에 대한 적절한 대증치료는 환자의 삶의 질을 높이는 데 매우 중요하다.

- 팜프리딘(fampridine): 선택적으로 신경섬유 표면의 포타슘채널을 막아 신경신호전달을 개선시켜 보행 장애를 동반한 다발경화증 환자의 보행 능력을 개선시키는 데 효과가 있다. 약 30–50%의 환자에서만 효과가 있기 때문에 약물투여 2주 후 보행 기능 개선 유무를 평가하고 나서 지속 투여 여부를 결정한다. 발작 유발 위험과 요로감염, 불면, 불안, 어지럼증 등의 부작용이 있다.

2 시신경척수염범주질환

(Neuromyelitis optica spectrum disorder, NMO spectrum disorder)

(1) 개요

시신경척수염범주질환이 중추신경계의 탈수초 질환 중 차지하는 비율은 백인에서는 1%에 지나지 않지만, 아시아인에서는 그 비율이 상대적으로 높아서, 일본인에서는 20–30%, 인도인에서는 최고 23% 정도를 차지한다. 여성에서 남성보다 5–10배 정도 많다. 다발경화증이 20대 후반에 많이 발생하는 것과 달리 시신경척수염은 발병 연령의 중앙값이 30대 후반으로 조금 높고, 모든 연령대에서 발병이 가능하며 소아와 노인에서도 드물지 않다. 최근 한국에서의 유병률이 10만 명당 3.3–3.6명 정도로 보고되었다.

(2) 면역병리

① 병리

척수병터의 특징은 여러 개의 척수분절에 걸친 심한 탈수초

(demyelination)이다. 척수의 백질과 회질 모두에서 괴사(necrosis)와 공동화(cavitation), 급성 축삭 손상이 흔하고, 희소돌기아교세포(oligodendrocyte)의 소실이 뚜렷하다. 병터는 전형적으로 척수의 중심부에 위치하며, 주변부에는 수초가 비교적 보존되어 있다. 병터 안의 혈관들은 두꺼워지고 유리질화(hyalinization)되어 있으며, 호산구(eosinophil)와 과립백혈구(granulocyte)가 침윤되어 있는 경우도 많다. 활동병터에서는 혈관 주위에 면역글로불린G(immunoglobulin-G), 면역글로불린M(immunoglobulin-M), 보체 활성화(complement activation) 산물 등이 침착되어 특징적인 테(rim) 또는 로제트(rosette) 형태를 이룬다. 특히 아쿠아포린-4 단백질과 별아교세포(astrocyte)가 소실되고 수초기초단백질(myelin basic protein, MBP)은 비교적 보존되어 있다.

다발경화증과는 달리, T 세포가 아니라 B 세포에 의하여 주로 매개되며, 보체 활성화와 같은 체액면역(humoral immunity)이 병리 기전에서 중요한 역할을 한다. 시신경척수염 환자 혈액 중의 항아쿠아포린-4 항체는 혈액뇌장벽을 통과하여 중추신경계로 들어간 뒤, 별아교세포의 발돌기(foot process)에 있는 아쿠아포린-4에 결합하여 보체를 활성화시킨다. 활성화된 보체는 중성구와 호산구를 유도하여 조직 파괴를 촉진시키고, 그로 인해 글루탐산염(glutamate) 항상성이 깨지게 되어 흥분독성(excitotoxicity)이 발생하여 이차적으로 탈수초가 발생할 것으로 추정된다. 이 때 혈액뇌장벽 투과성, 보체 활성화, 항원특이T세포(antigen-specific T cells) 등 다른 요인들이 필요하다.

② 항아쿠아포린-4 항체

아쿠아포린-4 단백질은 네 개 분자가 모여서 하나의 수분통로(water channel)를 형성하는 수분통로단백질이다. 중추신경계, 신장, 망막, 내이(inner ear), 골격근 같은 전신의 많은 기관에 분포하며, 특히 중추신경계에서는 가장 주요한 수분통로이다. 주로 혈액뇌장벽을 둘러싼 별아교세포의 발돌기에 분포하면서 뇌와 척수의 수분 항상성을 유지하는 역할을 하며, 뇌실막세포(ependymal cell) 및 뇌의 내피세포(endothelial cell)에도 존재한다. 시상하부의 시신경위핵(supraoptic nucleus)과, 맨아래구역(area postrema), 종말판(lamina terminalis)의 혈관기관(vascular organ)과 같은, 혈액뇌장벽이 없고 삼투압민감신경세포(osmosensitive neuron)가 분포하는 부위에 높은 농도로 존재한다.

아쿠아포린-4에 대한 항체는 중추신경계 내의 아쿠아포린-4에 결합하여 보체 및 면역 반응 활성화를 통해 시신경척수염의 병인 역할을 한다는 것이 밝혀졌다. 진단을 위해 다양한 방법을 이용하여 환자 혈액 중의 항아쿠아포린-4 면역글로불린-G에 대하여 검사를 시행한다. 모든 검사는 높은 특이도(91-100%)를 보이나, 민감도는 검사에 따라 차이가 있다(27-91%). 2015년 발표된 시신경척수염범주질환의 진단 기준에서는 세포기반간접면역형광분석(cell-based indirect immunofluore-scence assay)이 권장된다.

(3) 임상양상

① 핵심임상특징(core clinical features)

　가. 시신경염: 다발경화증에서 발생하는 시신경염에 비해 증상이 더 심하고 회복이 불완전한 경향이 있다. MRI에서는 시신경의 뒤쪽, 특히 시각교차(optic chiasm)가 잘 침범된다(표 8-3, 8-4).

　나. 급성척수염: 척수 MRI에서 척추체 3분절 이상의 길이를 침범하는 긴횡단성척수염(longitudinally extensive transverse myelitis, LETM) 양상으로 나타나는 경우가 많다. 때로는 척수의 거의 전부를 침범할 경우도 있으며, 경추 척수염이 위쪽으로

연수를 침범하는 경우도 있다. 그러나 일부 환자에서는 짧은 길이의 병터를 보일 수도 있으므로 주의가 필요하다.

다. 맨아래구역증후군(area postrema syndrome): 난치성 딸꾹질, 오심, 구토 등으로 발현된다.

라. 급성뇌줄기증후군(acute brainstem syndrome): 구토, 딸꾹질, 안구운동장애, 가려움증 등이 흔하며, 청력 저하, 안면 마비, 삼차신경통, 현기증, 전정실조증(vestibular ataxia), 기타 뇌신경 이상, 과도한 하품 등도 나타날 수 있다. 병터는 전형적으로 뇌실 주위에 잘 발생한다.

마. 증후성 기면증/급성사이뇌증후군(acute diencephalic syndrome): 시상하부를 침범하여 과다수면/기면증 등을 유발할 수 있다. 체온 조절 기능의 저하로 인한 저체온, 고열, 변온증(poikilothermia) 등이 보고되었으며, 식욕 부진 또는 식욕 과다, 항이뇨호르몬부적절분비증후군(syndrome of inapproapriate secretion of antidiuretic hormone, SIADH) 및 다른 호르몬 이상도 발생할 수 있다. 시상이 침범될 경우 의식의 변화도 나타날 수 있다.

바. 증후성 대뇌증후군: 큰 대뇌 반구 병터로 인하여 국소적 신경 결손은 물론 부위에 따라 뇌병증도 발생할 수 있다. 병터는 종양과 같은(tumefactive) 양상으로 나타날 수도 있으며, 백질 경로를 따라 방추형으로 나타날 수도 있다. 후방가역뇌병증증후군(posterior reversible encephalopathy syndrome, PRES)의 증례도 보고되었으며, 이는 아쿠아포린-4의 기능 저하로 인한 수분 통로의 조절의 교란과 관련된 것으로 여겨진다.

※ 가돌리늄 조영증강되는 뇌 병터는 9-36% 정도로 다양하게 보고되었으며, 대부분 경계가 불분명한, 여러 개의 희미한 반점 형태를 나타내어 "구름같은(cloud-like)" 모양이라고 일컬어진다.

※ 뇌척수액 검사: 중성구가 포함된 세포증가증을 보이며(> 50/mm³), 올리고클론띠는 약 15-30%에서 검출된다.

표 8-3 **시신경척수염범주질환의 신경영상학적 특징**

급성기 척수 MRI

급성 횡단척수염과 관련된 긴횡단척수염 병터

- 시상면 T2-강조[표준 T-강조, 양성자밀도(proton density), 또는 STIR 영상]에서 3개 이상의 척추 분절에 걸쳐 신호가 증가됨
- 주로 척수 중심부에 위치함(병터의 70% 이상이 중심 회질에 위치함)
- T1-강조 영상에서 병터의 가돌리늄 조영증강(조영증강의 특정한 분포나 양상은 불필요함)

다른 특징적인 양상들

- 병터가 머리쪽으로 확장되어 뇌줄기를 침범함
- 척수의 팽창 및 부기
- T2-강조 신호 증가 부위에 해당하는 부분의 T1-강조 영상에서 신호 감소를 보임

만성기 척수 MRI

- 긴척수위축(3개 이상의 연속적 척수 분절에 걸쳐 있으며, 맨 아랫 부분은 특정한 분절에 이르고 있는, 경계가 명확한 병터). 위축된 분절을 포함하는 국소성 혹은 미만성의 T2 신호 변화는 동반될 수도 안 될 수도 있음

시신경 MRI

- 시신경 또는 시각교차 내부에 일측성 혹은 양측성의 T2 신호 증가 또는 T1 가돌리늄 조영증강; 비교적 길고(안구에서 시각교차까지 거리의 절반 이상에 걸쳐 있음), 시신경의 뒷부분이나 시각교차를 포함하는 병터

뇌 MRI

- 뒤쪽 연수(특히 맨아래구역)를 포함하는 병터. 병터는 작고 국소적일 수도 있고, 양측성일 경우도 많으며, 상부 경수와 연결되었을 수도 있음
- 뇌줄기/소뇌의 제4뇌실 표면 주위
- 시상하부, 시상을 포함하거나 제3뇌실 표면 주위
- 크고, 융합성(confluent)이며, 일측성 또는 양측성의 피질하 또는 심부백질 병터
- 길고(뇌량 길이의 1/2 이상), 미만성이며, 비동질적이거나, 부종성의 뇌량 병터
- 뇌실 주위의 광범위한 병터, 자주 가돌리늄 조영증강 소견을 보임

표 8-4	다발경화증과 시신경척수염범주질환의 자기공명영상 소견 비교	
	다발경화증	**시신경척수염범주질환**
척수	짧은 병터. 다발성인 경우 많음	긴 병터(척추분절 3개 이상)
	주변부/비대칭적/뒤쪽	중심부/회질
	T1 저신호강도가 드묾	급성기 병터에서 T1 저신호강도가 흔함
시신경	짧은 병터	긴 병터/뒷부분/시각교차 침범
뇌	Dawson 손가락(뇌실에 수직방향)/S자 모양의 U 섬유 병터, 가쪽 뇌실 하부와 측두엽에 위치한 병터	뇌실 주위를 둘러싼 병터
	대뇌 피질 병터	대뇌 반구의 종양 같은(tumefactive) 병터
	정맥 주위 병터	피질척수로(corticospinal tract)를 포함하는 병터
	달걀 또는 반지/열린 반지(open-ring) 모양의 조영 증강 병터	구름모양("cloud-like")의 조영 증강 병터
기타	특수 MRI를 이용하여 정상처럼 보이는 백질(normal-appearing white matter)의 조직 손상 발견 가능	정상처럼 보이는 조직(normal-appearing tissue)의 손상은 병터를 포함하는 경로(tract) 및 연관 피질에 국한될 수 있음
	MRS에서 병터의 N-Acetyl-aspartate 저하	MRS에서 병터의 myo-inositol 저하

(4) 진단

2015년 시신경척수염범주질환이라는 개념으로 그 진단 기준이 발표되었으며, 항아쿠아포린-4 항체가 양성인 경우와, 항아쿠아포린-4 항체가 음성이거나 검사가 불가능한 경우로 나누어 기준이 제시되었다(표 8-5).

- AQP4-IgG가 양성인 경우: 한 가지 이상의 핵심임상특징을 발현하고 다른 진단이 배제된다면 시신경척수염범주질환으로 진단한다.

- AQP4-IgG가 음성이거나 검사가 불가능한 경우: 두 가지 이상의 서로 다른 핵심임상특징을 발현하고, 그 중 ① 시신경염, ② 길이가 긴 횡단성척수염, 또는 ③ 맨아래구역 증후군이 포함되어야 하

표 8-5 성인 시신경척수염범주질환의 진단기준

AQP4-IgG 양성인 시신경척수염범주질환의 진단 기준

1. 적어도 1개의 핵심임상특징
2. 가능한 최선의 방법으로 시행한 검사에서 AQP4-IgG 양성(세포기반분석이 강력히 권고 됨)
3. 다른 진단이 배제될 것

AQP4-IgG 음성이거나 AQP4-IgG 상태를 알 수 없는 시신경척수염범주질환의 진단 기준

1. 적어도 2개의 핵심임상특징이 한 번 이상의 임상발병(clinical attack)의 결과로 나타나 며, 다음 조건을 모두 만족함
   a. 적어도 1개의 핵심임상특징은 시신경염, 긴횡단척수염(longitudinally extensive transverse myelitis, LETM)을 동반한 급성 척수염, 또는 맨아래구역증후군임
   b. 공간적 파종(2개 이상의 서로 다른 핵심임상특징)
   c. 적용 가능할 경우, 부가적 MRI 요건을 만족함
2. 가능한 최선의 방법으로 시행한 AQP4-IgG 검사에서 음성이거나, 검사가 불가능함
3. 다른 진단이 배제될 것

핵심 임상 특징

1. 시신경염
2. 척수염
3. 맨아래구역증후군: 다른 이유로 설명할 수 없는 딸꾹질, 오심, 구토 삽화
4. 급성뇌줄기증후군
5. 시신경척수염범주질환에 전형적인 사이뇌 MRI 병터와 동반된 증상성 기면증 또는 급성 사이뇌 임상 증후군
6. 시신경척수염범주질환에 전형적인 뇌 병터와 동반된 대뇌 증후군 증상

AQP4-IgG 음성이거나 AQP4-IgG 상태를 알 수 없는 시신경척수염범주질환에서 부가적 MRI 요건

1. 급성 시신경염: (a) 뇌MRI가 정상 소견이거나 비특이적인 백질 병터만을 보임, 또는 (b) 시신경 MRI에서 시신경의 1/2 이상에 걸쳐 있거나 시각교차를 침범하는 T2-고강도 병터나 T1-강조 가돌리늄 조영증강 병터를 보임
2. 급성 척수염: 3개 이상의 연속 분절에 걸쳐 있는 척수내 MRI 병터(긴횡단척수염)를 보임, 또는 급성 척수염에 합당한 병력을 가진 환자에서 3개 이상의 분절에서 국소적 척수 위축 을 보임
3. 맨아래구역증후군: 관련된 등쪽 연수/맨아래구역 병터가 동반됨
4. 급성뇌줄기증후군: 관련된 뇌실주위 뇌줄기 병터가 동반됨

며, 부가적 MRI 조건을 만족시키고, 다른 진단이 배제된다면 시신
경척수염범주질환으로 진단할 수 있다.

시신경척수염범주질환에 비전형적이어서 다른 질환을 고려해야 하는
소견에 대해서는 표 8-6에 정리하였다.

표 8-6	시신경척수염범주질환에 비전형적인 소견

임상적/실험실적 소견

1. 임상 특징과 실험실적 소견
   - 전반적으로 진행하는 임상 경과(발병과 무관한 신경학적 악화; 다발경화증 의심)
   - 가장 심한 상태까지의 악화 시간: 4시간 이내(척수 허혈/경색 의심); 발병 시작으로부터 4주 이상의 지속적인 악화(사르코이드증 또는 신생물 의심)
   - 부분 횡단성 척수염, 특히 MRI에서 긴횡단척수염 병터와 관련이 없을 때(다발경화증 의심)
   - 뇌척수액 올리고클론띠의 존재(올리고클론띠는 시신경척수염의 20%의 미만에서, 다발경화증의 80% 이상에서 발견됨)

2. 시신경척수염범주질환과 비슷한 신경학적 증후군을 나타내는 질병
   - 사르코이드증, 확진되거나 임상적, 영상학적, 실험실적 소견에서 시사할 경우[예: 종격동선병증(mediastinal adenopathy), 열과 야간발한, 혈청 내 안지오텐신전환효소 또는 인터루킨-2 수용체의 증가]
   - 암, 확진되거나 임상적, 영상학적, 실험실적 소견에서 시사할 경우: 림프종 또는 신생물 딸림질환(예: collapsing response mediator protein-5와 관련된 시신경병증과 척수병증 또는 항-Ma-항체와 관련된 사이뇌 증후군)
   - 만성 감염, 확진되거나 임상적, 영상학적, 또는 실험실적 소견에서 시사할 경우(예: HIV, 매독)

전통적 신경영상학 소견

1. 뇌
a. 다발경화증을 시사하는 영상 특징 (T2강조 MRI)
   - 가측뇌실 표면에 수직 방향인 병터 (Dawson fingers)
   - 하부 측두엽의 가측 뇌실에 인접한 병터
   - 피질하 U-섬유를 포함한 피질연접병터
   - 피질 병터
b. 다발경화증이나 시신경척수염범주질환 이외의 다른 질환을 시사하는 영상 특징
   - 지속적으로 (3개월 이상) 가돌리늄 조영증강을 보이는 병터

2. 척수
   - 시신경척수염범주질환보다 다발경화증을 더 시사하는 특징
   - 시상 T2-강조 영상에서 3개 척추분절 미만인 병터
   - 축상 T2-강조 영상에서 척수 주변부에 주로 (70% 이상) 위치한 병터
   - T2-강조 영상에서 미만성의 흐릿한 신호 변화 (오래 계속되거나 진행성의 MS)

(5) 치료

① 급성기 치료

　가. 고용량 스테로이드

　나. 혈장분리교환술(plasmapheresis)

　다. 면역글로불린: 스테로이드에 대한 반응이 충분하지 않거나 혈장분리교환술을 시행하지 못할 경우에 시행한다. 일반적으로 400 mg/kg/day 용량을 5일 동안 투여하여 총 2,000 mg/kg을 투여한다. 두통, 무력감, 열, 발진, 혈액응고, 신장기능 저하, 아나필락시스 등의 부작용이 발생할 수 있으나, 부작용 때문에 치료를 중단해야 하는 경우는 많지 않다.

② 장기적 재발 예방 치료

　가. 아자티오프린(azathioprine)

　　림프구 증식을 억제하는 항대사물질이다. 하루 2–3 mg/kg의 용량을 경구 스테로이드와 함께 또는 단독으로 투여하는데, 치료 비용이 저렴하다는 장점이 있으나, 간기능 이상, 백혈구 감소증, 기회감염 등의 부작용이 비교적 흔하고, 일부 환자에서는, 특히 단독으로 사용하였을 경우, 그 치료 효과가 불충분하다. 아자티오프린의 대사 과정에 관여하는 효소인 thiopurine methyltransferase (TPMT)의 활성도가 낮은 사람들에게서는 심한 골수독성 부작용이 발생할 수 있으므로 주의가 필요하다. 25 mg/day 또는 50 mg/day의 용량으로 시작하며, 1주 뒤 혈액 검사를 확인하고, 이후 수 주에 걸쳐 목표 용량까지 증량한다. 투여 시작 후 한 달 동안은 매주 혈액검사가 권장되며, 이후 3개월 까지는 격주, 이후 1년 동안은 매달 혈액 검사가 권장된다. 효과가 나타나기까지의 기간이 길기 때문에 보통 초기 6개월 동안은 스테로이드를 병용 투여한다.

나. 미코페놀레이트모페틸(mycophenolate mofetil)

구아노신 뉴클레오티드의 생합성을 방해하여 림프구의 증식을 억제하며, 장기 이식 후에 발생할 수 있는 급성 거부반응의 예방 목적으로 사용되어온 약물이다. 아자티오프린과 달리 호중구에는 영향이 적고 림프구에 비교적 선택적으로 작용하여 간독성 및 골수부전 등을 덜 유발하며, 드물게 기회감염, 림프구 증식질환, 피부암 등을 유발할 수 있다. 보통 500 mg/day부터 시작하여 매주 500 mg/day씩 증량하여 2,000 mg/day 정도를 하루 두 번에 나누어 투여하며, 목표 림프구 수치를 1,500/μL 이하로 감소시키기 위해 3,000 mg/day로 증량한 경우도 보고된 바 있다. 투여 초기에는 주기적인 혈액 검사가 권장된다.

다. 리툭시맙

B 세포에 발현되는 표지자인 CD20에 특이적인 단클론항체로, B 세포를 선택적으로 억제하여 항체 생성을 감소시킨다. 개시 용량으로 첫 투여 시 1,000 mg, 2주 뒤 1,000 mg을 투여하는 방법, 또는 처음 4주 동안 375 mg/m²를 매주 투여하는 방법 등이 보고되었으며, 유지 용량으로는 6개월마다 또는 그 전이라도 CD19 양성 B 세포가 1% 이상으로 증가할 경우 초기 용량을 반복하거나, CD27 양성 기억B세포(memory B cell)이 증가할 때마다 375 mg/m²를 반복 투여하는 방법 등이 보고되었다. 심각한 부작용은 드물지만, 주사 관련 반응, B형 간염의 재활성화, 점막반응, 감염, 부정맥 등이 발생할 수 있다. 주사 반응을 예방하기 위해 환자 상태에 따라 항히스타민, 아세트아미노펜, 스테로이드 등을 전투약하는 것이 권장된다.

라. 에쿨리주맙(eculizumab)

단클론항체로서(IgG2/IgG4) C5와 결합하여 C5a 와 C5b로 분리되는 것을 막아 막공격복합체(membrane attack complex, MAC) 생성을 막고 염증을 줄인다. 첫 4주간은 1주마다 900 mg을 투여하고, 1주 뒤 다섯 번째 용량으로 1,200 mg을, 그 후부터는 매 2주마다 1,200 mg을 투여한다. 기회감염의 위험성이 증가될 위험성이 있으며, 에쿨리주맙 치료 최소 2주 이전에 수막알균 예방접종이 필요하다.

마. 인에빌리주맙(inebilizumab)

B세포에서 발현하는 CD19에 결합하는 단클론항체로서 CD20에 결합하는 리툭시맙에 비해 CD20은 발현하지 않지만 CD19를 발현하는 형질아세포 및 형질 세포까지 소실시켜 보다 광범위한 B세포 계열의 소실을 유도할 수 있다. 투약 초기에는 300 mg을 2주 간격으로 2회 정맥투여하며, 이후에는 6개월마다 한 번씩 투여한다. 인에빌리주맙 치료 시 면역글로불린 감소 우려가 있어 면역글로불린 수치 감시가 권고된다.

바. 토실리주맙(tocilizumab)

인터루킨(interleukin, IL)-6 수용체에 대한 단클론항체로서 IL-6의 신호전달을 차단한다. IL-6는 TH17 세포로의 림프구 분화를 촉진시키고, 혈액뇌장벽의 투과성에 영향을 미쳐 전염증사이토카인 및 항체의 중추신경계 침윤을 증가시키고 아쿠아포린-4항체 생성 형질세포의 유지를 강화시킨다. 매달 8 mg/kg을 정맥 내 또는 피하로 투여한다.

사. 사트랄리주맙(satralizumab)

IL-6 수용체에 대한 단클론항체(IgG2)이다. 섭취소체 (endosome) 내에서 수소이온 농도(pH) 의존 해리 후 재활용되어 IL-6 수용체에 다시 결합하므로 토실리주맙과 비교하여 보다 긴 반감기를 갖는다. 투여 초기에는 120 mg을 2주 간격으로 3번 피하주사하고, 유지 기간에는 4주 간격으로 피하주사한다. 폐렴 등 감염의 우려가 있으므로 주의해야 한다.

아. 미톡산트론(mitoxantrone)

질환 활성도가 높은 시신경척수염범주질환 환자에서 빠르고 강한 면역억제를 위해 단기간의 유도 치료가 필요할 경우 고려된다.

REFERENCE

- Ghezzi A. European and American guidelines for multiple sclerosis treatment. Neurol Ther 2018;7:189-94.
- Levy M, Fujihara K, Palace J. New therapies for neuromyelitis optica spectrum disorder. Lancet Neurol 2021;20:60-7.
- RK Garg, HS Malhotra, R Gupta. Spinal cord involvement in tuberculous meningitis. Spinal cord 2015;53:649-57.
- Thompson AJ, Banwell BL, Barkhof F, et al. Diagnosis of multiple sclerosis: 2017 revisions of the McDonald criteria. Neurology 2018;17:162-73.

CHAPTER **09** 대사장애/전신질환과
관련한 신경계 이상

이지은, 최고은, 이한빈

1 Endocrine disorder

1 뇌하수체졸중(Pituitary apoplexy)

뇌하수체로의 갑작스러운 출혈을 뇌하수체졸중이라고 한다. 뇌하수체졸중은 뇌하수체 선종의 출혈로 발생한다.

(1) 증상

급성 출혈로 인한 뇌하수체 덩어리의 비대는 극심한 두통, 눈돌림신경의 압박으로 인한 복시, 뇌하수체 기능저하증의 발병으로 나타난다. 모든 뇌하수체 호르몬 결핍이 발생할 수 있지만 부신피질자극호르몬의 갑작스러운 결핍과 그에 따른 코르티솔(Cortisol) 결핍은 생명을 위협하는 저혈압을 유발할 수 있다.

(2) 진단

상기 급성 증상과 뇌하수체 종괴의 영상 증거로 진단한다.

(3) 치료

시력의 손상이 심각하거나, 신경학적 증상이 있는 경우에 뇌하수체의 외과적 감압술이 시행된다. 복시, 뇌하수체기능저하증은 수술적 감압술 후에 호전될 수 있다. 약물치료로 고용량의 코르티코스테로이드와 프로락틴 분비종양 환자의 경우 종양의 크기를 줄이기 위한 도파민 작용제 투여가 있다.

2 부신 위기(Adrenal crisis)

부신 기능 부전의 증상 및 징후는 부신 기능 상실의 속도와 정도에 따라 달라지며 특히, 무기질 코르티코이드 생성 보존 여부 및 스트레스 정도에 따라 다르다. 부신 기능 부전의 발병은 질환이나 다른 스트레스가 부신 위기를 유발할 때까지 감지되지 않을 수 있다.

(1) 증상

주요 증상은 쇼크이나 환자는 종종 식욕 부진, 메스꺼움, 구토, 복통, 쇠약, 피로, 발열, 착란 또는 혼수와 같은 비특이적 증상을 호소한다.

(2) 진단

부신 기능부전이 진행되면 전해질 장애가 흔히 나타나며, 알도스테론 부족으로 혈중 나트륨, 염소, 중탄산염은 감소하고 칼륨은 증가한다. 부신피질기능저하증의 진단은 부적절한 코르티솔 분비를 증명하기 위해 기저 혈중 코르티솔의 검사 혹은 스테로이드 생산에 대한 부신 예비능을 평가하는 ACTH자극 검사를 시행하여 이루어진다.

(3) 치료

부신 위기의 가능성이 의심되면 당질코르티코이드 치료를 신속히 시행한다. 하이드로코르티손 100 mg을 매 6시간 간격으로 정맥주사하거나 혹은 하이드로코르티손 100 mg을 정맥주사한 후 지속적으로 시간당 10 mg의 속도로 24시간 동안 정맥주사한다.

3 갑상선 질환

(1) 갑상선 기능 저하증(hypothyroidism)

① 점액부종 혼수(myxedema coma)

여러 신체 기관의 기능 저하를 초래하는 심각한 갑상선 기능 저하증을 말한다. 사망률이 높은 응급 상황이나 갑상선 자극 호르몬(TSH) 검사가 널리 보급되어 조기 진단이 가능하여 요즘은 드물게 나타난다.

점액부종 혼수의 임상적 특징은 정신상태의 저하와 저체온이지만 저혈압, 서맥, 저나트륨혈증, 저혈당 등이 동반되는 경우가 많다.

가. 진단

글루코코르티코이드 및 갑상선 호르몬 치료를 시작하기 전에 혈청 T4, TSH 및 코티솔을 측정하기 위해 혈액 검체를 채취한다. 혈청 T4 농도는 일반적으로 매우 낮다. 혈청 TSH 농도가 높으면 일차성 갑상선기능저하증을 시사한다.

점액부종 혼수 환자는 사망률이 40%에 육박하기 때문에 적극적으로 치료해야 한다. 필요시 검사 결과 확인을 기다리지 않고 갑상선 호르몬 및 글루코코르티코이드 치료를 시작해야 한다. 공존하는 부신 기능 부전을 배제할 수 있을 때까지 고용량 글루코코르티코이드 요법을 투여해야 한다. 기계 환기, 적절한 수액 교체, 저나트륨혈증 및 저체온증 교정 등의 보존적 치료와 감염이나 위장 출혈과 같이 치료해야 하는 관련 질병을 확인하고 조치를 취해야한다.

점액부종 혼수에서 고령, 심장 합병증, 의식 감소, 기계적 환기의 필요성, 지속적인 저체온증 및 패혈증은 사망률의 위험도가 높다.

(2) 갑상선 기능 항진증(hyperthyrodism)

갑상선 중독위기(thyroid storm): 갑상선 중독증의 심각한 임상 증상을 특징으로 하는 생명을 위협하는 응급상황이다. 장기간 치료되지 않은 갑상선 기능 항진증이 있는 환자에서 발생할 수 있지만 수술, 외상, 감염, 급성 요오드 부하 또는 출산 등이 악화요인이 될 수 있다.

전형적인 증상은 빈맥, 고열, 중추신경계 기능장애(초조, 섬망, 혼미 또는 혼수) 및 위장 증상(메스꺼움, 구토, 복통)이 나타난다. 신체 검사에서 갑상선종, 그레이브스눈병증, 손 떨림, 따뜻하고 촉촉한 피부가 보일 수 있다.

① 진단

갑상선 기능 항진증의 검사 소견에, 고열, 심혈관 기능 장애, 정신 변화 등의 심각하고 생명을 위협하는 증상이 나타나면 의심하고 치료해야 한다.

② 치료

갑상선호르몬의 생산과 분비를 억제해야 하고, 갑상선호르몬의 말초 조직 내 작용을 억제해야 하고, 전신적인 대상기능장애를 교정하는 지지요법을 하고, 끝으로 유발인자를 제거하는 치료를 해야 한다. 일반적으로 글루코코르티코이드 및 요오드 용액과 같은 추가 약물이 사용되며, 중환자실에서의 지지 요법과 중환자실에 입원한 생명을 위협하는 갑상선 중독위기 환자의 경우 초기 요법으로 메티마졸 대신 프로필티오우라실[PTU (4시간마다 200 mg 경구)]을 권장한다.

2 신기능 이상

1 요독증(Uremia)

요독증은 급성 또는 만성의 신기능 악화에 의해 질소를 함유한 노폐물이 적절한 제거가 안되면서 나타나는 여러 증상을 말한다. 중추신경계 및 말초신경계에 영향을 줄 수 있다.

(1) 요독성 뇌병증(uremic encephalopathy)

요독성 뇌병증의 발병 및 중증도는 일반적으로 질소혈증(azotemia)의 중증도와 유사하지만 환자마다 다를수 있다. 고령 환자 또는 기저 중추신경계 질환이 있는 환자에서 더 빨리 발생한다. 뇌병증은 투석이 시작된 후 투석 불균형 증후군의 구성 요소로 발생할 수도 있다.

① 증상

초기 증상으로 혼수, 과민성, 지남력 장애, 환각 등이 나타난다. 대부분의 요독증 환자는 경미한 쇠약을 보이며 움직임이 불안정하다. 떨림, 간대성 근경련 및 자세고정불능은 흔하며 환자의 의식과 병행하여 변하는 경향이 있다. 혼수 상태는 드물지만 급성 신부전 환자에서 발생할 수 있다. 드물게 일시적으로 편마비 같은 국소 신경학적 증상이 나타날수 있고 혈액 투석으로 해결되는 경향이 있다. 전신 발작은 특히 요독증이 급성일 때 발생할 수 있다.

② 진단

요독증의 뇌파는 뇌병증의 중증도를 반영한다. 뇌파 소견으로 주로는 전반적으로 서파가 관찰되고 전두엽에서 삼상파(triphasic wave)가 보인다. 간질파는 14%까지 나타날 수 있다. 경막하 혈종 등 구조적인 문제를 배제하기 위해 신경 영상 검사가 필요할 수 있다.

③ 치료

급성 요독성 뇌병증은 투석으로 회복되지만 정신 상태가 회복되기까지 일반적으로 1~2일 시간이 필요하다. 만성 신부전 환자의 경우 투석 후에도 인지 장애가 지속될 수 있고 투석 후 개선되지 않으면 뇌병증의 다른 가능한 병인에 대해 확인해야 한다.

(2) 말초신경병증

요독성 다발신경병증은 말기신장질환 환자에게 흔하다. 다발신경병증은 일반적으로 사구체여과율이 현저히 감소된 환자에게만 발생하며 투석을 시작하라는 표시일수 있다. 처음에는 하지의 말단 부분과 관련된 감각 증상이 나타나고 초기 감각 증상은 따끔거림이나 따끔거림과 같은 감각 이상 이후 신경병증이 더 심해짐에 따라 작열통이 발생한다.

2 투석 불균형 증후군(Dialysis disequilibrium syndrome)

혈액투석을 받는, 특히 처음 시작한 환자들에게 나타나는 여러 신경학적 증상들이 특징이다. 투석에 의해 혈액의 요소가 급격히 제거되어 뇌세포와 혈액 간의 삼투압 차이가 나타나 일시적으로 발생한 뇌부종에 의한 것으로 생각된다.

(1) 증상

주로는 두통, 오심, 시야 흐림, 안절부절에서 졸음, 혼란, 지남력장애 등으로 나타난다. 경미한 증상은 대개 대부분 저절로 호전되나 드물게는 경련, 혼수, 사망에 이르기까지 한다.

(2) 진단

임상적 진단으로 투석 시 상기 증상이 나타나는 경우 뇌경막하 혈종, 뇌졸중 등 다른 원인이 배제된다면 의심해야 한다.

(3) 치료

대부분 보존적 치료로 호전이 가능하며 환자에 따른 투석처방의 조정이 필요하다. 조정에도 불구하고 증상이 지속적인 경우 고장성 식염수 또는 만니톨 투여를 고려해야 한다.

3 투석 치매(Dialysis dementia)

이전에는 투석액에 알루미늄이 포함되어 있어 반복적인 투석으로 인한 알루미늄 중독으로 나타났으나 최근 투석액에서 최대한 알루미늄을 제거하여 흔하게 나타나지는 않는다.

(1) 증상

아급성으로 점진적으로 구음장애, 언어장애, 성격장애가 나타나며 이후 근간대경련, 뇌전증 발작, 국소 신경학적 증상이 나타날수 있고 투석이후 증상이 심해질 수 있다.

(2) 진단

영상 검사는 보통 특이소견 없고, 뇌파에서는 주기적인 예파 및 극서파가 나타난다.

3 전해질이상(Electrolyte imbalance)

1 나트륨

(1) 저나트륨혈증(hyponatremia)

혼돈에서 혼수까지 다양한 의식변화를 유발할 수 있다(특히 급성으로 발생하는 경우). 그 외에도 발작, 반신마비, 실조, 진전, 실어증, 추체

표 9-1	삼투질 농도에 따른 저나트륨혈증의 분류
high[a]	• hyperglycemia, mannitol infusion
normal	• accumulation of non-sodium cations • lithium intoxication • increased cationic gamma-globulin • severe hyperkalemia • severe hypermagnesemia • severe hypercalcemia • increased cationic amino acids
pseudohyponatremia[b]	• pseudohyperkalemia d/t in vitro hemolysis or others • hyperlipidemia • hyperpoteinemia
low	• usual (true) hyponatremia

a: 세포내액으로부터 세포외액으로 물의 이동에 의해 희석 저나트륨혈증이 생긴다.
b: Na이온은 혈장의 물에 용해되어 있기 때문에 물 이외의 부분이 증가하는 경우, 인공적으로 혈장의 리터당 측정된 Na 농도는 낮아진다.

외로징후 등을 보일 수 있다. 저나트륨혈증의 원인은 다양하지만 SIADH (syndrome of inappropriate antidiuretic hormone secretion)이 임상적 중요성이 크다. SIADH를 일으키는 원인은 다양하고, 저나트륨혈증 자체에 대한 교정뿐 아니라 기저 원인의 진단 및 치료도 병행되어야 한다(표 9-1, 9-2). 보통 치료시 수분제한으로 효과를 볼 수 있지만 환자가 저나트륨혈증으로 인한 발작, 의식변화 등의 신경학적 증상을 보이는 경우에는 NaCl을 정맥 투여하여 교정하게 된다. 이때 너무 빨리 교정할 경우에는 CPM (central pontine myelinolysis)을 야기할 수 있으니 유의해야 한다.

① 정의
    혈청 Na 농도 < 135 mEq/L

표 9-2	저삼투질성 저나트륨혈증의 분류	
혈액량 감소 (총 체 Na감소)	**정상 혈액량 (총 체 Na 거의 정상)**	**혈액량 과다 (총 체 Na 증가)**

• 신외성 Na 소실
  구토(안정기)
  설사
  제3공간에 수분 격리
  복막염, 췌장염
  횡문근융해
  화상
• 신성 Na 소실
  이뇨제
  삼투성 이뇨
  염류 코르티코이드 결핍
  염분 소실성 신염
	• 이뇨제
	• 갑상선 기능 저하증
	• 당류 코르티코이드 결핍
	• 약제들(acetaminophen, morphine,
	  nicotine, vincristine, clofibrate,
	  indomethacin, barbiturates)
	• 동통, 감성적 스트레스
	• 호흡부전
	• 양압호흡
	• SIADH
	• primary polydipsia
		• 신외성 질환들
		  울혈성 심부전
		  간경변
		• 신장 질환들
		  신증후군
		  급성 신부전
		  만성 신부전

② 임상양상

증상은 삼투압성 세포내 수분 이동에 의한 뇌부종과 연관된다. 혈청 Na 농도가 120 mEq/L 이상에서는 대부분 무증상이나, 급성(즉, 2일 이내)으로 발병할 경우 이보다 높은 농도에서도 두통, 오심, 구토, 권태감, 기면, 발작, 혼수 등의 증상이 올 수 있으며, 영구적인 신경학적 손상이 발생할 수 있다. 만성(기간 3일 이상)일 경우에는 세포내 용적을 방어하기 위한 적응기전이 일어나므로 증상이 심하지 않을 수 있다. 따라서 증상의 중증도는 혈청 Na 감소폭과 감소 속도에 밀접한 관련이 있으며, 증상이 있거나 혈청 Na 농도가 110 mEq/L 이하인 경우 응급치료가 필요하다.

③ 진단적 접근(그림 9-1)

plasma 및 urine osmolality 그리고 urine Na 농도 측정

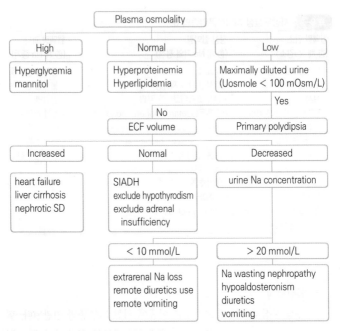

그림 9-1 저나트륨혈증의 진단적 접근법

- SIADH의 원인(표 9-3)
  - 악성 신생물
  - 암: 폐암(소세포폐암 가장 흔함), 췌장암, 전립선암, 림프종 및 백혈병, 흉선종 및 중피종
  - 중추신경계 질환들: 외상, 감염, 종양, CVA, Porphyria
  - 폐질환들: 결핵, 폐렴, 진균 감염, 폐농양, 양압 기계 인공호흡
  - 약물(표 9-4)
  - Surgical and emotional stress
  - Emesis
  - 내분비계 원인: glucocorticoid deficiency and myxedema

표 9-3 SIADH 진단기준

필수 기준

1) 세포외액의 유효 삼투압 농도 감소(Posm < 275 mOsm/kgH$_2$O): 저나트륨혈증 및 저삼투압 농도

2) 저삼투압 농도와 비교하여 부적합한 요농축(Uosm > 100 mOsm/kgH$_2$O, 정상 신기능)

3) 임상적 정상 혈량: 저혈량 또는 혈량 과다성 징후들 없음

4) 정상 염분 및 수분 섭취하는 동안에 요 나트륨 배설 증가(UNa > 20 mEq/L)

5) 정상 혈량성 저삼투압 농도의 기타 잠재적 원인들 없음: 갑상선 기능 저하증, 부신피질호르몬 결핍증(Addison씨 질환이나 뇌하수체서러 ACTH 부전), 신부전 및 이뇨제 사용

6) 정상 신, 심장, 간, 부신, 뇌하수체, 갑상선 기능

보충 기준

1) 수분 부하 검사 이상(체중 kg당 20 mL 수분 부하하고 부하된 수분의 90% 이상이 4시간 이내에 요배설 못한 경우 및 요삼투압을 100 mOsm/kgH$_2$O 미만으로 요회석 실패 시)

2) 혈장 삼투압 농도에 비해 혈장 AVP치가 부적합하게 높음

3) 체 용적을 증가하면 혈청 Na 농도의 유의한 교정이 없으나, 수분 제하 시는 혈청 Na 농도의 유의한 호전 발생

4) 저 요산혈증, 혈증 BUN 및 혈청 크레아티닌치는 정상 또는 감소

표 9-4 SIADH 유발하는 약제

Vasopressin 유사 물질	Vasopressin 분비를 촉진하는 약제	신장에서 vasopressin의 작용을 강화하는 약제	기전 미상의 저나트륨혈증을 일으키는 약제

• Desmopression
• DDAVP
• Oxytocin
	• chlorpropamide
	• clofibrate
	• carbamazepine
	• oxycarbazepine
	• vincristine
	• narcotics
	• antipsychotics/
	  antidepress
	• ants
	• ifosfamide
		• chlorpropamide
		• cyclophosphamide
		• NSAIDs
		• acetaminophen
		  (paracetamol)
			• haloperidol
			• fluphenazine
			• amitriptyline
			• thioradazine
			• fluoxetine
			• sertraline

- 저나트륨혈증 치료의 일반적인 권고사항
  - Initial rapid correction if associated with severe symptoms
  - Maximum brain volume expansion: 8−10% (rigidity of the skull)

    Theoretically no need to increase initial Serum Na by more than 8%.
  - Maximum Serum Na correction < 10−15 mEq/L/24 hours and lower than 10 mEq/L/24

    hours if associated risk factors for myelinolysis: hypokalemia, malnutrition, alcoholism, liver disese, burns, phosphate depletion, hypoglycemia, hypocorticism.
  - Close monitoring of Serum Na: every 1−2 hours initially, then every 4 hours,

    particularly if urine output is high (> 150 mL/hr)
  - If Serum Na increases too rapidly, interrupt the increase by hypotonic fluid

    administration and/or desmopressin acetate

- 급성 저나트륨혈증의 치료(표 9-5)
  - Hypertonic saline (3% NaCl): 1−2 mL/kg of body weight/hr
  - If severe antidiuresis, Serum Na will increase by about 1−2 mEq/L/hr and

    by 2−4 mEq/L/hr if combined with furosemide
  - If associated with severe symptoms (seizure, obtundation, coma):

    → treat with 3% NaCl 4−5 mL/kg of body weight/hr for 1 or 2 hours

표 9-5	저나트륨혈증 치료의 계산법
공식	**임상적 의의**
changes in serum Na = $\dfrac{\text{infusate Na} - \text{serum Na}}{\text{total body water} + 1}$	용액 1 L 주입 시 혈청 나트륨에 대한 효과
changes in serum Na = $\dfrac{(\text{infusate Na} + \text{K}) - \text{serum Na}}{\text{total body water} + 1}$	나트륨과 칼륨을 포함한 용액 1 L 주입 시 혈청 나트륨에 대한 효과

- 저나트륨혈증 치료 예제

  60 kg 여자 Na 110 mmol/L일 때 24 hr 동안 120 mmol/L까지 올릴 계획이라면

  1) Plasma sodium deficit per liter = 120 − 110 = 10 mmol
  2) Total body water = 0.5 × 60 = 30 L
  3) Sodium deficit for initial therapy = 10 × 30 = 300 mmol
  4) 그러므로
     ① 3% saline으로 치료한다면
        300 mmol = 51.3 mmol/100 cc × 600 cc → 600 cc를 24 hr 동안 준다.
     ② 0.9% saline으로 치료한다면
        300 mmol = 15.4 mmol/100 cc × 2,000 cc → 2,000 cc를 24 hr 동안 준다.

④ 중심성 교탈수초증(central pontine myelinolysis, CPM)
   – 저나트륨혈증을 너무 빨리 교정하게 될 경우, 세포 밖으로 체액의 삼투성 이동 때문에 수초(myelin sheath)로부터 신경세포(neuron)의 수축이 일어나 발생함. 대부분 24시간 이내 혈장 Na 농도를 12 mEq/L 이상 교정할 때 발생 가능성 높음
   – 증상: dysarthria, ataxia, paralysis, locked-in syndrome, confusion
   – 진단: brain MRI(그림 9-2)

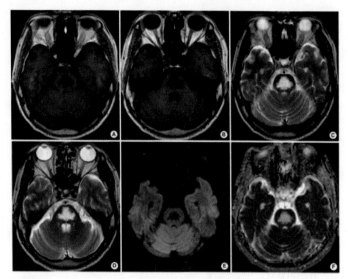

그림 9-2 Central Pontine Myelinolysis 환자의 Brain MRI

- 위험인자: 탈수, 저칼륨혈증, 영양실조, 알코올 중독증, 만성 신부전, 악성 암종, 화상
- 급성기 신경학적 증상의 중증도와 기존의 동반되는 질병 또는 방사선학적 검사 결과는 예후와 크게 상관이 없으며, 대부분의 CPM 환자들은 영구적인 신경학적 손상이 남음

(2) 고나트륨혈증(hypernatremia)

혈중 나트륨 농도가 145 mEq/L 이상일 때를 말하는데, 빠르게 나타날수록 증상이 두드러진다. 일반적으로 유아나 노인에게서 비교적 흔히 발생하는데, 노인에서는 160 mEq/L 정도까지도 증상이 특별히 없는 경우가 많고 더 높아지면 근위약, 발작, 혼돈, 혼수가 가능하다. 원인 중 요붕증(diabetes insipidus, DI)이 중요 원인인데, 뇌하수체 후엽에서의

표 9-6	고나트륨혈증의 원인
정상 혈량성 고나트륨 혈증(순수분 손실)	
신외성 손실	• 호흡성(빠른 호흡), 피부성(땀, 열)
신성 손실	• 중추성 요붕증, 신성 요붕증
기타	• 수분 접근에 어려움(수술 후 상태, tracheostomy state) • 갈증 감소증 혹은 무갈증(노인, 정신장애, 신체불구) • Reset osmostat? (본태성 고나트륨 혈증)
혈량 감소성 고나트륨 혈증(수분 결핍이 나트륨 결핍을 초과)	
신외성 손실	• 위장관 손실(설사, 구토, 누공) • 피부성 손실(화상, 과다한 발한)
신성 손실	• 삼투성 이뇨(만니톨, 포도당, 요소), 루프 이뇨제 • 폐쇄 후 이뇨, 고유 신장 질환
혈량 과다성 고나트륨 혈증(나트륨 증가가 수분 증가를 초과)	
고장성 식염수 또는 중탄삼염 투여	
고장성 영양(TPN)을 복용한 영아 또는 혼수 환자	
염류 코르티코이드 과다	

vasopressin 분비 이상으로 생기는 중추성 요붕증(central DI)에 대한 감별이 필요하다(표 9-6). 치료는 vasopression 투여 및 기저질환 치료이다.

① 정의: 혈청 Na 농도 > 145 mEq/L
  - 대부분 저장성 수분 소실이나 수분 섭취가 제한된 경우에 호발함
  - 고나트륨혈증이 지속되기 위해서는 갈증에 대한 수분 섭취자극의 감소와 효과적인 바소프레신 작용의 장애가 동반되어야 함
② 임상양상: 뇌세포용적의 감소에 따른 이유로 고나트륨 혈증의 주 증상은 신경학적이고 변화된 정신상태, 쇠약, 신경근육성 과민성, 국소성 신경 결핍, 기면, 발작, 혼수 등의 증상이 나타난다. 저나트륨 혈증과 마찬가지로 발생 속도에 비례하여 증상이 심하게 나타나며, 혈청 나트륨 농도가 160 mEq/L 이상으로 상승하는 경우 사망률이 높다(그림 9-3, 9-4).

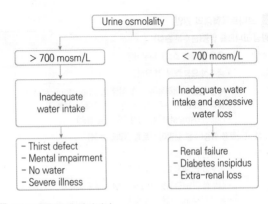

그림 9-3 고나트륨혈증의 감별진단

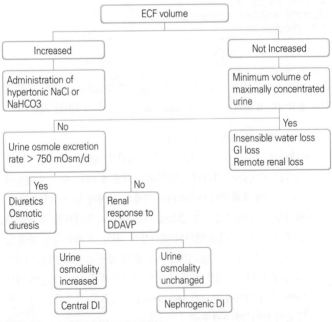

그림 9-4 고나트륨혈증의 진단적 접근법

③ 고나트륨혈증에 대한 적절한 신장의 반응은 농축된 소변(Uosmol > 800 mOsm/L)을 소량(< 800 mL/day) 배설시키는 것이다.

④ 고나트륨혈증의 치료

저나트륨혈증에서와 마찬가지로 교정 속도가 중요하다. 고나트륨혈증의 교정 속도는 전해질 장애의 발생 급성도와 신경학적 증상의 유무에 따라 달라진다.

신경학적 증상을 동반한 경우, 혈장 Na를 시간당 0.4−0.5 mEq/L 이내, 또는 하루에 10 mEq/L 이내로 교정하는 것이 바람직하다. 즉각적으로 정상수치에 도달하지 않더라도 천천히 교정하는 것이 훨씬 안전하다.

$$\text{Water deficit: } \frac{\text{Plasma Na concentration} - 140}{140} \times \text{TBW}$$

(TBW: 50% and 40% of lean body mass in men and women, respectively)

만성 고나트륨혈증의 경우, 만성적인 고삼투압 상태에 대해 뇌가 적응한 상태이므로, 치료와 관련된 합병증이 발생하기 쉽다. 대개 하루 10 mEq/L 이내로 천천히 교정해야 한다.

- ECF 용적 과잉: 이뇨제나 투석(신부전이 있는 경우)을 통해 과잉 Na 을 제거하며 손실된 체액은 포도당 용액으로 보충한다.
- ECF 용적 감소: 이뇨제 사용, 삼투성 이뇨(포도당 과잉, 고단백 영양공급)에 의한 신장 손실과 위장관 손실 및 불감성 손실(화상, 발한)에 따른 신장외 손실이 있으며 수분결핍은 경구 또는 포도당 용액으로 체내 수분결핍량을 계산하여 공급한다.

⑤ 요붕증

- 정의: 다뇨 및 다음을 특징으로 하며 항이뇨 호르몬(ADH) 분비가 결핍된 중추성 요붕증과 ADH가 정상적으로 분비되어도 신장에 작용하지 않는 신성 요붕증으로 나눈다(표 9-7, 9-8).

표 9-7 요붕증의 치료

	투여량	투여경로	작용 시점	작용 기간
중추성 DI에서 ADH 계통				
Pitressin	5-10 units	SC	0.5-1 hr	4-6 hr
Vasopressin tannate	2-5 units	IM	2-4 hr	24-72 hr
DDAVP	5-20 ug	Nasal spray	0.5-1 hr	12-24 hr
부분 중추성 DI의 보조 치료제				
Chlorpropamide	250-750 mg/d	po	1-2 hr	24-36 hr
신성 DI의 보조 치료제				
Hydrochlorothiazide	50-100 mg/d	po	1-2 hr	12-24 hr

표 9-8 수분제한검사(Water deprivation test) 해석

	수분제한 후 Uosm (mOsm/kg H_2O)	수분제한 후 plasma AVP (pg/mL)	AVP 투여 후 Uosm 증가
정상	> 800	> 2	불변
완전 중추성 DI	< 300	측정 안됨	50% 이상 증가
불완전 중추성 DI	300-800	< 1.5	10% 이상 증가
신성 DI	< 300-500	> 5	불변
원발성 다음증	> 500	< 5	불변

2 칼륨

저칼륨혈증은 근위약, 근육통, 피로감 등을 유발한다. 혈중 내 칼륨 수치가 2.5 mEq/L 아래로 떨어지는 경우에는 횡문근융해증 및 마이오 글로빈뇨가 발생하고, 칼륨을 보충해 줄 경우에 빠르게 회복 가능하다. 고칼륨혈증은 심독성을 가지며, 신경학적 증상을 유발하는 경우는 드물 다.

(1) 저칼륨혈증(hypokalemia)

① 정의: K+ < 3.5 mEq/L

② 원인: 기아, 영양 불량 등으로 칼륨의 섭취량 저하, 구토, 설사 등
으로 인한 소화액의 대량 상실, 당뇨병성 케톤산증에서 발생하는
삼투성 이뇨, 인슐린 과잉으로 인한 칼륨의 세포 내 이동, 이뇨제,
스테로이드 남용, 주기성 사지 마비, 대사성 알칼리증, 고알도스테
론증, 쿠싱 증후군, 간 질환 등으로 인해 저칼륨혈증이 발생

③ 임상양상

가. K+ < 3.0 mEq/L: 무력감, 근육통, 장마비, 변비, 하지의 근력
저하

나. K+ < 2.5 mEq/L: 이완성마비, 반사저하(hyporeflexia),
tetany, 호흡마비, 횡문근융해증

다. 부정맥, 대사성 알칼리증, 저칼륨성 신증(hypokalemic
nephropathy)

④ 진단(그림 9-5)

- 요내 칼륨 배출 여부를 바탕으로한 접근 방법: 경세뇨관 칼륨 경
사도(transtubular K+ concentration gradient, TTKG)

$$TTKG = [K^+]_{CCD}/[K^+]_P = [K^+]_U \div (OSM_U/OSM_P)/[K^+]_P$$

⑤ 치료

가. 3.0-3.5 mEq/L: 치료가 급한 것은 아님

나. 응급 치료의 적응증

- 응급 수술 예정, 관상동맥질환 존재 시, digitalis 복용 중
- 골격근력 저하(호흡 부전 위험성 있는 경우)

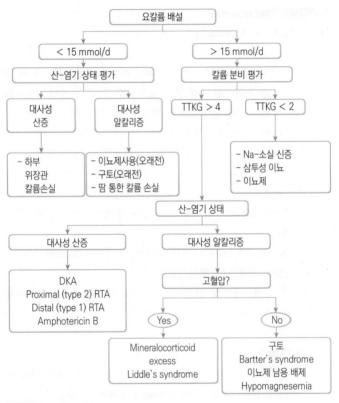

그림 9-5 **저칼륨혈증의 진단적 접근**

다. 경구 치료: 만성, 경증 저칼륨혈증인 경우
- 혈청 K+ 1 mmol/L 감소는 total body K+ deficit 200-400 mmol를 의미
- 예방적 목적으로 20 mEq/day 정도의 경구 제재로 충분
- 치료 목적으로 40-100 mEq/day 정도의 경구 복용 (K-contin 8 mEq/tab)

라. 정맥 치료: 중증 저칼륨혈증 or EKG 변화 동반 시

- 말초 정맥 < 40 mEq/L, 중심 정맥 < 60 mEq/L
- 주입 속도 < 20 mEq/hr
- 응급 시 5-10 mEq KCl을 15-20분에 걸쳐 투여
- KCl은 normal saline에 투여: DW 투여 시 insulin-mediated shift됨
- 하루에 투여되는 총 K+ 양이 200 mEq를 넘지 않도록 함

⑥ 저칼륨혈성 주기적 마비(hypokalemic periodic paralysis)

가. 감별진단을 위해 갑상선 기능 검사가 필요: 갑상선 기능항진증의 10%에서 주기성마비(cellular K+ uptake)가 나타난다.

나. 횡문근세포의 calcium channel 장애가 주요 기전

다. 악화요인

- Insulin 투여(특히 diabetic ketoacidosis 치료 시)
- Uncontrolled hyperglycemia (탄수화물의 과다복용): 체내 catecholamine 분비↑
- β2-Adrenergic agonist 투여: cellular K uptake ↑, 췌장 β islet의 insulin 분비 유발
- K+ 섭취는 급성 치료에 사용, 예방에는 효과가 없음
- 예방: acetazolamide, dichlorphenamide, triamterene, spironolactone
- 정상칼륨-고칼륨혈성 주기적 마비도 있기 때문에 의심이 되더라도 K+ level을 확인 후 투여하여야 함

(2) 고칼륨혈증(hyperkalemia)

① 정의: K+ > 5.0 mEq/L

② 임상양상: 상행성 근력 저하-이완성 사지마비, 호흡마비, 심부건반사(DTR) 감소, 감각이상(paresthesia) 혼미, 부정맥

③ 고칼륨혈증의 감별진단을 위한 임상적 접근 방법(그림 9-6)

　가. 고칼륨혈증의 EKG 소견

　　- 5.5 < K+ < 6 mEq/L: peaked T

　　- 6 < K+ < 7 mEq/L: prolonged PR, QRS widening

　　- 7 < K+ < 7.5 mEq/L: P wave loss

　　- K+ ≥ 8 mEq/L: sine wave pattern, ventricular fibrillation, cardiac standstill

　나. EKG 변화가 고칼륨혈증이 의심되면, 검사결과 기다리지 말고 즉시 치료하는 것이 원칙

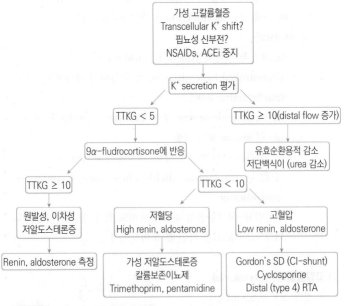

그림 9-6 고칼륨혈증의 진단적 접근

④ 급성기 고칼륨혈증 치료

- 고칼륨에 의한 막독성 억제: 심전도상에서 유의한 이상 (widening of the QRS complex or loss of P waves)이 있는 경우 처치함(peaked T만 있는 경우는 제외)
  - Calcium gluconate 1 A (10% solution 10 mL) IV slowly(응급 치료: 1~3분, 30분간 지속)
  - Calcium chloride (10% solution)인 경우 5 mL IV
  - 5분 내에 심전도상의 호전이 없는 경우 반복 가능함
- 세포내로 K+ 이동: K+ >6.5 (혈액투석을 하고 있으면서 심전도 의 이상이 없는 만성 고칼륨혈증 환자 제외)
  - Regular Insulin 10~20 unit + 50% glucose (50 mL) IV bolus 투여 후 10% dextrose at 50 mL/min 속도로 주입하면서 한시 간마다 혈당 체크함. 15~30분 내 반응, 수시간 지속
  - Albuterol (5 mg/mL) 10 to 20 mg neubulized over 10 min (metered dose inhaler도 사용 가능, 20~30분에 반응)
- 직접 체내 K+ 제거
  - 혈액투석: 상기 보존적 치료로 교정이 되지 않거나 말기신부 전환자인 경우, 세포손상으로 많은 양의 칼륨이 분비되는 경 우
  - Calcium polystyrene sulfonate (15~30 g): K+ < 6 mEq/L, 증상이 없고 심전도 변화가 없는 경우나 급하지 않은 치료 시 에 처방함. (1~2시간 후 작용) 아가메이트 젤리®, 카리메이트®, 카리메이트과립®, 칼리테이커®, 카슈트산®
  - Kallimate 20 gm + NS 200 cc mix enema (1~2 시간 작용, 4시간마다 반복 가능)
  - Sodium bicarbonate: 산증이 없는 경우 효과 미미함. 45 meq (1 amp of 7.5 percent solution) 5분간 천천히 정맥주사(단, 칼 슘과 같이 투여하지 않을 것). 심한 대사성 산증이 있는 경우

pH를 교정하기 위하여 투여함

- Loop diuretic: 라식스(furosemcide) 20 to 40 mg IV

3 칼슘

고칼슘혈증은 부갑상선 기능 항진증이나 악성종양 환자에서 잘 발생하는데, 이 경우 환자는 기력저하(lethargy), 근위약, 피로감, 혼돈, 두통, 발작, 혼수 등을 보일 수 있다. 저칼슘혈증은 신부전 환자에서 보이는 경우가 간혹 있는데, 급성 저칼슘혈증은 갑상선이나 부갑상선 수술 이후 혹은 급성 췌장염의 합병증으로 자주 발생한다. 이 경우 환자는 불안, 초조와 섬망, 환각, 정신병증, 경련 등을 보일 수 있고, 테타니 증상 또한 발생할 수 있다.

4 마그네슘

저마그네슘혈증의 경우 환자는 초조, 혼돈, 테타니, 경련, 진전, myoclonus 등을 보이고, 건반사 항진 및 Chvostek sign을 보일 수 있다.

4 혈당이상(Blood glucose disturbance)

1 저혈당(Hypoglycemia)

(1) 정상 뇌는 글리코겐의 형태로 1–2g 정도의 당(30 mmol/100 g)을 비축하고 있는데, 이는 뇌가 60–80 mg/min의 속도로 당을 사용한다고 하면 30분 정도 대뇌활동을 지속할 수 있는 양이다. 당이 공급되지 못 하는 상황이 오면 세포의 구조와 기능에 이상이 초래되는데, 일반적으로 혈당이 30–40 mg/dL 아래로 떨어지면 저혈당 증상이 생

긴다. 초기에는 불안, 신경과민, 배고픔, 땀, 두통 등이 있다가 점차 혼돈, 졸음 같은 의식변화가 생긴다. 저혈당이 더 지속되면 sucking, grasping, motor restless, 근육연축, 대뇌제거경직, 경련 등이 생기고, 10 mg/dL 정도까지 저하되면 동공확대, 창백한 피부, 얕은 호흡, 느린 맥박 등을 보이고, 이를 숨뇌기(medullary phase) 라고 하는데, 이 시기에는 혈당이 회복되어도 증상이 회복되는데 수일에서 수주가 걸릴 수 있고, 후유증이 남을 수 있다.

(2) 당뇨 환자의 경우엔 인슐린이나 혈당 강하제 과다사용이 흔한 원인이며, 병력이 없는 사람에서는 췌장의 섬세포종양(islet cell tumor) 이나 기능적 과다형성, 위암, 섬유종피세포종, 간암 등에 의한 인슐린 과분비나 장기간의 폭음이나 영양결핍에 의해 간의 저장 글리코겐이 고갈된 경우, Reye 증후군과 같은 급성간질환에서 발생 가능하다.

(3) 치료는 원인에 상관없이 뇌손상을 방지하기 위해 최대한 빨리 진단하여 즉각적으로 교정하는 것이다. 응급실이나 병동 환자에서 갑작스런 의식저하를 보일 때 기본 생체징후를 측정 후에 혈당도 같이 측정하는 것은 모든 환자에서 필수적이다. 혈당수치가 어느 정도까지 떨어지는지도 중요하지만 지속시간도 환자의 예후에 영향을 미칠 수 있다. 환자가 의식이 있으면 사탕이나 당분이 있는 음료를 먹게 하고, 입으로 먹을 수 없는 환자는 50% 포도당액을 정맥주사한 후 5–10% 포도당액으로 지속해서 정맥주사 한다. 급성기 치료 후에는 저혈당의 원인을 찾아 재발되지 않도록 치료하는 것이 중요하다.

2 고혈당(Hyperglycemia)

당뇨병의 급성 대사합병증으로 당뇨병성 케톤산증[DKA (Diabetic ketoacidosis)]와 고삼투압성 고혈당 증후군[HHS (Hyperosmolar hyper-

표 9-9　DKA와 HHS 감별진단

	경중	DKA 중등도	중증	HHS
혈중 포도당 농도(mg/dL)	> 250	> 250	> 250	> 600
동맥혈 pH	7.25-7.30	7.00-7.24	< 7.00	> 7.30
중탄산염(mEq/L)	15-18	10-15	< 10	> 15
요중 케톤*	양성	양성	양성	음성 내지 트레이스
혈중 삼투압 농도(mOsm/kg)	가변적	가변적	가변적	> 320
음이온차이(Anion gap)[†]	> 10	> 12	> 12	< 12
정신상태	각성상태	각성/졸린상태	혼미/혼수	혼미/혼수

glycemic syndrome)]이 있다. DKA는 일반적으로 제1형 당뇨병에 빈번히 발생하고 HHS는 주로 제2형 당뇨병에서 발생하지만 임상에서는 두 질환 사이의 구분이 명확하지 않은 경우도 흔히 있다(표 9-9)

(1) 당뇨병성 케톤산증(DKA)

① 병태생리

인슐린 결핍과 길항 호르몬 과다분비에 의한 호르몬의 불균형으로 근육에서 아미노산, 젖산 및 pyruvate를, 지방세포에서는 유리지방산과 글리세롤을 동원하여 간으로 이동 전달하면 간에서 포도당 혹은 케톤체로 급격히 전환되어 순환 혈액내로 유리된다. 그 결과 고혈당, 케톤산증 및 삼투압성 이뇨가 발생되어 수분과 전해질이 급격히 소실된다.

② 임상 양상

- 고혈당으로 인한 다음 다뇨
- 쇠약, 무기력, 구역, 구토, 식욕부진, 복통, 위장관 운동 감소, 장마비

- 신체검사에서 탈수와 산혈증에 의한 이차적인 소견으로 피부와 점막의 건조, 경정맥압 감소, 빈맥, 기립성 저혈압, 정신기능저하 및 Kussmaul 호흡을 보임

③ 치료

가. 수액 보충 요법

- 첫 1-3시간에 0.9% 생리식염수 2-3L (5-10 mL/kg/hr)를 정맥주사 후 0.45% 생리식염수를 150-300 mL/hr로 정맥주사한다. 혈당이 250 mg/dL에 도달하면 5% 포도당과 0.45% 생리식염수를 100-200 mL/hr로 주사한다.

나. 인슐린 요법

- 속효성 인슐린(regular insulin)을 정맥주사(0.1 U/kg) 혹은 근육주사(0.4 U/kg)한 다음 0.1 U/kg/hr의 속도로 지속적으로 정맥주사하고, 효과가 없으면 2-4시간 간격으로 인슐린을 2-10배까지 증량한다.

다. 혈중 칼륨 농도의 유지가 중요한데, 처음 검사한 칼륨이 3.3 mEq/L 미만이면 칼륨을 투여하여 이 수치 이상으로 유지하면서 인슐린을 사용하여야 한다.

라. 일반 검사와 병력 조사로 원인을 찾아야 한다. 첫 24시간에는 1-2시간 간격으로 말초혈액에서 혈당을 측정하고 4시간 간격으로 전해질을 측정한다. 환자가 안정되면 혈당이 150-250 mg/dL 정도로 유지되도록 인슐린 용량을 조절한다.

(2) 고삼투성 비케톤성 혼수(HHS, 고삼투성 고혈당 상태)

① 개요

HHS는 주로 제2형 당뇨병에서 발생하지만 다양한 정도의 케톤증과 산혈증이 동반될 수 있다. 적극적이며 적절한 치료에도 불구하고 사망률이 15-30%로 DKA의 < 5%에 비해 더 높다.

② 임상양상

가장 전형적인 환자는 고연령의 제2형 당뇨병 환자로 수 주간의 다
뇨, 체중감소 및 경구 섭취 불량한 상태로 지내다가 정신 혼동, 기
면, 혼수가 유발된다. 신체검사에서 심한 탈수 상태, 고삼투압, 저
혈압, 빈맥 및 정신 상태 이상을 보인다. DKA에 특징적인 구역,
구토, 복통 및 Kussmaul 호흡을 보이지 않는 점이 특징이다.

③ 유발 요인

심근 경색, 뇌졸중 등의 현재 앓고 있는 심각한 질환에 의할 경우
가 많으며, 패혈증, 폐렴 등 중증 감염 여부를 확인해야 한다. 과
거 뇌졸중, 치매의 질환으로 거동이 어렵거나 수분 섭취가 어려운
사회 조건에서 HHS가 조장될 수 있다.

④ 병태생리: 상대적인 인슐린 결핍과 수분 섭취 부족에 의한다.

⑤ HHS 진단
  - 고혈당 > 1,000 mg/dL
  - 고삼투압 > 350 mosm/L
  - 신전질소혈증(prerenal azotemia)

⑥ 치료

가. 기본적인 치료는 DKA와 동일하다. 하지만, HHS는 질환이 장
  기간 지속된 후 발병하므로, 수분 소실량 및 탈수 정도가
  DKA보다 더 심하다. HHS 환자는 흔히 고령이며, 정신 기능의
  이상이 초래되어 있으며, 동반된 기저 질환에 생명을 위협할 수
  있는 유발 요인이 존재할 수 있기 때문에 더 많은 주의를 필요
  로 한다.

나. 수액 보충 요법
- 혈류역학적 상태를 안정화시키기 위하여 첫 2–3시간 동안 0.9% saline 1–3 L를 정맥 투여 – 혈중 Na+이 150 mEq/L 이상이면 0.45% saline을 반드시 사용하여 정맥투여
- 혈류역학적 상태가 안정화되면, 평균적으로 9–10 L인 유리수분손실량을 저장성 용액으로 교정한다. 초기에는 0.45% saline을 사용하고 이후에 5% 포도당 용액으로 변경한다. 수액 주입 속도는 200–300 mL/hr로 하여 총 손실량을 계산하여 1–2일에 걸쳐 교정한다. 고삼투압성 상태의 교정 속도가 너무 빠른 경우에는 신경학적 기능 손상을 유발할 위험성이 크다.

다. 인슐린 투여: RI 5–10 U (혹은 0.1 U/kg)를 정맥투여하고, 수액에 혼합하여 0.1 U/kg/hr의 속도로 투여한다.

3 당뇨병성 신경병증(Diabetic neuropathy)

당뇨 환자들 중 많은 비율이 손끝, 발끝의 저림, 무딘 감각 등을 자주 호소한다. 다발성 신경병증을 유발하는 가장 흔한 원인들 중 하나이며, 대칭성의 다발성 신경병증 외에도 당뇨에서 호발하는 몇 가지 다른 유형의 말초 신경병증이 있다.

(1) Distal sensory diabetic polyneuropathy

가장 흔한 형태로, 서서히 진행하는 대칭성, 원위부의 감각 이상이 발생한다. 환자는 초기에 주로 밤에 심해지는 발끝의 저리고 불편한 느낌을 호소하고, 보통은 무릎 아래에 국한되는 경우가 많으나, 심한 경우에는 손, 그리고 몸통까지 증상을 호소하는 경우도 가능하다. 보통 근위약은 없으나, 드물게 대칭적인 하지 근위부의 근위축 및 위약을 동반하는 형태와 같이 나타나기도 한다. 환자의 감각 증상에 대해서는 amitriptyline, nortriptyline, gabapentin, pregabalin 등으로 조절하게 되고, 환자

들에게는 감각이 무뎌지면서 발생할 수 있는 발의 외상을 항상 주의하도록 해야한다.

(2) Acute diabetic mononeuropathy

Diabetic ophthalmoplegia가 흔한 형태인데(눈돌림 신경을 침범하는 경우가 많고 통증을 동반하며 동공 침범은 없음) 말초신경 중에서는 대퇴신경, 궁둥신경, 종아리신경 등이 잘 침범되는 신경이다. 상지는 상대적으로 침범이 드물다. 시간이 지나면서 회복되는 경우가 많으나, 보통 수개월이 소요된다.

(3) 당뇨병성 근위축증(diabetic amyotrophy)

40대 이상 남자에서 많이 발생하며, 한쪽 하지의 심한 통증(등 아래쪽 혹은 골반쪽에서 발생해 허벅지쪽으로 퍼지는 심한 통증)과 함께 하지 근위부의 근위약/근위축이 오게 된다. 통증은 수일 후에 감소되고, 위약감의 회복은 수개월에서 수년까지 걸릴 수 있다. 간격을 두고 같은 증상이 반대편 다리에 나타날 수 있다. 감각증상은 없거나, 있더라도 경미하다. 이런 신경병증은 종종 환자가 다뇨 조절이 잘 되지 않아 심한 고혈당 혹은 저혈당이 오거나 인슐린 치료를 시작하는 시기 혹은 급격한 체중 감소 후에 발생한다.

(4) Thoracoabdominal radiculopathy

흉부나 복부에 인접한 몇 분절에 걸쳐 편측의 통증 및 이상 감각이 발생하며, 간혹 양쪽으로 발생하기도 한다. 대부분의 환자들이 당뇨 유병기간이 길고, 당조절과 함께 증상은 저절로 호전될 수 있으나, 오래 걸릴 수 있다.

(5) Autonomic diabetic neuropathy

대부분은 비특이적인 경우가 많으나, 당뇨병이 오래된 환자에서 눈물, 침, 땀 분비 기능이상, 기립성 저혈압, 방광 이완증 등이 나타나는 경우가 있으며, 이들은 대부분 비가역적이다. 특별한 치료법은 없고 환자의 삶의 질에 많은 영향을 미치게 된다.

4 고혈당성 무도병(Diabetic hemichorea)

무도병이란 정형화되지 않은 불수의적인 운동이 지속적으로 나타나는 것으로, 당뇨병합병증인 비케토산성고혈당에 의해서도 급성 무도병이 발생할 수 있다. 비케토산성 고혈당성 무도병은 한쪽 상하지에 불수의운동이 나타나는 것이 대부분이고 드물게 양측에 올 수도 있으며 뇌자기공명영상에서 증상의 반대편 바닥핵에 T1강조영상에서 고신호 강도를 보인다. 비케토산성 고혈당성 무도병의 병태생리학적 기전은 아직 명확히 밝혀지지 않았지만 바닥핵의 허혈, 점상출혈, 수초용해 그리고 석회질 침착 등이 제시되고 있다. 비케토산 고혈당과 연관된 대사무도병은 대사이상이 교정되면 대부분 이상운동은 호전되나 고혈당이 치료된 후 수개월간 지속되기도 한다. 하지만 비케토산성 고혈당 상태에서는 급성 무도병이 없었으나, 고혈당이 치료된 후 정상 혈당상태에서 뒤늦게 지연성 무도병을 보인 경우는 드물게 보고되어 있다.

5 소화기계 이상(Gastrointestinal disorders)

1 간성 뇌병증(Hepatic encephalopathy)

간성뇌병증(hepatic encephalopathy)은 간경화 환자에서 나타나는 의식저하, 행동 및 성격변화, 변동하는 신경계 증상 및 징후, 자세고정불능증(asterixis, flapping tremor 라고도 함)과 뇌파의 변화가 특징인데, 간성혼수 또는 문맥전신뇌병증(portosystemic encephalopathy)이라고도 한

Chapter 09

표 9-10 간성뇌병증의 원인 및 흔한 유발인자

원인	유발인자
질소 부하의 증가	위장관출혈, 과도한 단백질 식이, 질소혈증, 변비
전해질과 대사의 불균형	저칼륨혈증, 알칼리증, 저산소증, 저나트륨혈증, 혈량저하증
감염	폐렴, 요로감염, 자발성 세균성 복막염 등
약물	마약, 신경안정제, 진정제, 이뇨제
기타	수술, 동반된 간질환(알코올성 간염, 바이러스성 간염), 문맥전신션트

다. 간성 뇌병증의 병인으로 다량의 암모니아가 전신순환을 통하여 대뇌 대사에 영향을 준다는 가설이 가장 유력하다. 임상적으로 급성이면서 가역적 이거나 또는 만성이면서 비가역적인 뇌병증으로 나눌 수 있고, 심하면 혼수가 지속되거나 사망에 이를 수 있다(표 9-10).

(1) 임상양상

처음에는 혼동, 전신운동활동저하로 나타나서 점차 혼미, 혼수로 악화되는 의식변화가 주요 증상이다. 환자에 따라서는 비대칭 심부건반사와 바빈스키징후 같은 병적반사, 몸통과 사지의 변동경축(fluctuating rigidity), 국소 또는 전신발작이 나타날 수 있다. 특징적인 징후로 환자의 소변과 호흡에서 특이한 곰팡내가 날수 있으며(간성악취, fetor hepaticus), 일정한 자세를 유지할 때 유발되는 자세고정불능증(asterixis)이 나타난다. 이 증상은 팔을 앞으로 뻗친 상태에서 손목을 신전시키면 잘 관찰할 수 있다.

(2) 진단

간질환 여부와 간기능이상 유무 확인, 간성뇌병증의 특징적인 임상 증상과 징후를 확인하는 것이 진단에 도움이 된다. 혈중암모니아 수치와 혈액응고검사를 포함한 검사소견이 필요하고, 뇌파검사에서 대칭적인 고전압삼상파(high-voltage triphasic wave) 가 관찰될 수 있다. 뇌파는 혼

수의 정도를 평가하는 데도 민감하다. CT로 뇌의 structural lesion을 확인할 필요가 있다. 감별 진단으로는 급성알코올중독, 진정제 과용, 떨림섬망(delirium tremens), 베르니케뇌병증(Wernicke's encephalopathy), 코르사코프정신병(Korsakoff's pshchosis), 경막하혈종, 수막염, 저혈당이 있다.

(3) 치료

혈중암모니아 수치를 낮추어 증상을 호전시킨다. 방법으로는 단백질 식이 제한, 네오마이신 또는 카나마이신을 경구로 투여하거나 관장으로 대장에 있는 정상세균총을 감소시켜 질소 생산을 억제한다. 락툴로오스의 경구투여로 대장내용물을 산화시켜서 대장세균의 활동성을 감소시킨다. 간기능이상이 너무 심하면 간이식이 마지막 방법이 될 수 있다.

2 흡수장애(Nurtitional deficiency)

(1) 베르니케-코르사코프증후군(Wernicke-Korsakoff syndrome)

베르니케뇌병증(Wernicke encephalopathy)에서는 급성 또는 아급성으로 눈운동장애, 보행실조, 혼동이 나타난다. 코르사코프증후군(Korsakoff syndrome)에서는 다른 인지기능장애는 심하지 않고 기억장애가 가장 두드러지게 나타난다. 두 증후군 모두 주로 알코올중독자에게 티아민(thiamine, vitamin B1)이 결핍되어 발생한다.

① 임상양상

다음과 같은 전형적인 세 가지 증후(triad)가 특징적이다.

눈운동장애: 안진(수직 또는 수평안진), 외직근마비(lateral rectus palsy), 동향주시마비(conjugate gaze palsy)가 흔하고, 완전외안근마비(complete external ophthaloplegia)로 진행할 수도 있다. 동공빛반사(pupillary light reflex)는 약해질 수 있으나 완전히 소실되

지는 않고, 눈꺼풀처짐은 드물다.

실조: 80% 이상에서 나타나며, 주로 몸통실조(truncal ataxia)이고, 서있거나 걸을 때 나타난다. 급성기의 심한 경우는 부축없이 서거나 걷지 못할 수도 있고, 덜 심하면 발을 넓게 벌려서 좁은 보폭으로 걷는다. 사지실조(limb ataxia)와 구음장애는 심하지 않다.

정신증상: 의식과 정신활동의 장애는 어떤 형태이건 90%에서 나타나는데 가장 흔한 것은 무감동(apathy), 심한 지남력장애, 무관심, 주의력소실이 나타나고 스스로 말하기가 줄어든다. 코르사코프정신병(Korsakoff psychosis)은 베르니케뇌병증 상태에서 치료받지 않는 상태로 지속되면 말기에 나타난다. 주된 증상은 작화증(confabulation)과 동반된 기억력 저하이다.

② 진단

정신혼동 상태를 보이는 모든 유형의 영양결핍 환자(예: 알코올 중독자, 수술이나 화상치료로 비 경구영양법을 받고 있는 환자 등)에서 베르니케뇌병증 가능성을 고려해야 한다. 상기 기술한 임상 triad 이외에 MRI/CT 검사는 다른 구조적 병변을 감별하는데 도움이 될 수 있다. MRI 영상에서 급성기에는 시상의 뇌실주위와 뇌줄기의 수도관주위에 T2-강조영상에서 고신호강도가 보이고, 만성기에는 고신호강도가 없어지고 주로 유두체 위축이 관찰된다.

③ 치료

베르니케뇌병증은 응급질환으로 이 병이 의심될 때는 즉시 티아민을 투여해야 한다. 50-100 mg을 IV 또는 IM 투여하고 경구로 투여할 수 있을 때까지 유지해야 한다. 티아민 외에도 다른 영상소의 결핍도 동반되기 때문에 모든 종류의 비타민과 균형 잡힌 영양공급이 필요하다. 안구증상은 티아민 투여 후 수 시간 내에 호전되기 시작하여 대개 일주일 이내에 회복된다. 실조는 수일 내에 호전되는데 40%에서만 완전히 회복되고 나머지는 장애로 남는다. 혼동은 수일 내에 호전되기 시작해서 1개월 내에 회복이 되나 80% 이상은 기억장애가 남는다.

(2) 아급성연합변성(subacute combined degeneration, SCD)

지속되는 코발라민(cobalamin, vitamin B12) 결핍은 다음의 두가지 중요한 질환을 유발한다. 1) macrocytic megaloblastic (pernicious) anemia, 2) a degeneration of the posterior and lateral columns of the spinal cord. 코발라민 결핍은 대부분 흡수장애에 의해 생기는데, intrinsic factor생성에 장애가 오는 위장장애(예: 위절제술)나 코발라민 흡수를 저해하는 약물들(예: 네오마이신, 메트포르민, 오메프라졸등) 또는 드물게 부적절한 섭취(예: 심한 채식주의자)에 의해 생길 수 있다.

① 임상양상

아급성연합변성(SCD)은 척수의 후기둥(posterior column)과 외측 기둥(lateral column)의 변성으로 인하여 징후들이 나타나게 되는데 후기둥에 의한 징후가 더 먼저, 더 심하게 나타난다. 진동감각 소실이 가장 현저하고, 위치감각소실도 나타나는데 대개 다리에서 시작하여 팔로 진행한다. 운동징후는 주로 다리에서 나타나는데 근력약화, 강직, 발목클로누스, 바빈스키징수가 나타나고, 심부건 반사는 저하되기도 하고, 항진되기도(corticospinal tract 침범 시) 한다. 이외에도 정신증상으로 과민, 무감동, 졸음, 의심, 감정동요, 혼동, 우울정신병, 지능황폐까지 다양하게 나타나며, 시신경 변성으로 대칭 주시점맹점암점과 시신경위축이 생길 수 있다.

② 진단

신경계 증상이 있을 때 항상 빈혈이 있는 것이 아니어서 진단에 혈 중 비타민 B12농도를 측정하는 것이 중요하다. 200 pg/mL 이하이면 진단할 수 있지만 200-350 pg/mL에서도 비타민 B12 투여 후 증상이 호전될 수 있다. 메틸말론산(methylmalonic acid)과 호모시스테인의 혈중 농도가 높으면 진단에 도움을 줄 수 있다.

③ 치료

시아노코발라민(cyanocobalamin)이나 하이드록시코발라민(hydroxycobalamin) 1,000 μg을 처음 일주일은 매일, 이후 1개월은 일주일에 한 번씩, 이후로는 매달 한 번씩 평생 동안 근육주사한다.

(3) 펠라그라

니코틴산(nicotinic acid)과 니코틴아미드(nicotinamide)를 흔히 나이아신(niacin, vitamin B3)이나 그 전구물질인 트립토판(tryptophan)의 섭취결핍으로 인해 발생한다. 피부, 위장관, 신경계 증상을 보이는데 이 주증상들을 흔히 3D로 표현하며 다음과 같다.

① 임상양상

피부염(Dermatitis): 피부염은 광과민성(photosensitive)으로 햇빛에 노출되는 곳에 대칭적으로 나타나는데 통증을 동반한 발적(flare)으로 시작하여 잔물집(vesicle)이 발생하기도 하고 결국은 표피가 벗겨지고 아래 그림 9-7과 같이 경계가 명확한 색소피부발진으로 남는다.

설사(diarrhea): 위장관점막 표면의 염증으로 설사가 가장 흔하고 혀염(glossitis), 입안염(stomatitis) 등이 생긴다. 식욕 저하가 동반되고, 설사가 지속되면 영양소 흡수 장애로 영양실조가 악화된다.

치매(dementia): 신경계 증상은 처음에는 심하지 않으나 피로, 불면증, 무감동으로 시작하여 혼동, 시공간지남력장애, 환각, 기억상실을 보이고 치매로 진행할 수 있다.

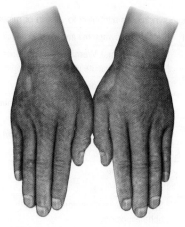

그림 9-7 Pellagrous Glove

② 진단 및 치료

펠라그라의 전형적인 증상과 징후를 보이면서 나이아신 투여에 호전되는 반응을 보일 때 진단할 수 있으며, 혈청 나이아신 수치가 낮은 것을 확인해서 확진할 수 있다(그림 9-7).

(4) 영양결핍말초신경병(nutritional polyneuropathy)

① 원인 및 임상양상

영양결핍다발신경병(nutritional polyneuropathy)은 흔히 알코올중독과 연관되며, 알코올신경병(alcohol neuropathy) 및 각기(beriberi) 등과 연관이 있다. 영양부족이 신경손상의 직접적인 원인인지 확실하지 않지만 티아민(Vitamin B1), 판토텐산(B5), 피리독신(B6), 엽산(B9) 등의 결핍을 원인으로 보고 있다. 하지만 알코올의 직접적인 작용 때문에 생긴 다발신경병은 아직까지 규명되지 못했다(표 9-11).

표 9-11 Neurologic syndromes attributed to vitamin or mineral deficiency

Vitamin or Mineral	Neurologic symptoms and signs in deficiency
B1 (thiamine)	Seizure (infants), Wernicke encephalopathy, Korsakoff syndrome, subacute peripheral neuropathy
B3 (niacin)	Encephalopathy, peripheral neuropathy
B6 (pyridoxine)	Peripheral neuropathy, ataxia, altered mental status, seizures
B9 (folate)	Neural tube defects (prenatal deficiency)
B12 (cobalamin)	Myeloneuropathy, cognitive impairment, optic neuropathy
A	Xerophthalmia
D	Myopathy
E	Spinocerebellar syndrome, neuropathy, myopathy, ophthalmoplegia
Copper	Myeloneuropathy
Iron	Restless legs syndrome

② 치료

경구 비타민제제나 비타민이 적절하게 포함된 균형잡힌 식생활로 영양결핍을 치료하고 예방할 수 있다.

3 Wilson's disease

이상운동질환 파트 참조

6 류마티스 질환(Rheumatoid disease)

1 전신 홍반 루푸스(Systemic lupus erythematous, SLE)

SLE는 전신의 다양한 장기를 침범하는 자가면역 질환으로 여성에서 흔하고, 피로, 근육통, 관절통 등의 증상은 거의 모든 환자에서 관찰 가능하며, 구체적인 진단기준은 아래 표와 같다(표 9-12).

표 9-12 SLE 진단기준

Clinical Manifestations	Immunologic Manifestations
Skin • Acute, subacute cutaneous LE (photosensitive, malar, maculopapular, bullous) • Chronic cutaneous LE (discoid lupus, panniculitis, lichen planus-like, hypertrophic verrucous, chillblains)	ANA > reference negative value Anti-dsDNA > reference, if by ELISA 2x reference Anti-Sm Antiphospholipid any of lupus anticoagulant false-positive RPR
Oral or nasal ulcers Nonscarring Alopecia Synovitis involving ≥ 2 joints Serositis (pleurisy, pericarditis) Renal • Prot/Cr ≥ 0.5 • RBC casts • Biopsy Neurologic • Seizures, psychosis, mononeuritis, myelitis, peripheral or cranial neuropathies, acute confusional state Hemolytic anemia Leukopenia (< 4,000/μL) or Lymphopenia (< 1,000/μL) Thrombocytopenia (< 100,000/μL)	• anti-cardiolipin • anti-β glycoprotein I • Low serum complement (C3, C4 or CH50) Positive direct Coombs test in absence of hemolytic anemia

Interpretation: Presence of any four criteria (must have at least 1 in each category) qualifies patient to be classified as having SLE with 93% specificity and 92% sensitivity.

(1) 임상양상

환자의 절반 정도는 신경학적 증상을 보이게 되는데, 기저 질환 자체의 악화에 의한 것일 수도 있고, 혈관 폐쇄 증상(뇌졸중, 일과성허혈발작, 심근경색 등의 유병률이 올라감)의 일환으로 나타날 수도 있다. 중추신경계, 말초 신경계 모두 침범 가능하며, CNS lupus는 뇌졸중, 경련, 실조, 무도증, 수막염, 뇌신경병증, 시신경염 등으로 발현하게 된다. 말초신경 침범 시는 mononeuritis multiplex나 chronic inflammatory polyneuropathy 형태로 발병한다. 근병증의 경우 질환 자체에 의해 발생할 수도 있으나, steroid 치료에 따른 이차성으로 발병하는 것도 가능하다.

(2) 치료

환자가 주요 장기 침범이 없을 시에는 대증적 치료를 하지만, 주요 장기 침범 시에는(신경계 포함) high-dose corticosteroid, cyclophosphamide, azathioprine, 혈장교환술 등의 치료를 시행하게 된다. 만약 환자의 신경계 증상이 혈관 폐쇄 증상에 의한 것일 경우는 항응고 치료를 고려한다.

2 쇼그렌 증후군(Sjogren syndrome)

쇼그렌 증후군은 외분비기관에 림프구 침범으로 입마름이나 눈건조 등을 야기하는 자가면역 질환이다. 중년 여성에서 호발하며, 다른 자가면역 류마티스 질환과 연관되어 발생 가능하다. 진단기준은 다음 표 9-13과 같다.

(1) 임상양상

신경계 침범과 관련해서 경련, 이상운동, 정신과적 증상, 무세균성 수막염, 진행성 치매 등 다양한 증상을 유발할 수 있고, 약 25%의 환자에서 말초신경계를 침범하는데, 특히 감각신경병증이 흔하게 나타난다. 이

| 표 9–13 | 쇼그렌 증후군 진단기준 |

1. Ocular symptoms: a positive response to at least one of three validated questions.
   - Have you had daily, persistent, troublesome dry eyes for > 3 months?
   - Do you have a recurrent sensation of sand or gravel in the eyes?
   - Do you use tear substitutes more than three times a day?

2. Oral symptoms: a positive response to at least one of three validated questions.
   - Have you had a daily feeling of dry mouth for > 3 months?
   - Have you had recurrent or persistently swollen salivary glands as an adult?
   - Do you frequently drink liquids to aid in swallowing dry foods?

3. Ocular signs: objective evidence of ocular involvement defined as a positive result to at least one of the following two tests:
   - Shirmer's I test, performed without anesthesia (≤ 5 mm in 5 min)
   - Rose Bengal score or other ocular dye score (≥ 4 according to van Bijsterveld's scoring system)

4. Histopathology: In minor salivary glands focal lymphocytic sialoadenitis, with a focus score ≥ 1.

5. Salivary gland involvement: objective evidence of salivary gland involvement defined by a positive result to at least one of the following diagnostic tests: Unstimulated whole salivary flow (≤ 1.5 mL in 15 min)
   - Parotid sialography
   - Salivary scintigraphy

6. Antibodies in the serum to Ro/SS–A or La/SS–B antigens, or both.

Primary SS: 위 6항목 중 4개 기준(특히 4, 6번이 양성인 경우), 혹은 3–6번중 3가지 이상 양성
Secondary SS: 다른 자가면역질환이 있으면서 1,2 번을 만족하고, 3–5번 중 2가지 이상 양성
Exclusion: radiation history, HCV, AIDS, lymphoma, sarcoidosis, GVHD, anti–cholinergic medication

외에도 진행성 척수병증, Brown–Sequard 증후군, 신경인성 방광 등과 같은 척수 관련 증상을 유발하기도 하고, 중증 근무력증, 다발성 근염, 봉입체 근염(inclusion body myositis) 등과 같은 질환과 병발하기도 한다.

(2) 치료

대증치료로 안구건조증에 인공눈물, 입마름에 수분섭취가 효과적일 수 있으며, 침분비를 촉진시키는 pilocarpine을 처방할 수 있다. 전신 주요장기 침범이 있는 경우 corticosteroid 혹은 rituximab이 효과를 보이고, lymphoma가 동반된 경우 rituximab과 CHOP regimen을 투여 시 생존률이 향상된다.

3 베쳇병(Behcet's disease)

베쳇병은 반복되는 iritis, uveitis와 구강/성기의 궤양성 병변이 특징적으로 젊은 남녀에서 주로 발병하지만, 남자에서 발생하는 경우 더 중증인 경우가 많다. 진단기준은 아래 표와 같다(표 9-14).

표 9-14 베쳇병 진단기준
Recurrent oral ulceration plus two of the following:
Recurrent genital ulceration
Ocular lesions: anterior/posterior uveitis, cells in the vitreous, retinal vasculitis
Skin lesions: Erythema nodosu, pseudofolliculitis, papulopustular lesions or acneiform nodules
Positive Pathergy test: 주사바늘로 피부를 찌르거나 생리 식염수를 진피 내 주입 후 24-48시간 후에 구진성 병변 발생, 조직학적으로는 혈관염 소견이 보임

(1) 임상양상

진단기준에서 언급된 눈, 구강, 성기, 피부 병변 이외에 재발성 뇌수막염, 뇌신경 마비가 신경계 침범(NeuroBehcet's disease)의 흔한 형태이며, 뇌 및 척수 실질을 침범해 다양한 증상을 유발한다(말초신경은 거의 침범하지 않는다). 심부정맥 혈전증을 잘 유발해 이와 관련된 두통, 뇌압 상승 등을 유발할 수 있다. 혈청 ESR이 흔히 상승되어 있고, 뇌척수액 검사에서는 경한 세포 수 증가 및 단백 수치 증가를 보인다.

(2) 치료

Uveitis나 CNS−Behcet's syndrome의 경우 systemic glucocorticoid therapy (prednisone, 1 mg/kg per day), azathioprine (2−3 mg/kg per day) and cyclosporine (2−5 mg/kg)이 치료의 주를 이룬다.

4 사르코이드증(Sarcoidosis)

사르코이드증은 감염원이 밝혀진 바 없어 감염병이라고 할 수는 없으나, 임상과 병리학적 관점에서 결핵 같은 육아종감염(granulomatous infection)과 유사하다. 활동병터에서는 림프구에 둘러싸인 상피모양세포(epithelioid cells)와 다핵거대세포(multinuclear giant cells)를 관찰할 수 있으나, 치즈화(caseation)는 나타나지 않는다. 전신의 어떤 기관에도 발생할 수 있으나, 림프절, 폐, 피부, 뼈, 눈, 침샘에 주로 발생한다. 여자에서 흔하고 30−40대에 호발한다. 중추와 말초신경계 침범은 전체 사르코이드증의 5% 정도이다.

(1) 임상양상

신경사르코이드증(neurosarcoidosis)의 임상 양상은 육아종의 침범 부위에 따라 매우 다양하며, 대개 아급성 또는 만성 경과를 보인다(표 9−15).

(2) 진단

신경계 증상의 임상양상과 사르코이드증이 진단된 다른 장기의 조직 검사로 진단할 수 있지만, 림프종, 다발성경화증, 고립중추신경계 혈관염, 쇠그렌증후군, 전신홍반루푸스, 매독, 결핵, 크립토코쿠스증, 톡소포자충증 등의 다른 질환도 감별해야 한다. 혈청 ACE (angiotensin−converting enzyme) 수치가 상승하고, 뇌척수액에서 검출되기도 한다. 뇌척수액 검사 시 단백질이 상승하고, 단핵구 증가, 당 수치 감소 소견을 보

표 9-15 Nervous system manifestations of sarcoidosis

Aseptic meningitis: chronic or relapsing, with or without headache

Pachymeningitis: hydrocephalus

Brain

Focal tumor-like mass: seizures, hemiparesis
Cortical and subcortical infiltration: amnestic-dementing syndrome,
encephalopathy, headache
Hypothalamic-basilar infiltration: diabetes insipidus, abulia

Spinal cord and roots

Granulomatous meningomyelitis, subacute or chronic
Cauda equina syndrome

Peripheral nervous system

Lumbar or brachial plexopathy
Sensory-predominant polyneuropathy
Mononeuropathy
Mononeuritis multiplex

Cranial neuropathy

Visual loss
Papillitis
Facial palsy, unilateral, bilateral, or sequential
Hearing loss, vertigo
Facial sensory loss or neuralgia

이고, MRI에서 조영 증강되는 결절성 병변이 보인다.

(3) 치료

Corticosteroid를 써볼수 있고, 적극적인 스테로이드 치료에도 반응하지 않는 경우에는 Azathioprine, Methotrexate, Cyclophosphamide, Cyclosporine, Infliximab 등과 같은 다른 면역 억제제를 사용할 수 있다.

5 혈관염(Vasculitis)

혈관염신경병(vasculitic neuropathy)은 신경에 분포하는 혈관의 염증으로 인해 야기되는 다양하고 복잡한 질환군을 통칭하며, 침범 혈관의 크기에 따라 분류 가능하다(표 9-16).

표 9-16 2012 revised international CHCC nomenclature of vasculitis
Large vessel vasculitis
Takayasu arteritis
Giant cell arteritis
Medium vessel vasculitis
Polyarteritis nodosa
Kawasaki disease
Small vessel vasculitis
ANCA-associated vasculitis
Microscopic polyangiitis
Granulomatosis with polyangiitis
Eosinophilic granulomatosis with polyangiitis
Immune complex vasculitis
Anti-glomerular basement membrane disease
Cryoglobulinemic vasculitis
IgA vasculitis (Henoch-Schönlein)
Hypocomplementemic urticarial vasculitis (anti-C1q vasculitis)
Variable vessel vasculitis
Behcet's disease
Cogan's syndrome
Vasculitis associated with systemic disease
SLE, rheumatoid arthritis, sarcoidosis, etc.
Vasculitis associated with probable etiology
Drugs, infections, sepsis, autoimmune diseases, etc.
Cutaneous SOV (not included in revised CHCC2012)
IgM/IgG vasculitis
Nodular vasculitis (erythema induratum of Bazin)
Erythema elevatum et diutinum
Hypergammaglobulinemic macular vasculitis
Normocomplementemic urticarial vasculitis

SLE, systemic lupus erythematous; SOV, single-organ vasculitis.

(1) 임상양상

① 중추신경계 혈관염은 두통, 행동 변화, 기억장애, 정신과적 증상, 의식수준의 변화, 전신경련 등을 유발할 수 있으며, 국소성 신경 증상도 가능하다. 신경학적 증상이 전신 혈관염의 첫 증상으로 발현할 수도 있다.

② 말초신경계에서는 mononeuritis multiplex나 stocking−glove 패턴 의(대칭적, 원위부 침범) 감각운동 신경병증을 유발할 수 있다. 가장 흔하게 침범하는 말초 신경은 종아리 신경(peroneal nerve)이며, 초기에 심한 통증을 동반하는 경우가 많고 이 통증으로 위약감이 드러나지 않다가 시간이 지나면서 통증이 가라앉으면 뚜렷한 근위약을 보이게 되며, 축삭 손상성 기전(axonal neuropathy)으로 발생한다.

(2) 진단

주된 증상과 징후를 기준으로 질병을 의심하는 것이 중요하다. ESR 상승, 뇌척수액 검사에서 단백질 상승, 림프구 증가, MRI상 뇌경색 병변 등을 발견할 수 있으나, 대부분의 경우 확진을 위해서는 뇌실질, 뇌수막, 말초신경의 조직학적 생검이 필요하게 된다.

(3) 치료

대부분의 환자는 장기간의 치료가 필요하다. 글루코코르티코이드를 단일약제로서 가장 우선적으로 고려하며 필요한 경우 세포독성제(cyto-toxic agent)의 병합요법을 선택한다. 급성의 형태로 발병한 혈관염신경병의 경우 적절한 시기에 고용량의 글루코코르티코이드를 적절히 사용하는 것은 예후에 중요한 영향을 줄 수 있다.

REFERENCE

- 대한신경과학회. 신경학. 제3판. 범문에듀케이션; 2017.

- 대한신경과학회. 신경학. 제3판. 범문에듀케이션; 2017.

- 서울대학교 의과대학 신경과학교실. 전공의들이 쓴 의과대학생 전공의를 위한 신경과 매뉴얼(Manual of Neurology). 고려의학; 2013.

- CONTINUUM, American Academy of Neurology:Neurology of Systemic Disease, June 2020, Volume 26, Issue 3

- Jameson JL, Fauci AS, Kasper DL, et al. Harrison's principles of internal medicine. 20th ed. McGraw-Hill; 2018.

- Louis ED, Mayer SA, Noble JM. Merritt's neurology. 14th ed. LWW; 2021.

- Louis ED, Mayer SA, Noble JM. Merritt's neurology. 14th ed. LWW; 2021.

- Porter RS. The Merck manual of diagnosis and therapy. 19th ed. Merck Manuals; 2011.

- Ropper A, Samuels M, Klein J, et al. Adams and Victor's principles of neurology. 11th ed. McGraw-Hill; 2019.

CHAPTER 10 수술 전 뇌졸중 위험 평가

김태원, 구자성

많은 수술/시술이 중추신경계의 허혈성 손상을 줄 수 있으며 마취가 필요하거나 출혈이 발생할 수 있는 수술/시술은 특히 고위험군에서 신경계 손상을 줄 위험성을 가지고 있어 주의를 요한다.

1 발생률

주요 수술 종류에 따른 뇌졸중 발생률은 표 10-1에 기술하였는데, 경동맥 수술, 두개내 혈관 시술, 심장 판막 수술, 흉부 대동맥 수술, 관상동맥우회(CABG) 수술 등이 수술관련 뇌졸중의 위험률이 높다.

표 10-1 수술 종류별 수술 관련 뇌졸중 발생률

수술 종류	허혈성 신경학적 합병증(%)
심장 도관술(Cardiac catheterization)	0.2-0.5
관상동맥우회 수술	1-4
무증상 경동맥 내막절제술 혹은 스텐트	1-3
증상 경동맥 내막절제술 혹은 스텐트	4-10
뇌동맥류 결찰 또는 코일	6-10
대뇌 혈관 스텐트	9-15
심장 판막 치환술	2-17
하행 대동맥 수술	1.4-8.7
흉복부 대동맥 수술	척수 경색 3.8-23

2 수술 관련 뇌졸중 위험인자 평가

다양한 수술 관련 뇌졸중 발생 예측 모델이 알려져 있다. 그 중 한가지인 Northern New England Cardiovascular Disease Study Group에서 개발한 심장동맥우회술 연관 뇌졸중 발생 예측 모델은 각 위험인자에 가중치가 반영된 점수를 주어 이를 합산하여 발생률을 계산한다(표 10-2).

표 10-2 심장동맥우회술 시행 시에 뇌졸중 예측 모델

위험인자	가중 점수
나이	
60-69	1.5
70-79	2.5
>=80	3.0
긴급수술(immediate)	1.5
응급수술(within hours)	3.5
여성	1.5
심박출률(< 40%)	1.5
혈관 질환*	1.5
당뇨	2.0
Total Score	**Risk of Stroke (%)**
0-1	0.4
2	0.6
3	0.9
4	1.3
5	1.4
6	2.0
7	2.7
8	3.4
9	4.2
10	5.9
11	7.6
12	> 10.0

*뇌졸중, 일과성 허혈 증후군, 혈관수술, 경동맥 협착 또는 잡음, 다리절단 수술 또는 혈관 우회 수술

Selim M, N Engl J Med 2007; 356:706-713

여러 예측 모델 개발에도 불구하고, 대부분의 위험인자들은 교정할 수 없으며, 또한 고위험군에서 뇌졸중을 줄이기 위한 입증된 치료 방법도 없다. 그러므로 고위험군에서 해당 시술/수술의 위험/편익을 고려하여 시술/수술의 필요성을 재고해야 한다.

3 뇌졸중 후 적절한 수술 시기

최근 뇌졸중을 경험한 환자에서 비응급 수술의 적절한 시기에 대해서는 알려져 있지 않다. 그러나 뇌혈관 자동조절기능은 뇌졸중 후 10일까지도 결손 되어 있다고 알려져 있어, 이 시기에서는 수술과 연관된 혈압 변화는 뇌 혈류에 영향을 미쳐서 뇌졸중을 악화시킬 가능성이 있다.

수술전에 항혈전제의 중단은 뇌졸중의 위험을 증가시킨다. 특히 뇌졸중의 재발은 이전 뇌졸중 발생 수주 또는 수개월후 잘 생기기 때문에, 이 시기에 항혈전제의 중단은 특히 위험할 수 있다. 그래서 비응급 수술은 최소 2-4주뒤, 예정수술(elective surgery)은 90일까지 연기하는 것을 추천한다.

이에 해당하지 않는 예외 중에 하나는 경동맥 혈관재생수술(carotid revascularization)인데, 안정적이고 장애가 경미한 유증상 경동맥 협착은 뇌졸중 2주 이내에 빠른 경동맥 혈관재생 수술/시술을 추천하고 있다.

두 번째 예외는 심근염에 의한 뇌경색일때 48시간 이내의 심장판막수술이 필요한 경우가 있다.

Chapter 10

4 수술 동안의 위험인자

수술 동안 평균동맥압(mean arterial pressure, MAP)을 높게 유지하는 것은 경동맥내막절제술, 심장혈관우회수술 및 심장수술 시에 MRI에서 보이는 확산 제한 병변(diffusion restriction lesion) 혹은 뇌졸중의 발생을 감소시킨다고 알려져 있다.

5 수술 전 경동맥 평가

무증상 경동맥 협착환자에서 수술 전 경동맥 동맥경화 협착을 선별검사하는 것에 대해서는 아직도 논란이 되고 있다. 수술을 받는 대부분의 환자에서 심한 경동맥 협착을 가지고 있는 비율이 높지 않기 때문에 모든 환자에서 선별 검사를 하는 것은 의료자원 낭비일 수 있다. 또한 심한 협착이 발견되었다 하더라도 혈관재생수술을 수술 전에 할 것인지, 스텐트나 내막절제술 중 어떤 것을 할 것인지도 아직도 분명하지 않다. 다만 심장 수술 혹은 심장수술과 경동맥 수술을 병행할 때는 경동맥 협착이 있는 경우 수술 관련 뇌경색 발생률이 올라간다고 알려져 있으며, 이전 뇌경색/TIA 과거력이 있고 경동맥 폐색이 있는 경우 특히 위험성이 높다. 그러나 무증상 경동맥 협착만 있고 뇌경색/TIA 과거력이 없는 경우 위험성은 올라가지 않는다고 알려져 있다.

이를 토대로 미국 심장학회에서는 CABG 시행 전 경동맥 선별검사를 65세 이상, 관상동맥 이상, 말초혈관 이상, 흡연, 뇌경색/TIA 또는 경동맥 잡음이 있을 때로 제한하는 것을 권유하였다.

또한 보통 경동맥 혈관재생술은 다음의 경우에 수술 전 미리 고려될 수 있다.

1) 최근의 유증상 경동맥 협착 > 50%

2) 양쪽 무증상 경동맥 협착 ≥ 70%

3) 한쪽 무증상 경동맥 협착 ≥ 70%이면서 반대쪽 경동맥 폐색

CABG 전에 경동맥혈관재생술을 고려하는 경우, 경동맥 내막절제술 후에 높은 비율로 심근경색이 발생하고 또한 경동맥내막절제술과 CABG 병합 수술 시에 합병증이 높은 비율로 발생하기 때문에, 만약 두 가지 항혈소판을 사용할 수 있다면, 경동맥 스텐트 삽입이 더 좋은 고려사항 이 될 수 있다.

6 수술 관련 항혈전제 조절

표 10-3 수술관련 항혈전제 조절

항혈전제	수술 관련 약조절	비고
Aspirin	• 고위험 시술(뇌내 시술, 후방 안구 시술, 척수내 시술등의 적은 출혈으로도 심각한 합병증을 일으키는 시술): 7-10일 동안 중단 • 저위험 시술(치과 시술, 피부과 시술, 전립선 생검, EMG, 전방 안구시술, 용종제거를 하는 대장내시경): 유지 • 저위험 시술보다 더 침습적인 경우는 아스피린 유지가 필요한지 불분명함. 대부분의 open surgical procedure 는 아스피린 중단을 권고	• 항혈소판 병합 요법은 단혈소판 요법에 비해 출혈 위험 높음 • 최근 관상동맥 스텐트 시술 받은 환자는 항혈소판제의 중단은 최대한 유보해야 함
Warfarin	• 치과 시술 시 유지 • 피부과시술, EMG, 전립선 생검에서는 중단할수 있음 • 용종제거를 하는 대장내시경과 같은 보다 침습적인 시술: 5일간 중단	• 와파린 중단 5일이 경과 시 90% 이상에서 INR이 1.5 이하로 떨어지며, 일반적으로 1.5 이하에서는 출혈위험성이 증가하지 않음 • 수술 1일 전에 프로트롬빈 시간을 검사에서 INR값이 정상화되지 않았을 경우, 기계인공심장판막 환자는 제외하고 vitamin K 투여를 고려

(계속)

Chapter 10

항혈전제	수술 관련 약조절	비고
Dabigatran	• CrCl ≥ 50 mL/min: 1-2일 중단 • CrCl < 50 mL/min: 3-5일 중단 • Major surgery, 요추천자 시에는 더 오랜 기간 중단을 고려	• 낮은 aPTT는 항응고제 효과가 거의 없음을 시사함
Rivaroxaban	24시간 중단	• 항응고제 효과는 Factor Xa level로 모니터
Apixaban	• 저위험 시술: 24시간 중단 • 고위험 시술: 24시간 중단	• 항응고제 효과는 Factor Xa level로 모니터
Edoxaban	최소 24시간 중단	• 항응고제 효과는 Factor Xa level로 모니터
Heparin	• 미분획헤파린은 수술시작 4-6시간 전에 중단 • 저분자량헤파린(피하): 수술 24시간 전에 하루 용량의 50%을 주입	• 미분획헤파린은 정맥내 반감기가 60-90분으로 항응고효과는 약물중단후 3-4시간이 경과되면 소실됨

Reference

• 뇌졸중. 제2판.범문에듀케이션. 2015.
• Selim M, N Engl J Med 2007; 356:706-713.

Index

E